CORSE

Directeur	David Brabis
Rédactrice en chef	Nadia Bosquès
Rédaction	Amaury de Valroger, Isabelle Bruno
Informations pratiques	Jean-François Branchet, Philippe Gallet, Isabelle Foucault, Marie Lecocq, Catherine Guégan, Catherine Rossignol
Documentation	Isabelle du Gardin, Eugénia Gallese, Élisabeth Batista
Cartographie	Véronique Aissani, Fabienne Renard, Thierry Rocher, Géraldine Deplante, Cécile Lisiecki, Alain Baldet, Michèle Cana.
Iconographie	Cécile Koroleff, Stéphane Sauvignier
Secrétariat de rédaction	Pascal Grougon, Jacqueline Pavageau, Danièle Jazeron
Correction	Agnès Jeanjean
Mise en pages	Didier Hée, Jean-Paul Josset, Frédéric Sardin
Maquette intérieure	Agence Rampazzo
Création couverture	Laurent Muller
Fabrication	Pierre Ballochard, Renaud Leblanc
Marketing	Cécile Petiau, Ana Gonzalez
Ventes	Gilles Maucout (France), Charles Van de Perre (Belgique), Philippe Orain (Espagne, Italie), Nadine Audet (Canada), Stéphane Coiffet (Grand Export)
Relations publiques	Gonzague de Jarnac
Remerciements	Patrick Berger

Régie pub et partenariats michelin-cartesetguides-btob@fr.michelin.com
Le contenu des pages de publicité insérées dans ce guide n'engage que la responsabilité des annonceurs.

Pour nous contacter
Le Guide Vert Michelin
46, avenue de Breteuil 75324 Paris Cedex 07
☏ 01 45 66 12 34 – Fax : 01 45 66 13 75
www.ViaMichelin.fr
LeGuideVert@fr.michelin.com

Parution 2006

Note au lecteur

L'équipe éditoriale a apporté le plus grand soin à la rédaction de ce guide et à sa vérification. Toutefois, les informations pratiques (prix, adresses, conditions de visite, numéros de téléphone, sites et adresses Internet...) doivent être considérées comme des indications du fait de l'évolution constante des données. Il n'est pas totalement exclu que certaines d'entre elles ne soient plus, à la date de parution du guide, tout à fait exactes ou exhaustives. Elles ne sauraient de ce fait engager notre responsabilité.

Ce guide vit pour vous et par vous ; aussi nous vous serions très reconnaissants de nous signaler les omissions ou inexactitudes que vous pourriez constater. N'hésitez pas à nous faire part de vos remarques et suggestions sur le contenu de ce guide. Nous en tiendrons compte dès la prochaine mise à jour.

Le Guide Vert,

la culture en mouvement

Vous avez envie de bouger pendant vos vacances, le week-end ou simplement quelques heures pour changer d'air ? Le Guide Vert vous apporte des idées, des conseils et une connaissance récente, indispensable, de votre destination.

Tout d'abord, **sachez que tout change**. Toutes les informations pratiques du voyage évoluent rapidement : nouveaux hôtels et restaurants, nouveaux tarifs, nouveaux horaires d'ouverture... Le patrimoine aussi est en perpétuelle évolution qu'il soit artistique, industriel ou artisanal... Des initiatives surgissent partout pour rénover, améliorer, surprendre, instruire, divertir. Mêmes les lieux les plus connus innovent : nouveaux aménagements, nouvelles acquisitions ou animations, nouvelles découvertes enrichissent les circuits de visite.

Le Guide Vert **recense** et **présente ces changements** ; il réévalue en permanence le niveau d'intérêt de chaque curiosité afin de bien mesurer ce qui aujourd'hui vaut le voyage (distingué par ses fameuses 3 étoiles), mérite un détour (2 étoiles), est intéressant (1 étoile). Actualisation, sélection et évaluation sur le terrain sont les maîtres mots de la collection, afin que Le Guide Vert soit à chaque édition le reflet de la réalité touristique du moment.

Créé dès l'origine pour **faciliter et enrichir vos déplacements**, Le Guide Vert s'adresse encore aujourd'hui à tous ceux qui aiment connaître et comprendre ce qui fait l'identité d'une région. Simple, clair et facile à utiliser, il est aussi idéal pour voyager en famille. Le symbole 👪 signale tout ce qui est intéressant pour les enfants : zoos, parcs d'attractions, musées insolites, mais également animations pédagogiques pour découvrir les grands sites.

Ce guide vit pour vous et par vous. N'hésitez pas à nous faire part de vos remarques, suggestions ou découvertes ; elles viendront enrichir la prochaine édition de ce guide.

L'ÉQUIPE DU GUIDE VERT MICHELIN

LeGuideVert@fr.michelin.com

ORGANISER SON VOYAGE

OÙ ET QUAND PARTIR

Nos conseils de lieux de séjours ... 8
Nos propositions d'itinéraires 10
Nos idées de week-ends 13
Escapade dans les îles italiennes . 16
Les atouts de la région au fil des saisons.............. 18

S'Y RENDRE ET CHOISIR SES ADRESSES

Où s'informer avant de partir..... 20
Liaisons vers la Corse 21
Transports en Corse 23
Budget 25
Se loger......................... 26
Se restaurer..................... 29

À FAIRE ET À VOIR

Les activités et loisirs de A à Z 30
Que rapporter................... 48
La destination en famille......... 50
Fêtes et festivals................. 52
Livres, films, musique............ 54

COMPRENDRE LA RÉGION

NATURE

Une montagne dans la mer 58
Une nature généreuse........... 62
Une nature fragile............... 66

HISTOIRE

Une histoire mouvementée...... 69
Napoléon Bonaparte 72
La Corse et l'indépendance 74

ART ET CULTURE

Architecture 76
Culture et traditions 80
ABC d'architecture............... 82

LA CORSE AUJOURD'HUI

L'identité insulaire............... 88
Les hommes et l'économie....... 92
Les plaisirs de la table............ 95

VILLES ET SITES

À l'intérieur des rabats de couverture, la **carte générale** intitulée **« Les plus beaux sites »** donne :

- une **vision synthétique** de tous les lieux traités ;
- les **sites étoilés** visibles en un coup d'œil ;
- les **circuits de découverte**, dessinés en vert, aux environs des destinations principales.

Dans la partie **« Découvrir les sites »** :

- les **destinations principales** sont classées par ordre alphabétique ;
- les **destinations moins importantes** leur sont rattachées sous les rubriques « Aux alentours » ou « Circuits de découverte » ;
- les **informations pratiques** sont présentées dans un encadré vert à la fin de chaque chapitre.

L'**index** permet de retrouver rapidement la description de chaque lieu.

SOMMAIRE

DÉCOUVRIR LES SITES

Les Agriates 100
Forêt d'Aïtone 104
Ajaccio 107
Golfe d'Ajaccio 118
Aléria 125
Algajola 129
L'Alta Rocca 131
Vallée de l'Asco 135
Aullène 140
La Balagne 142
Bastelica 150
Bastia 154
Aiguilles de Bavella 168
Bocognano 171
Bonifacio 174
Cirque de Bonifato 188
Le Bozio 190
Montagne de Cagna 193
Calacuccia 194
Les Calanche 197
Calenzana 200
Calvi 202
La Canonica 210
Cap Corse 212
Carcheto 223
Cargèse 224
La Casinca 227
La Castagniccia 229
Centuri 238
Cervione 240
La Cinarca 245
Corbara 247
Corte 249
Sites de Cucuruzzu et Capula 258
Erbalunga 260
Golfe de Figari 262
Filitosa 264
Golfe de Galéria 267
Ghisonaccia 270
Ghisoni 273
Guagno-les-Bains 275
L'Île-Rousse 277
Îles Lavezzi 281
Macinaggio 283
Morosaglia 286
Le Niolo 288
Nonza 294
Vallée de l'Ostriconi 296
Patrimonio 298
Pigna 300
Ponte-Nuovo 302
La Porta 303
Porto 304
Golfe de Porto 307
Porto-Vecchio 311
Golfe de Porto-Vecchio 315
Propriano 320
Quenza 322
Gorges de la Restonica 324
Rogliano 329
Golfe de Sagone 331
Saint-Florent 334
Sainte-Lucie-de-Tallano 340
San Michele de Murato 343
Sant'Antonino 345
Sartène 346
Défilé de la Scala di Santa Regina ... 353
Réserve naturelle de Scandola ... 354
Solenzara 356
Gorges de Spelunca 359
Vallée de la Tartagine 361
Vallée du Tavignano 363
Golfe de Valinco 365
Valle-d'Alesani 370
Col de Vergio 371
Vico 373
Vivario 375
Forêt de Vizzavona 378
Zicavo 382
Zonza 385

Index 388
Lexique 396
Cartes et plans 397
Votre avis nous intéresse ... 399

Randonnée dans le Niolo.

Amaury de Valroger / MICHELIN

ORGANISER SON VOYAGE

OÙ ET QUAND PARTIR

Nos conseils de lieux de séjours

« La Corse, c'est toujours le bon moment ». Cette campagne de publicité qui vante la diversité des possibilités touristiques de l'île demande cependant quelques précisions. Les grandes villes comme Bastia, Calvi, Ajaccio, Bonifacio ou Porto-Vecchio vous accueillent en effet sans problème toute l'année. Le littoral est globalement bien équipé, mais le tourisme itinérant ou de randonnée en montagne demande plus d'organisation.

Protection du littoral

Même si la montagne n'est jamais loin, la mer agit comme un aimant pour les touristes qui arrivent en Corse. Et on le comprend car cette île a su en bonne partie préserver son littoral. La création de réserves naturelles comme à Scandola, aux îles Lavezzi, Finocchiarola ou Cerbicale, la création d'un parc marin international entre la Corse et la Sardaigne, et le travail du Conservatoire du littoral permettent à la Corse d'offrir, malgré quelques dérives, des côtes et des îles encore sauvages. Mais les pressions immobilières sont fortes et les lois semblent bien fragiles ; espérons que la Corse saura garder son trésor pour les futures générations.

CÔTÉ MER

La côte Est

Il faut le reconnaître, cette côte n'est pas réputée pour sa beauté, sauf à ses extrémités Nord et Sud. Les amateurs de farniente devraient cependant trouver leur compte le long des innombrables et longues plages de sable blanc. La route nationale, souvent proche, a favorisé une extension un peu anarchique des stations, mais permet de les relier rapidement. **Bastia** et le Nord du Cap Corse offrent d'intéressantes possibilités, mais l'essentiel des capacités hôtelières se trouve en descendant vers Porto-Vecchio. Biguglia, la Costa Verde, la Costa Serena, Solenzara et la côte des Nacres offrent un incroyable choix de résidences hôtelières, de campings et de locations de toutes sortes, même pour les naturistes. Mais il faudra souvent grimper dans l'arrière-pays, à quelques kilomètres de la mer, pour trouver quelques adresses de charme, malheureusement plus rares. Plus au Sud, du côté de Porto-Vecchio, l'offre se densifie encore, mais les prix grimpent, stimulés par l'afflux de touristes italiens et la proximité de plages mythiques comme Palombaggia ou Santa Giulia. Préférez vraiment une période hors saison pour découvrir ce secteur.

La côte Ouest

De ce côté de la Méditerranée, la situation est plus complexe, plus contrastée. La côte souvent rocheuse, très souvent belle, laisse moins de place aux plages qui peuvent être en galets. **Centuri** au Nord du Cap est un peu victime de son succès et sa belle marine est souvent saturée. Très réputé aussi, et idéalement placé à proximité des Agriates, **St-Florent** attire une clientèle haut de gamme grâce à son important port de plaisance, le plus grand de Corse. De l'Ostriconi à Calvi, la **Balagne** concentre toutes sortes de loisirs sportifs et une infrastructure hôtelière variée. Les passionnés d'activités nautiques ou les familles ont le choix parmi les nombreuses résidences hôtelières ou des villages vacances, tandis que légèrement en retrait sur les collines, les villages perchés proposent quelques petits hôtels ou chambres d'hôte de charme. Changement de décor à partir de de **Galéria** et jusqu'à Piana. Cette magnifique portion de côte pourrait cumuler les superlatifs, excepté pour l'hébergement qui est assez limité et manque souvent de caractère. La marine de **Porto** en est un exemple flagrant. Dans ce secteur, la baignade est possible mais concurrencée par la plongée, les promenades en bateau à Scandola, les randonnées à Piana ou vers Girolata… Le sable blanc est de retour dans le golfe de Sagone qui ne peut cependant rivaliser avec celui d'**Ajaccio** dont la riche infrastructure hôtelière, le patrimoine et un large choix d'activités garantissent un séjour réussi, et pas seulement aux Bonapartistes ! L'Histoire se fait encore plus présente en descendant dans le golfe de Valinco, autour de **Propriano**. Cette station balnéaire dynamique a pour principal mérite sa position stratégique près de belles plages et d'une concentration unique de mégalithes. Plus au Sud, on ne présente plus **Bonifacio** et ses fameuses falaises, mais sachez que le logement n'y est pas facile et souvent cher. Et si vous cherchez du côté des îles Lavezzi, vous avez intérêt à avoir quelques milliardaires ou stars dans votre carnet d'adresses car il n'y a pas de logement en dehors de certains îlots privés très sélects…

LA CORSE INTÉRIEURE

Il est curieux de remarquer, surtout sur la côte Est, l'organisation des communes composées de nombreux hameaux en montagne et d'une façade maritime. Ce lien indissociable entre mer et montagne est une invitation à pénétrer dans ces massifs montagneux à la découverte des villages perchés, des vallées sauvages, des sommets parfois enneigés. Car l'ambiance et les températures peuvent changer rapidement dès que l'on quitte le littoral. Les hébergements ne sont pas très nombreux et le standing est souvent plus adapté aux randonneurs qu'aux adeptes du confort haut de gamme. Hors saison, beaucoup d'entre eux sont fermés, il est donc important de bien organiser son séjour.

Les randonneurs

Le fameux film *Les randonneurs* de Philippe Harel témoigne bien de l'engouement des vacanciers fascinés par la beauté des paysages, mais parfois peu avertis des difficultés de la montagne. Si le GR 20 dont les gîtes sont souvent saturés, concentre beaucoup l'attention des médias, il ne faudrait pas oublier les innombrables possibilités plus abordables de découvrir la montagne corse.
Il y a bien sûr les différents itinéraires sur plusieurs jours « entre mer et montagne ». Mais, pour les marcheurs moins entraînés, la montagne regorge de possibilités de promenades vers de somptueux panoramas ou des rivières jalonnées de bassins et de petites cascades.
Ainsi **Corte**, qui manque malheureusement d'infrastructures, est un point de départ idéal pour se lancer dans les vallées de la Restonica ou du Tavignano. L'**Alta Rocca** n'a que quelques hôtels alors que le massif est une mine de joyaux naturels comme les aiguilles de Bavella. Comment ne pas parler également d'**Évisa**, à deux pas de la forêt d'Aïtone, **Calacuccia**, aux portes du Niolo, **Piedicroce**, au cœur de la Castagniccia.

Parc naturel régional

La fréquentation en montagne peut devenir excessive dans certains secteurs, en particulier sur le GR 20 au plus fort de la saison ou dans les gorges de la Restonica. Certains accès peuvent être réglementés, et dans tous les cas, le plus grand respect doit être porté à cette nature fragilisée par de nombreux incendies et une surfréquentation touristique. Le Parc naturel régional de Corse qui couvre près de 40 % de l'île, multiplie les actions de prévention pour protéger les forêts, les écosytèmes fragiles comme les pozzines, les espèces endémiques menacées (mouflon de corse, gypaète barbu) et le patrimoine bâti traditionnel.

Autres activités

Concentré de montagnes, de forêts, de torrents, la Corse est un terrain de jeu idéal pour les amateurs de sensations : les adeptes du kayak arrivent chaque année au printemps avec une régularité exemplaire, suivis de près par les passionnés de canyoning ou d'escalade. Le paradis pour toutes ces activités est l'**Alta Rocca**, la terre des Seigneurs, où de nombreux prestataires assurent un encadrement de qualité. Compromis plus familial, la randonnée aquatique remporte un grand succès aux périodes chaudes, parfois concurrencée par la randonnée équestre qui fait souvent le lien entre la mer et la montagne, entre le sport et les pauses baignade. Pour se ressourcer, pourquoi ne pas profiter également du thermalisme corse, encore trop méconnu, dans les stations de Guagno-les-Bains, Baracci près de Propriano, Pietrapola près de Ghisonaccia, Tacana (Zigliara) et Guitera du côté de Zicavo.
D'une manière générale les hôtels de la Corse intérieure ne sont pas exceptionnels, parfois même vieillots

Vue depuis le col de Bavella.

et peu équipés, mais les chambres d'hôte et les gîtes se développent, permettant de profiter au mieux de ces régions enclavées mais tellement attachantes.

Stéphane Sauvignier / MICHELIN

Église San Michele de Murato.

Nos propositions d'itinéraires

LE CAP CORSE ET LE NEBBIO

Circuit de 5 jours au départ de Bastia

1er jour – **Bastia**, l'ancienne capitale de l'île de Beauté mérite bien une halte d'une journée. Les ruelles de Terra-Vecchia, au charme indéfinissable, conduisent au vieux port où il fera bon flâner le soir venu en quête d'une bonne terrasse avec vue. Au-dessus, la superbe citadelle semble bien calme mais recèle quelques sanctuaires incontournables comme l'église **Sainte-Marie** ou la **chapelle Ste-Croix**. Les décors baroques sont exceptionnels, mais nul doute que les enfants seront davantage captivés par le travail de reconstitution remarquable du **musée de la Miniature**.

2e jour – Le **Cap Corse**, ceinturé de tours génoises, doit s'effectuer en deux étapes si l'on souhaite profiter un minimum du voyage, se promener, se baigner. Après un petit tour sur la corniche entre Ste-Lucie-de-Tallano et San-Martino-di-Lota, rejoignez la route qui longe la côte, passe à Erbalunga avant de conduire à **Macinaggio**. Ce port de plaisance offre plusieurs possibilités de loisirs nautiques et est un point de départ du fameux sentier douanier Nord qui conduit à Centuri en passant par Barcaggio. Une petite excursion baignade du côté de la tour ruinée de Sta-Maria est rarement regrettée.

3e jour – Si vous décidez de réaliser l'escapade pédestre d'une demi-journée sur le sentier des douaniers, pensez aux navettes par bateau *(voir Macinaggio)* en saison. Après avoir rendu visite au village-belvédère de **Rogliano**, rejoignez, après Ersa, le petit port de **Barcaggio**, à l'extrémité Nord du Cap. Continuez le tour en passant par le fameux moulin Mattei avant de gagner le charmant petit hameau de Cannelle qui offre une vue superbe sur la crique de **Centuri** (D 80). Ce port miniature aux charmes enchanteurs est un lieu réputé pour la pêche et la dégustation de langoustes. La route qui descend la côte Ouest demande pas mal de vigilance. Ne manquez pas de monter à **Canari**, en dépit de la route vertigineuse : de là-haut, la vue est extraordinaire et l'agitation du monde bien éloignée. Rejoignez ensuite **Nonza** tout en hauteur sur son promontoire. Les terrasses y sont accueillantes, mais gardez un peu de temps pour faire un tour à **Patrimonio** où la dégustation *(avec modération, bien sûr)* du fameux cru impose un arrêt, avant de gagner **St-Florent** et son port de plaisance.

4e jour – Accordez-vous une journée de détente au cœur des **Agriates** sauvages en prenant le bateau de St-Florent jusqu'à la sublime plage du Loto : un monde à part ! Après une visite de l'ancienne cathédrale, prenez la D 81 qui traverse le désert des Agriates et conduit à l'embouchure de l'Ostriconi. Une pause baignade sera la bienvenue dans la très belle **anse de Peraiola** avant de rejoindre **L'Île-Rousse** pour la soirée.

5e jour – Reprenez la N 197 vers l'Est jusqu'à Lozari où elle bifurque en direction de **Belgodère**. Ne manquez pas le vieux fort et la visite de l'église avant de continuer vers le col de San Colombano. Quelques kilomètres après, la D 12 à gauche tourne beaucoup avant de rejoindre la Balanina (N 1197). La D 208, puis la D 8 conduisent à l'intéressant village médiéval de **Lama** qui mérite vraiment d'être découvert. Il est alors temps de redescendre vers Ponte-Leccia et de prendre à gauche la route vers **Ponte-Nuovo** dont le vieux pont ruiné rappelle une des plus célèbres batailles pour l'indépendance. La D 5, sur la gauche, s'élève rapidement et par Lento, Bigorno, conduit à Murato. Peu après la sortie du village, isolée sur une colline, se dresse un des joyaux de l'art pisan dans l'île, la chapelle **San Michele de Murato**. Rejoignez Bastia par Oletta et le col de Teghime.

BALAGNE ET NIOLO

Circuit de 6 jours au départ de Calvi

1er jour – Logiquement c'est à **Calvi**, capitale de la Balagne, que vous consacrerez ce premier jour, avec comme point fort la découverte de la citadelle. Juste en dessous, la marine propose de nombreux loisirs sportifs et des promenades en bateau tandis que les adeptes du farniente peuvent profiter des plages le long de la pinède.

2e jour – Après cette sympathique introduction, la **Balagne** s'offre à vous, avec ses nombreux petits villages qui recèlent des trésors dans ses églises ou dans les ateliers de la route des Artisans. Prévoyez une petite journée pour faire le circuit proposé dans le guide au départ de Calvi et vous ne manquerez pas les principaux joyaux de la région comme Pigna, Sant'Antonino ou Aregno. Vous pouvez redescendre sur la côte le soir ou profiter d'un hôtel ou d'une chambre d'hôte de caractère à Pigna ou à Speloncato par exemple.

3e jour – Les richesses de la Balagne pourraient vous retenir bien plus longtemps, mais pour découvrir le maximum en une semaine, pourquoi ne pas vous évader par Belgodère à l'Est pour rejoindre l'une des vallées isolées mais si attachantes, la vallée de l'**Asco**. Pays du miel blanc et du mouflon, ce territoire un peu sévère est une excellente approche de la montagne corse. Les randonneurs se pressent d'ailleurs à l'extrémité de la vallée qui est un point de départ pour de superbes excursions.

4e jour – En descendant un peu plus au Sud, la D 84 traverse l'impressionnant défilé de la **Scala di Santa Regina** qui ouvre sur Calacuccia et son vaste lac. C'est un point de départ privilégié pour des randonnées dans le Niolo, mais bien d'autres possibilités vous attendent du côté du col de Vergio. Dans la montée vers le col, peu après un bâtiment de la Légion étrangère, un sentier (2h AR) sur la droite conduit aux bergeries de Radule, site montagnard rafraîchissant grâce à la proximité de belles cascades. Après un bon pique-nique, la **forêt d'Aïtone** vous attend, avec ses belles futaies de pins laricio. Si vous n'avez pas peur de marcher, empruntez le sentier de la Châtaigneraie qui part d'Évisa vers les cascades d'Aïtone. Vous pouvez alors commencer votre descente vers le golfe de Porto et il serait dommage de manquer, sur votre droite, la D 124 qui longe les gorges de Spelunca et passe devant deux très beaux ponts génois. Si vous arrivez à Porto ou à Piana avant le coucher du soleil, vous ne serez pas déçus par le spectacle.

5e jour – Vous avez sans doute eu une idée de la beauté des lieux en arrivant dans le golfe. Si la marine de Porto ne brille guère par son charme, les environs sont de toute beauté. Les **Calanche**, vers Piana, sont un véritable parc de sculptures minérales qui flamboient au-dessus de la mer. Une expédition maritime s'impose également vers **Girolata** et la fameuse réserve naturelle de **Scandola**, joyau préservé classé au patrimoine mondial de l'Unesco. Un moment inoubliable.

Amaury de Valroger / MICHELIN

Girolata.

6e jour – Difficile de terminer en beauté après un pareil spectacle. Et pourtant, la route vers Calvi ne vous décevra pas. Si vous avez un peu de courage, arrêtez-vous au col de la Croix pour rejoindre la plage de Tuara. La remonté est un peu rude, mais la halte est agréable et vous aurez de quoi vous désaltérer au col (en saison). Rejoignez **Galéria**, petit port isolé dans un très beau golfe, au débouché de la vallée du Fango que l'on peut découvrir au rythme du kayak. Il faut alors reprendre la route, étroite mais belle vers Calvi ; avant de rejoindre la ville, faites une halte à la terrasse de N.-D.-de-la-Serra. La vue embrasse **Calvi** et une bonne partie de la Balagne. La ville de Christophe Colomb vous attend pour une agréable soirée où vous ne manquerez pas de profiter de sa marine animée.

CALANCHE ET CINARCA

Circuit de 4 jours au départ de Porto

1er jour – On ne voit qu'elle à **Porto**. La tour génoise attire mérite bien une petite visite pour la vue et son exposition. Mais pour ceux qui commencent tôt, mieux vaut faire auparavant une visite à l'aquarium où le ballet des poissons donne une idée de la richesse des fonds sous-marins. À défaut de plonger, la plage d'Arone peut séduire toute la famille. Quittez Porto par la D 81 jusqu'à Piana en réservant la visite des Calanche pour la fin d'après-midi. À Piana, au niveau de l'église, prenez la petite route (D 824) vers la **plage d'Arone**. Farniente sur la plage ou randonnée au Capo Rosso, vous avez le choix des activités. Au retour, ne manquez pas de vous arrêter aux **Calanche de Piana**, châteaux fantasmagoriques de granit rouge plongeant dans une mer qui, tentatrice mais peu accessible, décline à loisir toutes les nuances de bleu, afin de mieux vous séduire. Profitez-en pour entreprendre l'une des balades décrites dans le chapitre « Les Calanche ».

2e jour – Il est temps de s'aventurer un peu plus loin en descendant vers **Cargèse**, « la grecque », où vous apprécierez cette cohabitation harmonieuse entre catholiques et orthodoxes. Tout autour, et en descendant le **golfe de Sagone**, de nombreuses plages invitent à la baignade. Profitez-en avant de franchir le torrent Liamone ; vous pénétrez alors dans la **Cinarca**, région plus secrète où les villages se font écho, du haut de leurs collines qui embaument les senteurs du maquis. L'itinéraire suit des départementales sinueuses. À partir de Calcatoggio, suivez la D 101 jusqu'à Cannelle, puis la D 1 au Sud vers Sarrola-Carcopino. Après avoir traversé la N 193, rejoignez Cuttoli-Corticchiato, célèbre pour ses couteaux, avant de retrouver la nationale au col de Carazzi. Peu après, sur la droite, le parc **A Cupulatta**, centre de protection et d'élevage de la tortue, est une halte très appréciée des petits comme des grands. Reprenez brièvement la N 193 jusqu'à Suaricchio où l'étroite D 4 au Nord passe par Vero avant de rejoindre la D 125. Tournez à gauche, traversez Lopigna, Arro, avant de monter par la D 1 jusqu'à Vico. Au terme de cette journée riche en

Stéphane Sauvignier / MICHELIN

Réserve naturelle de Scandola.

émotions, vous pourrez séjourner dans la station climatique et thermale de **Guagno-les-Bains**.

3e jour – La station elle-même (actuellement fermée) ne vous retiendra pas très longtemps, mais de très belles randonnées vous attendent dans le secteur. La plus belle, accessible à tous, part de Soccia et mène au **lac de Creno**, charmant lac entouré de pins et recouvert de nénuphars. Après un pique-nique au lac *(attention à ne rien laisser)*, revenez vers Vico où vous pouvez visiter le couvent St-François. Remontez alors la D 70 vers **Évisa**. Juste à côté, la forêt d'Aïtone est un terrain de promenade idéal à l'ombre des pins laricio.
Si vous êtes encore en forme, suivez le sentier de la Châtaigneraie qui conduit aux célèbres cascades d'Aïtone *(attention, baignade interdite)*.

4e jour – Les sportifs peuvent commencer la matinée par la belle et rafraîchissante excursion aux **cascades de Radule**. Prévoyez de rejoindre Porto en début d'après-midi après avoir profité des gorges de Spelunca et de ses célèbres ponts génois. Et pour terminer en beauté, offrez-vous une excursion en bateau (que vous aurez au préalable réservée) à la réserve naturelle de **Scandola**. Cet endroit mythique, classé au patrimoine mondial de l'Unesco, ainsi que la charmante baie de Girolata où vous ferez escale, vous laisseront certainement des souvenirs inoubliables.

CASTAGNICCIA, TAVIGNANO ET BOZIO

Circuit de 4 jours (223 km) au départ de Corte

1er jour – C'est un peu la Corse intime à laquelle vous invite ce périple. Vous êtes à **Corte**, la cité historique, où « bat le cœur de la Corse », celle que Pascal Paoli, « U Babbu », avait choisie pour capitale de son éphémère République. Vous vous êtes longuement attardé dans les galeries de l'extraordinaire musée ethnographique : en ce lieu, vous avez commencé à appréhender l'originalité de cette civilisation, bien loin des clichés rebattus, et cette faculté de s'adapter à son temps, sans pour autant renier l'essentiel. Le nid d'aigle de la citadelle vous invite à découvrir les environs et à faire l'une des randonnées si prisées des **gorges de la Restonica** ou du **Tavignano**.

2e jour – Voici l'heure des travaux pratiques : chacune des trois vallées que vous allez maintenant traverser constitue une microrégion aux particularismes parfois étonnamment affirmés et vivaces. Pour rejoindre la plus connue d'entre elles, la **Castagniccia**, suivez vers le Nord la N 193 jusqu'à Ponte-Leccia. Une variante sur la D 18 jusqu'à Castirla, vous emporte sur une jolie route d'une vingtaine de kilomètres avant de rejoindre la N 193. À Ponte-Leccia, suivez vers le Sud-Est la D 71 qui vous transporte au cœur du grenier à châtaignes de la Corse où chaque village, enfoui dans un épais manteau vert, s'est doté d'églises richement décorées. Ne manquez pas sur votre chemin les ruines romanes de Sta-Maria de Valle-di-Rostino *(de Bocca a Serna suivre la D 15^{b})*, les fresques de St-Thomas de Pastoreccia *(dans le prolongement de la D 15^{b})* ou encore les village de La Porta et de Piedicroce. Vous vous arrêterez pour une nuit à San Giovanni-di-Moriani, à moins que vous ne préfériez la promiscuité des stations de la côte.

3e jour – Vous rejoindrez par le Sud et la N 200, l'antique cité d'**Aléria** et ses vestiges romains. Le musée Jérôme-Carcopino vous ouvre les portes d'un monde extraordinairement riche avant ou après la visite des fouilles. De la puissante cité qui fut longtemps un pivot du commerce méditerranéen, ont été exhumés de nombreux objets dont une collection superbe de céramiques. Juste à côté, l'étang de Diane invite à découvrir la conchyliculture corse. Un peu au Sud d'Aléria, la D 343, puis la D 344 conduisent aux défilés de l'Inzecca et de Strette avant de rejoindre **Ghisoni** veillé par les rochers Kyrie et Christe-Eleïson, non loin du mont Renoso. Il faut alors traverser la mystérieuse et jadis dangereuse **forêt de Vizzavona** avant de rejoindre Corte par Vivario et Venaco.

4e jour – De Corte, vous pourrez aborder plus sereins le lendemain, la discrète et complexe vallée du **Bozio**. Vous n'en découvrirez toute la richesse qu'en vous perdant dans les incroyables méandres de minuscules routes que vous n'emprunterez qu'avec prudence ! Vous pourrez alors admirer de surprenantes fresques cachées dans de modestes chapelles de villages apparemment endormis, telles celles de la chapelle San-Nicolao ou de Sta-Maria-Assunta. Cette Corse-là se mérite !

Nos idées de week-ends

La Corse, destination lointaine ? Depuis n'importe quel point de la métropole, les liaisons aériennes mettent la Corse à moins de 2h de vol. En voiture, les ports d'embarquement de la côte méditerranéenne offrent une traversée variant entre 6h pour les ferries et 3h en moyenne pour les NGV (qui acceptent les voitures particulières). Évidemment, pour une courte escapade de 4 jours, choisissez votre circuit en fonction des aéroports ou points de liaison des NGV. Nous proposons ci-dessous quelques idées de week-ends prolongés à partir des quatre aéroports de Corse : Bastia, Calvi, Ajaccio, Bonifacio (Figari).

Amaury de Valroger / MICHELIN

Vieux port de Bastia.

AU DÉPART D'AJACCIO

Vous voilà pour quelques jours dans la ville impériale face au somptueux décor naturel de la baie d'Ajaccio. Pour profiter de votre premier contact avec l'île, consacrez une matinée à vous imprégner des senteurs de la ville, flânez derrière la mairie et déambulez dans les rues étroites avant de gagner la citadelle et le port. Le marché quotidien est un des moments forts de cette découverte, avec une profusion de produits régionaux aux parfums enivrants. Vous avez certainement remarqué l'intérêt, voire le culte que la « cité impériale » porte à Napoléon Bonaparte et pour mieux connaître cette histoire, vous avez le choix entre les visites thématiques proposées par l'Office de tourisme (1h30) ou votre propre sélection de sites napoléoniens dont, bien sûr, la **Maison Bonaparte**.

Les amateurs d'art ne regretteront pas de consacrer une heure ou deux au **musée Fesch** dont les exceptionnelles collections comptent parmi les plus importantes de France après le Louvre, pour les primitifs italiens.

Mais Ajaccio, c'est aussi le golfe et ses trésors. Et parmi eux, la belle **route des Sanguinaires** et son chapelet de belles plages dont la fameuse Marinella chantée par Tino Rossi. La vue est très belle de la **pointe de Parata** et peut devenir sublime au coucher du soleil. Des bus ou le petit train desservent cette route *(voir le carnet pratique d'Ajaccio)*. Mais vous préférez peut-être le bateau. Comptez 2h pour l'excursion aux îles Sanguinaires, mais si vous le pouvez, choisissez celle d'une journée vers la réserve naturelle de **Scandola** : un moment inoubliable.

Le golfe est aussi un vaste espace dédié aux loisirs nautiques que l'on peut pratiquer à partir d'Ajaccio et **Porticcio** : plongée, voile, baignade... il y en a pour tous les goûts, tous les niveaux.

AU DÉPART DE BASTIA

Que vous arriviez par bateau ou par avion, vous aborderez Bastia par l'immense et stratégique **place St-Nicolas**. Elle est un point de départ vers les grandes artères commerçantes, ou vers les petites rues qui conduisent au marché et au vieux port. La visite de la ville mérite bien une matinée avec une halte au marché avant de se lancer à l'assaut de la **citadelle**, aujourd'hui très accueillante. Le jardin Romieux permet de redescendre vers le vieux port dont le charme si méditerranéen rencontre toujours autant de succès.

Aux portes Sud de la ville vous attendent les quelque 10 km de plages du cordon littoral qui sépare la mer de l'**étang de Biguglia**. L'étang lui-même est une réserve naturelle dont la visite, qu'il faut réserver à l'avance, peut se prolonger par le site paléochrétien de Mariana avec l'église-cathédrale de la **Canonica**.

Mais il serait dommage de séjourner à Bastia sans découvrir le **Cap Corse**. Il vaut mieux y consacrer deux jours mais si le temps vous est compté, il est possible d'en faire le tour dans la journée. Les principales haltes possibles sont Macinaggio, avec le départ du beau sentier des douaniers, Barcaggio, isolé à la pointe du Cap, ou Centuri, célèbre pour son charmant petit port et ses langoustes. Une ligne de bus fait le tour en saison mais si vous prenez votre voiture, restez prudent, surtout sur la côte Ouest.

Bastia est également assez proche du vignoble de **Patrimonio**, le plus célèbre de l'île, et de **St-Florent**, qui doit sa réputation à sa marina prestigieuse et à la proximité des plages magiques des Agriates. Et, s'il vous reste un peu de temps, empruntez les petites routes du Nebbio pour découvrir la fameuse église **San Michele de Murato** qui apparaît, isolée mais superbe, dans un magnifique dépouillement.

AU DÉPART DE CALVI

Dès l'approche depuis le large, la « cité du vent » (surnommée ainsi depuis la création du festival du vent) a fière allure avec sa **citadelle** dressée au-dessus des eaux bleues. La Légion étrangère veille encore sur cette place forte que vous pouvez découvrir en moins d'une heure, sauf si vous avez décidé de faire une pause en terrasse. Sous la protection des puissantes murailles, l'animation de la **marine** invite à une halte gastronomique ou à toutes sortes de loisirs nautiques, comme la plongée, la voile, les promenades en bateau vers **Galéria** et le site magique de **Scandola** par exemple. À la sortie Est de la ville s'étendent les longues plages bordées par une agréable pinède tandis qu'à l'Ouest, le **belvédère de N.-D.-de-la-Serra** offre un panorama exceptionnel sur l'ensemble du golfe.

Calvi est la capitale de la **Balagne**, une région jadis opulente qui séduit encore par son riche patrimoine, par le talent de ses artisans auxquels une route touristique est consacrée. Il faut

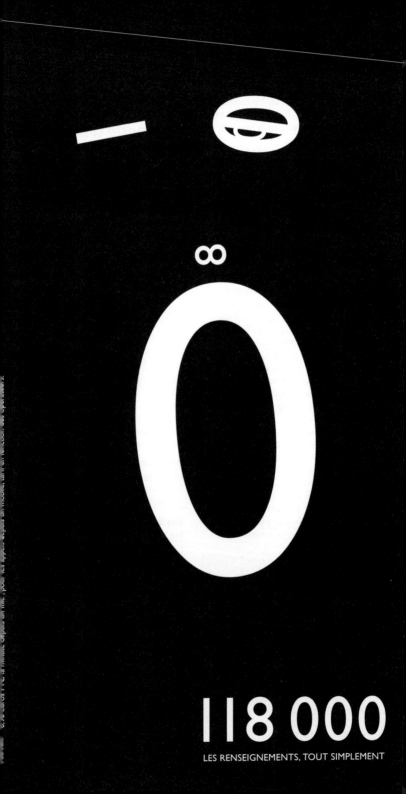

bien une journée pour en découvrir les perles, comme **Speloncato**, **Sant'Antonino**, **Aregno** ou **Pigna**. Vous pouvez faire le circuit proposé dans le guide ou profiter des visites organisées par l'association Saladini *(voir le carnet pratique de la Balagne)*. Si vous n'avez pas loué un véhicule, vous pouvez au moins profiter de la côte jusqu'à **L'Île-Rousse** grâce à la petite micheline.

Enfin les randonneurs iront faire une tour du côté de **Calenzana**, point de départ du GR 20, ou à la forêt de Bonifato, célèbre pour son cirque et la fameuse suspendue de la Spasimata.

AU DÉPART DE BONIFACIO

Solidement accrochée aux superbes falaises de calcaire sculptées par l'érosion, Bonifacio occupe un des sites les plus spectaculaires de l'île dont elle est la cité la plus méridionale. La ville haute en est le joyau, enserrée de murailles et protégée par la **citadelle**. Mais l'ambiance n'y a plus rien de militaire et les étroites ruelles invitent plutôt à la découverte, à la flânerie. Mais aussi riche que soit son patrimoine, il ne vous retiendra pas la journée ; il suffit de se pencher au dessus des remparts, ou même aller faire un tour du côté du très beau cimetière marin pour être fasciné par cette mer au bleu intense qui constitue avec les **falaises** un décor somptueux. Et la tentation est grande, voire irrésistible de l'approcher mais aussi de s'y baigner. Il est possible de profiter des promenades en mer (compter 1h) du circuit « Grottes et falaises ». Et comment ne pas être séduit par les nombreuses **plages**, toutes plus belles les unes que les autres, sur la route de Porto-Vecchio : il y a bien sûr Piantarella, le golfe de Santa-Manza, mais aussi, un peu plus au Nord, les plages mythiques de la baie de Rondinara, de Santa-Giulia et de Palombaggia. Si vous voulez vous faire un petit plaisir, si vous aimez les eaux chaudes couleur lagon où l'on peut se baigner au milieu des poissons, vous pouvez vous offrir une petite escapade d'au moins une demi-journée aux **îles Lavezzi**. Ceux qui sont fatigués de se reposer peuvent prolonger la détente par des activités plus sportives comme la plongée – c'est un rêve dans des eaux si claires –, la voile, ou le golf dans le magnifique domaine de Spérone.

Stéphane Sauvignier / MICHELIN

Le site de Bonifacio.

Escapade dans les îles italiennes

La proximité de l'Italie, qui entoure la Corse sur deux faces, paraît un bon prétexte à une escapade d'une journée ou plus, au départ des ports corses qui servent de tremplin : Bastia vers l'île d'Elbe et Bonifacio pour la Sardaigne.

AVANT DE PARTIR

Consultez les cartes Michelin régionales sur l'Italie n°s 430 (Italie du Centre) et 433 (Sardaigne), une cartographie que vous pourrez judicieusement nourrir d'informations culturelles en piochant dans la collection *Le Guide Vert, Florence et la Toscane,* et *Italie.*

Sachez que la vitesse est limitée à 50 km/h dans les villes et agglomérations, à 90 km/h sur le réseau courant, à 100 km/h sur les routes nationales et à 120 km/h sur les autoroutes et voies rapides.

Adresse utile

Office national du tourisme italien – 23 r. de la Paix - 75002 Paris - ✆ 0 080 000 482 542 (appel gratuit).

Formalités

Pièces d'identité – Pour un séjour touristique, les ressortissants de l'Union européenne doivent être en possession d'une carte nationale d'identité.

Véhicules – Pour les conducteurs : permis international ou permis national à trois volets et carte grise et carte internationale d'assurance dite « carte verte » pour le véhicule. Les motos sont soumises au même régime avec port du casque obligatoire.

Animaux domestiques – Selon la réglementation commune aux membres de l'Union Européenne.

Assurance sanitaire – Afin de profiter de la même assurance médicale que les

Italiens, les Français doivent se munir du formulaire E 111 délivré par leur centre de paiement de Sécurité sociale.

Cartes de crédit

Les principales cartes de crédit internationales (dont la carte bleue Visa) sont acceptées dans presque tous les commerces, hôtels et restaurants. À Sta-Teresa, deux distributeurs acceptent les cartes bancaires étrangères.

Horaires

Banques – En général 8h30-13h30 et 14h30-16h les jours de semaine. Si vous vous rendez à l'intérieur du pays, munissez-vous d'espèces.

Magasins – Généralement 9h30 ou 10h-13h30 et 16h30-20h ou 20h30, voire plus tardivement en saison.

Pharmacies – Généralement 8h30-12h30 et 16h-20h. Service de garde assuré la nuit, les dimanches et jours fériés. La liste des établissements de garde est affichée en vitrine des pharmacies.

Poste et télécommunications

Courrier – Dans les agglomérations d'importance, du lundi au vendredi de 8h à 19h. Mais attention, la plupart des bureaux ferment l'après-midi dès 13h30, surtout en été.

Téléphone – Pour appeler la France depuis l'Italie, composer le 00, suivi du 33 et du numéro du correspondant (9 chiffres). De la France vers l'Italie, composer le 00, suivi du 39 et du numéro de l'abonné (9 chiffres).

La traversée

Des liaisons régulières ont lieu toute l'année entre Bastia et Livourne et entre Bonifacio et Santa-Teresa di Gallura (Sardaigne).

En saison, Bastia est relié à Piombino, et Porto-Vecchio à Palau (Sardaigne) et à Livourne.

La liaison avec l'Italie est assurée par Corsica Ferries *(voir p. 21)* et par les compagnies italiennes suivantes :

Moby-Lines – 4 r. du Cdt-Luce-de-Casabianca - 20200 Bastia - ✆ 04 95 34 84 94/90.

Saremar – Gare maritime - quai Comparetti (Bonifacio) - ✆ 04 95 73 00 96. Service toute l'année. 2 à 3 liaisons quotidiennes. Passager : 6,80 €, 7,40 € ou 8,70 € hors taxes selon saison ; voiture : 20 €, 33,40 € ou 29,90 € hors taxes selon saison. Saremar - Sta-Teresa (Sardaigne) - ✆ 0 789 754 788.

Laura Pessina / MICHELIN

Costa Smeralda en Sardaigne.

EN SARDAIGNE

Une escapade d'une journée est, en toute saison, aisément réalisable depuis Bonifacio. On se cantonnera au secteur du littoral face à la Corse, ou à l'île de la Maddalena. Pour plus de précisions sur les modalités du voyage, reportez-vous au chapitre Bonifacio qui détaille cette escapade. Pour de plus longs séjours en saison, il vaut mieux choisir au préalable les lieux d'hébergement et s'assurer d'une réservation : la destination Sardaigne est très prisée par les Italiens du continent !

RETOUR À L'ÎLE D'ELBE

Même sans être un admirateur inconditionnel du Petit Caporal, l'île d'Elbe, bien visible comme ses sœurs de l'archipel toscan depuis la corniche de Bastia, reste une destination appréciée pour des estivants disposant d'un peu de temps. L'accès à l'île d'Elbe s'effectue en saison depuis Bastia via le port de Piombino. Ce dernier, aisément accessible par NGV, permet ensuite de rejoindre Portoferraio, principal port et capitale de l'île d'Elbe, par une navette (une dizaine de services par jour) assurée par Moby-Lines et Torremar. Les amateurs d'histoire ne manqueront pas de visiter à Portoferraio le Musée napoléonien où résida l'Empereur, et à San Martino di Campo la villa Napoleone. Pour apprécier l'ensemble de l'archipel d'un seul coup d'œil, une solution : emprunter la télécabine du mont Capanne.

AUTRES ÎLES

Plus proche de la Corse, mais moins facile d'accès (à moins de disposer de sa propre embarcation), l'**île de Capraia** conserve une nature sauvage propice à la randonnée, la plongée et la planche à voile.

Enfin, pour les plus aventureux ou les plus romanesques, l'**île de Montecristo** existe bien à proximité et, à défaut de trésor du héros d'Alexandre Dumas, elle offre une remarquable zone de quiétude naturelle préservée (accès interdit, réserve naturelle).

Les atouts de la région au fil des saisons

Située au cœur du golfe de Gênes, l'île bénéficie d'un **climat remarquablement dou**x sur l'ensemble de son littoral et relativement sec. Bonifacio ne reçoit par exemple que 560 mm d'eau par an. Les brises marines atténuent sensiblement la hausse des températures l'été qui est cependant fortement ensoleillé. Les reliefs parfois élevés sont eux abondamment arrosés et certains versants balayés par les vents réservent quelques surprises glaciales aux promeneurs non avertis. Toutefois, contrairement à ce qui est de règle ailleurs en Europe, sa température moyenne (plus de 12 °C) s'accroît du Sud vers le Nord – celle des côtes variant de 14,7 °C à 16,6 °C –, Bastia et le Cap Corse étant plus chauds qu'Ajaccio ou Bonifacio. L'**ensoleillement** est important en toute saison. Ajaccio, par exemple, détient le record de France avec près de 2 900 heures de soleil par an. L'influence modératrice de la mer sur les températures, surtout en automne et en hiver, est prépondérante jusqu'à une altitude de 200 m, plus faible vers 400 m et s'estompe à 600 m. Au-dessus de 1 200 m, le climat accuse un caractère nettement alpin : froid et neige abondante en hiver.

Hiver – Les hivers sont particulièrement cléments sur les rivages (18 °C), mais la mer reste alors particulièrement fraîche (autour de 14 °C). En haute montagne et dans les stations de ski (Bastelica, Ghisoni, Cuscione), l'enneigement peut être très variable d'une année à l'autre. Il convient de se renseigner avant le départ. Rares certaines années, la neige peut cependant perdurer jusqu'au mois de mai sur les versants de l'ubac peu ensoleillés et entraver la bonne marche d'une randonnée comme le GR 20 ou les sentiers Mare a Monti.

Printemps – Le printemps est la saison de prédilection pour découvrir la Corse. Dès le mois de mars, la moyenne des températures s'élève à 15 °C pour atteindre 25 °C en juin. Dans les régions forestières, la floraison odorante, les jeunes pousses et l'air venteux ont quelque chose d'entêtant et d'envoûtant. Cette saison est également la plus profitable pour s'adonner à la plongée.

Été – Les étés éclatants de soleil et de luminosité sont brûlants (maxima : 36 °C sur les côtes, 26 °C à 1 000 m) et secs. Mais la sensation d'étouffement est rare, les effets de la chaleur étant la plupart du temps adoucis par une brise rafraîchissante. En montagne, le temps peut rapidement changer, avec des risques d'orages, surtout l'après-midi ; les randonneurs prendront garde de s'informer sur la météo. La température de la mer peut atteindre 25 °C, un paradis pour les frileux.

Automne – Le littoral est agréable toute la saison, la température de l'eau ne s'abaissant que tardivement. Jusqu'à 600 m, il fera toujours bon de se promener dans les immenses forêts rougeoyantes de châtaigniers de la Castigniccia.

Météo

Les services téléphoniques de Météo France

Taper 3250 suivi de :
1 : toutes les météos départementales jusqu'à 7 jours (DOM-TOM compris).
2 : météo des villes.
3 : météo plages et mer.
4 : météo montagne.
6 : météo internationale.
Accès direct aux prévisions du département : ✆ 0 892 680 220 (0,34 €/mn).
Toutes ces informations sont également disponibles sur www.meteo.fr

S'Y RENDRE ET CHOISIR SES ADRESSES

Où s'informer avant de partir

LES ADRESSES UTILES

Ceux qui aiment préparer leur voyage dans le détail peuvent rassembler la documentation nécessaire auprès des professionnels du tourisme de la région. Outre les adresses indiquées ci-dessous, sachez que les coordonnées des offices de tourisme ou syndicats d'initiative des villes et sites décrits dans le corps du guide sont données dans les carnets pratiques de chaque chapitre (« adresses utiles »).

Un numéro pour la France, le 3265 – Un nouvel accès facile a été mis en place pour joindre tous les offices de tourisme et syndicats d'initiative en France. Il suffit de composer le **3265** (0,34 €/mn) et prononcer distinctement le nom de la commune. Vous serez alors directement mis en relation avec l'organisme souhaité.

Organismes de tourisme

Agence du tourisme de la Corse (ATC) – 17 bd du Roi-Jérôme - BP 19 - 20181 Ajaccio Cedex 1 - ✆ 04 95 51 00 00 - www.visit-corsica.com

Haute-Corse Développement – Rés. du Fangu - quartier de l'Annonciade - 20200 Bastia - ✆ 04 95 34 00 55.

Parc naturel régional de Corse – 2 r. du Major-Lambroschini - BP 417 - 20184 Ajaccio Cedex 1 - ✆ 04 95 51 79 00 ou 04 95 50 59 04 - www.parc-naturel-corse.com - bureau d'information et de conseil - 2 r. du Serg.-Casalonga à Ajaccio. Point d'information permanent à Zonza - ✆ 04 95 78 56 33. Des maisons d'information du Parc régional sont ouvertes de juin à fin sept. ; à Calenzana, Conca (à Pianiccia), Corte (ouv. prévue en 2006), Levie, Moltifao, Porto (à la marine).

Adresses Internet

Surfez sur les sites suivants :

www.e-corse.com – Annuaire des sites corses sur Internet.

www.allerencorse.com – Site d'informations générales avec description des sites touristiques.

www.annuaire-corse.com/ – Site de l'annuaire U Corsu permettant de retrouver une adresse sur les deux départements corses.

www.corsica.net – Site d'informations touristiques dont les musées.

www.corse.pref.gouv.fr/ – Site de la préfecture de la région corse.

www.train-corse.com – Site des Chemins de fer de la Corse (CFC).

www.corsemusique.com – Portail de la musique en Corse.

www.villages-corses.fr.st – Un détour sur les plus beaux villages.

TOURISME ET HANDICAPS

Un certain nombre de curiosités décrites dans ce guide sont accessibles aux handicapés. Elles sont signalées par le symbole ♿. Le degré d'accessibilité et les conditions d'accueil variant toutefois d'une site à l'autre, il est recommandé d'appeler avant tout déplacement.

Le Guide Michelin France et le Guide Camping Michelin France – Révisés chaque année, ils indiquent respectivement les chambres accessibles aux handicapés physiques et les installations sanitaires aménagées.

Informations sur Internet – Pour de plus amples renseignements au sujet de l'accessibilité des musées aux personnes atteintes de handicaps moteurs ou sensoriels, consulter le site http://museofile.culture.fr

Association des paralysés de France – Les deux délégations de l'association diffusent un document précieux où sont répertoriés tous les sites accessibles aux personnes handicapées (hôtels, restaurants, musées, places, etc.).

Pour se renseigner :

– 159 bis r. du Dr-Del-Pelligrino, 20090 Ajaccio, ✆ 04 95 20 75 33.
– Immeuble San Petru, Bât. A, Route impériale, 20600 Bastia, ✆ 04 95 30 86 01. www.apf.asso.fr

Pour la traversée, renseignez-vous auprès des compagnies de transports aériens ou maritimes sur la réservation de cabines ou places accessibles aux handicapés.

Liaisons vers la Corse

PAR LA ROUTE JUSQU'AUX PORTS D'EMBARQUEMENT

Les grands axes

Sauf si vous habitez dans la région Provence-Alpes-Côte d'Azur, prévoyez du temps et de la patience pour rejoindre les ports d'embarquements de Marseille, Toulon, Nice, Savone ou Gênes. Plusieurs autoroutes relient la côte méditerranéenne à l'ensemble du territoire. Les trajets partant de l'Est de la France (Strasbourg, Mulhouse, Lyon) peuvent s'effectuer avantageusement par l'Italie (embarquement à Livourne). Le site Internet www.ViaMichelin.fr tracera pour vous le meilleur trajet en fonction de vos impératifs (temps, économie, tourisme).

PAR LE TRAIN JUSQU'AUX PORTS D'EMBARQUEMENT

Les Grandes lignes

La plupart des grandes villes de France (Rennes, Strasbourg, Lille, etc.) sont reliées au minimum à Marseille par une liaison TGV quotidienne. Mais il faudra compter de six à sept heures pour ce trajet. Comptez environ 17 TGV par jour pour un trajet Paris-Marseille, 6 TGV pour Nice et 8 TGV pour Toulon, ces derniers pouvant toutefois nécessiter une correspondance.

Informations et réservations – Ligne directe 36 35 (0,34 €/mn). 3615 SNCF. www.voyages-sncf.com

EN BATEAU

Les temps de traversées varient sensiblement selon votre port de départ et celui d'arrivée ainsi que du bateau choisi. De 3 à 4h de traversée pour une liaison Nice-Bastia ou Savone-Calvi, entre 5 et 6h pour relier Nice à Ajaccio. La traversée de nuit dure 12h, le premier départ est à 18h, arrivée à 06h30/07h et le dernier départ est à 21h, arrivée à 07h.
Les réservations au départ de la France continentale peuvent s'effectuer auprès des agences des compagnies maritimes, en ligne sur leur site, des gares principales et des bureaux de tourisme de la SNCF, des agences de voyages.
Il n'y a plus aujourd'hui de différence tarifaire entre les NGV et les cars-ferries sur les liaisons saisonnières entre Nice et les grandes stations corses (Calvi, L'Île-Rousse, Ajaccio, Bastia). Mais il existe toutefois de grandes variations de tarifs en fonction des saisons, l'été étant par définition la période la plus onéreuse. Les traversées sont alors très nombreuses (jusqu'à 3 ou 4 rotations de Nice ou Marseille pour les stations de la côte Ouest ou Bastia) tandis qu'en hiver une seule liaison hebdomadaire relie Ajaccio.
Vous pouvez consulter le site : www.ifrance.fr/corseferry pour toute information supplémentaire.

De la France vers la Corse

En 2005, trois compagnies assurent des liaisons régulières de la France vers la Corse.

Services maritimes passant les véhicules			
TA : toute l'année ES : en saison	**Marseille**	**Nice**	**Toulon**
Ajaccio	TA	TA	TA
Bastia	TA	TA	TA
Calvi	TA	TA	ES
L'Île-Rousse	TA	TA	
Porto-Vecchio	TA		
Propriano	TA		ES

Corsica Ferries – Reconnaissable à ses bateaux jaunes, la compagnie a pour bases Nice et Toulon, mais dessert aussi la Corse depuis Savone, une alternative intéressante quand on vient du Sud-Est de la France (Alpes du Sud ou Savoie) et que l'on souhaite rejoindre Calvi ou Bastia. Elle est actuellement leader pour le transport des passagers vers la Corse et a décidé d'intensifier ses liaisons. La flotte dispose de bâtiments de diverses catégories. Des offres promotionnelles particulièrement avantageuses avec des premiers prix à 12 € tout compris ou 5 € pour la voiture placent la compagnie parmi les moins chères (sous certaines conditions et à certaines époques de l'année).
Corsica Ferries – 5 bis r. du Chanoine-Leschi - 20200 Bastia - ✆ 04 95 32 95 95 - www.corsicaferries.com. Informations et réservations : ✆ 0 825 095 095 (0,15 €/mn).

La Méridionale (CMN) – Elle relie Marseille à la Corse (Ajaccio, Bastia, Propriano) et à la Sardaigne (Porto Torres), mais propose aussi des liaisons directes Corse-Sardaigne (Propriano-Porto Torres). La particularité de cette compagnie est d'avoir des navires « mixtes » qui laissent une grande place au fret. Les passagers, moins nombreux, n'ont pas toutes les animations d'un bateau de croisière, mais bénéficient d'un service plus personnalisé (repas servis à table), et de plus de convialité.
CMN (Compagnie Méridionale de Navigation) – 0 810 20 13 20 (N° Azur pour Ajaccio, Bastia, Marseille)
- bd Sampiero - port de commerce, 20000 Ajaccio ;
- port de commerce - BP 283 - 20296 Bastia Cedex ;
- 4 quai d'Arenc - BP 52345 - 13213 Marseille Cedex 02 ;
- quai L'Herminier - 20110 Propriano
- ✆ 04 95 76 04 36.

SNCM – C'est la première compagnie à avoir introduit, en 1996, des navires à grande vitesse réduisant en moyenne le temps de parcours de moitié (3h30 pour Nice-Ajaccio contre 6h en car-ferrie). Elle a depuis investi dans de superbes bateaux aux prestations luxueuses. De graves difficultés financières ont abouti à un plan de reprise (2005) avec la participation majoritaire de sociétés privées. L'avenir de la compagnie paraît néanmoins assuré.

SNCM (Sté nationale maritime Corse-Méditerranée) – 61 bd des Dames - BP 80090 - 13472 Marseille Cedex 2 - ✆ 32 60 dites « SNCM » (0,15 €/mn) - www.sncm.fr. Au départ de Marseille, Nice et Toulon.

Autres compagnies

Mobylines et la compagnie italienne de tourisme assurent quant à elles les liaisons en provenance de l'Italie par Gênes ou Livourne vers la Corse ou la Sardaigne.

Moby-Lines (SARL Colonna d'Istria et fils) – 4 r. du Cdt-Luce-de-Casabianca - 20200 Bastia - ✆ 04 95 34 84 94/90.

Euro-mer – Assure les liaison de France ou d'Italie sur les trajets classiques, mais aussi de juin à septembre La Spezia ou Naples vers Porto-Vecchio ou Paulau le vendredi et retour le samedi.

Informations et réservations : ✆ 04 67 65 67 30 ; 5 quai de Sauvages - 34070 Montpellier - www.euromer.net.

Compagnie italienne de tourisme (CIT) – Réservations pour liaison maritime entre la Corse et l'Italie, la Sardaigne et l'île d'Elbe.
- 3 bd des Capucines - 75002 Paris - ✆ 01 44 51 39 51.
- 70 r. du Pdt-Édouard-Herriot - 69002 Lyon - ✆ 04 78 42 66 92.
- 6 r. Grignan - 13001 Marseille - ✆ 04 91 33 66 00.

Depuis juillet 1993, l'Assemblée territoriale de Corse a institué une taxe à acquitter au moment de l'achat du billet par toute personne arrivant et sortant de Corse. Pour connaître le montant de cette taxe, se renseigner auprès des compagnies de transport.

EN AVION

Vous pouvez trouver assez facilement des vols pour la Corse à partir de 180 € hors période estivale.
N'hésitez pas à surfer sur les sites spécialisés :
www.lastminute.com
www.voyagermoinscher.com
www.opodo.fr
www.anyway.com
www.expedia.fr
Nouvelles Frontières affrète de Pâques à la Toussaint un vol hebdomadaire (le samedi) à destination d'Ajaccio.
Les cartes de fidélité et les promotions d'Air France donnent accès à des tarifs avantageux. Tarifs « coups de cœur » sur le site **www.airfrance.fr** sur les 12 jours à venir. Des billets sont mis aux enchères tous les 15 jours sur le même site.
Vous pouvez aussi consulter le site **www.corse-moins-cher.com** qui répertorie l'ensemble des offres des diverses compagnies aériennes et agents de voyages.

Aéroports

La Corse dispose de quatre aéroports assurant des liaisons avec le continent, l'Italie et une partie de l'Europe :

Aéroport d'Ajaccio (Campo dell'Oro) – 20090 Ajaccio - ✆ 04 95 23 56 56.

Aéroport de Bastia (Poretta) – À 20 km au Sud de Bastia - 20290 Lucciana - ✆ 04 95 54 54 54.

Aéroport de Calvi (Sta Catarina) – 20260 Calvi - ✆ 04 95 65 88 88.

Aéroport de Figari-Sud Corse – ✆ 04 95 71 10 10.

Compagnies aériennes

Air France – La compagnie propose des liaisons aériennes régulières de Paris vers Ajaccio et Bastia (4 vols/j. haute sais., 3 hors sais.), Calvi (1 vol/j. haute sais., 4 sem. hors sais.) et Figari. Quelques vols depuis Lyon, Marseille, Toulouse, Clermont-Ferrand et Nice, quelques vols depuis Lyon vers Figari. Informations et réservations : ✆ 0 820 820 820. www.airfrance.fr

CCM-Airlines – La compagnie relie (plusieurs fois par j., tte l'année) Marseille, Nice, Lyon et Paris à Ajaccio, Bastia, Calvi et Figari. Mais aussi en direct, d'avril à octobre : Bordeaux, Lille, Nantes, Strasbourg et Toulouse à Ajaccio et Bastia. Renseignements et réservations : ✆ 0 820 820 820 - www.ccm-airlines.com

Corsicatours – La compagnie est spécialisée dans les vols au départ des villes de province dont Tours et Rouen en direction de Figari. Renseignements et réservations : ✆ 04 95 70 10 36. www.corsicatours.com

Transports en Corse

EN TRAIN

Le réseau ferroviaire ne comporte que **deux lignes** aux détours pittoresques qui se croisent à la gare de Casamozza en amont de Ponte-Leccia.

La première relie Calvi, L'Île Rousse à Bastia dans un axe Ouest-Est en longeant d'abord le littoral avant de s'enfoncer dans les terres de la Balagne et du Cortenais (2 départs quotidiens, durée du trajet 4h30).

La seconde traverse l'île du Nord au Sud, de Bastia à Ajaccio (4 départs quotidiens, 3h20).

« **U trinichellu** », qui signifie petit train, suit la ligne d'Ajaccio à Vizavona. Cet itinéraire magnifique est recommandé au printemps avant les pics de fréquentation des mois d'été. Renseignements gare d'Ajaccio : ✆ 04 95 23 11 03, www.ter.sncf.com/trains-touristiques/corse.htm.

Bon à savoir – Tte l'année, la carte Zoom permet de voyager pdt 7 j. en toute liberté sur le réseau corse. 47 €. Renseignements et vente : ttes gares du réseau des CFC.

Informations sur le réseau régional – Ligne directe t 36 35 (0,34 €/mn), 3615 ou 3616 TER, www.ter.sncf.com ; 3615 ou 3616 SNCF, www.sncf.fr

Amaury de Valroger / MICHELIN

Micheline dans les dunes vers Calvi.

EN VOITURE

Recommandations

Les routes de montagne, étroites et extrêmement sinueuses, souvent peu protégées du côté du ravin, exigent du conducteur une grande vigilance, surtout en période de mauvaise visibilité (brouillard d'automne sur le versant oriental, ou changement brusque de visibilité à proximité du col de Teghime), et jusqu'au 15 mai, voire début juin, lorsque l'enneigement ajoute aux difficultés de la chaussée. Soyez prudent pour doubler ; les accidents sont fréquents en Corse. Ne croyez pas que vous échapperez aux radars parce que vous êtes sur une île. Des radars fixes sont installés, notamment aux sorties des villes (Ajaccio, Bastia).

Les emplacements de stationnement sont rares, et certains hameaux, perchés au bout d'une route en cul-de-sac, peuvent constituer des épreuves redoutables au moment crucial du demi-tour.

Sur les routes peu fréquentées, attention au bétail divagant ; utilisez fréquemment l'avertisseur sonore pour éviter des rencontres inopinées ! La vitesse réduite reste le meilleur moyen de maîtriser toute situation inattendue et… de mieux apprécier le paysage. Enfin, il est impératif de faire le plein avant un long trajet dans certaines régions où les postes d'essence sont rares, comme le Cap Corse, la Castagniccia et les Agriates.

Signalisation

Les panneaux sont généralement en corse et en français même si cette dernière inscription est souvent effacée !

Distances entre les principales villes de Corse					
	Ajaccio	Bastia	Bonifacio	Calvi	Corte
Ajaccio	-	147	132	165	80
Bastia	147	-	170	92	68
Bonifacio	132	170	-	232	147
Calvi	165	92	232	-	87
Corte	80	68	147	87	-

Voitures de location

Les principales sociétés de location sont représentées dans l'île et mettent des voitures à disposition dans les ports et aéroports. Les compagnies aériennes desservant la Corse proposent également des forfaits avion-auto. Renseignez-vous auprès de ces compagnies.

Ada
Aéroport d'Ajaccio : ✆ 04 95 23 56 57
Aéroport de Bastia : ✆ 04 95 54 55 44
Aéroport de Figari : ✆ 04 95 71 05 05.
Informations et réservation : www.ada.fr

Petits conseils

Les petites voitures, avec une bonne garde au sol, sont idéales pour profiter sereinement des étroites routes corses.

Les petits accrochages ou rayures peuvent être assez fréquents et les loueurs y sont attentifs. Soyez très précis, avant de partir, quand vous faites le tour du véhicule et faites bien noter toutes les dégradations.

Avis
Aéroport d'Ajaccio : ✆ 04 95 23 56 90
Aéroport de Bastia : ✆ 04 95 54 55 46
Aéroport de Calvi : ✆ 04 95 65 88 38
Aéroport de Figari : ✆ 04 95 71 00 01
Informations et réservation : www.avis.fr
Agences à Ajaccio, Bastia, Calvi.

Budget
Aéroport d'Ajaccio : ✆ 04 95 23 57 21
Aéroport de Bastia : ✆ 04 95 30 05 04
Aéroport de Calvi : ✆ 04 95 65 36 67
Aéroport de Figari : ✆ 04 95 71 04 18
Agences à Ajaccio, Bastia, Ghisonaccia.

Europcar
Aéroport d'Ajaccio : ✆ 04 95 23 57 01
Aéroport de Bastia : ✆ 04 95 30 09 50
Aéroport de Calvi : ✆ 04 95 65 10 19
Aéroport de Figari : ✆ 04 95 71 01 41.
Informations et réservation : www.europcar.fr
Agence à Ajaccio, Bastia, Bonifacio, Calvi, Porticcio, Porto-Vecchio, St-Florent.

Hertz
Aéroport d'Ajaccio : ✆ 04 95 23 57 04
aéroport de Bastia : ✆ 04 95 30 05 00
aéroport de Calvi : ✆ 04 95 65 02 96
aéroport de Figari : ✆ 04 95 71 04 16.
Informations et réservation : www.hertz.fr
Agences à Ajaccio, Bastia, Bonifacio, Calvi, Cargèse, Ghisonaccia, L'Île-Rousse, Porticcio, Porto-Vecchio, Propriano, St-Florent, Solenzara.

National Citer
Aéroport d'Ajaccio : ✆ 04 95 23 57 15
Aéroport de Bastia : ✆ 04 95 36 07 85
Aéroport de Calvi : ✆ 04 95 65 16 06
Aéroport de Figari : ✆ 04 95 71 02 00.
Agences à Ajaccio, Calvi, Porto-Vecchio.

Informations sur Internet et Minitel
Le site Internet www.ViaMichelin.fr offre une multitude de services et d'informations pratiques d'aide à la mobilité (calcul d'itinéraires, cartographie : des cartes de pays aux plans de villes, sélection des hôtels et restaurants du Guide Rouge Michelin…) sur 43 pays d'Europe. Les calculs d'itinéraires sont également accessibles sur Minitel (3615 ViaMichelin) et peuvent être envoyés par fax (3617 ou 3623 Michelin).

Stéphane Sauvignier / MICHELIN

Chèvres traversant la route vers Soccia.

Budget

LES FORMULES TOURISTIQUES INTÉRESSANTES

Avant de partir – Vous pouvez consulter sur Internet les offres de quelques centrales de réservation, agences spécialisées ou compléter votre recherche du côté des tours opérateurs classiques. Mais d'une manière générale, les séjours de printemps et d'automne demeurent meilleur marché et les professionnels sont alors plus disponibles.
Ceux qui veulent des séjours organisés peuvent se renseigner auprès de voyagistes spécialisés sur la Corse :

Ollandini Voyages – ✆ 04 95 23 92 92. Propose des circuits et des charters réguliers au printemps.
Corsicatours – ✆ 04 95 70 10 36 - www.corsicatours.com
CCM Voyages – ✆ 04 95 29 05 06 - www.ccm-airlines.com
Costa Serena Voyages – ✆ 04 93 80 60 60 - www.costaserena-voyages.com
Nouvelles Frontières – ✆ 0 825 000 825 - www.nouvelles-frontieres.fr

Consultez également les sites **www.destination-corse.com, www.aller-en-corse.com**

LES BONS PLANS

Les chèques vacances

Ce sont des titres de paiement permettant d'optimiser le budget vacances/loisirs des salariés grâce à une participation de l'employeur. Les salariés du privé peuvent se les procurer auprès de leur employeur ou de leur comité d'entreprise ; les fonctionnaires auprès des organismes sociaux dont ils dépendent.
On peut les utiliser pour régler toutes les dépenses liées à l'hébergement, à la restauration, aux transports ainsi qu'aux loisirs. Il existe aujourd'hui plus de 135 000 points d'accueil.

NOS ADRESSES D'HÉBERGEMENT ET DE RESTAURATION

Au fil des pages, vous découvrirez nos **encadrés pratiques**, sur fond vert. Ils présentent une sélection d'établissements dans et à proximité des villes ou des sites touristiques remarquables auxquels ils sont rattachés. Pour repérer facilement ces adresses sur nos plans, nous leur avons attribué des pastilles numérotées.

Nos catégories de prix

Pour vous aider dans votre choix, nous vous communiquons également une **fourchette de prix** : pour l'hébergement, le premier prix correspond au tarif d'une chambre simple et le second au tarif d'une chambre double ; pour la restauration, ces prix indiquent les tarifs minimum et maximum des menus proposés sur place.
Les prix que nous indiquons sont ceux pratiqués en **haute saison** ; hors saison, de nombreux établissements proposent des tarifs plus avantageux, renseignez-vous... Dans chaque encadré, les adresses sont classées en quatre catégories de prix pour répondre à toutes les attentes *(voir le tableau)*.

Premier prix – Choisissez vos adresses parmi celles de la catégorie ⊖ : vous trouverez là des hôtels, des chambres d'hôte simples et conviviales et des tables souvent gourmandes, toujours honnêtes.

Prix moyen – Votre budget est un peu plus large. Piochez vos étapes dans les adresses ⊖⊖. Dans cette catégorie,

NOS CATÉGORIES DE PRIX				
	Restauration (prix déjeuner)		Hébergement (prix de la chambre double)	
	Province	Grandes villes Stations	Province	Grandes villes Stations
⊖	14 € et moins	16 € et moins	40 € et moins	60 € et moins
⊖⊖	plus de 14 € à 25 €	plus de 16 € à 30 €	plus de 40 € à 65 €	plus de 60 € à 90 €
⊖⊖⊖	plus de 25 € à 40 €	plus de 30 € à 50 €	plus de 65 € à 100 €	plus de 90 € à 130 €
⊖⊖⊖⊖	plus de 40 €	plus de 50 €	plus de 100 €	plus de 130 €

vous trouverez des maisons, souvent de charme, de meilleur confort et plus agréablement aménagées, animées par des passionnés, ravis de vous faire découvrir leur demeure et leur table. Là encore, chambres et tables d'hôte sont au rendez-vous, avec également des hôtels et des restaurants plus traditionnels, bien sûr.

Haut de gamme – Vous souhaitez vous faire plaisir, le temps d'un repas ou d'une nuit, vous aimez voyager dans des conditions très confortables ? Les catégories et sont pour vous... La vie de château dans de luxueuses chambres d'hôte pas si chères que cela ou dans les palaces et les grands hôtels : à vous de choisir ! Vous pouvez aussi profiter des décors de rêve de lieux mythiques à moindres frais, le temps d'un brunch ou d'une tasse de thé... À moins que vous ne préfériez casser votre tirelire pour un repas gastronomique dans un restaurant renommé. Sans oublier que la traditionnelle formule « tenue correcte exigée » est toujours d'actualité dans ces élégantes maisons !

Se loger

NOS CRITÈRES DE CHOIX

Les hôtels

Nous vous proposons, dans chaque encadré pratique un choix très large en terme de confort. La location se fait à la nuit et le petit-déjeuner est facturé en supplément. Certains établissements assurent un service de restauration également accessible à la clientèle extérieure.
Pour un choix plus étoffé et actualisé, **Le Guide Michelin France** recommande hôtels et restaurants sur toute la France. Pour chaque établissement, le niveau de confort et de prix est indiqué, en plus de nombreux renseignements pratiques. Le symbole « **Bib Gourmand** » sélectionne les tables qui proposent une cuisine soignée à moins de 26 € en province. Le symbole « **Bib Hôtel** » signale des hôtels pratiques et accueillants offrant une prestation de qualité à prix raisonnable.

Les chambres d'hôte

Vous êtes reçu directement par les habitants qui vous ouvrent leur demeure. L'atmosphère est plus conviviale qu'à l'hôtel, et l'envie de communiquer doit être réciproque : misanthropes, s'abstenir ! Les prix, mentionnés à la nuit, incluent le petit-déjeuner. Certains propriétaires proposent aussi une table d'hôte, en général le soir, et toujours réservée aux résidents de la maison. Il est très vivement conseillé de réserver votre étape, en raison du grand succès de ce type d'hébergement.

Bon à savoir – Certains établissements ne peuvent pas recevoir vos compagnons à quatre pattes ou les accueillent moyennant un supplément, pensez à le demander lors de votre réservation.

Le camping

Le **Guide Camping Michelin France** propose tous les ans une sélection de terrains visités régulièrement par nos inspecteurs. Renseignements pratiques, niveau de confort, prix, agrément, location de bungalows, de mobile homes ou de chalets y sont mentionnés.

Un large choix

Séjours sur le littoral, à la campagne, ou étapes dans les refuges perchés de la Corse montagneuse pour les mordus du GR 20, à chaque envie son type d'hébergement.
Les vacances au bord de la « grande bleue » demeurent la formule favorite des estivants. Les stations balnéaires sont largement pourvues d'hôtels, de pensions, de campings et de logements chez l'habitant, et les sports nautiques sont déclinés sous toutes leurs formes dans les moindres criques ou ports de plaisance. Le charme des stations balnéaires corses vient du fait qu'elles sont restées, à quelques exceptions près, à taille humaine ; il y règne souvent une ambiance familiale, et le paysage côtier n'a quasiment pas été dénaturé par les gros complexes de béton que l'on retrouve si souvent sur le littoral continental. Pour un séjour en juillet ou août, pensez à réserver très à l'avance (6 à 8 mois), car le littoral est très fréquenté. Sachez aussi que le tarif des hébergements augmente en juillet et davantage encore en août. Le prix d'une chambre varie en général du simple au double entre fin mai et août.
Plus haut, dans la majesté de la chaîne montagneuse parcourue par le GR 20 et par les multiples sentiers de découverte, l'hébergement rural trouve toute sa raison et peut côtoyer

des restaurants dont la réputation gastronomique dépasse largement le cadre de leur vallée. Rejoignez les villages perchés où les gîtes demeurent souvent l'unique forme d'hébergement et la plus adaptée pour apprécier l'hospitalité des Corses.

LES BONS PLANS

Les services de réservations

Destination Corse – Quartier de la Gare - 20250 Corte - ✆ 08 92 68 26 77 (0,34 €/mn) et www.destination-corse.net. Cette centrale de réservation regroupe une centaine d'hôtels répartis sur toute l'île.

Fédération nationale Clévacances – 54 bd de l'Embouchure - BP 52166 - 31022 Toulouse Cedex - ✆ 05 61 13 55 66 - www.clevacances.com - Cette fédération propose près de 23 500 locations de vacances (appartements, chalets, villas, demeures de caractère, pavillons en résidence) et 2 800 chambres dans 22 régions réparties sur 79 départements en France et outre-mer, et publie un catalogue par département (passer commande auprès des représentants départementaux Clévacances).

Stéphane Sauvignier / MICHELIN

Chambre d'hôte Le Patio à Corbara.

L'hébergement rural

Casa Toïa – 20 cours du Gén.-Leclerc - 20000 Ajaccio - ✆ 04 95 20 53 14 - www.sitec.fr/auberges. L'association Casa Toïa propose un tour de Corse complet à travers des auberges-hôtels sélectionnées et recommande les meilleures adresses du terroir.

Maison de l'agriculture – 19 av. Noël-Franchini - BP 913 - 20700 Ajaccio Cedex 9 - ✆ 04 95 29 26 00. La Chambre d'agriculture regroupe les informations sur les accueils et hébergements dans les exploitations agricoles : fermes-auberges, fermes équestres, campings à la ferme, chambres d'hôte et gîtes ruraux. www.bienvenuealaferme-corse.com.

Maison des gîtes de France et du tourisme vert – 59 r. St-Lazare - 75439 Paris Cedex 09 - ✆ 01 49 70 75 75. Cet organisme donne les adresses des relais départementaux et publie des guides sur les différentes possibilités d'hébergement en milieu rural (gîtes ruraux, chambres et tables d'hôte, gîtes d'étape, chambres d'hôte de charme, gîtes de neige, gîtes de pêche, gîtes d'enfants, camping à la ferme, gîtes Panda). Renseignements et réservations : www.gites-de-france.com

Les Gîtes de France proposent également des vacances à la ferme selon trois formules : ferme de séjour (hébergement, restauration et loisirs), camping à la ferme et ferme équestre (hébergement et activités équestres).

Chambres d'hôte – Une association de gîtes et chambres d'hôte indépendants regroupe des propriétaires de toute l'île, ✆ 04 95 58 19 55, www.hebergement-corse.com.

Campings sur le net

Vous pouvez également consulter les sites Internet suivants :
www.allerencorse.com/campings.htm
www.corsecampings.com
www.corsicacamping.com

Couvents

Quelques couvents proposent l'hébergement : **Bastia**, couvent St-Antoine (✆ 04 95 51 75 58, 04 95 55 42 50, markus@mbox.vol.it) ; en **Balagne**, couvent de Corbara (✆ 04 95 60 06 73, www.stjean-corbara.com) ; dans la commune de **Cateri**, couvent de Marcasso (✆ 04 95 61 70 21, marcassu@wanadoo.fr) ; dans le Cap Corse à **Erbalunga**, couvent des Bénédictins (✆ 04 95 33 22 81) ; et à **Vico**, couvent Saint-François (✆ 04 95 26 83 83).
Ces établissements religieux offrent également la possibilité d'effectuer des retraites spirituelles. Se renseigner sur place.

L'hébergement pour randonneurs

Le Parc régional diffuse une liste des **refuges et gîtes** à l'usage des promeneurs empruntant les circuits balisés par le Parc, ✆ 04 95 51 79 10.

Guide – Les randonneurs peuvent consulter le guide *Gîtes d'étapes, refuges*, par A. et S. Mouraret (Rando Éditions La Cadole - 74 r. A.-Perdreaux - 78140 Vélizy - ☏ 01 34 65 11 89) et www.gites-refuges.com - Cet ouvrage et ce site sont principalement destinés aux amateurs de randonnées, d'alpinisme, d'escalade, de ski, de cyclotourisme et de canoë-kayak.

Ligue française pour les Auberges de la Jeunesse – 67 r. Vergniaud - bâtiment K - 75013 Paris - ☏ 01 44 16 78 78 - www.auberges-de-jeunesse.com. La carte LFAJ est délivrée contre une cotisation annuelle de 10,70 € pour les moins de 26 ans et de 15,25 € au-delà de cet âge. Il y a une auberge à Galéria, à l'Ouest de Calvi.

Se restaurer

Les amateurs de bonne chère ne devraient pas être déçus par la Corse. Si les tables prestigieuses sont assez rares, l'île regorge de petites adresses de qualité qui offrent de véritables festivals de saveurs inoubliables.
Pour en savoir plus, reportez-vous au chapitre « Gastronomie » *(p. 95)*.

NOS CRITÈRES DE CHOIX

Pour répondre à toutes les envies, nous avons sélectionné des **restaurants** régionaux bien sûr, mais aussi classiques, exotiques ou à thème... Et des lieux plus simples, où vous pourrez grignoter une salade composée, une tarte salée, une pâtisserie ou déguster des produits régionaux sur le pouce.
Quelques **fermes-auberges** vous permettront de découvrir les savoureux trésors du terroir. Vous y goûterez des produits authentiques provenant de l'exploitation agricole, préparés dans la tradition et généralement servis en menu unique. Le service et l'ambiance sont bon enfant. Réservation obligatoire !

Par ailleurs, si vous souhaitez déguster des spécialités régionales ou mitonner vous-même de bons petits plats avec les produits du terroir, le **Guide Gourmand Michelin Corse** vous permettra de trouver les boutiques de bouche reconnues, les adresses des marchés, la liste des spécialités culinaires régionales et leurs recettes, des adresses de restaurants aux menus inférieurs à 28 €.

Stéphane Sauvignier / MICHELIN

Plat de charcuterie et de fromages corses.

QUELQUES GRANDS CHEFS DE CORSE

Depuis 1968, **Félicien Balesi**, truculent personnage, se fait un plaisir de vous régaler de ses recettes typiquement corses qu'il concocte avec d'excellents produits du terroir et qu'il sert dans une plaisante salle à manger rustique.
Sole e Monti à Quenza

Typique auberge de la ville haute tenue en famille depuis toujours. La maman, **Anna Ettori** au fourneau, prépare une savoureuse cuisine bonifacienne tandis que ses filles, en salle, réservent un charmant accueil dans un cadre joliment décoré.
Stella d'Oro, 7 rue Doria (ville haute), Bonifacio.

Tenue par la **famille Catellagi** depuis 1970, cette auberge dominant le golfe d'Ajaccio propose une typique cuisine corse réalisée par le père et le fils (charcuteries maison). En salle, la patronne réserve un charmant accueil.
U Licettu à Ajaccio.

Gisèle Lovichi, une des meilleures cuisinières de l'île de Beauté, concocte ses savoureuses spécialités de cuisine régionale dans sa charmante auberge dominée par la ville la plus corse des villes corses.
Auberge Santa Barbara, route de Propriano à Sartène.

LES BONS VINS

Les quelque 10 000 hectares de vignobles corses se répartissent sur les terroirs du Cap Corse, d'Ajaccio, du Sartenais, Porto-Vecchio et Aléria.

Consultez la rubrique « Vignoble » dans le chapitre suivant « Les activités et loisirs de A à Z » et dans la « Gastronomie » *(p. 97)*.

À FAIRE ET À VOIR

Les activités et loisirs de A à Z

L'Agence du tourisme de la Corse *(voir « adresses utiles » dans « S'y rendre et choisir ses adresses »)* dispose de brochures et d'un site Internet qui répondront à vos demandes d'informations quant aux activités proposées dans leur secteur. Pour trouver d'autres adresses de prestataires, reportez-vous aux rubriques « Visite » et « Sports & Loisirs » des encadrés pratiques des villes et sites.

BAIGNADE

En mer

Il n'y a pas un, mais plusieurs littoraux corses. La diversité des paysages, de la couleur des eaux et des fonds marins, l'alternance de plages de sable fin et de galets dessinent une côte changeante. Sur la côte Ouest, les golfes de Saint-Florent, Porto, Sagone, Ajaccio et Valinco se prêtent particulièrement bien aux baignades en famille et à l'apprentissage des sports nautiques comme à la découverte d'une nature magnifique et relativement bien protégée malgré son succès touristique (les Calanche de Piana, la réserve de Scandola, le Parc naturel régional). La côte orientale, beaucoup plus rectiligne, offre sur quelque 100 km de longues étendues de sable également très prisées par les estivants. Tout au long de la Costa Verde, de la Costa Serena et de la côte des Nacres se succèdent d'interminables plages de sable blanc. Un peu plus au Sud, le golfe de Porto-Vecchio réunit les plus belles plages de Corse, dont la célèbre Palombaggia, mais souffre d'une forte affluence en été. La floraison de clubs de jet-ski peuvent gêner les amateurs de calme tandis que la pression immobilière, qui se fait de plus en plus forte dans ce secteur, rend plus difficile les accès, souvent payants, à la mer.
Les plages du littoral de la pointe Sud s'étendent de part et d'autre de Bonifacio, contenues dans de petites anses plus ou moins abritées.
D'une manière générale, les plus belles plages sont celles que vous découvriez en marchant un peu.

Il y a également des possibilités pour les adeptes du naturisme, notamment à L'Île-Rousse ou en Costa Serena. Respectez partout les règles de prudence minimales en évitant les trop longues stations au soleil, de vous baigner après un repas et de vous aventurer en dehors des zones surveillées. Les pavillons hissés chaque jour sur les plages surveillées indiquent si la baignade est dangereuse ou non, l'absence de pavillon signifiant l'absence de surveillance :
Drapeau vert = baignade surveillée sans danger ;
Drapeau jaune = baignade dangereuse mais surveillée ;
Drapeau rouge = baignade interdite.

Amaury de Valroger / MICHELIN

Baigneurs sur une plage de l'île Lavezzi.

Attention aux méduses – Quel baigneur, pénétrant dans la mer, n'a pas ressenti une appréhension en constatant la présence de méduses ? Les années à méduses (la *Pelagica noctulica*, notamment) gardent une part de leur mystère. Les scientifiques ont cependant pu démontrer que les invasions de *Pelagica,* dont la périodicité est d'environ douze ans, étaient précédées de printemps chauds et secs.
Les méduses des côtes méditerranéennes ne sont pas agressives, mais leur contact est toxique. Ce contact urticant provient de la libération instinctive du venin par les tentacules. Ce dernier, sans grand danger pour l'homme, nécessite cependant quelques précautions. Tout d'abord, ne pas s'agiter afin d'éviter la diffusion du venin dans le corps. À l'aide d'une serviette, nettoyer

très doucement la plaie avec de l'eau de mer (l'eau douce active la décharge des cellules urticantes) ou avec de l'urine, utile grâce à ses anticorps. D'autres solutions sont possibles : racler doucement la peau afin d'enlever les cellules encore intactes, approcher de la plaie une flamme ou la chaleur d'une cigarette. Enfin, appliquer une pommade antihistaminique, qu'on aura pris soin d'emporter avec soi.

En rivière

En Corse, les rivières qui descendent de la montagne se sont souvent taillé de superbes parcours au milieu des rochers, franchissant de belles cascades ou paressant dans d'accueillantes vasques aux eaux rafraîchissantes. La Restonica ou la rivière Solenzara comptent parmi les plus réputées et recherchées.
Il est important cependant de savoir que ces lieux si agréables pendant les chaudes journées de l'été sont des rivières au régime torrentiel qui peuvent devenir dangereuses après un orage, tandis que d'autres peuvent être régulées par des équipements hydroélectriques. Vérifiez donc l'éventuelle réglementation locale et ne vous aventurez pas dans des lieux difficiles d'accès où vous risqueriez de vous retrouver bloqué.

CHASSE SOUS-MARINE

Les meilleures conditions sont réunies pour pratiquer ce sport : douceur de la température, limpidité exceptionnelle de l'eau et abondance des poissons de roche. Les endroits les plus favorables se situent aux abords des îlots, au large de Galéria et de Calvi, dans la baie d'Ajaccio, le long de la côte entre Propriano et Bonifacio, dans le golfe de Porto-Vecchio et dans les criques du Cap Corse.
Nous rappelons que, pour pratiquer la chasse sous-marine, il faut être âgé de 16 ans au moins, avoir souscrit une assurance en Responsabilité Civile, avoir fait une déclaration auprès des Affaires maritimes ou posséder une licence de la Fédération française d'études et de sports sous-marins (FFESSM), et respecter la réglementation nationale et régionale qui interdit :
– de chasser avec un appareil permettant de respirer en plongée ;
– de détenir sur une embarcation un équipement respiratoire et une foëne ou appareil spécifique à la chasse sous-marine ;
– de vendre les prises ;
– d'approcher à moins de 150 m des embarcations ou filets de pêche signalés par des balises et des baigneurs ;
– de chasser la nuit en utilisant d'un foyer lumineux ;
– de tenir un fusil chargé hors de l'eau ;
– de chasser dans les cantonnements suivants : secteur de Revellata à Calvi, de Miomo à Bastia, L'Île-Rousse, Nonza, au large des îles Cerbicale à Porto-Vecchio, à Piana-Porto, de Campomoro à Propriano, sur l'ensemble des bouches de Bonifacio, les deux réserves naturelles de Scandola et Lavezzi, et les deux réserves de biotopes (îles Bruzzi et îles des Moines).

La pêche des espèces suivantes est interdite :
– tous les crustacés (araignées de mer, cigales de mer, homards), tous les types de mérous, ainsi que les mollusques (grandes nacres et dattes de mer), l'herbier de Posidonie ;
– la pêche à la langouste est interdite toute l'année, la pêche des oursins du 1er avril au 30 novembre et limitée en dehors de ces périodes à 3 douzaines d'oursins par personne ;
– la pêche et la cueillette du corail sont interdites sur tout le littoral corse (pêche réservée aux professionnels disposant d'une licence).
Pour plus d'informations, vous pouvez consulter l'un des deux **comités régionaux de la FFESSM** : Haute-Corse : immeuble Bardoglino, 20220 L'Île-Rousse - ✆ 04 95 60 39 39 ; Corse du Sud : immeuble Coffa Marina ham Solenzara - 20145 Sari Solenzara - ✆ 04 95 57 48 31 ou le site du Comité : http://perso.wanadoo.fr/gjl/crc

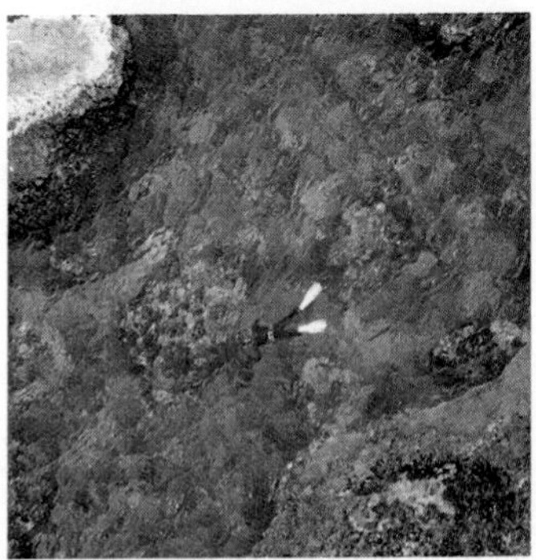
Amaury de Valroger / MICHELIN

Plongée sous-marine à Bonifacio.

Direction départementale des Affaires maritimes de la Corse-du-Sud – 4 bd du Roi-Jérôme - BP 312 - 20176 Ajaccio - ✆ 04 95 51 75 35.
Direction départementale des Affaires maritimes de la Haute-Corse – Quai Nord du vieux port - 20289 Bastia Cedex - ✆ 04 95 32 84 60.

COURSE À PIED

Le Raid Inter-lacs

Ce parcours en boucle de 28 km se déroule dans un cadre magnifique au cœur de la montagne corse. Les deux étapes relient selon un itinéraire original, sept lacs d'altitude (dont le Melo et le Capitello) et le point culminant du GR 20, dans la haute vallée de la Restonica, au sein du Parc naturel régional de Corse.
Cette course de montagne (type randonnée sportive niveau 2, dénivelé total de 6 000 m dont 3 000 D+) est réservée cependant aux coureurs vraiment entraînés puisqu'elle compte parmi les plus engagées de France. Le nombre d'inscriptions est limité à 300 candidats afin de préserver l'ambiance de convivialité montagnarde de l'épreuve et de respecter l'environnement du site classé. L'Inter-Lacs fait partie des épreuves du Challenge national Trail Salomon et du Challenge régional Muntagne corse.
Renseignements et inscriptions (clôture déb. juillet) auprès de l'association A Rinascita - Rampe Sainte Croix - BP1 - 20250 Corte, ✆ 04 95 46 12 48. www.interlacs.com

CYCLOTOURISME

Fédération française de cyclotourisme – La Fédération française de cyclotourisme propose de nombreuses randonnées permanentes labellisées, dont le Tour de Corse, un itinéraire de 1 000 km, 14 600 m de dénivelé, pour une découverte des plus beaux sites de l'île de Beauté, du Nord au Sud en passant par le centre. Pour les plus aguerris et les amateurs de cols, la Fédération propose également la Randonnée des cols corses, un itinéraire de 1 504 km et de 26 553 m de dénivelé.
Enfin, la commission tourisme de la Fédération propose chaque année des séjours en Corse sous la forme de voyage itinérants. Ceux-ci permettent de faire un tour de l'île en 9 ou 10 jours, par étapes de 100 km environ, en bénéficiant des services d'un accompagnateur fédéral et d'une assistance pour le transport des bagages.
Fédération française de cyclotourisme - 12 r. Louis-Bertrand - 94207 Ivry-sur-Seine Cedex - ✆ 01 56 20 88 88/88 87 - www.ffct.org

Pensez à emporter quelques pièces de rechange, les fournisseurs de matériel sont rares dans les montagnes corses.

Vivre la Corse à vélo – Rés. Napoléon - 23 cours du Gén.-Leclerc - 20176 Ajaccio - ✆ 04 95 21 96 94 ou 06 61 25 51 33.

Hervé Le Gac / MICHELIN

Escalade au Capo Tafonato.

ESCALADE

Le relief de la Corse permet une ample pratique de l'alpinisme et de l'escalade. L'alpinisme se pratique surtout sur les sommets surplombant la vallée d'Asco (massif du mont Cinto et de la Paglia Orba), autour du col de Vergio, et dans la vallée de la Restonica. L'escalade « sportive » (sur sites équipés) peut s'exercer dans une dizaine de sites. Il est possible de grimper sur du calcaire autour de Pont Leccia (Pietralba), dans la vallée du Vecchio (Caporalino) ou au Sud de Solenzara (Conca, monte Santu). Les amateurs d'escalade granitique bien équipée peuvent se rendre aux falaises de A Richiusa à proximité de Bocognano ainsi qu'au mont Gozzi au-dessus d'Ajaccio où les voies (difficiles) atteignent 230 m de hauteur. D'autres sites d'escalade granitiques se trouvent dans le bas de la vallée de la Restonica. Les amateurs d'escalade « aventure » trouveront toutes les difficultés dans le cadre grandiose des aiguilles de Bavella.
La **via ferrata de la Manicella** a été aménagée avec des câbles dans la vallée d'Asco *(voir ce nom)*.

Voir nos adresses d'organismes d'escalade proposant un encadrement dans les carnets pratiques de la partie « Villes et sites ».

Fédération française de la montagne et de l'escalade – 8-10 quai de la Marne - 75019 Paris - ✆ 01 40 18 75 50 - www.ffme.fr - Consulter également le *Guide des sites naturels d'escalade en France*, par D. Taupin (Éd. Cosiroc/FFME), pour connaître la localisation des sites d'escalade dans la France entière.

EXCURSIONS EN BATEAU

Pour apprécier pleinement l'aspect préservé du littoral en Corse, la promenade en mer reste un moyen peu exigeant en effort et procurant un grand dépaysement. Ce sera souvent le clou d'un séjour. Les principales sont listées dans le tableau ci-dessous.

GOLF

Il n'y a pas beaucoup de grands golfs en Corse, mais l'île s'enorgueillit depuis 1990 d'un magnifique parcours 18 trous suspendu au-dessus de la mer sur une côte sauvage et déchiquetée. Le créateur, Trent Jones Sr, a doté le **golf de Sperone** de magnifiques étapes entre maquis (9 trous inland) et mer (9 trous links). Le trou n° 16 est considéré comme l'un des plus beaux par 5 du monde *(voir notre carnet pratique de Bonifacio)*.
Les autres clubs, plus modestes, sont : le club de Bastia à Borgo, le club ajaccien (Giga) à Porticcio, le club Reginu à Speluncato, le club Lezza à Porto-Vecchio, ainsi que celui de Solenzara.
Renseignements auprès de la **Ligue corse de Golf** – www.liguecorsedegolf.org

PORT D'EMBARQUEMENT	DESTINATIONS
Ajaccio/Porticcio	Les îles Sanguinaires, la réserve de Scandola, Bonifacio, Girolata, calanche de Piana, Capo Rosso, les îles Lavezzi et Calvi.
Bonifacio	Grottes, falaises et calanche de Bonifacio. Les îles Lavezzi et Cerbicale.
Calvi	Ajaccio, réserve de Scandola, grotte des Veaux marins.
Cargèse/Sagone	Calanche de Piana et réserve de Scandola, Girolata.
Galéria	Calanche de Piana, Capo Rosso, réserve de Scandola, golfe de Girolata.
Macinaggio	Nord Cap Corse, plages, tours génoises, et la réserve des îles de Finocchiarola, l'île de la Giraglia.
Porto	Calanche de Piana, réserve de Scandola, Girolata, Capo Rosso, Bonifacio.
Porto-Vecchio/ Sta Giulia	Bonifacio, les îles Lavezzi et Cerbicale, plages de Sta Giulia et Palombaggia. Baie de Rondinara et îles Paradis (cie Monte Cristo). Les îles de Cavallo et Maddalena (cie Le Djinn) au départ de Sta Giulia.
Propriano	Tour du golfe de Valinco, conservatoire du Littoral (deux compagnies). Journée exceptionnelle avec la Réserve de Scandola, les îles Sanguinaires, Girolata, et les Calanche de Piana (I Paesi di u Valincu).
St-Florent	Navette vers les Agriates (plage du Loto).
	ESCAPADE EN ITALIE
Île d'Elbe	Au départ de Bastia, sur deux jours minimum en voiture : traversée Bastia-Piombino, puis Piombino-Portoferraio (Cie Moby Lines à Bastia).
Sardaigne	Se reporter au carnet pratique sarde, p. 186.

KAYAK DE MER

La pratique du kayak de mer ne nécessite qu'une courte initiation, mais exige un effort soutenu lors des sorties qui s'effectuent généralement en groupe. Les secteurs du Cap Corse et du Sartenais sont parmi les plus favorables au maniement des frêles esquifs. Sur la face Ouest du Cap Corse, une succession d'anfractuosités et de grottes seulement accessibles par mer, offre les plus belles opportunités pour convertir les néophytes à une pratique plus régulière du kayak de mer, incluant des randonnées de plusieurs jours avec bivouac. Les criques des Agriates et le tour des îles depuis Algajola font partie des grands itinéraires incontournables.

Voir nos adresses d'organismes proposant le kayak de mer dans nos carnets pratiques de la partie « Découvrir les sites » : Bastia, St-Florent…

NATURE ET ENVIRONNEMENT

À travers le Parc naturel régional de Corse

Le Parc naturel régional de Corse s'étend sur environ 350 500 ha, soit plus du tiers de l'île, et concerne le territoire de 143 communes. Il englobe le cœur montagneux de l'île : massifs du mont Cinto, mont Rotondo, mont d'Oro, mont Renoso, mont Incudine. À l'Ouest, sa façade maritime, longue de 80 km, est centrée sur les remarquables golfes de Porto et de Girolata et la presqu'île de Scandola (elle-même classée en réserve naturelle).

Ce parc réunit les principales forêts du centre (Aitone, Valdo-Niello,

Stéphane Sauvignier / MICHELIN

Panneau de sentier de randonnée vers le cirque de Bonifato.

Vizzavona, Bavella, l'Ospédale…) et les plus beaux sites de l'île (gorges de Spelunca et de la Restonica, col de Bavella, lacs d'altitude, lac de Nino…). Il a été créé en 1972 avec la double mission de favoriser une meilleure connaissance et une vraie protection de la nature, d'une part, et de participer à la rénovation de l'économie rurale de l'intérieur de l'île, d'autre part.

Parc naturel régional de Corse.

Différents itinéraires pédestres pour découvrir la montagne, la mer et les villages ont été créés et sont régulièrement entretenus : le **GR 20**, les **sentiers entre mer et montagne**, **Mare e Monti** entre Calenzana et Cargèse et Propriano à Porticcio, trois sentiers **Mare a Mare**, les **sentiers de pays**. Tout au long de ces voies de pénétration de la Corse intérieure, un réseau de relais, gîtes d'étape et refuges se met progressivement en place *(voir Randonnée pédestre)*.

Protection de la nature – Elle concerne essentiellement la préservation de la flore et de la faune : le Parc abrite un grand nombre d'espèces rares, dont certaines endémiques. La flore insulaire comporte des espèces uniques, protégées et interdites de cueillette. D'autres formations végétales naturelles particulièrement fragiles, comme les pozzines du lac de Nino, sont protégées par le Parc régional. La faune est représentée par de nombreuses espèces en danger de disparition *(voir le chapitre sur la faune)*, dont le Parc régional s'emploie activement à assurer la protection et la subsistance en période hivernale : le mouflon corse et le gypaète barbu, la réintroduction des tortues d'Hermann en milieu naturel par exemple.

Lutte contre le feu – Le Parc tente de prévenir les incendies de forêt et de maquis. Les facteurs favorisant ce fléau sont à la fois le climat méditerranéen à longue saison sèche avec des coups de vent fréquents *(maestrale, libeccio, sirocco)* et la végétation riche en essences très inflammables. Les forêts gardent la mémoire des sécheresses successives sur une dizaine d'années, car celles-ci provoquent l'accumulation de matières végétales non décomposées. Les causes peuvent être la chaleur excessive, la foudre et,

trop fréquemment, l'imprudence ou l'insouciance des hommes, voire le déséquilibre mental de pyromanes. La pratique millénaire de l'écobuage par les bergers consiste à provoquer des incendies pour dévorer un couvert végétal dense de type maquis et ainsi dégager un terrain de pâture pour le bétail. Mais avec la disparition de la société rurale et le développement de certains élevages, la technique du contre-feu s'est perdue et l'écobuage est devenu un fléau.
Pour lutter contre les incendies, le Parc a incité à la mise en place d'agents pastoralistes apportant un soutien technique aux éleveurs pour la création de pâturages et la mise en place de plans de débroussaillement (*smacchjaggia* en corse). De même, l'activité des sapeurs forestiers, agissant dans les forêts communales, a permis des résultats encourageants dans la prévention des incendies.

Protection des sites – Elle se manifeste par le classement de certains d'entre eux, par la sauvegarde des constructions traditionnelles (bergeries, moulins, vieilles maisons), par la restauration et la mise en valeur des monuments (chapelles…) ou des vestiges archéologiques (Pianu di Livia).

Information et sensibilisation du public – L'une des missions du Parc est en outre de sensibiliser durablement les publics qui occuperont le site. Pour ce faire, il a créé des Maisons d'information accessibles à tous à Ajaccio, Calenzana, Corte, Levie. Des centres d'initiation à l'environnement s'adressent aux groupes constitués pour des séjours à caractère pédagogique : la Casa di a Natura à Vizzavona et la Casa Marina à Galéria.

Rénovation rurale – Pour rendre vie aux villages de l'intérieur, le Parc tente de relancer l'élevage ovin et porcin par la réhabilitation de la châtaigneraie et de développer le tourisme en montagne.

À travers la forêt

Office national des forêts – L'ONF de Corse a mis en place des visites guidées en forêt territoriale de Vizzavona en partenariat avec les chemins de fer de la Corse. Juillet-août : mar. et jeu. Renseignements : CFC - ✆ 04 95 32 80 57. Cette visite de deux heures sur un sentier accessible à tous, après le trajet depuis n'importe quelle gare, de Corse, vous fera découvrir les richesses et les beautés de la Corse. Renseignements : ONF ✆ 04 95 46 01 30.

NAVIGATION DE PLAISANCE

Quelle chance de pouvoir découvrir la Corse en bateau ! Les plaisanciers choisiront de rayonner à partir d'un port de base ou de naviguer de port en port. Les principaux mouillages et les particularités de la navigation corse sont signalés sur la carte qui suit. Les 16 ports de l'île accueillent près de 60 000 escales par an, tandis que la flotte de plaisance ne cesse de croître d'environ 1 000 bateaux chaque année.
La situation météorologique évoluant avec rapidité, il importe, avant de partir en mer, de consulter le bulletin météo diffusé par les principales stations de radio et affiché dans la plupart des ports et clubs de voile. Attention aux annonces de brusques coups de mistral.
Le permis de naviguer peut être obtenu dès 16 ans ; il est obligatoire pour piloter un navire à moteur à partir de 16 CV. La vitesse est limitée à 5 nœuds à moins de 300 mètres du littoral.

La côte Ouest – De St-Florent à Propriano, la côte offre de larges golfes dentelés et ourlés de plages de sable ou de galets, mais ils sont mal abrités des vents dominants. Seuls quelques ports ou mouillages, comme Centuri, St-Florent, L'Île-Rousse, Sant'Ambroggio, Calvi, Girolata, Ajaccio, Campomoro et Propriano, constituent des abris sûrs. Le Nord de la presqu'île d'Isolella est également un mouillage bien abrité.

La côte Sud – De Propriano à Solenzara, les ports sont peu nombreux (Propriano, Bonifacio,

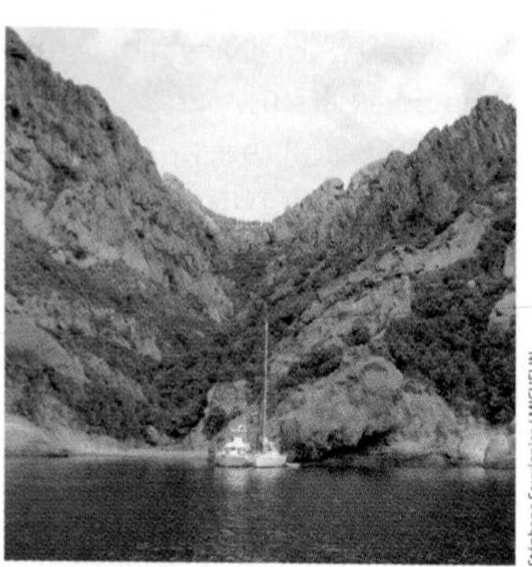

Stéphane Sauvignier / MICHELIN

Bateaux de plaisance mouillant à proximité de la réserve de Scandola.

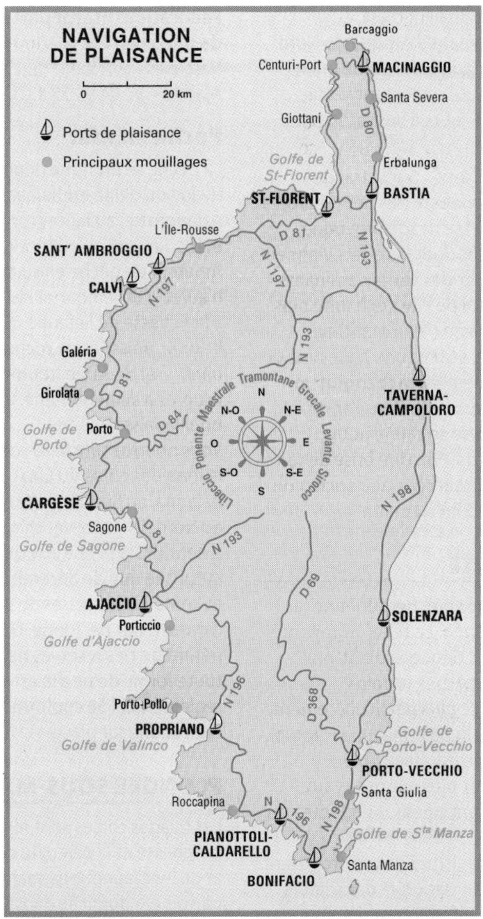

Porto-Vecchio, Solenzara), mais cette côte sauvage compte une multitude de criques où les bateaux de croisière ne peuvent accéder que par très beau temps. Le mouillage dans les sites classés comme les îles Lavezzi est limité à 24h.

Éviter de s'engager dans les bouches de Bonifacio, lorsque le *maestrale* ou le *libeccio* sont annoncés.

La côte Est – De Solenzara à Bastia, seuls les vents d'Est sont dangereux (exceptionnels en été). On compte trois bons abris : Bastia, Campoloro, Solenzara.

Le Cap Corse – Il offre quelques mouillages qui s'avèrent difficiles d'accès à cause du *libeccio*. Macinaggio est le véritable port de plaisance du cap. Les bateaux peuvent s'abriter dans les nombreuses criques de galets roulés.

Les vents dominants – La frange littorale de l'île est soumise en été aux brises de mer durant le jour et de terre durant la nuit, dont les effets perturbent ou renforcent ceux des vents dominants.

Le **libeccio**, venant de Gibraltar, souffle sur toute l'île, surtout dans le Cap Corse et à Bonifacio. Sec et chaud en été, il devient frais en hiver et déverse de copieuses ondées sur le versant occidental.

Le **ponente** est un vent d'Ouest.

Le **maestrale**, issu du mistral de Provence, se manifeste surtout sur l'Ouest de l'île (36 jours à Ajaccio, 11 jours au Cap, 17 jours à Bonifacio). Sec et violent en été, il souffle en courtes rafales et soulève alors une mer très forte entre Galéria et l'extrémité du Cap. En hiver, il apporte la pluie.

La **tramontane**, grand vent froid provenant de la plaine du Pô, sévit surtout en hiver, mais sa fréquence est faible (57 jours à Ajaccio, 10 jours au Cap).

Le **grecale** souffle sur tout le versant tyrrhénien ; il apporte la pluie dans le Nord de l'île, mais demeure sec dans le Sud.

Le **levant** est un vent d'Est.
Le **sirocco**, venant d'Afrique du Nord, humide et brûlant, chargé de grains de sable, affecte seulement la côte orientale (105 jours à Bastia, 54 jours au Cap).

Les vents locaux – Sur la frange littorale, le contraste des températures entre la mer et le rivage provoque, l'été, des brises dont les effets viennent s'ajouter à ceux des vents dominants. Le matin, le sol de l'île s'échauffe plus vite que la masse d'eau maritime ; aussi, vers 9h, se lève une brise de mer appelée localement **mezzogiorno** (maximum vers 13h). Dans l'après-midi, cette brise se calme pour disparaître vers 19h. Une brise de terre ou **terrane** lui succède au coucher du soleil et prend fin au matin.

PARAPENTE

C'est l'activité sportive aérienne la plus développée. Le relief tourmenté et les espaces dégagés du littoral offrent de superbes terrains d'évolution, et plus particulièrement le Cap Corse, la Balagne et le Nebbio. Les falaises de Bonifacio, bien qu'elles soient plus exposées aux risques, attirent quelques adeptes du parapente.
Plusieurs organismes privés proposent des stages d'initiation et des séjours pour pratiquants autonomes ; l'**Agence du tourisme de la Corse** à Ajaccio vous fournira une liste complète des divers prestataires. Citons tout de même **Altore** à Oletta (✆ 04 95 37 19 30), qui s'est fait une spécialité de l'initiation au parapente et de l'approfondissement des techniques aérologiques.

PÊCHE

Pêche en eau douce

La plupart des rivières de montagnes sont peuplées d'anguilles et de truites fario. Les cours d'eau suivants sont propices à de belles prises que l'on effectue au lancer ou au coup : Asco, Golo, Fango, Restonica, Vecchio, Tavignano, Fium'Orbo, Prunelli, Gravone, Rizzanèse, Travo et Taravo. Les lacs de montagne (Nino, Melo, Bastiani) sont régulièrement alevinés en petites truites et en saumons de fontaine. Des lacs-réservoirs sont peuplés en sandres. La plupart des étangs du littoral oriental sont des plans d'eau privés.

Fédération interdépartementale de pêche en Corse – Immeuble Les Narcisses - av. Noël-Franchini - 20090 Ajaccio - ✆ 04 95 23 13 32.

Pêche en mer

La pêche se pratique depuis le rivage ou d'une embarcation, à la palangrotte, au lancer (pour les dentis et les bars) ou au vif (pour les loups). Amateur de pêche en surface, vous n'aurez que l'embarras du choix face à la richesse de la faune marine du littoral : poissons de roche (rascasses, bars...) et de sable (rougets, daurades) propres à alimenter une savoureuse bouillabaisse.
Vous pourrez satisfaire votre passion le long des côtes du Cap Corse, de la Balagne, au Sud du golfe de Valinco et au Nord de Porto-Vecchio.
Attention, la pêche aux oursins n'est autorisée que de décembre à mars, et limitée à des prises de 3 douzaines d'oursins par personne. Dans le périmètre des réserves naturelles, toute forme de pêche est sévèrement réglementée. Se conformer aux indications sur place.

PLONGÉE SOUS-MARINE

Les rivages corses sont réputés pour la richesse et la diversité de leur flore et de leur faune sous-marines, ayant parfois élu domicile dans l'épave d'un navire ou d'un avion de combat.
Par temps calme et avec une eau claire, les plongeurs bénéficieront de superbes vues jusqu'à une profondeur maximale de 15 m, et cela même depuis la surface, simplement avec un masque et un tuba.
Pour les plongées à faible profondeur, préférez le golfe de Valinco, le secteur de Tizzano, la baie de Figari et les îles Bruzzi jusqu'à Porto-Vecchio, la face Ouest du Cap Corse, notamment le secteur de Centuri. Les fonds du golfe de Porto se laissent surtout découvrir dans le cadre de plongées avec bouteilles. Le golfe de Pero (au Nord de Cargèse) et la pointe d'Omigna recèlent une végétation sous-marine d'une étonnante richesse.
Quant aux épaves peu profondes, citons les suivantes : au Sud de Porticcio, face à la pointe di Castagna, un navire de combat gît à une dizaine de mètres de la surface ; au large de la pointe de Zivia (au Sud de Tizano), une épave d'avion repose par 10 m de fond ; à l'entrée du golfe de Porto-Vecchio, à moins de 10 m de

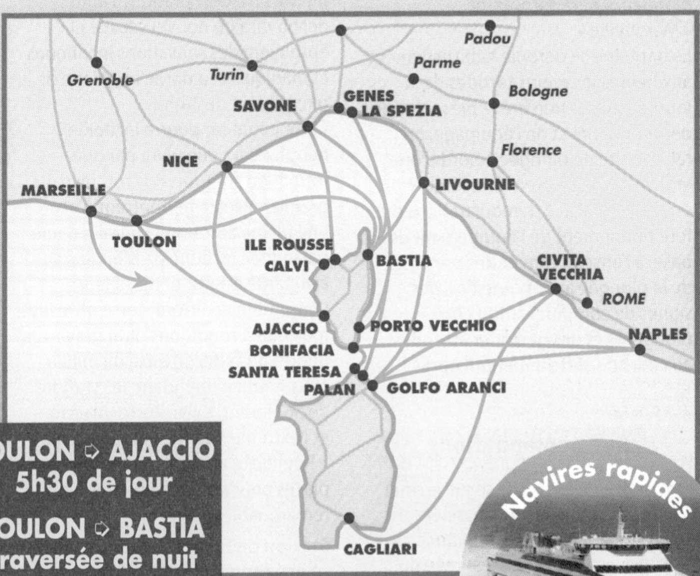

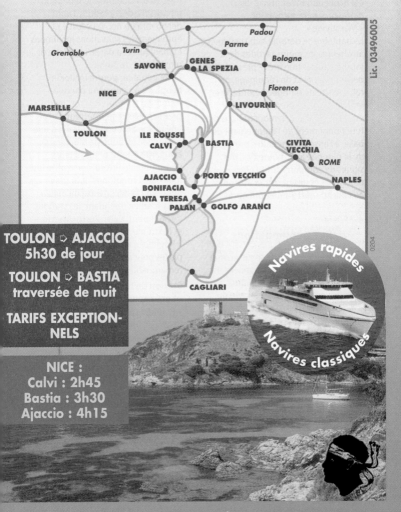

profondeur, un chalutier est visible depuis la surface. D'autres épaves nécessitent un équipement plus perfectionné : forteresses volantes à Calvi et à Campoloro.

Baptême de plongée à « Mérouville » – Au large du littoral entre Porto-Vecchio et Bonifacio, des fonds inférieurs à 10 m offrent de superbes opportunités pour découvrir la faune méditerranéenne. Le périmètre des réserves des îles Cerbicale et Lavezzi, notamment, recèle une densité insoupçonnée de poissons ; à Lavezzi, un site particulièrement apprécié des plongeurs a été surnommé « Mérouville ».
Le baptême se déroule habituellement aux heures les moins torrides de la journée. Après une brève présentation des moniteurs et de l'équipage, on rallie le site de plongée à bord d'une embarcation. La première demi-heure est consacrée aux démonstrations du fonctionnement de l'équipement de base, à l'enseignement des principes de la plongée avec bouteilles, des signes de communication entre plongeurs et des gestes et attitudes au cours de cette initiation. Après avoir revêtu la combinaison et vérifié l'ajustage de son équipement, l'apprenti plongeur se met à l'eau et endosse le gilet solidaire de la bouteille. Chaque néophyte est obligatoirement accompagné par un moniteur. Par un signe convenu, et si nécessaire l'encourageant en lui donnant la main, celui-ci l'invite à partir à la rencontre des habitants des profondeurs. Lors d'un baptême, la profondeur ne peut excéder 5 m, et le « baptisé » n'a pas le droit d'utiliser seul les éléments essentiels de son équipement. Malgré cette absence relative d'autonomie, le plongeur, même s'il a déjà pratiqué l'apnée, découvrira un nouvel espace et éprouvera des sensations inconnues et magiques. La durée moyenne de la plongée est de 30mn.
Cette initiation pourra inciter le néophyte à poursuivre par une formation comportant trois niveaux. Le premier niveau, permettant d'acquérir une pleine autonomie au sein d'une palanquée (groupe de plongeurs), est maîtrisé au bout de 15 jours.
L'ensemble du littoral corse offre les meilleures conditions pour gravir ces degrés de la découverte du milieu sous-marin. Cependant, les stations de St-Florent, Calvi, Porto, Ajaccio, et l'extrême Sud (de Porto-Vecchio à Bonifacio) apparaissent les mieux placés pour accéder aux sites les plus remarquables.

Recommandations

Avertir – Avant toute sortie en mer et toute plongée sous-marine, il est recommandé de communiquer son programme et l'heure estimée du retour à des tiers.

La sécurité en milieu sous-marin – L'engouement croissant pour la découverte des superbes paysages sous-marins que propose la Corse ne doit cependant pas faire oublier le respect par le plongeur occasionnel des règles élémentaires de sécurité qui éviteront des accidents aux conséquences souvent graves :
– ne jamais plonger seul, ni après un repas copieux ou arrosé, ou après avoir pris des boissons gazeuses, et en état de fatigue ;
– éviter les chenaux de passage des embarcations et les lieux d'évolution des véliplanchistes ;
– signaler aux secours à terre la nature de l'accident afin qu'ils préparent des soins en milieu hyperbare, seul remède aux accidents de décompression même minime.

Station de recherches sous-marines et océanographiques (Stareso) – Pointe de Revellata - BP 33 - 20260 Calvi - ✆ 04 95 65 06 18. Animée par des scientifiques, elle propose à la fois des stages de perfectionnement à la plongée et une initiation à l'environnement sous-marin et à sa protection.

Comité corse de la Fédération française de sports sous-marins (FFESSM) – BP 12 - 20145 Solenzara - ✆ 04 95 57 48 31 - www.plongee-corse.org – Il fournit la liste des clubs de plongée et tous renseignements sur la législation locale.

Les encadrés pratiques de la partie « Villes et sites » de ce guide, mentionnent quelques clubs locaux.

RANDONNÉE ÉQUESTRE

La Corse fournit un terrain de prédilection à cette activité qui allie la découverte des sites difficilement accessibles aux véhicules à la

préservation de la nature. On dénombre plus de 1 000 km de pistes qui sont souvent d'anciens chemins muletiers, très fréquentés jusqu'au début de ce siècle et qui restent encore les meilleurs et plus rapides moyens de liaison entre deux vallées ou deux villages. Des vallées presque inaccessibles deviennent le but d'agréables randonnées d'une journée. L'Alta Rocca, par son relief complexe, offre un terrain de choix à ce type d'excursions qui bénéficient par ailleurs, dans toute l'île, d'un grand développement. Le littoral du Cap Corse constitue une base de superbes balades (centre équestre de Brando), et la vallée de l'Ostriconi au départ de Lama permet d'atteindre la Balagne par les chemins de transhumance.

Association régionale du tourisme équestre de Corse – Chambre d'Agriculture - 19 av. Noël-Franchini - 20090 Ajaccio - ✆ 04 95 22 28 35. Elle dispose d'une liste des centres de tourisme équestre en Corse.

Vous trouverez également des informations sur le site du Parc régional : www.parc-natural-corse.fr

RANDONNÉE PÉDESTRE

Nous décrivons dans ce guide de nombreuses promenades et excursions à effectuer à pied pour atteindre les grands sommets, remonter les hautes vallées, parcourir un massif forestier ou gagner des lacs de haute montagne. Seules les excursions d'une heure ou deux, à basse altitude (moins de 1 000 m), s'apparentent à de la promenade touristique. La plupart des excursions pédestres exigent du randonneur un sens éprouvé de l'orientation, un équipement de moyenne montagne et une bonne condition physique. Le relief très accusé, l'éloignement des points de ravitaillement et de secours, les forts contrastes de températures, surtout en hiver et en automne, accentuent le caractère alpin de la montagne corse.

Les itinéraires de randonnées peuvent être modifiés à la suite des dégâts provoqués par les incendies ou les éboulements consécutifs aux orages. Lorsqu'un itinéraire ne correspond pas à la description donnée, il est raisonnable de faire demi-tour et de se renseigner auprès des personnes habitant le secteur.

Fédération française de la randonnée pédestre – 14 r. Riquet - 75019 Paris - ✆ 01 44 89 93 93 - www.ffrp.asso.fr
La fédération donne le tracé détaillé des GR, GRP et PR ainsi que d'utiles conseils. Vous pouvez également acheter les topoguides sur le site Internet.

Didier Pazery / MICHELIN

Randonneurs sur le GR 20.

GR 20, le roi de la montagne

Long de 220 km, il traverse dans sa longueur le Parc régional, de Calenzana à Conca. Suivant régulièrement la ligne de partage des eaux, il dépasse souvent les 2 000 m d'altitude, ce qui ne le rend accessible dans sa totalité que du 1er juin à fin octobre. Il reste un modèle de difficulté pour l'ensemble des sentiers de randonnée en France. En effet, seulement le quart des randonneurs qui l'empruntent effectue la totalité du trajet. La description minutieuse et le balisage de ce parcours très sportif sont l'œuvre d'un précurseur de la randonnée en montagne : Michel Fabrikant *(voir également le chapitre « Kiosque »).*
Le topoguide consacré au GR 20 prévoit 16 étapes que les bons marcheurs, bien équipés et bénéficiant d'une excellente forme physique, peuvent accomplir en 15 jours environ. Les changements brutaux de conditions climatiques constituent un risque réel et permanent. La partie Nord, la plus dure, reste réalisable par les sportifs de haut niveau.

Refuges du Parc – Ils sont ouverts toute l'année et gardés de mi-mai à mi-octobre. Le tarif d'une nuitée est généralement de 9,5 €. L'aménagement du refuge comprend, outre une cuisine approvisionnée en eau courante potable, un dortoir composé de bat-flanc sans couvertures, des sanitaires et une douche chaude ainsi qu'un incinérateur à ordures. Petit ravitaillement. Les aires de bivouac ne sont aménagées et le bivouac autorisé qu'à la périphérie des refuges ; un droit (4 €) doit être acquitté auprès du gardien.
Deux tronçons du GR 20 peuvent être aisément praticables par tout promeneur : celui du col de Vergio *(décrit à ce nom)* et celui du col de Palmente *(décrit à Vizzavona).*

Les sentiers « randonnées-découvertes »

Cinq grands itinéraires aménagés sont proposés par le Parc régional de Corse. Se reporter à la carte du Parc régional *(p. 41)* et au topoguide *Corse entre mer et montagne* (réf. 065) édité par la Fédération française de la randonnée pédestre.

« Mare e Monti Nord »
– De Cargèse à Calenzana, le plus fréquenté, se développe entre mer et montagne s'échelonnant sur de remarquables sites naturels (gorges de la Spelunca, réserve naturelle de Scandola, forêt de Bonifato). Il est conseillé plutôt au printemps et à l'automne. L'itinéraire (balisé en orange) s'effectue en 10 étapes de 4 à 7h offrant une vue panoramique alternative sur la mer et la montagne. L'hébergement se fait en gîtes d'étape situés dans les villages. Ce parcours, sportif mais sans difficulté notable, nécessite une bonne condition physique.

« Mare e Monti Sud » – De Porticcio à Propriano en 5 étapes de 4 à 6h ; praticable toute l'année *(décrit à golfe de Valinco).* Le parcours ménage de beaux points de vue sur les golfes de Valinco et d'Ajaccio.

Les itinéraires « Mare a Mare » (balisés en orange) relient les deux côtes et présentent trois variantes. Ils sont également jalonnés de gîtes d'étape mentionnés dans le topoguide correspondant :

« Mare a Mare Nord » – De Moriani à Cargèse via Corte en 10 étapes de 4 à 6h ; praticable de mi-mai à fin octobre.

Une variante débute à Évisa, gagne Vivario et rejoint le parcours classique à Sermano. Jonction avec le Mare e Monti Nord à Évisa.

« **Mare a Mare Centre** » – De Porticcio à Ghisonaccia en 7 étapes de 4 à 6h ; praticable de mai à novembre. Peu fréquenté mais tout à fait séduisant, le sentier permet de découvrir des paysages singuliers : *pieve*, maquis, cols d'altitude. Le balisage peut y être aléatoire, il est donc essentiel de se munir d'une carte.

« **Mare a Mare Sud** » – De Porto-Vecchio à Propriano en 6 étapes de 4 à 5h ; praticable toute l'année. Le plus facile et le plus fréquenté. Le sentier suit les chemins de transhumance qui sinuent dans l'Alta Rocca et croise les vestiges archéologiques de Cucuruzzu ainsi que Ste-Lucie-de-Tallano. La 3e étape du sentier offre trois variantes.

Les sentiers de pays

Accessibles par tous et d'une durée maximale de 6h, la plupart sont balisés de marques orange par le Parc régional de Corse. Ils sont regroupés par microrégion ou pays :

Alta-Rocca – Dominée à l'Est par le massif des aiguilles de Bavella, cette région bien vivante offre 5 circuits à la journée au départ de Quenza, Zonza et San Gavino.

Bozio – S'étendant à l'Est de Corte, cette région austère est riche en chapelles ornées de fresques. Elle reste réputée pour la qualité de ses chants « paghjella ». Au départ de Sermano, 4 sentiers, rayonnant en boucle (durée environ 5h chacun), permettent de dénicher des chapelles blotties dans des vallons ou perchées sur une crête.

Fiumorbu – Ce pays de collines, difficilement pénétrable, offre une vue dominante sur le littoral oriental. Depuis les villages d'Ania et de Chisa, 5 circuits d'une journée sont proposés.

Giussani – Cette microrégion établit la liaison entre la haute Balagne et la vallée de l'Asco. À l'écart des grands secteurs touristiques, 7 itinéraires rayonnent au départ d'Olmi-Capella.

Niolo – Cette région, paradis des alpinistes et amateurs de haute montagne, regroupe autour de Calacuccia et Albertacce 5 sentiers de pays permettant en 5 à 6h de parcourir de profondes forêts de pins laricio et de franchir des torrents sur de vénérables ponts génois.

Taravu – Cette vallée ombragée, au Sud d'Ajaccio, dispose de nombreux sentiers sous couvert, à parcourir dans la journée au départ de Guitera de Cozzano.

Venachese – 5 itinéraires (de 4 à 5h) sont réalisables au départ de Venaco et St-Pierre-de-Venaco.

Quelques suggestions d'itinéraires

Au départ de Bonifacio

Capo di Feno – Sans difficulté – 2h AR – Départ depuis la Bocca d'Arbia RN 196, près de Bonifacio.

L'Uomo d'Ovace – Difficulté moyenne – 4h AR – Départ de Gianuccio près de l'**Uomo di Cagna** – *Ce dernier est décrit à son nom.*

Au départ de Zonza

Cascade de Piscia di Gallo – Sans difficulté – *Décrit à Zonza.*

Refuge de Paliri par le GR 20 – Difficulté moyenne – 4h AR – 200 m de dénivelé – Départ depuis l'auberge du col de Bavella.

Trou de la Bombe – Sans difficulté – *Décrit à Bavella.*

Au départ de Corte

Lacs de Melo et de Capitello – Difficulté moyenne – *Décrit aux gorges de la Restonica.*

Au départ de Calvi

Refuge de Carozzu (depuis l'auberge de Bonifato) – Difficulté moyenne – 5h AR – L'accès au refuge de Carozzu permet la descente vers le torrent de Spasimata, que l'on traverse sur la célèbre passerelle qui procure des frissons dignes de films d'aventure. L'itinéraire du GR 20 l'emprunte d'ailleurs. *Début de l'itinéraire décrit au cirque de Bonifato.*

Sentier des douaniers à St-Florent.

Randonnées avec un âne

L'âne, que l'on croyait rangé au rayon d'obsolète bête de somme, suscite un vif engouement chez tous les pratiquants de la randonnée et bien plus encore chez les bambins juchés sur leur dos (voir notre chapitre « La Corse en famille »).

Randonnées accompagnées

Les accompagnateurs en montagne et les professionnels des activités sportives de montagne proposent leurs services généralement par le biais de prestataires. Ceux-ci commercialisent des programmes de randonnées, habituellement sur plusieurs jours, empruntant les itinéraires de découverte des massifs de l'île et comprenant, si le niveau des participants le permet, l'ascension de sommets remarquables sans moyen technique particulier. Ces circuits peuvent s'effectuer avec portage et ravitaillement dans les refuges. D'autres activités peuvent également être encadrées par des accompagnateurs possédant les qualifications correspondantes : découvertes en raquettes à neige (massif de Bavella, plateau de Coscione, etc.), VTT ou canyoning.

Muntagne corse in libertà – 7 r. de la Méditerranée - 20090 Ajaccio - ✆ 04 95 20 53 14 - www.montagne-corse.com. Organise des randonnées pédestres pour individuels et des séjours à la carte pour groupes.

Cap-Rando – Orneto - 20233 Pietracorbara - ✆ 04 95 35 22 01.

Compagnie régionale des guides et accompagnateurs en montagne de Corse – Rte de Cuccia - 20224 Calacuccia - ✆ 04 95 48 10 43.

A Montagnola – 20122 Quenza - ✆ 04 95 78 65 19 - www.a-montagnola.com

Voir aussi les encadrés pratiques de la partie « Villes et sites ».

ROUTES THÉMATIQUES

Les Routes des Sens authentiques

Quelle que soit la période de votre séjour et le temps dont vous disposez, vous pouvez organiser votre balade en choisissant de faire halte chez les hébergeurs et de rencontrer les producteurs affiliés au CREPAC (Comité régional d'expansion et de promotion agricole de la Corse) dans les régions de la Balagne, du Centre Corse, de Castagniccia, de la vallée du Taravu, et de Costa Serena.

Route des Saveurs

De village en village au départ de Bastia, vous parcourez le Cap Corse, la Balagne et le Désert des Agriates en vous ménageant des haltes gourmandes et savoureuses comme la route des vins de Patrimonio vers St-Florent. CCM-Voyages, ✆ 04 95 29 05 09.

SKI

L'important enneigement des montagnes permet la pratique du ski en hiver et même au printemps.

Pour le **ski alpin**, les stations aménagées, souvent dénommées stades de neige, sont :
– Ghisoni (1 580 m-1 960 m), station du Renoso ;
– Col de Vergio (1 400 m-1 600 m) ;
– Bastelica (1 600 m-1 950 m), station du Val d'Ese.
Foyers de ski de fond à Albertacce, Bastelica, Évisa, Quenza, Soccia et Zicavo.

Pour le **ski de fond**, le plateau de Coscione au Sud de la Corse, d'une altitude de 1 500 m et subissant un climat particulièrement rigoureux, constitue un vaste réseau de circuits balisés.

La **haute route à ski** (l'**Alta Strada**) offre aux skieurs bien entraînés un parcours de randonnée d'un haut niveau sportif. Empruntant une partie de l'itinéraire du GR 20, elle relie la vallée d'Asco à Bastelica. Un topoguide est disponible au Parc régional.

Comité régional du ski alpin – 981 rte de Petrelle - lieu-dit Chialza - 20620 Biguglia - ✆ 04 95 32 15 76 - www.ski-corse.com

SPORTS D'EAUX VIVES

Canoë-kayak

Le **canoë**, d'origine canadienne, se manie avec une pagaie simple. C'est l'embarcation pour la promenade fluviale en famille, à la journée, en rayonnant au départ d'une base ou en randonnée pour la découverte d'une vallée à son rythme. Le **kayak**, d'origine esquimaude, est utilisé assis et se déplace avec une pagaie double. Les lacs et les parties basses des cours d'eau offrent un vaste choix.

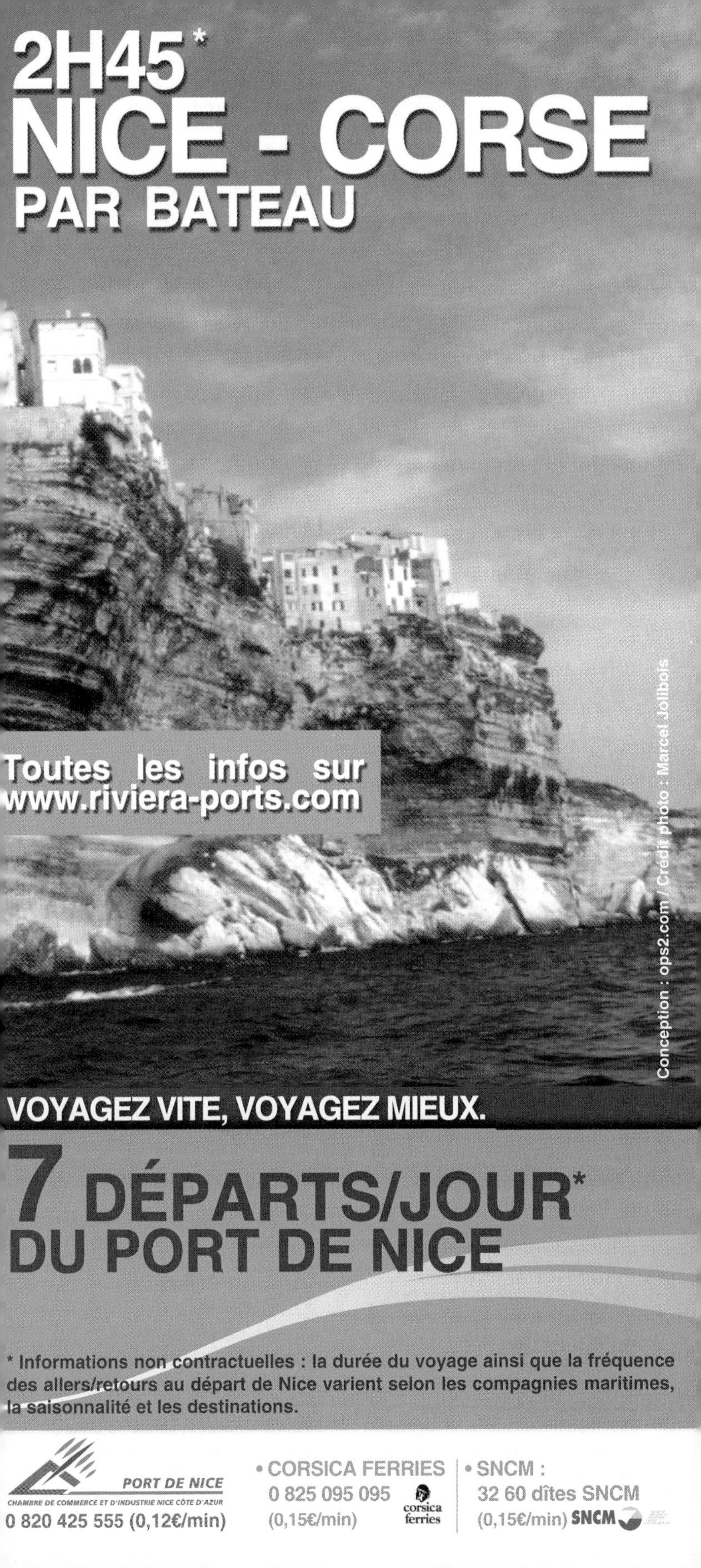
2H45*
NICE - CORSE
PAR BATEAU
Toutes les infos sur
www.riviera-ports.com
Conception : ops2.com / Crédit photo : Marcel Jolibois
VOYAGEZ VITE, VOYAGEZ MIEUX.
7 DÉPARTS/JOUR*
DU PORT DE NICE
* Informations non contractuelles : la durée du voyage ainsi que la fréquence des allers/retours au départ de Nice varient selon les compagnies maritimes, la saisonnalité et les destinations.
PORT DE NICE
CHAMBRE DE COMMERCE ET D'INDUSTRIE NICE CÔTE D'AZUR
0 820 425 555 (0,12€/min)
• CORSICA FERRIES
0 825 095 095
(0,15€/min)
corsica ferries
• SNCM :
32 60 dîtes SNCM
(0,15€/min)
SNCM

Fédération française de canoë-kayak – 87 quai de la Marne, BP 58, 94344 Joinville-le-Pont, ✆ 01 45 11 08 50. www.ffcanoe.asso.fr. La fédération édite, avec le concours de l'IGN, une carte *France canoë-kayak et sports d'eaux vives*, avec tous les cours d'eau praticables.

De nombreux cours d'eau corses peuvent être descendus en toute saison, mais la période optimale s'étend de fin mars à fin mai. Les rivières, s'apparentant plus à des torrents de montagne, qui offrent les parcours les plus attrayants sont Taravo et le Rizzanese ; l'Asco, le Liamone, le Golo, le Vecchio et le Tavignano offrent également des itinéraires réputés. Le niveau sportif généralement élevé des parcours exige une bonne forme physique, un matériel robuste et un équipement de qualité. Méfiez-vous des crues subites, très dangereuses. Informations et adresses pour la pratique du canoë-kayak en Corse :

Bureau d'information du Parc naturel régional – 20000 Ajaccio, ✆ 04 95 51 79 00.

Comité régional corse de canoë-kayak – Cors'Aventure - Corri Bianchi - 20117 Eccica-Suarella - ✆ 04 95 25 91 19 - www.corse-aventure.com

Canyoning

La technique du canyoning emprunte à la fois à la spéléologie, à la plongée et à l'escalade. Il s'agit de descendre, en rappel ou en saut, depuis des parois abruptes jusqu'au lit de torrents dont on suit le cours au fil de gorges étroites (clues) et de cascades. La variété des reliefs traversés – gorges profondes à l'abri de la lumière, cascades irisées, dalles de schiste chauffées au soleil et invitant à la halte, fonds de bief tapissés d'une végétation dense – combinée à la symphonie de couleurs des roches, fait toute la magie du canyoning.
Le canyoning se pratique l'été généralement, mais l'état de la météo reste déterminant pour une sortie. Deux techniques de déplacement sont particulièrement utilisées : le **toboggan** (allongé sur le dos, bras croisés) et le **saut** (hauteur moyenne 8 à 10 m), plus délicat, où l'élan du départ conditionne la bonne réception dans la vasque. Il est impératif qu'un participant se « sacrifie » et descende effectuer un sondage de l'état et de la profondeur du plan d'eau avant tout saut. C'est le manquement à cette règle élémentaire qui constitue le cas le plus fréquent d'accident.
L'initiation débute par des parcours n'excédant pas 2 km, avec un encadrement de moniteurs. Ensuite, il demeure indispensable d'effectuer les sorties avec un moniteur sachant « lire » le cours d'eau emprunté et connaissant les particularités de la météo locale. Le respect de l'environnement traversé reste le garant d'une activité pleinement acceptée par les riverains des torrents empruntés.

Baignade dans le Rizzanèse.

Dans la région décrite par ce guide, les cours d'eau de montagne conservent en été un débit suffisant pour offrir de multiples occasions de descendre en rappel et de sauter dans les « pozze » limpides qui ponctuent les parcours. Les principaux secteurs de référence sont, dans le centre et le Nord, la clue de la Richiusa, le défilé de la Spelunca, le ravin du Dardo, la haute Gravona, le Cap Corse et, dans l'extrême Sud de l'île, le canyon de Baraci et les gorges de la Solenzara.

Voir nos adresses d'organismes proposant des activités de canyoning dans les carnets pratiques de la partie « Villes et sites ».

THALASSOTHÉRAPIE

Deux établissements proposent des cures marines :

Thalassa Porticcio Sofitel – Domaine de la Pointe - 20166 Porticcio - ✆ 04 95 29 40 40.

Hôtel Éden Roc – Rte des Sanguinaires - 20000 Ajaccio - ✆ 04 95 51 56 00 - www.edenroc-corsica.fr

Fédération Mer et Santé – 8 r. de l'Isly - 75008 Paris - ✆ 01 44 70 07 57 - www.thalassofederation.com

THERMALISME

La richesse thermale de la Corse est peu connue. Elle fit l'objet d'aménagements nombreux déjà du temps des Romains, notamment à Baracci, Speluncato et Pietrapola. Plus près de nous, Gustave Flaubert, sur le conseil de son père, médecin, vint conforter sa santé en Corse et fit le tour des stations thermales.
Aujourd'hui, la Corse dispose d'un ensemble de petites stations thermales dont la modernisation témoigne de l'effort accompli pour relancer le thermalisme dans l'île.
Les stations les plus connues sont :
Guagno-les-Bains (pour les affections liées aux rhumatismes), actuellement fermée.
Pietrapola (pour les rhumatismes et la rééducation).
Les bains d'Urbalacone à **Zigliara** (pour les affections des voies respiratoires et les dermatoses).
L'île dispose par ailleurs de plusieurs sources minérales (Caldaniccia, Guitera et Caldanelle) qu'elle embouteille et commercialise. La plus connue de toutes, pétillante et revitalisante, est **l'eau d'Orezza**. L'eau de Zilia et l'eau St-Georges ont également la faveur des consommateurs de l'île.

Union nationale des établissements thermaux – 1 r. Cels - 75014 Paris - ✆ 01 53 91 05 75 - www.france-thermale.org

Chaîne thermale du soleil/Maison du thermalisme – 32 av. de l'Opéra - 75002 Paris - ✆ 01 44 71 37 00 ou 0 800 050 532 (appel gratuit) - www.sante-eau.com

VIGNOBLE

Visite des caves viticoles

En raison du fort ensoleillement dont bénéficie l'île et du caractère tranché des territoires, le vin corse comporte un nombre impressionnant de variétés locales que vous pourrez découvrir en visitant les caves ouvertes à la dégustation et dont la liste est disponible dans les offices de tourisme. On compte ainsi 9 AOC et des cépages uniques.
Les groupements de viticulteurs vous renseigneront sur les vignobles et les caves ouvertes au public.

VISITE GUIDÉE

Ville d'art et d'histoire – Sous ce label décerné par le ministère de la Culture et de la Communication sont regroupés quelque 138 villes et pays qui œuvrent activement à la mise en valeur et à l'animation de leur architecture et de leur patrimoine. Dans ce réseau sont proposées des visites générales ou insolites (1h30 ou plus), conduites par des guides-conférenciers et des animateurs du patrimoine agréés par le ministère. Les enfants ne sont pas oubliés grâce à l'opération « L'Été des 6-12 ans » qui connaît chaque année un grand succès. Renseignements auprès des offices de tourisme des villes ou sur le site www.vpah.culture.fr. En Corse, Bastia a reçu le label Ville d'art et d'histoire.

VOILE, PLANCHE À VOILE, CHAR À VOILE

Débutants ou confirmés, les amateurs de sports nautiques fréquentent assidûment le littoral corse. Les structures d'accueil proposent souvent des prestations adaptées à tous les niveaux.

De nombreuses écoles de voile proposent également des cours d'initiation et de perfectionnement aux autres sports nautiques comme la planche à voile et le funboard.
Voir nos adresses d'organismes proposant des activités nautiques dans les carnets pratiques de la partie « Découvrir les sites ».

Voile

Les vents capricieux du Cap Corse et de Bonifacio, aux pointes extrêmes de l'île, soulèvent l'enthousiasme des pratiquants. Sur la côte Ouest, St-Florent, Calvi, les plages de Sagone, du Ricanto à proximité d'Ajaccio et Porticcio ou Propriano ne sont que les plus connus des rendez-vous. Aléria, Ghisonaccia et Porto-Vecchio sont les seuls points de rassemblement de la côte Est.

Stéphane Sauvignier / MICHELIN

Départ d'un voilier.

Autres pratiques

Les vives couleurs des planches à voile et des funboards égayent la grande bleue du littoral de St-Florent et de l'extrême Sud de l'île. Les bouches de Bonifacio et de la Tonnara sont cependant réservées aux plus aguerris. Pour la pratique du surf, seules les plages de Cargèse et celle d'Algajola conviennent aux débutants. Le Capo di Feno et la vague de Coggia au Sud de Sagone sont réservées aux surfeurs très expérimentés.
Le kitesurf, qui marie la planche et le cerf-volant, a fait ses dernières années une entrée remarquée sur les plages d'Agosta et de la Viva à Porticcio et la longue plage de Portigliolo au Sud de Propriano.

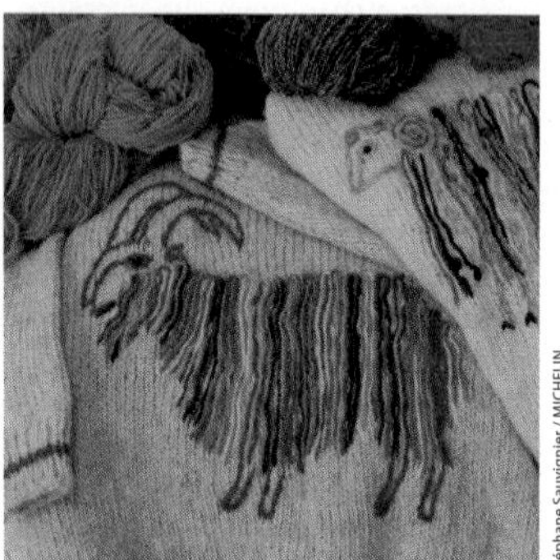

Stéphane Sauvignier / MICHELIN

Pull en laine de Corse. Création Lana Corsa.

Que rapporter

Les adresses de boutiques ou d'artisans se trouvent à la rubrique « Achats » dans les **encadrés pratiques** de la partie « Villes et sites ».

OBJETS D'ARTISANAT

Depuis quelques années, plusieurs régions font renaître l'artisanat et redonnent ainsi un peu de vie aux villages dépeuplés de l'intérieur. C'est le cas surtout en Castagniccia et en Balagne. Les artisans commercialisent eux-mêmes leur production, sélectionnée dans les maisons d'artisanat **« case di l'artigiani »** et les magasins et ateliers à l'enseigne **« Corsicada »** : paniers, couteaux, objets en bois, instruments de musique, céramiques.
En Castagniccia, laissez-vous tenter par les superbes pipes en bruyère dans le village d'Orezzo ou par de magnifiques objets en bois d'aulne, d'olivier et de châtaignier à Piedicroce.

En Balagne, la « route des Artisans » conduit vers les plus beaux villages de la région et fait découvrir les métiers ancestraux. Pigna, par exemple, est devenu un véritable foyer du renouveau musical ; les artisans y fabriquent des **instruments de musique** traditionnels. Lumio a conservé vivaces les techniques de la **coutellerie** : on produit toujours le *temperinu*, petit couteau traditionnel corse. Au Nord-Est d'Ajaccio, le village de Cuttoli-Cortichiato se consacre à l'**ébénisterie** et à la **coutellerie**. Une petite mise en garde à propos du couteau effilé baptisé « vendetta » qui, bien souvent, n'est pas produit localement.

PRODUITS DU TERROIR

Lorsque l'on quitte la Corse, comment résister à l'envie de charger ses sacs de succulents produits locaux ? Les **charcuteries** bien sûr (**« coppa »**, **« lonzu »**, etc.), mais aussi le miel du maquis, les apéritifs de l'**huile d'olive** de Balagne.

Sucreries – La grande diversité de la flore corse donne des **miels** très typés que l'on aura aussi plaisir à goûter une fois de retour chez soi. L'appellation AOC « mele di Corsica » concerne six catégories de miels : de printemps (très clair), fleurs du maquis (couleur ambrée, produit pendant l'été), miellat du maquis (très foncé, à la saveur prononcée), de châtaigneraie (récolté en juillet et août), d'été (couleur dorée, produit à la fin de l'été en montagne) et d'automne-hiver (clair, récolté en hiver, au goût légèrement amer). Vous trouverez, par exemple, de bons miels dans les villages de Quenza, Belgodère, Bastelica et Moltifao qui conservent une forte tradition apicole.
Peut-être préférerez-vous certaines des délicieuses **confitures** élaborées à partir des riches vergers de la plaine orientale ? Figue, abricot, orange, châtaigne, et, plus original, myrte, arbouse ou cédrat. Le **cédrat**, étonnant fruit peu comestible à l'état naturel, devient un confit exquis après un assez long passage dans des fûts remplis d'eau de mer.

Le roi des fromages corses – L'excellent « **brocciu** » que l'on trouve partout en Corse ne voyage malheureusement pas facilement. Oublions le transport du *brocciu* frais. En revanche, vous pouvez très bien quitter l'île avec un *brocciu* sec, emballé

Communiqué

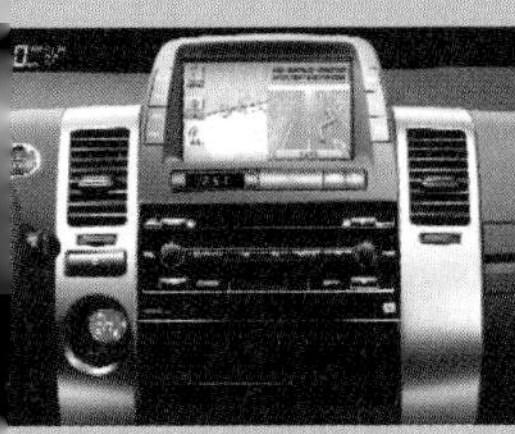

Toyota Prius

Demain commence aujourd'hui

Et si la solution aux problèmes d'environnement existait déjà ? Avec sa technologie hybride révolutionnaire, la Toyota Prius marie écologie, agrément de conduite et performances.

Réduire les émissions sans sacrifier les performances

Dans la course à la voiture moins polluante, Toyota possède une longueur d'avance grâce à la propulsion hybride. Le moteur essence habituel est complété par un moteur électrique relié à des batteries très compactes. Le moteur électrique procure alors un couple très important, équivalent à celui d'une puissante motorisation turbo-Diesel, gage de belles accélérations, avec une pollution nulle. La Prius accélère de 0 à 100 km/h en seulement 10,9 s.

Pour le conducteur, une auto comme une autre

Le système hybride, baptisé HSD (Hybrid Synergy Drive), est entièrement géré électroniquement. Pierre-Gilles de Gennes, prix Nobel de physique en 1991 ne tarit pas d'éloges : *"Le moteur hybride est aujourd'hui la meilleure solution pour diminuer la pollution et la consommation d'énergies fossiles"*. Pour cet homme de science, *"le moteur hybride est un progrès considérable et probablement la solution aux problèmes engendrés par l'automobile pour les 20 prochaines années"*.

Un silence de fonctionnement digne d'une limousine

Grâce à l'utilisation régulière du moteur électrique, le fonctionnement du système hybride se caractérise par une douceur et un silence digne d'une limousine. La combinaison transparente et imperceptible de ses deux sources d'énergie permet à la Toyota Prius de concilier des consommations et des émissions en baisse, un agrément de conduite préservé et un confort royal. Cerise sur le gâteau, en tant que véhicule propre, elle fait profiter son acheteur particulier d'un crédit d'impôts de 1 525 €*. Avec la Prius, tout le monde est gagnant, l'environnement comme le conducteur !

N°Azur 0 810 010 088
PRIX APPEL LOCAL

TODAY TOMORROW TOYOTA
Aujourd'hui, demain

UNE TONNE DE CO_2 EN MOINS PAR AN !**
CONSOMMATION MIXTE : 4.3 L/100KM***

*Pour les particuliers conformément au bulletin officiel des impôts Art.5. B-01-03 N°2 du 6 Janvier 2003
**Une tonne de CO_2 de moins qu'une berline familiale à moteur Diesel. Moyenne calculée sur 20 000 km/an.
***Consommations L/100 km (Normes CE) : cycle urbain, extra-urbain, mixte : 5,0/4,2/4,3. Emissions de CO_2 (en cycle mixte) : 104g/km

dans de multiples couches de papier pour ne pas incommoder les voisins !

Vins et alcools – La réputation des cépages corses a été confirmée par huit appellations contrôlées. Si vous souhaitez rapporter quelques bouteilles, procurez-vous auprès d'un office de tourisme la carte des AOC-vins de Corse, vous y trouverez la liste des caves ouvertes aux visites et dégustations. Si vous préférez les apéritifs, pourquoi ne pas céder à l'achat d'un « **Cap Corse** », d'un *rappu*, mélange de moût de vin rouge et d'eau-de-vie ou d'une **cédratine**, liqueur authentiquement corse ? Quant aux amateurs de bière, ils pourront emporter une variété originale : la bière à la châtaigne, la « **Pietra** ».

QUELQUES ADRESSES

Maison de l'agriculture – 19 av. Noël-Franchini - BP 913 - 20700 Ajaccio Cedex 9 - ✆ 04 95 29 26 00. Dispose de la liste des producteurs de châtaignes.

Parc naturel régional de Corse – 2 r. du Major-Lambroschini - BP 417 - 20184 Ajaccio Cedex 1 - ✆ 04 95 51 79 00 ou 04 95 50 59 04 - www.parc-naturel-corse.com - bureau d'information et de conseil - 2 r. du Serg.-Casalonga à Ajaccio. Point d'information permanent à Zonza - ✆ 04 95 78 56 33. Des maisons d'information du Parc régional sont ouvertes de juin à fin sept. ; à Calenzana, Conca (à Pianiccia), Corte (ouv. prévue en 2006), Levie, Moltifao, Porto (à la marine).

Brasserie Pietra – *Voir carnet pratique de Bastia.*

Les producteurs du Taravu – www.gietaravu.com. Vente en ligne de produits du terroir : farine de châtaigne, charcuteries, miels, vins, mais aussi couteaux.

La destination en famille

Plus de la moitié des estivants fréquentent la Corse en famille. Le climat, les vastes plages de sables fins, la multiplicité des activités offertes s'adaptent particulièrement bien aux envies et besoins des enfants dont l'initiation à la plongée sous-marine pour les plus grands, à la voile, bouées tractables, wakeboard, parachutes ascensionnels, etc.

Le littoral ne concentre pas pour autant à lui seul tous les atouts. À l'intérieur du pays, les vastes forêts, les sentiers thématiques, les cascades et grottes, la faune du Parc régional nourrissent tout autant leur curiosité et leur insatiable énergie.

L'ambiance et la convivialité des marchés est également une bonne initiation aux saveurs et cultures locales.

Nous avons sélectionné un certain nombre de sites qui leur sont adaptés. Il s'agit par exemple, d'aquariums, de parcs animaliers ou de musées (voir le tableau p. 51).

Vous les repérerez dans la partie « Découvrir les sites » grâce au pictogramme 👪.

Amaury de Valroger / MICHELIN

Enfant jouant avec un âne.

SITES OU ACTIVITÉS À FAIRE EN FAMILLE

	Nature	Musées	Loisirs
Ajaccio			Petit train des îles, arboretum des Milelli.
Golfe d'Ajaccio			Excursion aux îles Sanguinaires, plages du golfe (Marinella), Acqua Cyrné Gliss à Porticcio.
Algajola			Nombreux loisirs sportifs d'Algajola Sport et Nature.
Alta Rocca			Promenades à cheval pour tous niveaux.
Vallée de l'Asco			Via ferrata de Manicella, village des tortues (Castifao).
Bastelica			Centre nautique de Tolla.
Bastia	Étang de Biguglia	Musée de la Miniature	Train touristique.
Bocognano	Parc « A Cupulatta »		
Bonifacio			Promenade en mer, excursion à l'île Lavezzi.
Calacuccia			Base de loisirs, promenade au pont de Murriciolu.
Calvi	Excursion à Scandola		Calvi Nautique Club ; ferme pédagogique et randonnées à poneys (A cavallu).
Corte	Musée de la Corse		Promenades équestres (L'Albadu).
Évisa			Sentier d'interprétation de la Châtaigneraie ou sentier de la Sitelle.
Filitosa	Site archéologique		
Golfe de Galéria			Promenade en kayak dans l'estuaire du Fango.
Ghisonaccia			Balades en calèche ou à cheval (Ranch U Cavallu).
Olmeto			Randonnées à dos d'âne.
Olmi-Capella			Randonnées à dos d'âne (Balagn'âne).
Porto	Aquarium de la Poudrière		Plongée sous-marine.
Porto-Vecchio			Accrobranches.
Gorges de la Restonica			Les baignades dans les vasques de la Restonica.
St-Florent	Plage du Loto		
Sagone			Parcours aventure.
Sartène		Musée de la préhistoire corse	
Golfe de Valinco			Parcours d'arbre en arbre, randonnée avec un âne.
Véro			Accrobranches (Corse Rand Eau).

Fêtes et festivals

Cette sélection n'est pas exhaustive. N'hésitez à pas contacter les offices de tourisme.

Janvier

Corbara et Aregno – Procession en l'honneur de saint Antoine ; fête des Oranges (dim. suivant le 17 janv., après la messe de 11h).

Février

Renno – Foire de la Tubera (1er dim. de fév.).

Mars

Ajaccio – Fête de N.-D.-de-la-Miséricorde, patronne de la ville (18 mars) : procession, illuminations, messe solennelle - ℘ 04 95 51 53 03.

Sainte-Lucie-de-Tallano – Le village organise chaque année (mi-mars) « a festa di l'oliu novu », grande foire régionale de l'huile d'olive qui se déroule sur 2 jours et regroupe 80 artisans ; nombreuses animations - ℘ 04 95 78 80 13.

Semaine sainte

Erbalunga – Procession de la Cerca (Vendredi saint au matin) ; procession de la Granitola avec pénitents en cagoule (le soir du Vendredi saint).

Corte – Procession du Christ mort : des pénitents en cagoules défilent en procession dans les rues illuminées de la ville (Jeu. et Vend. saints).

Calvi – Dans l'après-midi, bénédiction des gâteaux « canistrelli » et procession (Jeu. saint).

Calvi – Procession de la Granitola avec pénitents en cagoule et pieds nus (Vendr. saint).

Amaury de Valroger / MICHELIN

Santa di u Niolu (Casamaccioli).

San Martino di Lota – Procession des confréries de la piève portant des objets en palmes (Vendredi saint) - ℘ 04 95 54 20 44.

Bonifacio – Procession des cinq confréries à travers la ville jusqu'à l'église Ste-Marie-Majeure pour y vénérer la relique de la sainte Croix (Jeu. et Vend. saints) - ℘ 04 95 73 11 88.

Sartène – Procession du Catenacciu (ou Grand Pénitent) : le soir du Vendredi saint, l'accès en véhicule à la vieille ville et le stationnement sont strictement réglementés. La procession part de l'église Ste-Marie à 21h30 et se déroule, durant 2 heures, dans la ville illuminée aux chandelles.

Cargèse – Procession orthodoxe grecque (lun. de Pâques).

Mai-juin

Porticcio – Corsica Raid Aventure : course en montagne, passages de cordes, VTT, canyoning, kayak de mer (fin mai-déb. juin) - ℘ 04 95 25 16 16 - www.corsicaraid.com

Juin-septembre

Calvi – Rencontre d'art contemporain (de déb. juin à déb. sept.) - ℘ 04 95 65 16 67.

Toute la Corse – Cyclocorsica/Les Six Jours cyclotouristes de l'île de Beauté (juin et sept.) - ℘ 04 95 21 96 94.

Juin

Ajaccio, Calvi, Propriano – Procession en mer en l'honneur de saint Érasme, patron des pêcheurs (déb. juin) - se renseigner à l'Office de tourisme.

Bonifacio – Procession à l'ermitage de la Trinité (8 juin) - ℘ 04 95 73 11 88.

Corte – Chaque année a lieu la Foire du cheval (Fiera Cavalina) le 2e w.-end de juin. Au programme : spectacles équestres, nombreux artisans et producteurs agricoles - ℘ 04 95 46 13 77.

Bastia – Saint-Jean-Baptiste, fête patronale de la ville (en juin : le 23 en soirée et le 24) - ℘ 04 95 54 20 40.

Calvi – Festival de jazz (3e sem. de juin) - ℘ 04 95 65 00 50 - www.calvi-jazz-festival.com

Vero – Le 25 juin a lieu la Nuit du conte, sur les places aux allures d'amphithéâtres. Elle est précédée et prolongée par d'autres soirées avec des conteurs d'ici et d'ailleurs dans la magie des bougies. Et dans l'espace Petricanti, sur la RN 193, des rencontres culturelles (parole, musique, danse et arts plastiques) ont lieu le samedi de fin juin à début septembre - ✆ 04 95 52 86 94 ou 06 14 73 71 68.

Vezzani – Festa di u legnu e di a furesta (juin) : foire autour du bois, animations, artisanat - ✆ 04 95 44 01 21.

Hervé Le Gac / MICHELIN

Course de kayaks de mer, Cap Corse.

Juillet

Luri – Foire du vin (1er w.-end de juil.) - ✆ 04 95 35 06 44 - www.acunfraternita.com

Corte – Grand raid inter-lacs : course pédestre individuelle dont le tracé passe par sept des plus beaux lacs d'altitude de Corse (2 j., 1re quinz. de juil.) - ✆ 04 95 46 12 48 - www.interlacs.com

Bastia – Notte di a memoria (2e sam. de juil.) : reconstitution historique - ✆ 04 95 54 20 40.

Lumio – Foire de la pierre (1re quinz. de juil.) : la pierre sous toutes ses formes (construction, sculpture, bijoux) et produits régionaux ; nombreuses animations - ✆ 04 95 60 61 45.

Pigna (et la Balagne) – Tous les ans, du 3 au 13 juillet, la manifestation Estivoce (organisée par l'association Festivoce) regroupe, sur plusieurs villages autour de Pigna, des musiciens et des ensembles vocaux de qualité, ce qui en fait l'un des événements incontournables de la scène musicale insulaire - ✆ 04 95 61 73 13 - www.festivoce.casa-musicale.org

Montegrosso – Foire de l'olivier (3e w.-end de juil.) - ✆ 04 95 62 81 72.

Patrimonio – Les Nuits de la guitare, classique et jazz (3e sem. de juil.) - ✆ 04 95 37 12 15.

Juillet-août

Lama – Festival européen du cinéma et du monde rural (fin juil.-déb. août) - ✆ 04 95 48 21 60 - www.festilama.org

Août

Aléria – Durant deux jours au début du mois d'août, Aléria replonge dans l'ambiance d'une cité romaine de l'Antiquité (Festa antica) : marché artisanal, joutes, olympiades, groupes de musique, repas et costumes romains, dégustation de vin.

Bavella – Procession à N.-D.-des-Neiges (5 août) - ✆ 04 95 72 09 87.

Ajaccio – Cérémonies religieuses de l'Assomption et fêtes commémoratives de la naissance de Napoléon (autour du 15 août) - ✆ 04 95 51 53 03.

Aregno – Foire à l'amandier (1er w.-end d'août) - ✆ 04 95 60 09 73.

Bastia – Fête de l'Assomption de la Vierge (15 août) - ✆ 04 95 54 20 44.

Erbalunga – Festival de musique, jazz et guitare (2e sem. d'août) - ✆ 04 95 33 20 84.

Dans le Giussani (à Olmi Cappella, Pioggiola, Vallica et Mausoleo) – Rencontres internationales de théâtre en Corse (du 10 au 12 août) - ✆ 04 95 61 93 18 - www.aria-corse.com

Saint-Florent – Porto Latino : concerts de musique latino-américaine (déb. août) - ✆ 06 12 91 27 21 - www.porto-latino.com

Bonifaccio – Procession en l'honneur de saint Barthélemy (24 août) - ✆ 04 95 73 11 88.

Septembre

Casamaccioli – Déb. sept. (pdt 3 j.) se déroule la fête de la Santa di u Niolu, célébration religieuse, foire (l'une des plus anciennes et importantes de Corse) et spectacle où les bergers rivalisent de talent dans des improvisations dialoguées ou chantées (Chjama è rispondi, concours de mora) - ✆ 04 95 48 03 31 ou ✆ 04 95 48 11 72.

Lavasina – Procession aux flambeaux (1re sem. de sept.).

Calvi – Rencontres polyphoniques (mi-sept.) - ✆ 04 95 65 23 57.

Octobre

Bastia – Musicales (mi-oct.) - ✆ 04 95 54 20 40.

Toute la Corse – Tour de Corse automobile (2e quinz. d'oct.), dép. d'Ajaccio - ✆ 04 95 23 62 60.

Novembre

Bastia – Bastia entretient une vie culturelle animée. La ville organise notamment chaque automne le festival Arte-Mare, où une ville méditerranéenne est chaque année l'invitée d'honneur.

Évisa – Chaque année mi-novembre, Évisa fête l'*insitina*, variété locale de marron (aire d'appellation « Marron d'Évisa »).

Décembre

Bocognano – Fiera di a castagna (2e w.-end de déc.) : foire à la châtaigne, la plus importante foire régionale de Corse - ✆ 04 95 27 41 76.

Livres, films, musique

LIVRES

Ouvrages généraux - Tourisme

Corsica Muntagna, Antoine Perigot, Éditions Micca Nomi, 1999.

Gastronomie

La Bonne Cuisine corse, C. Schapira, Éditions Solar, 2003.

L'Inventaire du patrimoine culinaire de la France, Corse, Albin Michel/CNAC, 1996.

Cuisine corse, S. Grimaldi, Édisud, 2002.

Randonnée pédestre - Montagne - Plaisance

Topoguide du sentier GR 20 de Calenzana à Conca, Féd. fr. de la randonnée pédestre/Comité nat. des sentiers de grande randonnée.

Randonnée découverte en Corse « Entre mer et montagne ; 2 Mare e Monti, 3 Mare a Mare », Parc naturel régional/FFRP.

100 balades et randonnées, Haute-Corse, les Guides IGN, Libris 2004.

100 balades et randonnées, Corse-du-Sud, les Guides IGN, Libris 2004.

Tours génoises : 40 balades familiales, P. Larenaudie, Éditions Albiana, 2001.

Sentiers de Corse Cuscione et Bavella, J.-P. Quilici et A. Gauthier, Éditions Albiana, 2000.
Guide de Navigation corse, Brunel, A. Barthélemy, 2005.

Géographie - Nature

Guide des Merveilles de la Nature en Corse, Frédérique Roger, Arthaud, 2004.
La Faune de Corse, Coll. Nature, Albiana, 2005.

Noms de lieux de Corse, Bonneton, 2001.

La Corse, coll. « Guides naturalistes des côtes de France », Delachaux et Niestlé.

Roches et paysages de la Corse, A. Gauthier, Parc naturel régional/BRGM.

Savoirs populaires sur les plantes corses, Parc naturel régional.

Sept promenades en forêts - Découvrir la forêt corse, Puydarieux et Rivière, ONF.

Les Plus Belles Balades en Corse, R. Colonna d'Istria, Les Créations du pélican, 1999.

La Corse panoramique, R. Paoli, Les Créations du pélican, 2000.

Corse : île de montagne, J.-X. Orsini et C. Boisvieux, coll. « Terres de Passion », Éditions Vilo, 2002.

Le Corse de poche, P. Marchetti, Assimil Évasion, 2002.

J'aime la Corse, Éditions Atlas, 2002.

Histoire - Archéologie - Art - Actualité

Corse préhistorique, L. G. Costa, Errance, 2004.

Histoire de la Corse, M. Vergé-Franceschi, Éditions du Félin, 2003.

L'Histoire de la Corse, P. Arrighi, PUF, 2003.

Bonaparte et Paoli : aux origines de la question corse, C.-N. Bonaparte, Perrin, 2000.

Et la Corse fut libérée, P. Silvani, Éditions Albiana, 2001.

Le Problème corse, N. Giudici, coll. « Les essentiels », Milan, 1998.

Comprendre la Corse, J.-L. Andréani, Gallimard, 1999.

Le Guépier corse : de l'assassinat du préfet Érignac à l'arrestation du préfet Bonnet, P. Irastorza, Fayard, 1999.

Le Problème corse : dix questions pour comprendre, W. Dressler, La Découverte, 2002.

Arts traditionnels corses, Loviconi, Édisud, 1993.

Littérature

Colomba, P. Mérimée, Pocket.

Les Agriates, P. Benoit, La Marge.

Matteo Falcone, P. Mérimée, LGF poche.

Les romans de Marie Susini, à caractère autobiographique, ont pour cadre la Corse.

Les Frères corses, A. Dumas, La Marge.

La Vraie Colomba, L. Di Bradi, La Marge.

Voyage en Corse, abbé Gaudin, Lacour, réimpression du récit d'un voyage fait en 1787, Lacour-Ollé, 1997.

La Paille et le Feu, P. Gattaceca, Les Belles Lettres, 2000.

Contes et légendes de l'île de Corse, G.-X. Culioli, DCL, 2000.

I Muvrini dans le texte : pensées et chansons à cœur ouvert, J.-F. Bernardini, Autres Temps, 1998.

L'Île du silence, L. Wadham, Gallimard, 2002.

BD

Astérix en Corse, Uderzo et Goscinny, Hachette, 2005.

Inchiesta corsa : l'enquête corse en v.o., R. Pétillon, Albin Michel bandes dessinées, 2001.

L'enquête continue, R. Pétillon, Albin Michel bandes dessinées, 2001.

DVD, CÉDÉROMS

Corsica, encore plus belle vue du ciel, DVD réalisé par Antoine Leonardi, Ricordu Productions.

Corsica, les secrets d'une terre, DVD réalisé par Antoine Leonardi, Ricordu Productions (www.ricordu.com), 2002.

Les Plus Belles Randonnées en Corse, Éd. Combo, 1998.

L'Enquête corse, versions française et corse, 2005.

Mémoires de Corse, Éditions Montparnasse, 2004.

Évasion Corse, Echokammer, 2004.

MUSIQUE

L'engouement pour les chants polyphoniques a désormais largement dépassé un public simplement fidèle

Stéphane Sauvignier / MICHELIN

Concert du goupe polyphonique A Filetta.

à sa culture. Les enregistrements sont disponibles sur cassettes et CD souvent produits par des sociétés corses. La principale, « Studio Ricordu » (www.ricordu.com) à Bastelicaccia, assure la diffusion de la plupart des vedettes corses.

Canta u Populu Corsu, **I Chjami Aghjalesi**, **Soledonna**, **A Filetta**, **I Muvrini**, **Les Nouvelles Polyphonies corses** (qui ont interprété l'ouverture des Jeux olympiques d'Albertville) et **J.-P. Poletti (et les Chœurs de Sartène)** sont parmi les principaux groupes d'interprètes. Plus récents, les groupes **I Surghjenti**, **Diana di l'Alba** et **Cinque So** confirment la vitalité de l'expression musicale corse. Pendant la période estivale, la plupart de ces groupes organisent des récitals dans des tournées de villages, au festival de Pigna et aux Rencontres polyphoniques de Calvi.

D'autres chanteurs, comme **Antoine Ciosi** et le compositeur **Henri Tomasi**, maintiennent le dynamisme de la chanson traditionnelle et folklorique.

Parmi les réalisations assez récentes, nous pouvons citer :

Polyphonies corses a cappella ou *Polyphonies corses di petra*, *Les Voix de l'émotion* chez Ricordu ;
Renvivisce, de Canta u populu corsu ;
A Strada, le meilleur de I Muvrini ;
Intantu, du groupe A Filetta.

Mais aussi des compilations comme :

Corsica

Les Plus Belles Voix corses
Canta Corsica.

Pour apprécier les chants en paghjella : *Messa corsa in Rusio* (Éd. Adès n° 111622) et *Chants polyphoniques traditionnels.*

Réserve naturelle de Scandola.

/ MICHELIN

COMPRENDRE LA RÉGION

NATURE

En découvrant la Corse, on comprend qu'elle a inspiré tant d'écrivains et de peintres. Matisse disait que son émerveillement pour le Sud était né de son séjour à Ajaccio. Troisième grande île de la Méditerranée occidentale, après la Sicile et la Sardaigne, la Corse (8 720 km²) promet un voyage fantastique : falaises empourprées qui plongent à pic dans la mer, villages accrochés à la montagne, gorges taillées dans la pierre, collines tapissées de châtaigniers ou d'oliviers.

Amaury de Valroger / MICHELIN

Baie de Nichiareto, au Sud de Calvi.

Une montagne dans la mer

Longue de 183 km et large de 83 km, la Corse déploie 1 047 km de côtes en une succession de magnifiques caps, falaises, golfes et plages. C'est la plus montagneuse des îles de la Méditerranée. En un éclair, on passe des plages dorées à la haute montagne : à 25 km seulement du littoral, le mont Cinto, point culminant éternellement enneigé, dresse ses 2 706 m. La proximité du rivage italien (83 km), français (170 km) et espagnol (450 km) explique l'importance commerciale et stratégique de l'île au cours des siècles.

UNE ÎLE CONTINENT

Trois grandes régions font la richesse des paysages : la Corse occidentale (Corse cristalline ou « ancienne ») qui couvre près des 2/3 du territoire, la Corse orientale (Corse schisteuse) au Nord-Est et, séparant ces deux entités, le sillon central, qui s'étend de L'Île-Rousse à Solenzara.

La Corse occidentale

Elle porte les plus hauts sommets de la Corse. Ceux-ci dessinent au centre de l'île une épine dorsale discontinue qui délimite deux régions historiques : l'Au-Delà-des-Monts et l'En-Deçà-des-Monts, appellations génoises recouvrant approximativement les départements actuels de Corse-du-Sud et de Haute-Corse. De part et d'autre de cette ligne faîtière, des chaînons transversaux bordés de vallées et de gorges s'abaissent graduellement vers la mer.

> **Naissance d'une île**
>
> D'après les géologues, la Corse formait jusqu'à l'ère secondaire un microcontinent avec la Sardaigne, soudé à la Provence. Un ébranlement du système alpin et une cassure provoquèrent une lente dérive des ces terres et donnèrent naissance à l'étonnante « île de Beauté ».

Les massifs du centre – Tout en pics, en aiguilles et en gorges encaissées, cette haute montagne alpine fait la joie des randonneurs en quête de paysages sauvages et exceptionnels. Les crêtes demeurent enneigées tard dans le printemps. Le climat de type alpin, avec ses fortes précipitations et ses basses températures, rend la vie rude et pauvre. Les bergers pratiquent l'élevage extensif du mouton en été. Aujourd'hui, les bourgs de montagne sont désertés, à l'exception de ceux qui orientent leurs activités vers le ski ou la randonnée (Soccia, Évisa, Zicavo, Quenza, Bastelica…).

Les extrémités Nord et Sud de l'île – Elles ont conservé un relief moins tourmenté de montagnes anciennes. La Balagne, terre de collines, s'ouvre sur la mer par une série de petites plaines côtières. Elle s'allonge de Galéria à Calvi et porte sur ses coteaux des oliviers et des vignes. Véritable « Riviera » de la Corse, son climat méditerranéen, ses plages et ses marinas attirent de nombreux estivants.

Appuyé sur le mont Incudine, le Sud de la Corse s'ouvre en éventail, du golfe de Valinco à Porto-Vecchio. Son paysage montagneux, moins escarpé que le centre de l'île, rend les communications plus faciles et ses vastes plateaux favorisent l'élevage.

Le climat sec et chaud est propice à la culture de la vigne (Ste-Lucie-de-Tallano, Figari, Porto-Vecchio) et au développement du chêne vert et du chêne-liège. À l'extrême Sud, Bonifacio forme une étonnante enclave de falaises calcaires.

La Corse orientale

Elle constitue le tiers Nord-Est de l'île, formé de monts schisteux orientés Nord-Sud, bordés d'une plaine côtière. Moins accidentée que la Corse occidentale, elle culmine en Castagniccia au San Petrone (1 767 m).

Les secteurs montagnards – Ils offrent deux magnifiques visages bien distincts.

Le Cap Corse présente un squelette montagneux en arêtes de poisson avec des crêtes émoussées par l'érosion. Une splendide route du littoral permet d'en faire le tour. Les pentes du cap, façonnées en terrasses par l'homme et aujourd'hui abandonnées à la végétation, gardent les traces d'une activité agricole qui fut prodigue. Autour des villages subsistent quelques vergers et l'activité viticole, toujours existante, fit dès le Moyen Âge la renommée de la péninsule. Cependant, la mer demeure la principale ressource.

La Castagniccia est délimitée par les fleuves du Golo au Nord et du Tavignano au Sud. Elle forme un moutonnement de larges collines, entaillées par les torrents. Elle est couverte d'un épais manteau de châtaigniers qui firent sa richesse.

La plaine orientale – Terrain sédimentaire enrichi par les alluvions des torrents descendus de la Castagniccia, elle offre un paysage morne de collines, plateaux et plaines littorales. On distingue au Nord la plaine de Bastia, dominée par la Casinca, et au Sud, la plaine d'Aléria. Très favorable à la culture depuis son assainissement en 1945 (éradication de la malaria), elle accueille aujourd'hui des exploitations agricoles intensives où prévalent les agrumes et la vigne.

Le sillon central

Cette fracture élargie par les cours d'eau est la partie la plus ancienne de la Corse orientale. Elle marque la zone de contact avec la Corse occidentale. D'une altitude moyenne inférieure à 600 m, elle relie l'Est du désert des Agriates à Solenzara, en passant par Corte.

C'est au centre de l'île que la dépression est la plus affirmée : le « sillon de Corte », drainé par le Golo puis le Tavignano, offre un paysage attachant où coteaux et plateaux s'enchevêtrent dans un cadre montagneux.

UN DON DU CIEL

La Corse bénéficie de ressources en eau beaucoup plus importantes que celles des autres îles de la Méditerranée.

Les précipitations

Le nombre de jours de pluie dans l'année est faible (95 jours à Ajaccio), mais l'île reçoit environ 900 mm d'eau, moyenne annuelle supérieure à celle du Midi de la France. Il pleut plus à l'Est qu'à l'Ouest, à l'intérieur que sur les côtes, au Nord qu'au Sud. Certains cols (Vizzavona, Vergio) sont régulièrement enneigés et parfois bloqués en hiver. L'été est synonyme de longue saison sèche ; pour pallier cette mauvaise répartition annuelle des pluies, plusieurs lacs de barrage ont été aménagés.

Au fil de l'eau

Tous les fleuves et rivières sont irréguliers : maigres de juin à octobre, volumineux et même impétueux d'octobre à avril, limpides à l'Ouest, boueux à l'Est. Parvenant difficilement à la mer, ils charrient des masses importantes d'alluvions. Le réseau hydrographique est aussi constitué de nombreux cours d'eau. Leur lit, caillouteux en été, peut devenir abondant et dangereux lors des orages.

LES RESSOURCES MINIÈRES

Les minerais ont été découverts et exploités très tôt.
La Corse orientale, riche en ressources minières, a fait l'objet d'exploitation de nombreux gisements : fer à Farinole, dans le Cap Corse, manganèse à Morosaglia, cuivre à Ponte-Leccia, près du défilé de Lancone et aux abords de Vezzani, plomb argentifère près de Ghisoni, antimoine dans le Nord du Cap et amiante à Canari, sur la côte Ouest du Cap.
La Corse occidentale détient quelques minerais difficilement exploitables : antimoine à Vico, plomb argentifère en Balagne, fer à Calvi et cuivre dans le golfe de Sagone.
Les tentatives récentes de mise en valeur ont révélé que les gisements de Corse présentent plus d'intérêt pour les minéralogistes que pour les entreprises minières.

LES SCULPTURES MINÉRALES

L'infinie variété des roches corses est un paradis pour les minéralogistes et un régal pour les yeux et l'imaginaire des voyageurs.
Certaines régions constituent de véritables forêts de pierres aux formes presque surnaturelles.

Les roches magmatiques

Elles sont nées de la montée de matériaux en fusion situés sous l'écorce terrestre et couvrent la majeure partie de la Corse occidentale. Le granit est à l'origine de paysages célèbres : les aiguilles de Bavella, taillées par l'érosion ou encore le rivage découpé de la côte Ouest dont les **calanche** de Piana constituent le fleuron. Dans ces aiguilles de granit rouge, l'eau et le vent ont creusé d'étonnantes cavités appelées « taffoni » (« trou », en corse) et sculpté de surprenantes silhouettes *(voir le texte p. 198)*.
Si vous passez par le village de Sainte-Lucie-de-Tallano dans l'Alta Rocca, vous aurez la chance de découvrir la **diorite orbiculaire**, pierre rarissime et extrêmement belle. Utilisée à des fins ornementales, elle fut surnommée « corsite » jusqu'à ce qu'on découvre l'existence d'un autre gisement en Finlande.
Les rhyolites et les ignimbrites (roches volcaniques) se rencontrent en abondance dans le Nord-Ouest. Elles forment des paysages spectaculaires caractérisés par un relief élevé et des teintes allant du vert au rouge en passant par d'innombrables nuances. La presqu'île de Scandola, avec ses falaises et ses orgues, en est une des plus belles représentations, ce qui lui a valu son classement au Patrimoine mondial de l'Unesco.

Polychromie

Les amateurs d'art remarqueront le schiste lustré, à l'aspect soyeux, souvent employé dans les églises pisanes (chapelle San Quilico de Cambia, par exemple), le calschiste, pierre dorée aux teintes pâles orange, vertes, bleues (église de la Canonica) ou encore les roches vertes, utilisées pour l'édification de monuments polychromes (San Michele de Murato).

Les roches sédimentaires

Elles proviennent de dépôts de minéraux et d'organismes vivants, et forment de nombreuses enclaves dans l'ensemble de la Corse. Le calcaire est fortement présent dans la région de Corte et de Saint-Florent. Mais c'est Bonifacio, et ses hautes falaises blanches modelées par le vent et les vagues, qui constitue le plus spectaculaire bassin calcaire. D'autres formations sédimentaires ont laissé des traces : **charbon** dans le golfe de Porto, moraines à l'emplacement d'anciens glaciers et argile dans le golfe d'Ajaccio.

Les roches métamorphiques

Ces roches tiennent leur nom des modifications qu'elles ont subies dans leur composition et leur structure lors de mouvements tectoniques. Elles se

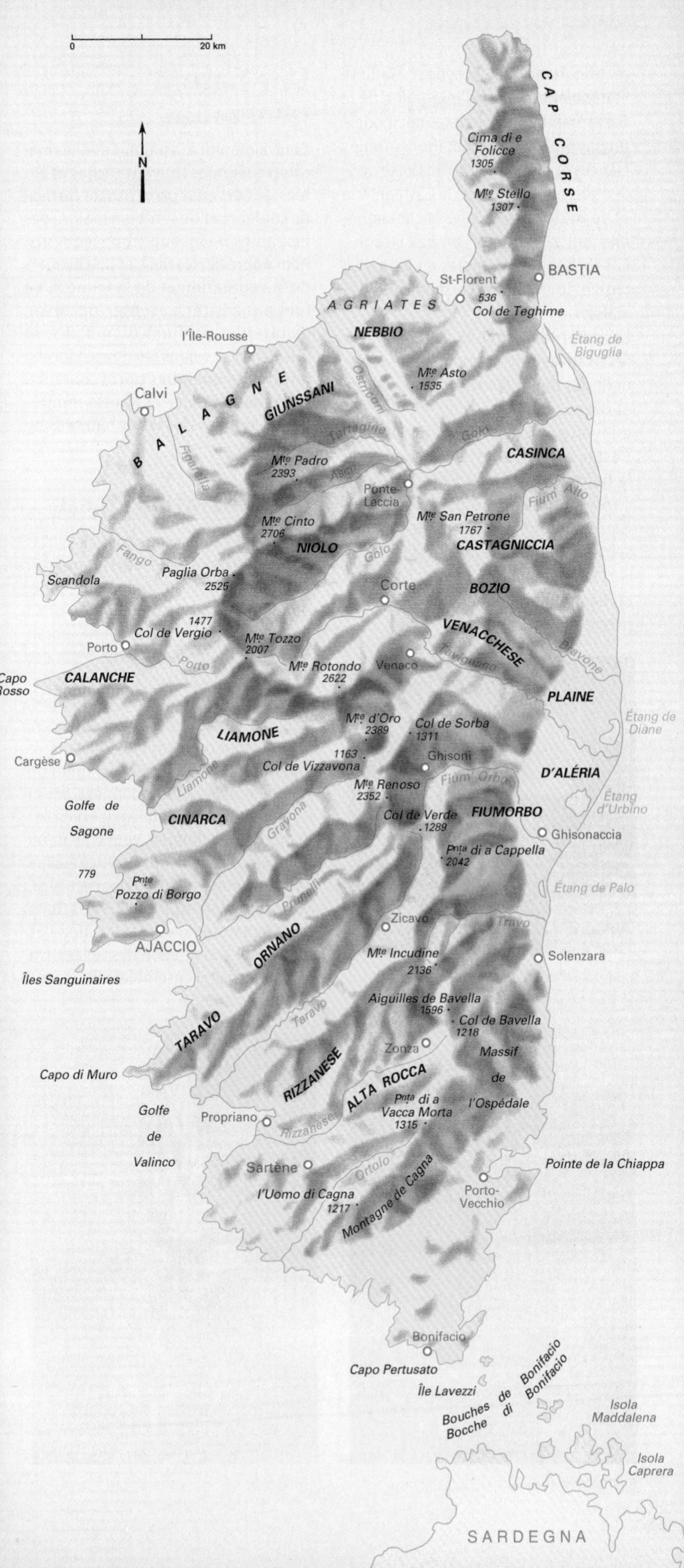
0
20 km
N
CAP CORSE
Cima di e Folicce
1305
Mte Stello
1307
BASTIA
St-Florent
536
Col de Teghime
AGRIATES
NEBBIO
Étang de Biguglia
l'Île-Rousse
Mte Asto
1535
Ostriconi
Calvi
BALAGNE
GIUNSSANI
Tartagine
Golo
Figarella
CASINCA
Mte Padro
2393
Asco
Ponte-Leccia
Fium' Alto
Mte Cinto
2706
Mte San Petrone
1767
CASTAGNICCIA
Fango
NIOLO
Golo
Scandola
Paglia Orba
2525
Corte
BOZIO
1477
Col de Vergio
VENACCHESE
Porto
Mte Tozzo
2007
Venaco
Tavignano
Bravone
Porto
Mte Rotondo
2622
Capo Rosso
CALANCHE
PLAINE
Étang de Diane
Mte d'Oro
2389
Col de Sorba
1311
LIAMONE
1163
Col de Vizzavona
Ghisoni
Cargèse
D'ALÉRIA
Fium' Orbo
Liamone
Mte Renoso
2352
Étang d'Urbino
Golfe de Sagone
CINARCA
Gravona
Col de Verde
1289
FIUMORBO
Ghisonaccia
Pnta di a Cappella
2042
779
Pnte Pozzo di Borgo
Étang de Palo
Prunelli
Zicavo
Travo
AJACCIO
ORNANO
Mte Incudine
2136
Solenzara
Îles Sanguinaires
Aiguilles de Bavella
1596
Taravo
Col de Bavella
1218
TARAVO
Zonza
Massif de l'Ospédale
RIZZANESE
Capo di Muro
ALTA ROCCA
Golfe de Valinco
Propriano
Pnta di a Vacca Morta
1315
Rizzanese
Sartène
Ortolo
Pointe de la Chiappa
l'Uomo di Cagna
1217
Montagne de Cagna
Porto-Vecchio
Bonifacio
Capo Pertusato
Île Lavezzi
Bouches de Bonifacio
Bocche di Bonifacio
Isola Maddalena
Isola Caprera
SARDEGNA

reconnaissent à leur aspect feuilleté et habillent presque l'intégralité de la Corse orientale. Les schistes ont modelé un paysage massif, aux monts moins élancés et plus larges qu'en Corse occidentale. Les croupes de la Castagniccia et du Bozio, noyées sous la châtaigneraie, en constituent l'un des visages. Ces roches sont débitées en lauzes ou teghie pour assurer la couverture des maisons.

Les célèbres « **roches vertes** », plus résistantes que les schistes, façonnent des paysages aux reliefs abrupts et découpés. Les torrents les ont fendues en gorges étroites et profondes : c'est le cas du défilé de Lancone et de la haute corniche du Golo. La roche connue sous le nom de « vert de Corse », pierre ornementale très prisée, contient de splendides cristaux vert jade. On en trouve des gisements en Castagniccia et dans le Cap Corse, près de Canari.

« *Carpobrotus* » (*figue marine*).

Amaury de Valroger / MICHELIN

Une nature généreuse

Contrairement à la plupart des îles méditerranéennes souvent sèches et pelées, la Corse est un véritable festival de couleurs et de senteurs malgré des incendies beaucoup trop fréquents. Pour apprécier les mille et une beautés de la végétation et de la faune, il ne faut pas hésiter à écouter, observer, respirer les parfums du maquis, se rafraîchir l'été dans les denses forêts, refuges de quelques porcs coureurs, se promener dans les hautes montagnes baignées de lacs et habitées de mouflons.

UNE VÉGÉTATION ÉTAGÉE

Surnommée avec justesse par les Anglais « l'île parfumée », la Corse apparaît étonnamment verte, boisée et fleurie. Napoléon disait qu'il reconnaissait sa terre natale à son odeur. On ne saurait énumérer toutes les espèces végétales de l'île : il y en a plus de 2 000. Certaines sont communes à la flore continentale, d'autres à celle du bassin méditerranéen, mais surtout on dénombre 78 variétés endémiques. Les végétaux, que l'on découvre au gré des randonnées, ont su s'adapter à un milieu biologique difficile : sécheresse prolongée, vent violent ou froid rigoureux. Chaque essence évolue dans une zone d'altitude particulière, avec toutefois quelques variations selon la nature du sol, l'exposition des versants et l'orientation des vallées. On distingue, dans l'ensemble, trois étages caractéristiques.

Euphorbe.

Amaury de Valroger / MICHELIN

Asphodèle.

Amaury de Valroger / MICHELIN

Couleurs et senteurs

L'étage méditerranéen inférieur – Jusqu'à 500 m d'altitude se mêlent les fleurs exotiques et le maquis. Le **figuier de Barbarie**, cactus originaire d'Amérique centrale, donne un fruit comestible. Soyez prudents en cueillant les figues car elles sont hérissées de piquants. L'**agave d'Amérique**, plante grasse aux longues feuilles bordées d'épines brunes, est ornée de fleurs jaunes. L'**aloès** aux feuilles charnues offre de janvier à avril un panache de fleurs rouges ou jaunes. L'**eucalyptus**, introduit en Corse au 19e s. pour ses vertus médicinales et sa faculté à assécher les zones marécageuses, embaume les régions de Porto et d'Ajaccio et la plaine orientale. Les **cédratiers** produisent des fruits ressemblant à de gros citrons que l'on consomme confits, en liqueur ou en confiture.

« Prendre le maquis » – Constitué par un tapis végétal extrêmement dense pouvant atteindre 6 m de hauteur, le maquis a de tout temps servi d'abri à de nombreux bandits et résistants. Il s'étend sur d'immenses surfaces, y compris sous les pins maritimes, les chênes et dans les châtaigneraies abandonnées. Cette couverture végétale éminemment combustible favorise la propagation des incendies, mais a le mérite de retenir la couche d'humus et de fournir du bois de chauffage. Au printemps, le promeneur appréciera les arômes puissants et la profusion des couleurs du maquis en pleine floraison. Le **ciste de Montpellier** et le **ciste à feuilles de sauge** constellent les basses pentes de leurs fleurs blanches, alors que le **ciste de Crète** apporte des touches mauve-rose. Les **calycotomes**, sorte de genêts épineux, forment de magnifiques buissons fleuris de jaune et parfumés d'une odeur de miel. Le **cyclamen** égaye de ses petites fleurs violettes le littoral et les sous-bois. Dans le bas maquis pousse aussi le **myrte** dont les baies d'un noir bleuâtre servent à la fabrication d'une liqueur réputée. Les autres plantes caractéristiques sont l'**asphodèle** avec ses fleurs blanchâtres, le **lentisque** que l'on reconnaît à son odeur résineuse et à ses baies virant au noir à maturité et le genévrier dont les baies d'un brun rouge font le délice des merles.

Le maquis arboré se compose de **bruyères**, de **chênes-lièges** (présents surtout dans le Sud-Est de l'île), de **chênes verts** et d'**arbousiers**. Ceux-ci portent, d'octobre à janvier, des fleurs blanches et des fruits rouge vif de la taille d'une grosse fraise (d'où son nom d'arbre aux fraises), consommés sous forme de gelée ou d'eau-de-vie.

Amaury de Valroger / MICHELIN

Ciste.

Amaury de Valroger / MICHELIN

Hellébore corse.

Amaury de Valroger / MICHELIN

Figuier de Barbarie.

Marcelle Conrad (1897-1990)

Botaniste et peintre, Marcelle Conrad parcourut la Corse pendant soixante ans afin d'étudier et faire connaître le patrimoine végétal insulaire. Elle participa à la révision fondamentale de la classification de la flore corse ; elle est l'auteur d'un recueil d'aquarelles de plantes corses et cyrno-sardes inconnues sur le continent.

Vous l'avez compris, une balade dans le maquis s'impose, excepté les jours de grand vent où les incendies peuvent se propager à vive allure. N'ayez crainte, vous n'aurez pas la mauvaise surprise de croiser des vipères puisqu'il n'y en a pas sur l'île, mais vous rencontrerez certainement des porcs à demi sauvages se régalant de glands et d'arbouses.

Un vaste couvert forestier

L'étage médian – Entre 500 et 1 500 m d'altitude s'étend le royaume du châtaignier et du pin laricio. Introduit par l'homme au 15e s., le **châtaignier** est très répandu entre 500 et 800 m. Il tapisse quelque 15 000 ha dans la région de la Castagniccia et environ 31 000 ha sur toute l'île. Le châtaignier était jadis appelé « arbre à pain » en raison de sa forte capacité nourricière. Aujourd'hui, les châtaignes ne sont plus guère qu'un aliment d'appoint, même si se multiplient actuellement les préparations dont elles sont la base.

Vous reconnaîtrez le **pin laricio** à son tronc immense et parfaitement rectiligne ; il dépasse souvent 40 m de hauteur. Cet arbre emblématique des futaies corses croît entre 700 m d'altitude sur les versants exposés au midi et 1 800 m sur certaines faces Nord. Il compose l'essentiel des splendides forêts d'Aïtone, Vizzavona et Valdo-Niello ; parfois en association avec le **pin de Corte**, le **pin maritime**, le **sapin pectiné**, voire le **cèdre** en forêt de Bavella. Le **hêtre** peut aussi se mêler au pin laricio entre 1 000 m et 1 500 m d'altitude. De beaux massifs de hêtres s'élèvent au Nord-Est de l'île (massif de San Petrone, plateau de Coscione). Le **bouleau** apparaît surtout à la limite supérieure de la forêt ; on le trouve au col de Vergio et sur la face Nord du mont Cinto.

La surface forestière ne diminue pas, malgré les incendies qui détruisent surtout le maquis. La régénération spontanée, les reboisements, les repousses sur les terrains pastoraux délaissés assurent en quelque sorte sa continuité.

Les **sous-bois** se parent souvent d'**aspérules odorantes** surnommées « petits muguets » ou « reines des bois » et d'**hellébores corses**, grandes plantes à fleurs vertes et à feuilles luisantes et coriaces. Les pelouses se couvrent parfois de **thym herbe-à-barons** dont les fleurs mauves embaument et de thym aux chats.

Sur les hauteurs

L'étage alpin – Les terrains compris entre 1 500 à 1 900 m sont dominés par l'**aulne odorant**. Ses feuilles poisseuses et odorantes le distinguent de son proche parent des Alpes. Fréquentes sur les versants Nord, les aulnaies aiment aussi les rives des torrents et les versants exposés au Sud.

Les **pozzines** (du mot corse *pozzi* : « puits ») font la grande originalité du paysage corse de haute montagne. Ce sont des pelouses spongieuses qui entourent et couvrent en partie certains lacs de montagne, celui de Nino en particulier. Elles créent de surprenants puzzles de terre et d'eau. Formées par l'accumulation de matière végétale non dégradée, elles s'habillent d'un gazon régulièrement tondu par le bétail.

Au-dessus de 1 600 m apparaissent d'autres plantes typiquement corses : le **genévrier nain**, arbrisseau couché sur le sol et l'**épine-vinette de l'Etna**, à fleurs jaunes et aux rameaux garnis de fortes épines.

Sur les hauteurs peu accessibles s'épanouissent quelques fleurs : l'ancolie de Bernard, la violette corse et la marguerite cotonneuse, sorte de chrysanthème à fleurs blanches. Ces fleurs, trop cueillies, tendent à se raréfier.

UNE FAUNE PROTÉGÉE

Au détour des sentiers et des petites routes corses, vous croisez des ânes, qui furent pendant des siècles les fidèles compagnons des bergers et des apiculteurs, des familles de **cochons** en semi-liberté et vous devez ralentir pour laisser passer les troupeaux de **vaches**, de **chèvres** et de **brebis**. La Corse accueille une faune d'un type méditerranéen assez classique mais l'insularité a favorisé le développement de quelques espèces animales endémiques, parfois communes avec la Sardaigne. Certains animaux furent menacés de disparition il y a quelques années et sont désormais protégés par le Parc naturel régional. Citons ici les espèces les plus rares ou les plus caractéristiques de l'île.

Un emblème

Seul mouton sauvage d'Europe, le **mouflon** se réfugie dans les montagnes. Les bons marcheurs munis de jumelles et de patience pourront observer l'animal au pelage brun dans la vallée d'Asco, les massifs de Bavella et du mont Cinto. On trouve des mouflons ailleurs dans le monde mais l'espèce corse est particulière par sa petite taille. *I Muvrini* signifie « les petits mouflons » en corse : le célèbre groupe de chanteurs a choisi ce nom car l'animal symbolise la paix et la liberté.

Les oiseaux

Reconnaissable à son bec rouge et noir, le **goéland d'Audouin** cherche refuge dans les zones rocheuses et escarpées. La Corse est le seul endroit de France où il se reproduit, notamment dans les îles Finocchiarola, au Nord-Est du Cap Corse.

La colonie corse de **cormorans huppés** demeure l'une des plus importantes de la Méditerranée. L'oiseau se reproduit sur tous les îlots de Corse classés « réserve naturelle » (Finocchiarola, Cerbicale, Bruzzi...) et se nourrit uniquement de poissons.

La **sittelle corse** est l'espèce emblématique de la faune endémique corse. Cet oiseau sédentaire occupe les forêts centrales de pins laricio. Il niche dans le tronc d'arbres morts à une dizaine de mètres du sol et se déplace souvent à la verticale la tête en bas. Vous reconnaîtrez la sittelle à son bec fin et droit et son sifflement modulé.

Le **gypaète barbu** (altore en corse) vit dans les régions rocheuses. Ce grand rapace charognard est tributaire de la présence d'ovins en transhumance dont la raréfaction oblige à l'alimentation de charniers par le Parc régional.

Le **balbuzard**, sorte d'aigle pêcheur, niche sur les pitons rocheux en bord de mer. En voie d'extinction il y a une vingtaine d'années, l'espèce a survécu grâce à l'action et la protection du Parc naturel. On observe aujourd'hui une vingtaine de couples de balbuzards dans la réserve naturelle de Scandola.

Gypaète barbu

Lézard de Bédriaga

Sittelle corse

Mouflon

Tortue d'Hermann

Michel Guillou / MICHELIN — Henri Choimet / MICHELIN

Les reptiles

Le **lézard de Bédriaga**, espèce endémique à la Corse et à la Sardaigne, se distingue par son museau pointu. Il se nourrit de sauterelles, d'araignées et de grillons et habite en milieu rocheux, principalement dans le massif du mont Cinto.

Un autre reptile endémique cyrno-sarde, le **lézard Tiliguerta**, occupe la quasi-totalité de l'île depuis le bord de la mer jusqu'à 1 800 m d'altitude.

La **tortue d'Hermann**, espèce quasiment en voie de disparition en France, a été victime de l'urbanisation du littoral méditerranéen et surtout des incendies de forêts. Elle n'est plus représentée que dans le massif des Maures et en Corse, où elle demeure encore abondante sur la plaine côtière orientale et dans les maquis du Sud. En période estivale, elle peut s'enterrer jusqu'aux premières fraîcheurs de l'automne. Pour être certain d'en rencontrer, visitez les villages de tortues de Moltifao et Vignola.

Proche de la famille des reptiles, l'**euprocte**, sorte de salamandre endémique, aime les eaux claires et les cailloux des torrents.

En mer

Le plus spectaculaire des hôtes de la côte corse est sans doute le **rorqual** commun qui sillonne cette partie de la Méditerranée. Le **dauphin** est également présent, et il n'est pas rare qu'il escorte les plaisanciers, notamment sur la côte Ouest.

Les fonds sous-marins corses, épargnés de la pollution, abondent de poissons et de crustacés. On trouve des congres, des rascasses, des murènes, des barracudas, des langoustes et des homards, etc.

Le **mérou**, d'une bonhommie légendaire, faillit bien disparaître. Il peuple aujourd'hui abondamment le Sud de l'île. La **girelle** colore les fonds de ses robes bigarrées rouges et vertes. Différentes espèces de rougets voisinent avec les bancs de castagnoles.

Une très abondante faune fixée couvre les fonds. Anémones jaunes, ascidies pointues de teintes variées, dentelles de Neptune et gorgones rouges chatoient sous la lumière diffuse.

L'**aphanius** de Corse, petit poisson endémique, fréquente les eaux douces et saumâtres des estuaires et les lagunes de Biguglia, les étangs de Diana et les marais salés de Porto-Vecchio.

Le **corail rouge** *(Corallium rubrum)* est une espèce typiquement méditerranéenne. Bien implanté sur les côtes corses, il se plaît sur les tombants et sur les falaises à l'abri d'une trop forte lumière. Il ne pousse pas au-delà de 300 m de profondeur. Ce petit animal de la famille des cnidaires (méduses, anémones et gorgones) a longtemps intrigué les scientifiques. Certains le classifiaient comme un minéral, d'autres comme un végétal, erreurs excusables eut égard à son aspect hybride. Il faut attendre le 18e s. pour que sa vraie nature soit reconnue. Sa couleur rouge provient de substances de type carotène colorant le squelette. Pêché à Bonifacio et en Sardaigne, le corail rouge n'est pas une espèce en danger mais souffre cruellement dans certaines zones (Mérouville, îles Lavezzi) de la trop grande fréquentation des plongeurs amateurs. Les pêcheurs professionnels locaux se sont eux-mêmes contraints, en vue de préserver leur patrimoine, à ne pas pêcher au-dessus de 60 m de fond.

La **posidonie** (endémique à la Méditerranée) est une plante à fleurs qui a quitté il y 100 millions d'année la terre ferme pour le milieu marin. Elle est essentielle à la bonne santé de l'écosystème produisant à profusion une ressource de nourriture, une protection efficace contre le désensablement des fonds. Dans ces herbiers, se nichent les portées de nombreuses espèces de poissons.

Une nature fragile

La beauté est souvent fragile, et le fabuleux patrimoine naturel de Corse n'est malheureusement pas à l'abri des dégradations liées à l'activité humaine et aux évolutions climatiques. De nombreuses mesures ont été prises pour sa préservation, mais d'importants défis restent à relever pour assurer un avenir sans nuages.

NATURE ET TOURISME

Quelque 3 millions de touristes fréquentent la Corse chaque année avec une nette préférence pour le littoral. Celui-ci, pourtant, reste l'un des mieux préservés de France. La tradition d'insécurité des côtes corses jusqu'au 19e s. a d'abord nourri un désintérêt des habitants pour les activités maritimes. Quand apparaît le tourisme balnéaire au début du siècle, quelques stations fleurissent mais se développent peu. Il faudra attendre les années 1960 pour que soient menées les premières opérations d'envergure d'aménagement touristique. L'attachement des Corses pour leur territoire sera alors déterminante. Elle va entraver durablement, par diverses menées politiques et foncières, l'implantation anarchique de nouvelles stations sur le littoral.

Didier Pazery / MICHELIN

Renaissance de la végétation après un incendie.

L'action conjointe des organismes publics de protection va en outre interdire définitivement certains sites ou réglementer leur aménagement.

Des espaces protégés

Le **Parc naturel régional de Corse** créé en 1972 sera le premier à porter une double vocation terrestre et maritime, tandis que le **Conservatoire du Littoral** est aujourd'hui propriétaire de près de 15 % des 1 000 km de côtes. Leur gestion est confiée à l'agence pour la gestion des espaces naturels de Corse.

Six **réserves naturelles** (Bouches de Bonifacio, étang de Biguglia, îles Cerbicale, îles Finocchiarola, Scandola, Tre Padule de Suartone) se répartissent sur toute l'île.

Signe que la prise de conscience est réelle et affirmée, la constitution récente du **Parc marin international** des Bouches de Bonifacio regroupe aujourd'hui plusieurs d'entre elles. À l'intérieur, le PNRC s'étend sur 40 % de l'île et 149 000 ha de forêts sont placées sous contrôle de l'ONF.

La réintroduction du cerf

Disparu depuis 1968 (après avoir occupé toute l'île au 18e s.), le cerf élaphe corse (U Cervu, en corse) fait l'objet de soins attentifs de réintroduction à partir d'individus identiques prélevés en Sardaigne. Plus petit que son congénère du continent, il est aussi plus sombre. Plusieurs enclos de reproduction ont été aménagés à Quenza et à Chisa, et certains animaux ont retrouvé la liberté. Ainsi, on dénombre aujourd'hui plus de 100 cerfs.

Le parc marin international

Ce parc couvre l'ensemble du détroit qui sépare la Corse de la Sardaigne. C'est l'un des rares exemples d'une collaboration transfrontalière dans le domaine de l'environnement. Il comprend les réserves naturelles des Bouches de Bonifacio, des « Tre Padule de Suartone », les terrains du Conservatoire du Littoral et du Parc national de l'archipel de la Maddalena. Certains sites comme les archipels des Lavezzi, des Cerbicales, des Bruzzis ou des Moines sont tout à fait exceptionnels. Le détroit abrite un paysage sous-marin étonnamment riche pour la Méditerranée actuelle ; il est de plus inclus dans le sanctuaire international des mammifères marins.

Le Conservatoire du littoral

Le Conservatoire du littoral a pour vocation de placer sous une protection définitive les sites sensibles du littoral français. Il acquiert pour cela de vastes surfaces non bâties, certaines d'entre elles sont aménagées : sentiers du littoral, restauration de tours génoises, reconstitution de dunes… Parmi les plus remarquables sites naturels préservés, on distingue, sur le littoral Ouest, les Agriates, les côtes de la Balagne, la vallée du Fango, Campomoro-Senetosa et Roccapina ; sur le littoral oriental, le golfe de Santa Giulia, l'île de Pinarellu, Fautea, la pinède de Pinia et le secteur de Capandula, l'île de Capense, dans le Cap Corse.

Il a ainsi sauvé quelques trésors du littoral, mais se retrouve confronté à une pression de plus en plus forte des promoteurs (assouplissement de la loi littoral) et à une importante flambée des prix qui limite ses possibilités d'acquisition.

LES DÉFIS ÉCOLOGIQUES

L'essentiel de l'activité touristique se concentre sur le littoral occidental de l'île et en particulier dans les golfes d'Ajaccio, Valinco ou Porto. Avec 300 000 lits pour 241 km de plages et 503 km de côte naturelle, la Corse bénéficie encore d'une faible densité touristique. Il n'en reste pas moins que certains sites fortement sollicités ont pu subir de sensibles détériorations, notamment dans le Sud-Est. Les stations balnéaires manquent d'autre part d'équipements performants pour la gestion des déchets et le retraitement des eaux. La multiplication par 10 de la population les mois d'été suppose des équipements surdimensionnés face aux besoins réels des habitants. Le succès de la navigation de plaisance sur les côtes corses induit lui aussi un certain nombre d'écueils. Le mouillage de Calvi saturé en été est par exemple complété par un mouillage saisonnier. Dissémination des déchets et d'espèces végétales indésirables, dégradation des fonds marins en résultent. Le plan d'aménagement et de développement durable mis en place dès 2006 devrait préserver les atouts exceptionnels de l'île qui, en dépit de l'accélération de l'occupation du littoral ces dernières années (+ 32 % depuis 1975), conserve l'essentiel de ses charmes.

Les incendies

Ces vingt dernières années, la forêt corse a subi des dommages irréparables. Plus de la moitié des surfaces brûlées françaises se concentraient sur l'île. L'été 2000 reste encore dans les mémoires, les feux atteignant les fleurons de la montagne corse comme la forêt de la Restonica.

Amaury de Valroger / MICHELIN

Barrage de Pinzalone.

40 % des départs de feux seraient imputables à la pratique ancestrale de l'écobuage (ou brûlis). La Corse manquant de pâturages, les bergers fertilisent ainsi leurs prés ou déboisent de nouvelles parcelles. Le risque de propagation connu dès le 19e s. s'est accru ces dernières décennies. La surexploitation des parcelles pâturées, la disparition dans les années 1980 de vastes vignobles et l'extension d'un maquis bas, facilement inflammable, venu en remplacement des forêts anciennes, ont favorisé les départs de feux. Les incendies criminels représentent quant à eux 40 % des sinistres, motivés essentiellement par la spéculation foncière. La campagne de prévention et de sensibilisation menée depuis 2003 vers les communes et les particuliers, semble porter ses fruits.

L'énergie de changer

L'hiver 2004-2005 a mis en évidence de manière criante les pénuries d'énergie dues à un sous-équipement notoire et à la vétusté des installations. Deux centrales thermiques produisent les 2/3 de l'énergie consommée, les 30 % restants étant assurés par l'énergie hydroélectrique (contre 17 % sur le continent). La totalité des combustibles utilisés est importée. D'ici 2012, date de fermeture présumée des centrales thermiques, l'île doit relever un défi considérable. Comment générer de nouvelles sources d'énergies sans entamer durablement le patrimoine naturel comme le supposait le projet de barrage de la vallée du Rizzanèse ? Institutions et associations se tournent aujourd'hui vers les énergies renouvelables dont les atouts sont ici majeurs. L'énergie solaire y tient une place évidente en raison du taux d'ensoleillement et de l'isolement des villages ou des bergeries qui doivent conserver leur autonomie. Des capteurs solaires sont d'ores et déjà en fonction dans certains refuges et fournissent le centre hospitalier de Bastia. Depuis l'an 2000, le parc éolien du Cap Corse fournit l'énergie nécessaire à la consommation de 12 000 personnes (excepté le chauffage). Corte chauffe actuellement trente bâtiments avec une chaufferie centrale au bois. Si cette forme de production venait à se développer, la forêt corse pourrait bien y gagner. Mieux soignée, elle serait moins sujette à s'enflammer. En tout état de cause, il faudra beaucoup d'énergie et d'imagination aux Corses pour que demain, leurs besoins soient couverts sans dommages irréparables pour l'environnement.

HISTOIRE

De l'Antiquité à la Révolution, l'île a subi de nombreuses incursions et a été annexée successivement par les royaumes méditerranéens. Grecs, Romains, Pisans et Gênois ont laissé des traces profondes de leur installation. Le déclin de Gênes au 18e s. a permis deux courtes expériences, de royaume avec Théodore de Neuhoff, d'indépendance avec Pascal Paoli. Depuis 1768, la Corse est rattachée à la France à laquelle elle a donné un empereur, Napoléon Bonaparte.

Stéphane Sauvignier / MICHELIN

Statues-menhirs à Filitosa.

Une histoire mouvementée

DU PRÉNÉOLITHIQUE À L'ANTIQUITÉ ROMAINE

Avant Jésus-Christ

Des populations de pêcheurs nomades abordent l'île quelque 10 000 ans av. J.-C. Venus de la Sardaigne et de l'Italie, ils profitent de la variation du niveau de la mer pour accoster brièvement en Corse. C'est vers **6570** que remonte le squelette de « **la dame de Bonifacio** », plus ancienne trace humaine découverte en Corse.

Suit une période incertaine où l'île aurait été une nouvelle fois désertée, faute de ressources suffisantes. La colonisation effective de **peuplades néolithiques** ne débute qu'au 6e millénaire. Ces petites communautés pratiquent l'agriculture et l'élevage, et possèdent un mode de vie en tous points semblables aux populations du pourtour méditerranéen.

Entre 4 000 et 2 500 ans – Les premiers villages se forment et le mégalithisme (de mégalithe : grande pierre) se manifeste. Les *castelli*, sortes de villages fortifiés défendus par des tours imposantes, les *torre* sont édifiés sur plus d'une centaine de sites, en particulier dans les régions de Porto-Vecchio et dans le Sartenais.

Au milieu du 4e millénaire apparaissent les premières techniques du bronze, deux millénaires plus tard la métallurgie du cuivre est introduite à Aléria.

L'**âge du Bronze** caractérisé par une forte insécurité dans l'ensemble du bassin méditerranéen voit la naissance d'une société à la recherche de spiritualité. Les statues-menhirs se multiplient ; on en compte plus de 250 en alignements à Palaggiu dans le Sartenais.

L'ANTIQUITÉ

Cette population vivra en vase clos, jusqu'à l'arrivée vers 565 des **Phocéens** venus d'Asie Mineure. Ils fondent Alaria promise à une belle destinée, relayés vingt ans plus tard par les Carthaginois. La Corse devient alors l'une des haltes incontournables des routes maritimes du monde antique. L'écriture, les techniques nouvelles pénètrent enfin dans l'île.

Cette position enviable incite les **Romains** à s'arroger la cité grecque. En 259, ils assiègent Aléria, mais mettront plus de deux siècles pour conquérir l'île entière. Un siècle av. J.-C., Marius fonde la colonie romaine de Mariana.

Après Jésus-Christ

Les premiers martyrs chrétiens apparaissent dès le 2e s. sous l'influence des populations immigrées. Deux cents ans plus tard, les églises siègent au centre des villes de la côte. Sainte Restitude, sainte Julie et sainte Dévote sont promises à une belle destinée, tant la ferveur populaire perdure à travers les siècles et les embûches. Au 6e s., sous le pontificat de Grégoire le Grand, on édifie de nombreux monastères.

LES INVASIONS

Du 5e au 11e s., la Corse est régulièrement envahie par les Vandales puis par les pirates barbaresques. Les insulaires quittent le littoral pour se réfugier dans les montagnes. Maures, Vandales et Ostrogoths, Byzantins se disputent tour à tour la Corse, provoquant la ruine de la grande cité d'Aléria (vers 420) et la désertification des côtes. En 774, le Saint-Siège affirme ses droits d'administration temporelle et de possession de l'île.
Au 11e s., Pise et Gênes s'entendent pour combattre les bases sarrasines en Corse, menaces permanentes pour leur puissance maritime. Petits serfs tyranniques s'entredéchirent et mènent le peuple à la pauvreté.

LA « PAIX » PISANE (1077-1284)

Durant cette période, l'île passe sous l'autorité de la florissante république pisane qui apporte une paix relative et une certaine prospérité. Gênes, éternelle rivale, est jalouse et revendique des droits. L'architecture pisane s'exprime par l'édification de remarquables couvents et églises.

1133 – Le pape Innocent II confirme à Pise l'autorité sur les évêchés d'Aléria, Ajaccio et Sagone et accorde à Gênes ceux d'Accia, Mariana et St-Florent.

1195 – Les Génois s'installent à Bonifacio et colonisent la cité.

1268 – Les Génois fondent Calvi.

1284 – L'effondrement de Pise à la bataille navale de la **Meloria** consacre la suprématie de Gênes.

CINQ SIÈCLES D'OCCUPATION GÉNOISE (1284-1768)

Du 13e au 16e s., Gênes doit affronter tantôt les révoltes des seigneurs de la Cinarca, fidèles à Pise, tantôt les révoltes populaires. Au Nord, Sambucuccio d'Alando mène le mouvement de la *Terra del Commune*, chassant les petits féodaux. En 1297, les Aragonais obtiennent du pape Boniface VIII l'investiture de la Corse et de la Sardaigne. Le royaume ne s'en préoccupera que bien plus tard, entre 1376 et 1434, quand **Vincentello d'Istria**, « lieutenant du roi d'Aragon en Corse », construit la citadelle de Corte (1420).
La Corse, plongée dans un chaos politique et économique a perdu le tiers de sa population lors de la grande peste de 1348. En 1453, son autorité rétablie, Gênes confie la gestion de la Corse à l'Office (banque) de St-Georges, sorte d'établissement financier para-étatique, alors tout puissant dans la République. La répression s'accroît dramatiquement. Un siècle plus tard, les troupes du roi de France Henri II, appuyées par **Sampiero Corso**, débarquent en Corse. Mais en 1559, le traité de Cateau-Cambrésis restitue l'île aux Génois. À cette date, apparaît l'une des figures emblématiques de l'histoire corse. Sampiero Corso, qui avait participé à l'offensive française, tente l'impossible pour donner à l'île son indépendance. En 1571, Gênes divise la Corse en cellules administratives appelées « pièves », organisées autour des paroisses reconstruites durant la période pisane.

Les Pièves

Ancêtres des actuels cantons, elles correspondaient à une grande vallée ou à un ensemble de petites vallées. Sous l'administration génoise, les pièves étaient au nombre de 66 ; elles formèrent, durant des siècles, le cadre communautaire où s'élaborait le destin de la population.

Sampiero Corso.

Michèle Bellot / © Photo RMN

« Pascal Paoli à la bataille de Ponte Nuovo », 1769, par Benbridge Henry (1744-1812), école américaine, musée Pascal-Paoli de Morosaglia.

Au 16e s., le littoral assailli par les Barbaresques est ceinturé de tours de guet.

17e s. – Renouveau religieux : la Corse se couvre d'églises baroques.

1676 – 600 Grecs, fuyant les Turcs, s'installent à Paomia, près de Sagone, puis un siècle plus tard à Cargèse.

18e s. – Décadence de Gênes.

1729-1769 – Succession de soulèvements populaires appelés guerre d'Indépendance. Des notables mettent en place d'éphémères gouvernements d'un « royaume corse ». En 1736, **Théodore de Neuhoff** est proclamé roi de Corse. Interventions militaires françaises en 1738 et 1748 pour rétablir l'ordre.

LA CORSE INDÉPENDANTE (1755-1769)

La Corse connaît quatorze années d'indépendance sous l'action de **Pascal Paoli**, homme de démocratie et de progrès. Paoli est élu « général de la nation corse » en 1755. Il proclame un « gouvernement de la nation corse » à Corte. Le fondateur de la constitution nationale corse *(voir p. 74 et 286)*, nourri des thèses des Lumières, tentera en une décennie à peine une révolution institutionnelle d'envergure, vite étranglée par la main-mise française.

LA CORSE FRANÇAISE

1768 – Par le traité de Versailles, Gênes, ruinée, cède la Corse à la France.

1769 – Le 8 mai, les paolistes sont vaincus par les troupes françaises lors de la bataille du Ponte Nuovo ; Paoli s'exile en Angleterre. Le 15 août, Napoléon Bonaparte naît à Ajaccio.

1789 – L'Assemblée constituante proclame la Corse « partie intégrante de l'empire français ».

1790 – Paoli regagne la Corse après vingt et un ans d'exil.

1794-1796 – Un royaume anglo-corse est constitué avec Sir Gilbert Elliot pour vice-roi. Paoli reprend le chemin de l'exil.

1796 – La France reconquiert la Corse. L'île est divisée en deux départements.

1811 – L'île est réunifiée en un seul département dont Ajaccio devient le chef-lieu.

À partir de 1830 – Baisse des tensions, de la vendetta et du banditisme.

1840 – Prosper Mérimée publie son roman *Colomba*.

1894 – Inauguration de la voie ferrée Ajaccio-Bastia.

1914-1918 – La Première Guerre mondiale accentue l'hémorragie démographique amorcée à la fin du 19e s. : 14 000 morts. Il reste très peu d'hommes valides pour reprendre les exploitations agricoles.

La Résistance en Corse

Le 8 novembre 1942, les Américains débarquent en Afrique du Nord. Une joie bien vite assombrie par l'arrivée en Corse, trois jours plus tard, de plus de 30 000 soldats italiens accompagnés de leur redoutable service de renseignements (OVRA). Mussolini rêve de faire main basse sur l'île de Beauté, mais ses habitants ne l'entendent pas du tout ainsi. De nombreux mouvements de Résistance se développent dans l'île, comme Combat, R2 Corse (Scamaroni), le FFL, le Front national (Jean Nicoli).
Cette arrivée des Américains en Afrique du Nord lance la bataille de Méditerranée où la Corse tient une place stratégique. La première mission, baptisée « Pearl Harbour », inclut un agent de renseignements américain. Après plusieurs tentatives d'unification, la Résistance est durement frappée par l'arrestation et la mort de Scamaroni. Le Front National est alors le seul réseau encore assez fort et structuré. Le capitaine Colonna d'Istria est envoyé d'Algérie par le général Giraud pour coordonner les hommes et leur efforts. Mais il faut alors faire face à quelque 80 000 Italiens et plus de 10 000 Allemands. Les débarquements d'hommes et d'armes du sous-marin *Casabianca* (voir p. 102) sont complétés par des parachutages. L'armistice italien le 3 septembre 1943 appelle à l'offensive. Le 13, Giraud déclenche l'**opération Vésuve** avec le 1er corps d'armée du général Henry Martin, dont le 1er bataillon de choc du commandant Gambiez. Les combats autour de Levie empêchent la jonction des SS Reichsfurher avec la 90e Panzer, et privent Kesserling de leur appui pour empêcher le débarquement de Salerne. Après avoir réussi sa libération, la Corse fournit 12 000 combattants à la libération de la France.

1942-1943 – La Corse est occupée par les troupes allemandes et italiennes. En septembre 1943, elle est le premier département libéré, par ses propres partisans de surcroît.

1944 – Éradication de la malaria dans la plaine orientale par les troupes américaines.

1958-70 – L'arrivée massive de rapatriés d'Algérie crée des tensions entre communautés.

1970 – La Corse est séparée de la région Provence-Côte d'Azur et devient la 22e région de France.

Éveil de l'identité corse

1975 – La Corse est divisée en 2 départements : Haute-Corse (2B) et Corse-du-Sud (2A). En août, un commando de militants autonomistes occupe une cave viticole d'Aléria pour stigmatiser les privilèges réservés aux agriculteurs pieds-noirs. La répression est brutale et deux gendarmes sont tués. Cet événement devient le symbole du réveil de l'indépendantisme corse.

1976 – Fondation du Front de libération nationale de la Corse (FLNC).

1981 – Création à Corte de l'université de Corse.

1982 – Élection de la première assemblée de Corse au suffrage universel.

1991 – La Collectivité territoriale de Corse devient l'organisme régional exécutif doté de pouvoirs plus étendus.

1995 – Création de l'IMEDOC : regroupement d'intérêt économique des trois grandes îles de la Méditerranée occidentale (la Sardaigne, la Corse et les Baléares).

1996 – Mise en service des navires à grande vitesse (NGV) entre Nice, Livourne et la Corse. Plus de 2 000 femmes défilent dans les rues d'Ajaccio pour protester contre la violence.

1998 – Assassinat du préfet Claude Érignac. Plus de 40 000 personnes défilent dans l'île pour se dresser contre les dérives sanguinaires et mafieuses.

2000-2002 – Les accords de Matignon censés renforcer les pouvoirs de l'assemblée de Corse ne sont plus d'actualité avec le gouvernement de J.-P. Raffarin qui décide de repartir sur de nouvelles bases.

2003 – Interrogés par référendum, les Corses refusent la fusion des deux conseils généraux avec l'assemblée de Corse pour former une collectivité territoriale unique.

Napoléon Bonaparte

L'**empereur des Français** (1769-1821), né de parents ajacciens, voulut que son île « soit une bonne fois française », même s'il dut pour cela entretenir la rivalité Nord-Sud et s'opposer à Paoli. C'est lui qui « francisa » les emplois gouvernementaux. Pourtant, ses rêves de pouvoir le conduisant vers des contrées plus lointaines, il n'eut en définitive que peu d'action en Corse. Ajaccio perpétue cependant le souvenir de « l'enfant de la Corse » et de sa famille.

Enfance de Nabulio

Au 16e s., des Bonaparte auraient quitté Sarzana en Italie pour s'installer à Ajaccio qui relevait alors de la même souveraineté génoise. Deux siècles plus tard, Charles Marie, le père de Napoléon, épousa à 18 ans Letizia Ramolino âgée de 14 ans. Le 15 août 1769, ils donnèrent naissance à leur deuxième fils prénommé **Napoleone** en mémoire d'un parent de Letizia. Ce nom peu commun fut vite remplacé au sein de la famille par le diminutif de Nabulio, « Touche à tout ». Les Bonaparte habitaient une grande maison d'un extérieur très simple à Ajaccio.

Letizia veillait avec rigueur à la bonne marche du foyer et s'occupait des enfants (13 dont 5 morts en bas âge). Cette « femme rare conduisait tout, administrait tout avec une sagesse, une sagacité qu'on attendait ni de son sexe ni de son âge ».

L'éducation était sévère et le jeune Nabulio dut souvent supporter ses réprimandes justifiées. L'Empereur reconnut plus tard : « J'étais querelleur, lutin, rien ne m'imposait. Je ne craignais personne, je battais l'un, j'égratignais l'autre. Je me rendais redoutable à tous. »

D'une famille anoblie mais modeste, Charles Marie sollicita une bourse d'études pour ses deux aînés ; ainsi, en 1779, Napoléon fut admis à l'école militaire de Brienne dans l'Aube.

L'officier d'artillerie

Après Brienne, Napoléon poursuivit ses études à l'école militaire de Paris dont il sortit lieutenant d'artillerie à l'âge de 16 ans. Ses projets étaient alors modestes : retourner en Corse pour y faire une carrière politique et militaire. Dès 1789, il fut acquis aux idées de la Révolution.

La guerre civile

La loi n'autorisait les officiers français à s'engager dans les régiments de Gardes nationaux corses que s'ils étaient élus lieutenants-colonels. Napoléon, désireux

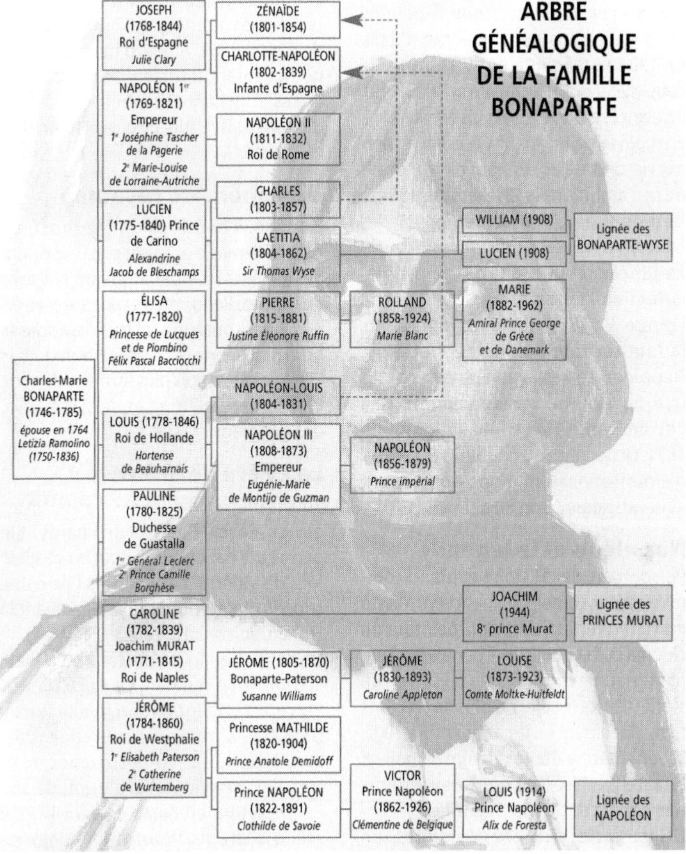

Généalogie des Bonaparte (en arrière-fond, tableau du général Bonaparte d'après David).

de suivre au plus près les événements qui se déroulaient en Corse, se porta candidat et fut élu le 1er avril 1792 au poste de lieutenant-colonel en second du 2e bataillon des Volontaires corses d'Ajaccio-Tallano derrière Jean-Baptiste Quenza.
Quelques jours plus tard, à la suite d'une émeute entre les Volontaires corses des Gardes nationaux et les citadins, le bataillon Quenza-Bonaparte tua plusieurs personnes à la sortie de la cathédrale d'Ajaccio. L'événement engendra huit jours de guerre civile dont la population garda longtemps rancune au futur empereur. La ville, alors acquise aux idées de Paoli, se dressa contre les Bonaparte qui affichaient leur fidélité à la Convention. L'insurrection gagna toute l'île et Napoléon dut rejoindre le continent en juin 1793. Il ne revint en Corse qu'en 1799, à son retour d'Égypte.

L'ascension vers l'Empire

C'est seulement en métropole que commença la fulgurante carrière de Napoléon. Capitaine d'artillerie, il se distingua à Toulon en 1793, puis comme général de brigade dans les campagnes d'Italie en 1796 et d'Égypte en 1798. Après le coup d'État du 18 Brumaire an VIII (1799), il devint Premier consul puis consul à vie. En moins de cinq ans, le Consulat lui permit de centraliser les pouvoirs au profit de son ambition : le 2 décembre 1804, à l'âge de 35 ans, il fut sacré empereur des Français à Notre-Dame.
En 1807, après une série de campagnes, il domina l'Europe et édifia le Grand Empire. En 1815, quelques jours après la foudroyante défaite de Waterloo, Napoléon se replia en France et abdiqua. Suivront six ans de séjour forcé à l'île de Sainte-Hélène où il mourut en 1821. On raconte que durant ses années d'emprisonnement, Napoléon pensait avec nostalgie à son île natale.

Napoléon et la légende

Personnage de l'Histoire et grand communicateur, Napoléon appartient aussi à la littérature, au théâtre, à la peinture, au cinéma et à la publicité. Il bénéficie d'une filmographie considérable puisqu'en un siècle, il a été le sujet de plus de six cents films l'idéalisant ou le critiquant. En 2002, l'événement a été le téléfilm *Napoléon* (France 2) d'Yves Simoneau, avec Christian Clavier et Gérard Depardieu.
Utilisé à des fins commerciales, on retrouve son effigie sur des boissons apéritives et sur toutes sortes d'articles.

La « vendetta »

La vendetta, la vengeance, est une coutume sanglante qui a fait beaucoup parler d'elle. Elle est née de l'éloignement et des défaillances de la justice génoise. Celui qui avait subi une offense grave était ainsi poussé à faire sa propre justice ; le code de l'honneur l'y obligeait et il devait suivre des règles bien précises. Le fléau fut tel que l'on vit des familles entières se livrer de véritables guerres. De là sont nés les « bandits d'honneur » car la règle voulait que le justicier « prît le maquis » : dans un pays occupé par une administration étrangère, le rebelle était une sorte de héros populaire. Les plus célèbres au cours de ces deux derniers siècles furent : les frères Bellacoscia de Bocognano, Nicolaï de Carbini, F.-M. Castelli de Carcheto, Romanetti de Calcatoggio, A. Spada de Lopigna et Micaelli d'Isolacciodi-Fiumorbo. Suite à la répression de la France, la vendetta s'estompa à partir de 1830.

La Corse et l'indépendance

La Corse a connu sa seule période d'indépendance entre 1755 et 1768 sous l'égide de Pascal Paoli. Aujourd'hui, elle est un peu « l'enfant terrible » de la France : à la fois attachante et rebelle, secrète et démonstrative, elle ne cesse de susciter les passions.

Un éphémère royaume

En 1736, **Théodore de Neuhoff**, un baron allemand qui avait pris cause pour des exilés corses, débarque sur l'île avec des armes. Redonnant espoirs aux insurgés, il est couronné roi de Corse sous le nom de Théodore Ier. Mais il doit quitter l'île quelques mois plus tard en raison de la résistance génoise et de la méfiance des généraux corses.

Le « Père de la Patrie »

Pour la plupart des Corses, nationalistes ou non, **Pascal Paoli** est un « héros » qui permit à la nation corse, pour la première fois, de s'affirmer et qui dota l'île d'une constitution républicaine bien avant la France *(voir aussi p. 286)*.
Né en 1725 en Castagniccia, Pascal Paoli accompagne son père en exil à Naples. Il y reçoit une formation intellectuelle poussée, s'intéresse aux idées des Lumières, aux doctrines étrangères et suit avec attention l'évolution de son île. De retour en Corse en avril 1755, il prend la tête de l'insurrection contre les Génois ; le 13 juillet 1755, il est proclamé « général de la Nation ». Il fixe sa capitale

Stéphane Sauvignier / MICHELIN

Tête de Maure.

à Corte et dote l'île d'une organisation politique démocratique et moderne : il fait voter une constitution avec séparation des pouvoirs, fait frapper monnaie, fonde l'université de Corte, dote la justice de tribunaux réguliers, etc.

Les Génois, toujours présents dans l'île mais affaiblis, demandent secours à la France. En 1768, après des négociations entre la république de Gênes et la France, le traité de Versailles confie l'administration de la Corse aux Français. Paoli organise la résistance armée, mais est vaincu à la bataille de Ponte Nuovo en 1769. C'est le début de la Corse française et Paoli s'exile en Angleterre. Il tente une alliance avec les Anglais qui débouche pendant deux ans sur un royaume anglo-corse dirigé par le vice-roi Sir Gilbert Elliot. Des insurrections y mettent un terme et provoquent un nouvel exil de Paoli à Londres où il meurt en 1807.

La tête de Maure

Désormais indissociable de l'identité insulaire, la tête de Maure a marqué les combats de la Résistance pendant la Deuxième Guerre mondiale, puis ceux des mouvements autonomistes.

L'emblème apparaît à la fin du 13e s. sur les armoiries du **roi d'Aragon** en souvenir de la reconquête chrétienne de l'Espagne. Il est repris deux siècles plus tard par des chefs corses partisans des Aragonais. Tombée en désuétude, la tête de Maure réapparaît au 18e s., notamment avec le général Gaffori au siège de Bastia (1754). Mais c'est avec Pascal Paoli que la tête de Maure devient le symbole officiel de la nation corse. Il décide de supprimer les chaînes et autres marques de soumission et de relever le bandeau qui couvre les yeux : « Les Corses veulent y voir clair. La liberté doit marcher au flambeau de la philosophie. Ne dirait-on pas que nous craignons la lumière ? », déclare le chef des insurgés.

Autonomistes et nationalistes

Les événements d'**Aléria** en 1975 marquent le réveil des sensibilités nationalistes et la création, un an plus tard, du Front de libération nationale de la Corse (FLNC). Autonomie, défense de la langue et de la culture, protection des sites, etc. sont au programme des revendications qui s'illustrent par de multiples plasticages. Mais une partie du mouvement s'éloigne des aspirations initiales et dérape dans la violence. Le FLNC est dissous en 1983, mais plusieurs groupes nationalistes restent très actifs. Les différents gouvernements ont du mal à appréhender ce délicat « malaise corse » et alternent périodes de laxisme, de fermeté et de trêve monnayée en secret.

En février 1998, l'épisode tragique de l'assassinat du préfet Érignac provoque un réveil des consciences et une volonté de rétablir l'État de droit. Après s'être heurtées, les différentes tendances nationalistes essaient aujourd'hui de renouer le dialogue. L'indépendance de l'île est toujours rejetée par une très grande majorité des Corses, mais la question d'un aménagement politique, laissant une plus grande autonomie tout en conservant les liens avec le continent, reste posée, en dépit des difficultés politiques et constitutionnelles soulevées.

L'émigration

Déjà les Corsi mercenaires suivaient dans leur périple les armées antiques, et la population corse ne fut en évolution que de rares fois dans son histoire. La malaria, la famine, les querelles claniques qui marquent la fin du 19e s. et la première moitié du 20e s. accélèrent ce phénomène récurrent. La Corse atteint son maximum démographique en 1881 avec 273 000 habitants, mais en comptera 160 000 en 1957. La fonction publique représente alors une sécurité enviable quitte à s'exiler sur le continent. Les départs pour les colonies s'intensifient. Les Corses rejoignent l'Algérie, Madagascar, l'Asie et l'Amérique du Sud. Deux présidents du Vénézuela seront d'origine corse. Des villages entiers se reconstituent dans ces cités du bout du monde et tissent des réseaux solides au travers d'amicales et de sociétés philantropiques. Les habitants du Cap Corse se retrouvent ainsi massivement en Amérique. En dépit de l'arrivée, entre 1958 et 1964, de 17 000 Français repliés d'Algérie, Corses ou non, l'île n'a pas aujourd'hui retrouvé sa population du début du 20e s.

ART ET CULTURE

La Corse conserve une surprenante variété de trésors archéologiques dont les mystérieuses statues-menhirs et quelques vestiges gréco-romains. Mais l'île compte aussi à son patrimoine des chapelles romanes aux lignes pures, des églises baroques, des ponts génois ou encore des tours et des citadelles perchées sur des promontoires. Dans les villages, longtemps isolés, une stricte économie n'a pas empêché qu'apparaissent des outils et des techniques extrêmement variés.

Amaury de Valroger / MICHELIN

La Canonica.

Architecture

AU CŒUR DES MÉGALITHES

À partir du 4e millénaire av. J.-C. apparaît un ensemble de civilisations fécondes en monuments originaux. La richesse de la Corse est, à ce sujet, exceptionnelle dans le bassin de la Méditerranée. On a repéré plusieurs centaines de menhirs dans l'île et sans doute un certain nombre d'autres dorment encore sous la terre.

L'art des Mégalithiques

La civilisation mégalithique (de mégalithe : grande pierre) se développe dans l'île vers 4000 av. J.-C. et s'y maintient jusqu'aux environs de l'an 1000 av. J.-C. Cette civilisation élabore ses techniques et son propre mode de vie agro-pastoral. On note la pratique des inhumations dans des **coffres**, puis dans des **dolmens**, grandes pierres plates posées sur des pierres dressées verticalement. Dans le même temps apparaissent des blocs monolithes dressés : les **menhirs**. Ils se présentent isolés ou groupés en alignements ou en cercles.

À la fin du néolithique (2500-2000 av. J.-C.), naissent les mystérieuses **statues-menhirs**. Environ 80 statues anthropomorphes sont connues en Corse. Munies d'un nez, d'une bouche et d'une paire d'yeux, elles sont parfois sexuées, et alors en majorité féminines. Celles du Sud de la Corse sont souvent armées (poignards, épées). Selon certains archéologues, les Mégalithiques auraient représenté ainsi leurs ennemis tués au combat. Cette explication reste très controversée ; la statue-menhir serait plus simplement la représentation d'un personnage défunt ou d'une divinité.

La région de Sartène et la basse vallée du Taravo conservent les monuments les plus caractéristiques de cette époque : ne manquez pas de visiter le site de Filitosa et les mégalithes de Cauria. Des vestiges subsistent aussi dans le Niolo, le Nebbio et la Balagne.

Les monuments torréens

Vers le milieu du 4e millénaire av. J.-C. apparaît la civilisation torréenne qui doit son nom aux nombreuses tours (**« torre »**) qu'elle édifie. D'une dizaine de mètres de diamètre, les tours disposent d'une petite pièce centrale. Certaines forment un ensemble beaucoup plus vaste avec le village appelé **« castellu »** et une enceinte fortifiée. Des murs cyclopéens protègent les lieux : ils sont constitués de gros blocs de pierre irréguliers, assemblés sans mortier. On

a longtemps cru que ces vertiges étaient l'œuvre d'un peuple d'envahisseurs, les Shardanes. On pense aujourd'hui que la civilisation torréenne est une évolution du peuplement insulaire mégalithique liée aux échanges maritimes avec le reste du monde méditerranéen.
Les monuments torréens les mieux conservés se situent sur le plateau de Levie et dans la région de Porto-Vecchio. Le gisement de Filitosa, dans la basse vallée du Taravo, présente un intérêt exceptionnel.

LES VESTIGES DE L'ANTIQUITÉ

Sites grecs et romains

Les vestiges grecs et romains ne se rencontrent en Corse que dans les sites archéologiques d'Aléria et de Mariana. **Aléria** fut surtout une base navale, important relais commercial avec la Grèce et l'Italie. On découvre dans le musée une collection de cratères et de pièces provenant de l'Attique (territoire de la cité d'Athènes), de bronzes, de mosaïques, de monnaies, de poteries. Cet art témoigne de la perméabilité du milieu insulaire aux influences artistiques du monde méditerranéen.
À l'embouchure du Golo, jouxtant l'église de la Canonica, **Mariana** était une cité antique et un port où stationnait une partie de la flotte de Misène.

L'art paléochrétien

Le christianisme se répand en Corse sans doute au 3e s. La plus ancienne tradition qui soit établie avec quelque sérieux remonte au martyre de sainte Dévote en 202. Différents indices archéologiques permettent de penser qu'entre le 3e et le 5e s., tout un art fleurit sur l'île et qu'il connaît son âge d'or durant la seconde moitié du 4e s. Des **basiliques paléochrétiennes** ont été localisées à Calvi, Ajaccio, St-Florent, Sagone, Mariana… Le baptistère et les mosaïques découvertes sur le site de Mariana donnent une idée assez précise du milieu artistique évolué de la Corse à cette époque. Mais il ne nous reste que peu de témoignages paléochrétiens car au 5e s., tous les bourgs situés le long des côtes furent pillés et saccagés par les hordes d'envahisseurs arrivés par mer.

L'HÉRITAGE ROMAN

L'art roman de Corse est considéré comme l'un des plus beaux d'Europe. Il éclôt sur l'île dès le 9e s., atteint sa pleine maturité durant la seconde moitié du 11e s. et se perpétue avec la même qualité jusqu'à la fin du Moyen Âge.

Les églises préromanes

Dès le 9e s., des dizaines de petites églises et de chapelles rurales sont édifiées. La présence de bénédictins des îles toscanes stimule l'architecture romane primitive qui fleurit surtout, à l'écart du littoral, dans les lieux protégés des raids. Malheureusement, il ne reste aujourd'hui sur l'île qu'une quinzaine d'édifices, la plupart très ruinés. Citons St-Jean-Baptiste de Corte (9e s.) avec son baptistère à peu près intact et Santa Maria de Valle-di-Rostino (10e s.).

L'art roman pisan

Dès la fin du 11e s., la république de Pise entreprend de réédifier les cathédrales côtières afin de repeupler les plaines littorales abandonnées. Elle reconstruit aussi les principales églises des vallées, les « **piévannies** ». Architectes, tailleurs de pierre, maîtres maçons et sculpteurs toscans viennent apporter leurs connaissances aux artisans corses. Ils élèvent des églises, principalement dans la Castagniccia, le Nebbio et la Balagne ; celles-ci servent également de maison du peuple et de tribunaux. L'église piévane de Carbini et l'abside de la cathédrale de Mariana représentent des chefs-d'œuvre du début de cette époque. Entre 1125 et 1160, période de maturité, on remarque en particulier la cathédrale du Nebbio à St-Florent et l'église St-Jean-Baptiste à Ste-Lucie-de-Tallano. À partir du milieu du 12e s. apparaissent quelques édifices polychromes dont San Michele de Murato et La Trinité d'Aregno constituent les plus beaux exemples.

Porte d'entrée du site de Castellu d'Araghju.

Amaury de Valroger / MICHELIN

Détail de la façade de l'église d'Aregno.

Le caractère si harmonieux de l'architecture pisane de Corse vient de la simplicité des lignes et de la pureté des volumes. Dans les édifices, seule l'abside est voûtée (d'un cul-de-four), mais jamais la nef, couverte d'une simple charpente, à l'exception de la chapelle San Quilico près de Figari.

Plan et dimension – La plupart des églises présentent une nef rectangulaire et un chœur semi-circulaire. Elles sont de dimensions modestes : 33 m de long pour la plus grande, la Canonica ; 7,5 m pour la plus petite, la chapelle San Quilico.

Matériau et appareillage – Les pierres, d'excellente qualité (schistes de Sisco, calschistes de la Canonica, granits de Carbini...), sont appareillées de la façon la plus heureuse. L'architecte conserve souvent les trous de boulin qui servaient à caler les échafaudages, et dans lesquels jouent l'ombre et la lumière. Les chevets ornés de bandes lombardes et de colonnettes engagées, les fenêtres-meurtrières ouvertes dans les murs latéraux, les losanges, rosaces et marqueteries, les toitures en lauzes ou pierres plates (teghje) constituent une architecture sobre et équilibrée.

Décoration – Des motifs sculptés apparaissent en façade, à la base des toits, aux encadrements des fenêtres. À partir de 1135, la polychromie naturelle de la pierre participe souvent à la décoration de l'église. La Trinité d'Aregno allie les sculptures de sa façade et la polychromie de son appareil ; San Michele de Murato est aussi célèbre pour son parement en serpentine vert sombre et en calcaire blanchâtre que pour sa naïve décoration sculptée.

Les **sculptures** archaïques ornent parfois les corniches, les arcatures, les tympans des portails. D'un dessin stylisé, elles représentent des figures géométriques, des dents d'engrenage, des entrelacs, des animaux fabuleux, des scènes symboliques et des personnages énigmatiques exécutés en ronde bosse.

Des **fresques** habillent parfois l'intérieur de modestes sanctuaires. D'inspiration byzantine, elles seraient des œuvres d'artistes locaux du 15e s. On admire les plus belles dans les chapelles de St-Michel de Castirla, San Nicolao de Sermano et Ste-Christine, près de Cervione. Le haut de la voûte est toujours occupé par le Christ en majesté entouré des symboles des évangélistes, tandis qu'en bas figurent les apôtres et des saints. Le style de ces fresques où dominent le vert clair, l'ocre et le rouge, rappelle l'art des peintres de Sienne au 13e s.

Les canons de l'art roman continueront longtemps d'être appliqués en Corse : la chapelle Ste-Catherine de Sisco, par exemple, est de style roman et date pourtant du 15e s. L'île passe ensuite presque sans transition du roman au baroque. On ne connaît que deux églises gothiques en Corse : St-François et St-Dominique à Bonifacio.

LA FLORAISON DE L'ART BAROQUE

L'ancienne cathédrale de Cervione marque sans doute le point de départ, en 1584, de l'art baroque. Plus qu'un choix esthétique délibéré, le baroque corse apparaît comme une expression artistique du renouveau religieux lié à la Contre-Réforme.

L'expression d'un renouveau religieux

Aux 17e et 18e s., sous l'occupation génoise, un style baroque très inspiré de l'Italie du Nord se développe dans les régions les plus aisées de l'île : la Balagne, la Castagniccia et la région de Bastia. Sans profusion monumentale extérieure, les églises offrent toutefois une façade ornée de corniches, pilastres, colonnes engagées supportant un décor de pinacles, volutes et coquilles, et sont souvent embellies d'un parement de pierres dorées. Un solide clocher carré, à plusieurs étages ajourés, domine l'édifice. Dans certains cas, il se dresse à l'écart de l'église.

Dans les villes génoises, notamment à Bastia, les sobres lignes de certaines façades d'églises contrastent avec des intérieurs somptueusement décorés d'ors, de marbres, de peintures en trompe-l'œil, de meubles en bois sculpté, de stucs dorés de style baroque en honneur à Gênes au 17e s. Dans les églises baroques de villages, on découvre de riches autels et des balustrades de chœur en mosaïques de marbre polychrome, importés de Ligurie. Les artistes locaux ont parfois exprimé un art haut en couleur et plein de saveur : l'église de Carcheto est un bon exemple de ce courant populaire.

Le rôle social des confréries – Apparues au 14e s., les chapelles de confréries fleurissent par la suite dans toute la Corse en empruntant leur décor intérieur au riche répertoire baroque, tout en conservant un extérieur des plus simples.

L'ARCHITECTURE MILITAIRE

Littoral ceinturé de tours de guet, citadelles perchées sur des éperons, les témoignages d'architecture militaire sont toujours présents en Corse.

Les citadelles

Afin de développer les relations commerciales avec le monde méditerranéen tout en améliorant le système de défense de l'île, Gênes fonde à partir de la fin du 12e s. les places fortes de Bonifacio, Calvi, Bastia, St-Florent, Ajaccio, Algajola et Porto-Vecchio. Les citadelles, dans lesquelles se serrent les hautes maisons, sont entourées de remparts défendus par des bastions.

Les tours

Pour lutter contre les invasions des pirates venus d'Afrique du Nord, l'**Office de Saint-Georges** *(voir le chapitre sur « Histoire »)* organise un système de surveillance et d'alerte sur 500 km de côtes en construisant des tours de vigie et de refuge. Dès que des voiles barbaresques se pointent à l'horizon, les guetteurs allument au sommet de l'édifice des feux qui alertent les villages. En outre, les notables font édifier des tours carrées qui servent d'habitation et, en cas de péril, d'abri. Aujourd'hui, sur les 85 tours dénombrées au début du 18e s., 67 sont encore debout, notamment le long du Cap Corse et sur la côte Ouest. D'une architecture rudimentaire, hautes de 12 à 17 m, elles donnent au paysage une note romantique.

Gilles Magnin / MICHELIN

Tour génoise à L'Île-Rousse.

Les forts

Dans le Cap Corse (Rogliano) et en Corse-du-Sud (Tiuccia...), on observe des ruines de châteaux médiévaux qui appartenaient aux seigneurs de l'île. Quelques ouvrages militaires, conçus pour la défense d'un lieu stratégique, subsistent en partie. C'est le cas du fort défendant le goulet de Tizzano dans le Sartenais.

L'ARCHITECTURE TRADITIONNELLE

Les villages

Dans les villages anciens, les maisons sont groupées dans un apparent désordre qui masque une organisation en blocs familiaux. Ils forment souvent un charmant dédale de ruelles empierrées en escalier et de passages couverts où il fait bon errer. Promenez-vous par exemple à Sant'Antonino en Balagne ou à Vescovato en Casinca. De rares villages conservent une maison forte (*casa torra*), ancien habitat noble qui avait aussi une fonction défensive communautaire. On peut en observer à Ste-Lucie-de-Tallano, à Bicchisano, à Sainte-Marie-Sicché.

La maison traditionnelle

Tout comme le village, la maison (« **a casa** »)est très importante pour un Corse. Il répugne à la vendre et même à la louer. Toujours simple et sobre, elle abritait autrefois la famille au grand complet. C'est une « maison bloc » à quatre pans, construite avec les pierres locales : blocs de schiste dans le Nord de l'île, granit dans le centre et au Sud, calcaire à Bonifacio et St-Florent. En montagne, les murs très épais sont percés d'étroites fenêtres empêchant le soleil d'entrer en été et les vents de s'infiltrer en hiver. Les toits sont recouverts de tuiles canal en Corse occidentale et de dalles de schiste lustré appelées *teghje* en Corse orientale, ce qui donne de jolis tons gris-bleu à Corte, verts à Bastia, gris-argent en Castagniccia. En Balagne, les toits sont remplacés par des terrasses utilisées pour le séchage des fruits au soleil.

Les bergeries

Disséminées dans les montagnes, elles sont plus ou moins abandonnées en raison de la décadence de la transhumance, mais abritent encore de mai à octobre quelques bergers et leurs bêtes. Ce sont de grossières constructions autour d'un assemblage de pierres sans mortier. L'installation du berger y est rudimentaire : sa **cabane** *(capanna)* n'offre qu'une pièce sans fenêtre. Le berger dort sur un matelas de fougères disposé sur un bat-flanc. Il confectionne le fromage et le brocciu puis les dispose dans des caves-saloirs *(cagiles)*. Si vous vous promenez dans le désert des Agriates, vous découvrirez quelques « **paillers** », humbles constructions quadrangulaires en pierres sèches autrefois couvertes de branchages et d'un épais revêtement de glaise. En Castagniccia, on rencontre parfois, sous l'apparence de « bergeries », des séchoirs à châtaignes.

Amaury de Valroger / MICHELIN

Pont génois d'Asco.

Les ponts génois

On désigne volontiers sous ce terme général tous les ponts tant soit peu anciens de l'île. En fait, quelques-uns datent de la période pisane. Puis, à partir du 16e s., Gênes en fait construire un grand nombre sur des itinéraires très fréquentés afin de développer les échanges commerciaux et agricoles dans l'île. Ces ponts portent une arche unique et une étroite chaussée empierrée, à la brisure très accentuée. Leur hauteur et leur position à un endroit large du cours d'eau sont calculées en prévision des crues parfois subites et violentes sous le climat méditerranéen.

Les fontaines

Au bord des chemins, à l'entrée des villages ou en forêt, on peut se rafraîchir à la source de charmantes fontaines rustiques faites de galets.

Culture et traditions

UNE CONTRÉE LÉGENDAIRE

Les récits fondateurs font appel à plusieurs légendes. Corsica est-elle née de l'union de Sica, nièce de Didon avec Corso, fils du roi de Troye ? Où de Corso, Ligurienne poursuivant un taureau jusque dans l'île ? Aurait-elle émergé des eaux en souvenir de Nausicaa tuée par son mari jaloux ? De vallées en vallées, de villages en villages, contes et légendes peuplent encore l'imaginaire corse et parmi eux les histoires merveilleuses tiennent la plus grande part. Les chaos rocheux aux formes anthropomorphiques essaimés sur toute l'île sont autant de géants pétrifiés, d'amoureux saisis. Dans le Niolo, pays de roches instables et d'accumulations géologiques, le Malin et saint Martin se seraient affrontés *(voir p. 353)*. Saint Martin, le bienveillant, s'affirme comme un personnage central, suivi d'une cohorte de saints et de saintes apparus à la naissance du christianisme insulaire. Le magicien, *magu*, la vieille à l'origine inconnue testent la valeur et le courage des hommes. Les bergers et leurs troupeaux confrontés aux colères de la nature et aux invites du Malin nourrissent nombre de récits ainsi que les bandits d'honneur, les rois, les fils de rois, quelques jeunes filles, rarement la reine. La Peau d'âne corse, *cughjulina*, se cache sous une peau de

vache. Les animaux y sont de grands sages qui savent conseiller. La Mort est fort redoutée.
Cette culture populaire fut relativement bien conservée jusqu'à une époque récente et, dès le 19e s., quelques insulaires et continentaux s'attachèrent à leur retranscription. On peut citer les ouvrages de J.-B. Frédéric Ortoli, E. Southwell-Colucci, G. Massignon et plus récemment les *Contes et légendes de Corse* de J.-C. Rogliano (France Empire), *Contes et légendes du peuple corse* de F. Maestracci (Éd. Albiana).

UNE TERRE D'INSPIRATION

Les romanciers du 19e s. qui aiment les personnages exaltés et les situations mélodramatiques trouveront en Corse un terrain de prédilection et alimenteront un mythe tenace qui perdure encore aujourd'hui. La trop célèbre *Colomba* de Prosper Mérimée devait prendre le pas sur une culture populaire corsetée par sa langue insulaire. Il faut attendre Michel Zevaco et sa saga (Les Pardaillan) pour que les Corses gagnent brièvement le panthéon littéraire français au franchissement du 20e s. Plus de 70 ans plus tard, apparaît une nouvelle génération d'écrivains avec Marie Susini et Jean-Claude Rogliano ou l'Académicien Angelo Rinaldi. Les essais politiques constituent ces dernières années l'essentiel des publications d'auteurs d'origine corse parmi lesquels Jean-Louis Andréani, les ouvrages de Jean-Pierre Santini et de Nicolas Guidici. L'auteur, Marie Ferranti étant l'une des rares auteurs de fiction contemporaines corses.
La littérature de langue corse œuvre pour un nombre de lecteurs restreints, mais témoigne d'un renouveau réel après les fables de Natale Rochiucioli, chansonnier et humoriste de l'entre-deux-guerres. Rinato Coti, Ghjacumu Thiers et Marcu Biancarelli publient des œuvres incontestablement novatrices. Les poètes sont encore plus nombreux, représentés par Ghjacumu Biancarelli et Ghjacumu Fusina, tandis que le théâtre est servi par Dumenico Tognotti. Les albums bilingues de Batti s'attachent quant à eux aux caractères du peuple corse.

LES ARTS POPULAIRES

Le costume – À l'opposé des clichés, les costumes corses revêtent une apparence colorée et empreinte de fantaisie. La passementerie, apanage italien importé sur l'île, agrémentait volontiers les trois

Stéphane Sauvignier / MICHELIN

Costume traditionnel, Conservatoire du Costume corse, Canari.

jupons de la Sartenaise ou les *capiddina*, chapeaux de paille des Ajacciennes. Le *mezaro*, voile noir porté noué à l'arrière du cou est à la femme ce que le *pilone*, cape de laine de chèvre, est au berger corse. Le noir ne débarquera massivement qu'au 19e s. pour le plus grand profit de la filature de Roubaix !
Le mobilier – Rigueur et simplicité dominent naturellement dans le mobilier corse. On range son peu de biens dans un vaste coffre à dossier, le *bancone*, et les ustensiles se réduisent au minimum : une louche pour transvaser l'eau de la cruche, le *tavaru*, quelques couverts. Chaque foyer a son pétrin, taillé dans le châtaigner, *meda*, et s'il règne une certaine aisance, une armoire. L'*U carrigonu*, le seul fauteuil de la maison, est réservé au père de la famille. On peut trouver dans la cuisine, le *fucone*, foyer surélevé servant de fumoir pour les charcuteries et dans certaines régions des poteries à l'amiante.

L'art populaire montagnard – Du Moyen Âge au 18e s., les artisans montagnards ont sculpté le bois, réalisant des œuvres étonnantes de verve et de fraîcheur ou empreintes d'un réalisme bouleversant : saints naïfs, Christ de Vico, de Bustanico, de Calacuccia, de Casamaccioli... En confectionnant les originales **chaires en bois** supportées par des dragons reposant sur une tête de Maure (églises d'Aullène et de Quenza), ils se sont sans doute rappelé les raids barbaresques. Ce sont aussi des artistes locaux qui ont réalisé les **chemins de croix** du 18e s., peintures naïves qui ornent maintes églises paroissiales.

ABC d'architecture

Les dessins présentés dans les planches qui suivent offrent un aperçu visuel de l'histoire de l'architecture dans la région et de ses particularités. Les définitions des termes d'art permettent de se familiariser avec un vocabulaire spécifique et de profiter au mieux des visites des monuments religieux, militaires ou civils.

Architecture religieuse

LURI (hameau de Piazza) – Plan de l'église St-Pierre (17e s.)

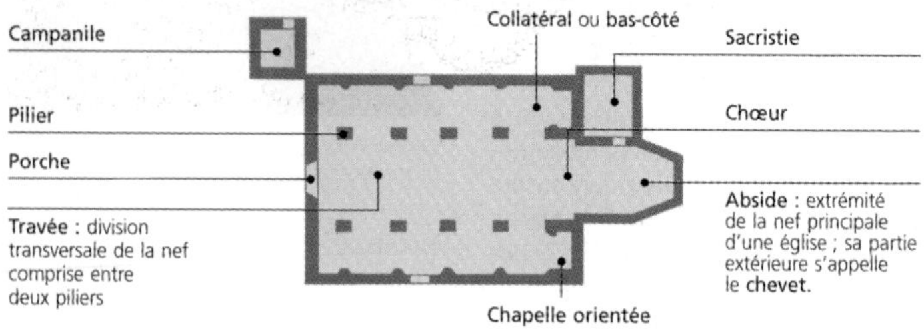

LUCIANA – Coupe en élévation de la Canonica (12e s.)

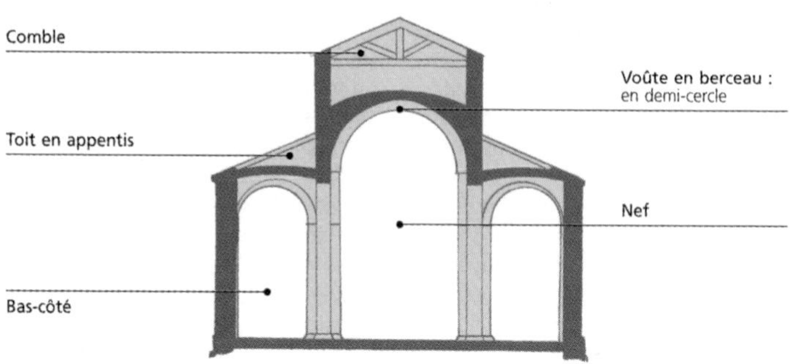

MARIANA – Église San Parteo (11e et 12e s.)

Contemporaine de la cathédrale de Pise, l'église fut bâtie en deux étapes : abside (11e s.) et nef (début du 12e s.). La sobriété des lignes et du décor caractérise le premier art roman pisan.

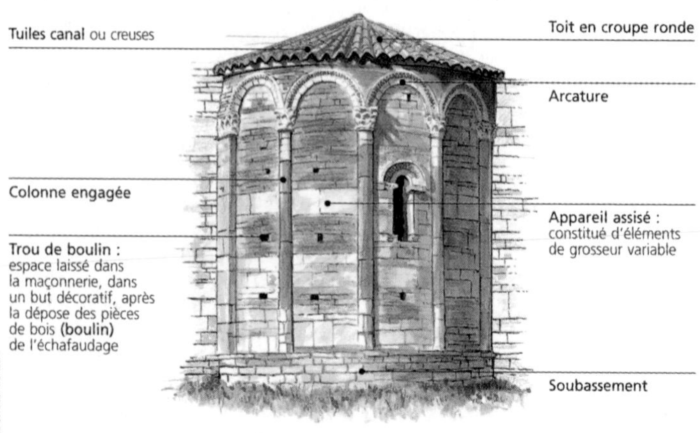

ST-FLORENT – Église Santa Maria Assunta (12e s.)

L'ancienne cathédrale du Nebbio, inspirée de la Canonica, illustre la seconde période de l'art roman pisan : un décor extérieur plus important y tire parti de l'architecture.

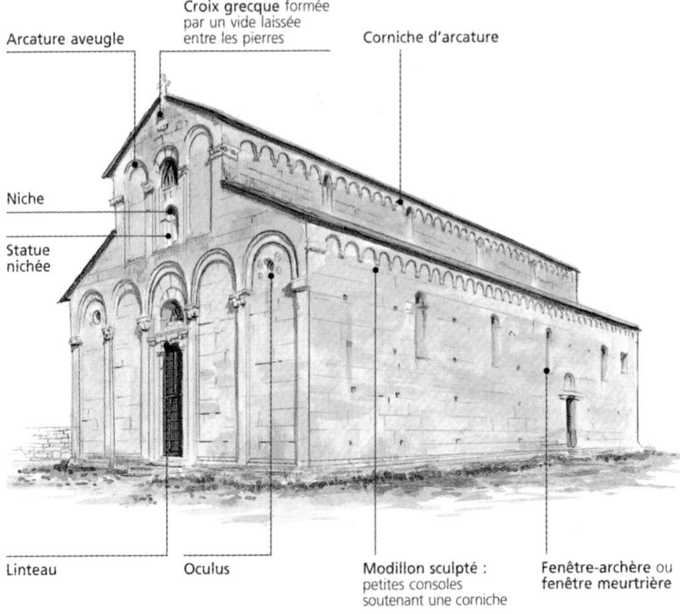

BASTIA – Nef de l'église St-Jean-Baptiste (17e-18e s.)

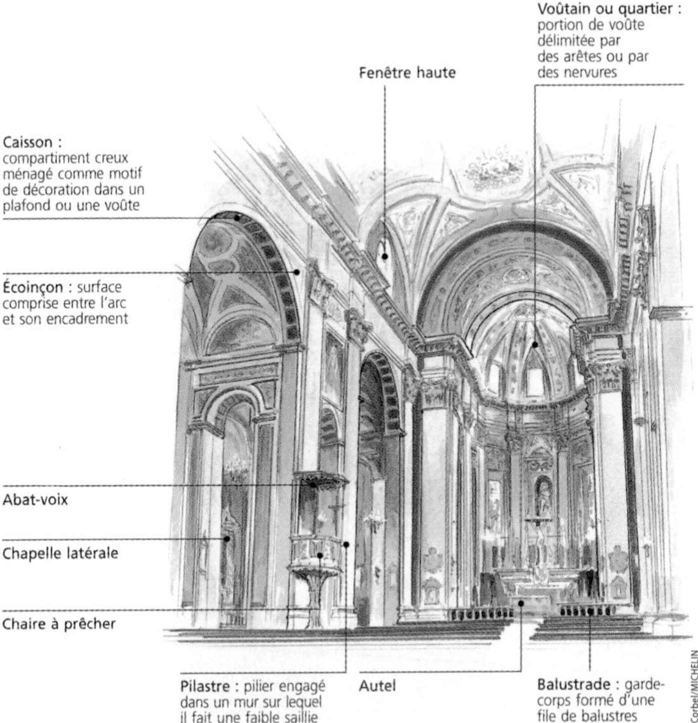

Rodolphe Corbel/MICHELIN

LA PORTA – Façade de l'église (17e s.)

L'art baroque né de la Contre-Réforme se développe en Corse dans la région du Cap et à Bastia. La Castagniccia concentre le plus grand nombre d'églises baroques.

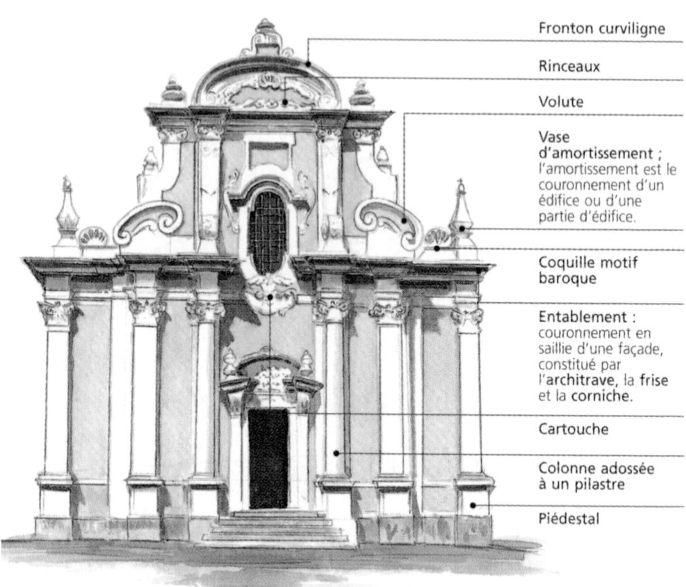

AJACCIO – Cathédrale de l'Assomption Maître-autel baroque (fin du 17e s.)

Les retables baroques sont nombreux dans l'île. Celui-ci, offert par la sœur de Napoléon, Elisa, princesse de Lucques, provient d'une église de cette ville italienne.

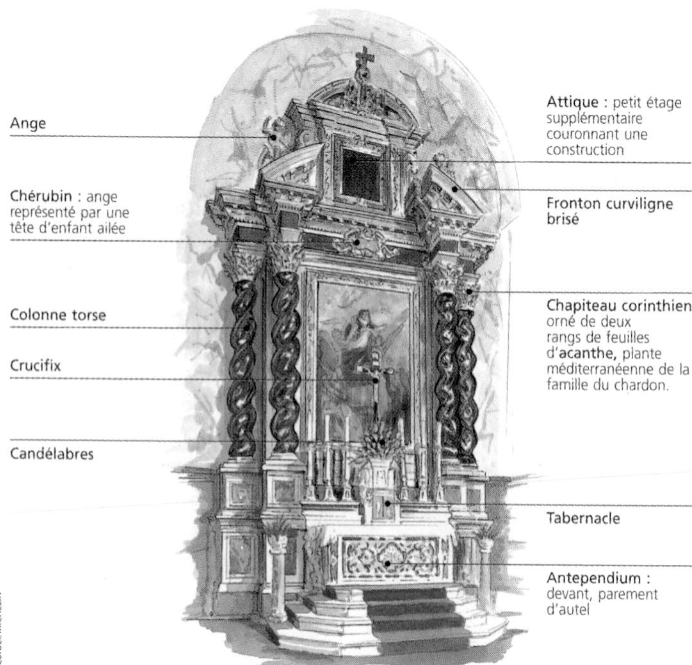

Rodolphe Corbel/MICHELIN

CALENZANA – Campanile baroque (reconstruit au 19e s.)

Œuvre de l'architecte bastiais Guasco, il reproduit fidèlement le modèle d'origine.

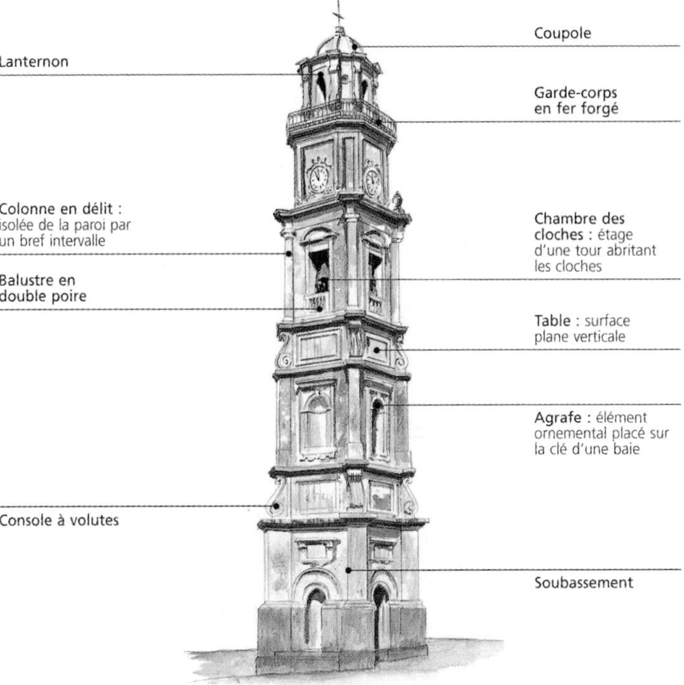

BALAGNE – Mausolée (19e s.)

Ces tombes familiales, souvent majestueuses, se dressent sur des terrains privés, au bord de petites routes à la sortie des villages. Leur décor puise dans les styles baroque et néoclassique.

Architecture traditionnelle

BASTIA - Maisons du quartier Terra Vecchia (19e s.)

Les hautes maisons serrées autour du port, au crépis ocre délavé par l'air marin, dissimulent les grandioses façades des églises, physionomie commune aux ports méditerranéens traditionnels.

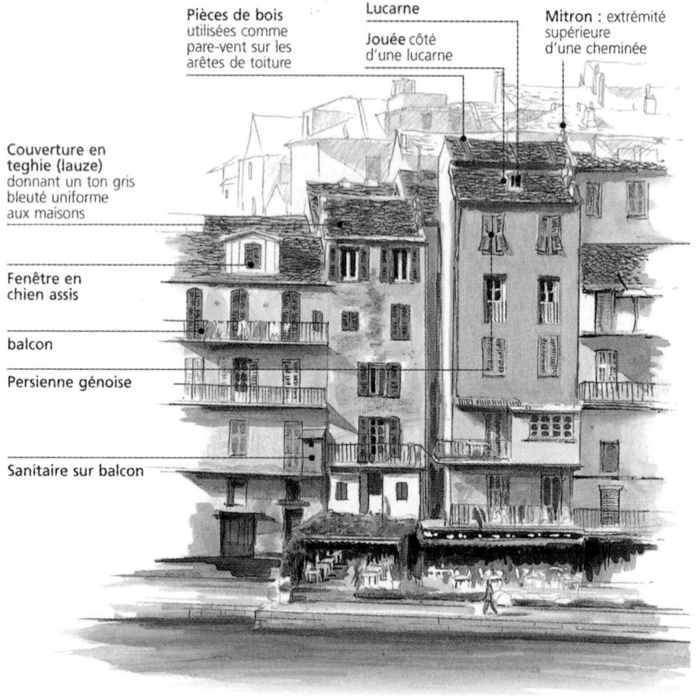

Génie civil

PONTE LECCIA – Pont sur le Golo (1782)

Le pont génois (à arche unique) ne peut franchir plus de 20 m. Dès le rattachement de la Corse, les ingénieurs français adoptent donc le pont à piles en pierres de taille, très souvent orné d'une arcature moulurée.

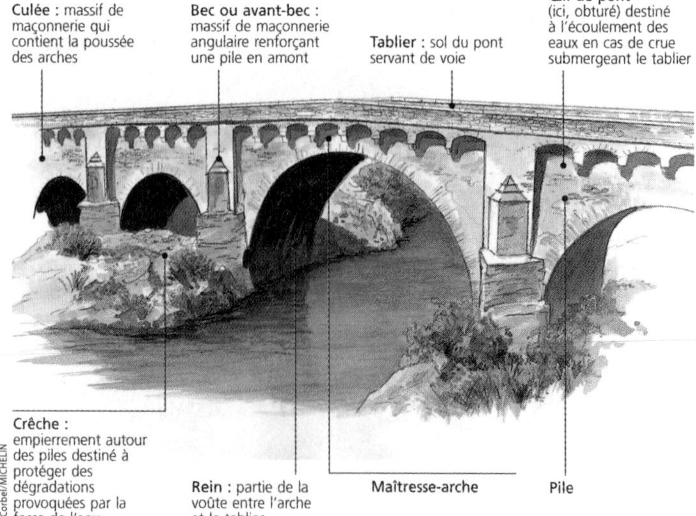

Rodolphe Corbel/MICHELIN

Architecture militaire

CALVI - Citadelle génoise (15e-16e s.)

L'Office de St-Georges, organisme génois tutélaire de l'île, fortifia à partir de 1453 cette position stratégique. Percé à 81 m d'altitude, l'unique accès à la citadelle est commandé par un pont-levis et des portes blindées.

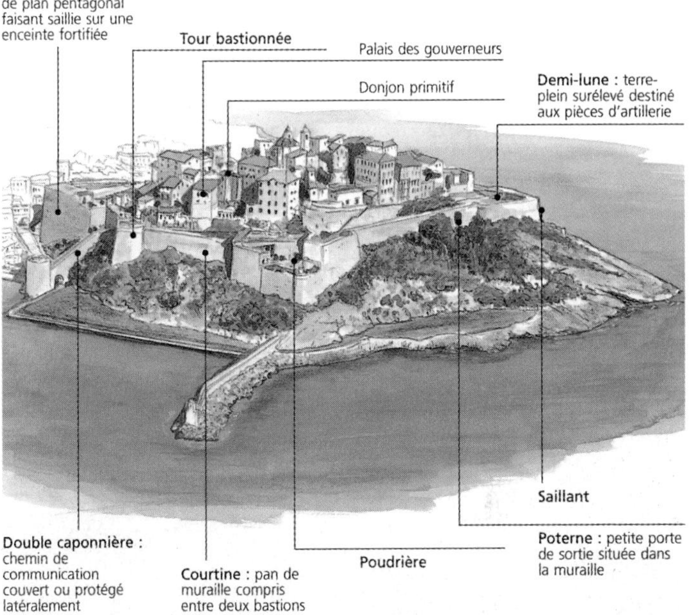

CAP CORSE – Tour génoise (16e s.)

Pour prévenir les razzias barbaresques, Gênes fit édifier, à partir de 1530, un réseau de 85 tours rondes de vigie sur le littoral de l'île. Les plus nombreuses subsistent dans le Cap Corse.

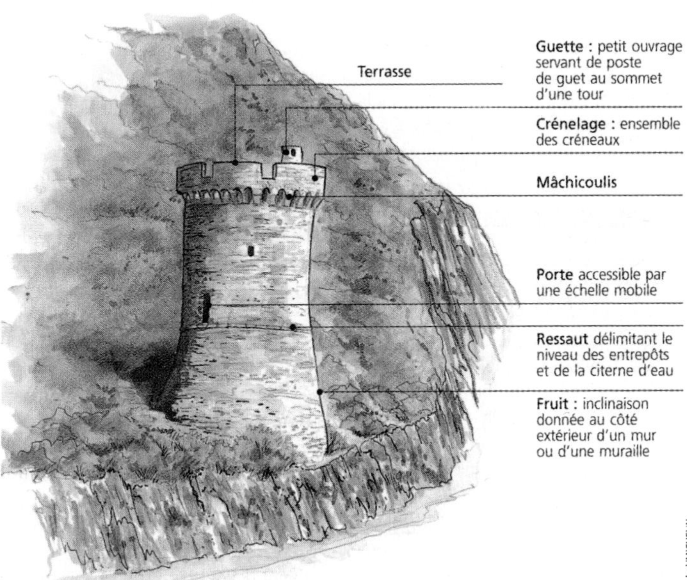

Rodolphe Corbel/MICHELIN

LA CORSE AUJOURD'HUI

Comment présenter la Corse d'aujourd'hui ? Comme les facettes de ce pays les réponses sont multiples. Si les habitants de l'île revendiquent leur singularité, ils ne se sentent pas pour autant des témoins isolés d'une identité en perdition. Bien au contraire. Les signes tangibles d'un renouveau de la culture corse se multiplient. L'économie elle-même bénéficie de cette dynamique. Le tourisme, première source de richesse de l'île, n'a pas entraîné de dommages irréparables sur la physionomie sauvage des côtes. L'arrière-pays, fragilisé par une saignée démographique de plus d'un siècle, jouit de potentiels intacts et s'éveille à un tourisme vert soucieux de la nature et de sa préservation. L'agriculture, se tourne vers une production raisonnée et des produits de qualité. Ainsi, la Corse, tournée vers d'autres enjeux que sa seule autonomie administrative, peut-elle dans les prochaines années devenir une région exemplaire d'un certain charisme.

Amaury de Valroger / MICHELIN

Port de Bastia.

L'identité insulaire

L'identité corse noyée sous les clichés eut bien du mal à faire reconnaître ses richesses et sa singularité. Elle s'identifie aujourd'hui à son territoire préservé dont elle entend bien maîtriser le destin, comme elle entend donner à sa culture les saveurs du renouveau.

LA FIN DE COLOMBA

L'histoire tourmentée de l'île, soumise à de multiples invasions et incursions, a nourri une imagerie simpliste et caricaturale du peuple corse. Celui-ci, dans le plus extrême dénuement, délaissa les modèles insulaires pour ceux du continent. Un double abandon dont la culture corse a longtemps souffert, laissant de larges brèches aux interprétations abusives.

Les tragiques événements qui ont marqué son actualité ces trente dernières années ont renforcé certains traits repris à loisir par les médias. Les mouvements autonomistes des années 1970 qui se sont engagés dans la lutte armée n'ont pas été suivis dans leurs combats mais ont toutefois provoqué une prise de conscience salutaire. Sans renier leur attachement à la France, les Corses ont renoué avec leur **culture** et l'ont inscrite dans la modernité.

Ce renouveau indique que bien au-delà des clichés qui ont la peau dure, le peuple corse est fier de sa différence et que celle-ci ne l'en isole plus de l'extérieur. Dans une montagne dépeuplée, les échanges entre insulaires et « pinzutti » sont tout à la fois simples et cordiaux, et les fêtes traditionnelles constituent de réelles occasions d'échange et de dialogue. L'hospitalité est entendue ici comme une obligation morale.

Le 21e s. verra peut-être et heureusement la fin de l'obsolète Colomba comme égérie d'un peuple sanguinaire.

Car si elle est souvent silencieuse, la grande majorité des Corses ne cautionne pas les actes de vandalisme ou les attentats meurtriers. Les femmes corses se sont d'ailleurs plusieurs fois mobilisées contre la violence et l'intolérance. La Vendetta, de sinistre mémoire, pro-

Les « pinzutti »

Le Corse est parfois un peu sur ses gardes en face de l'Italien et du Français du continent, qu'il surnomme respectivement Luchesu (Lucquois) et *pinzuttu*. Le terme un peu ironique de *pinzuttu* (pointu) est peut-être une allusion aux chapeaux tricornes que portaient les soldats de Louis XV envoyés en Corse en 1764, à moins qu'il ne fasse référence à l'accent pointu des Parisiens…
Comme dans beaucoup de régions, toute réserve disparaît quand le touriste sait se montrer respectueux de l'île et de ses habitants.

voque certes encore quelques conflits fratricides, mais elle ne concerne qu'une poignée d'irréductibles militants.

Des usages ancrés dans l'histoire

Parmi les images récurrentes sur la société corse, il en est certaines qui sont vraies. Mais elles ne sont pas forcément le signe d'une culture féodale. La notion de **clan**, si décriée, a permis longtemps de survivre à des conditions de vie extraordinairement spartiates et difficiles. Compris comme une famille au sens large, n'intégrant pas seulement des membres de son sang mais des habitants d'un même village, le clan est d'abord synonyme de protection et d'entraide. Les grands personnages de l'histoire corse, comme Pascal Paoli, ont fédéré les clans parce qu'ils définissaient la Corse comme étant elle-même un clan, c'est-à-dire un espace où l'individu est protégé de l'oppression extérieure.
Le **sens de l'honneur**, qui s'est montré un puissant allié de la violence, trouve dans le clan une ressource inépuisable de bonnes volontés prêtes à se sacrifier pour le respect de la parole donnée.
La **famille** reproduit de génération en génération la vénération des anciens. Les petits-enfants portant le prénom des grands-parents sont aussi tributaires de leur histoire, étant ainsi dotés dès l'enfance d'une biographie qui n'est pas la leur mais qu'ils se doivent d'honorer. C'est ainsi que perdurent des haines ancestrales dont le motif a été depuis longtemps oublié.

L'apprentissage du métissage

Des caractères moins connus de l'identité corse, comme une attention particulière pour l'égalité, se sont révélés au cours du 20e s. Ainsi, s'explique par exemple l'image inversée des Corses aux colonies. Dépréciés sur le continent, ils apparaissent dans les contrées de l'Empire colonial français comme des colons pondérés et soucieux du bien-être commun, possédant de plus un incontestable savoir-faire agricole.
Toute une génération de Corses qui n'avait pas grandi dans l'île doit revenir au pays, dans le courant des années 1960. Ce mouvement important est accompagné en outre de l'arrivée de milliers de pieds-noirs qui doivent fuir l'Algérie et à qui sont confiées de riches terres dans la plaine d'Aléria. Leur intégration n'a pas été évidente et dans les années qui ont suivi, la population des immigrés maghrébins a eu d'importantes difficultés pour trouver sa place.
Toutes ces composantes qui ont suscité de fortes tensions semblent aujourd'hui se confondre autour d'une conception fédératrice du territoire. L'identité corse n'est pas figée, elle se fonde sur une expérience humaine et se réalise jour après jour en lien avec son histoire et les données actuelles.

Corses célèbres et célébrités en Corse…

Les Corses furent longtemps très nombreux à vivre ailleurs que sur leur île. Ce qui explique que bien souvent, leur origine corse se soit estompée.
Les hommes politiques et hauts fonctionnaires sont nombreux. Parmi eux : André Maroselli, huit fois ministre sous la IIIe République et résistant farouche ; Joseph Comiti, ministre de De Gaulle, Michel d'Ornano, Charles Pasqua ou François Léotard, etc.
Il y a aussi de grands policiers comme Charles Pelligrini ou Philippe Massoni (préfet de police de Paris), de nombreux hauts gradés dans l'armée. La Corse a fourni beaucoup de généraux à l'armée française.
Dans le monde des affaires on peut citer François Coty, l'inventeur de la parfumerie moderne au début du 20e s. ou, plus récemment, Cyril Spinetta à Air France.
Il est impossible de citer tous les artistes mais s'il faut en retenir quelques-uns : le réalisateur et auteur José Giovanni, l'actrice et top-model Laetitia Casta, la danseuse et chorégraphe Marie-Claude Pietragalla, le musicien Jean Guidoni, l'actrice Marie-José Nat ou le comédien Robin Renucci qui ont su ou savent faire partager leur attachement à cette terre.
Les pinzutti amoureux de la Corse ne sont pas moins nombreux : Jacques Dutronc, Jean-Claude Brialy, Michel Sardou, Muriel Robin, Michel Fugain ou Guy Bedos fréquentent l'île assidument.

LE CHANT ET L'EXPRESSION MUSICALE

Les chants traditionnels, proches des mélopées arabes et du chant grégorien, reflètent les luttes du passé et la profondeur des sentiments. Ils étaient autrefois souvent improvisés et marquaient chaque étape de l'existence. Avec l'abandon du mode de vie pastoral, ces chants, transmis de génération en génération et de vallée en vallée lors de la transhumance, auraient pu totalement disparaître. Même si les « **nanne** » (berceuses), les « **serinati** » (sérénades), les « **lamenti** », complaintes funèbres et les « **voceri** », chants mortuaires et de vengeance se sont progressivement perdus, la musique et les chants restent bien vivants en Corse.

Les **polyphonies** resurgissent avec vitalité du passé, surtout la « **paghjella** », ce chant à trois voix a capella. Depuis quelques années, on voit réapparaître sur le devant de la scène des chanteurs et groupes insulaires qui réussissent à marier avec conviction création et tradition. La *paghjella* a été redécouverte dans les années 1970 par « Canta U Populu Corsu ». Aujourd'hui, d'autres groupes polyphoniques ont acquis une forte renommée : « A Filetta » (la fougère), « I Muvrini » (les petits mouflons), « Chjami Aghjalesi », etc. ainsi que des solistes accompagnés, comme Petru Guelfucci.

Le « **chjama è rispondi** » (« appelle et réponds »), forme de poésie orale, est toujours répandue. À l'origine essentiellement masculin, ce chant ludique ou libérateur d'angoisse et de passions s'improvise vite à l'issue d'un repas ou d'une réunion, à l'occasion de foires pour marquer la convivialité.

Les travaux de recherche et de restauration entrepris par des musiciens ont permis la redécouverte d'instruments traditionnels comme la « **cetera** », cithare à seize cordes dont l'usage avait disparu depuis les années 1930, ainsi que la « **pifane** » (flûte en corne de chèvre) et la « **pirule** » (flûte en roseau), instruments utilisés par les bergers.

Plaisir des oreilles

Des festivals de qualité sont organisés pour faire découvrir la richesse du patrimoine musical corse : **Estivoce**, à Pigna, début juillet et les **Rencontres de chants polyphoniques** de Calvi, mi-septembre. Le **Musée ethnographique de Corte** conserve aussi la trace de nombreux chants populaires.

Stéphane Sauvignier / MICHELIN

Groupe polyphonique Corse A Filetta.

LES FÊTES TRADITIONNELLES

Dans les villes comme dans les villages, l'engouement reste vif pour les fêtes et les rassemblements. Ils conservent une spontanéité et un sens fédérateur que bien des pays ont perdu.

Fêtes religieuses

Les traditions catholiques sont encore très vivantes dans l'île. Si vous vous promenez en Corse à Pâques, ne manquez pas les processions de la **Semaine sainte**. La tradition pascale veut que le prêtre visite et bénisse chaque logement. Pour saisir toute la dimension sacrée de la mémoire populaire, il vous faut assister aux rites et processions organisées par les confréries avec leurs cortèges de pénitents en cagoule de Bonifacio, Calvi, Cargèse ou Sartène.

Dans cette dernière, le **pénitent** (*U Catenacciu* : l'enchaîné) suit un chemin de croix, traînant derrière lui une lourde chaine. La légende veut que ce Pétinent Rouge soit à l'origine un jeune homme que la colère a poussé à commettre un acte irréparable. Joie et ferveur marquent cette semaine parée des habits du merveilleux et qui se clôt par un repas collectif, la *merendella*.

Les villes et villages fêtent aussi en grande pompe leurs **saints** patrons, la Sainte Vierge et quelques saints protecteurs de corporations comme saint Érasme, patron des marins, ou sainte Restitude en Balagne. La Vierge Marie est particulèrement vénérée : l'hymne de la Vierge « *Dio vi salvi, Regina* » est un chant religieux incontournable en Corse.

Les foires

Quelques-unes sont réputées *(voir le chapitre « Fêtes et festivals »)* et ont conservé leur air de fête et rassemblent souvent les paysans éloignés des centres urbains.

Pendant la foire du Pratu en juillet, les meilleurs chanteurs de l'île s'affrontent lors de concours de *Paghjelle* et de *Chjami et Rispondi*.

LA LANGUE CORSE

La langue corse fut de tout temps transmise de voix en voix dans la vie quotidienne, par le chant ou le récit. Enrichie d'apports multiples, confortée par une pratique courante, elle ne connut cependant la transcription qu'au 19e s. Un siècle charnière où l'italien, langue répandue, allait peu à peu laisser place au français. Des auteurs européens comme P. Mérimée ou l'Italien N. Tommaseo s'initient alors au « patois » local et immortalisent quelques bribes du répertoire poétique et conté. Les premières revues de langue corse *(A Tramuntana* puis *A Muvra)* revendiquent fortement l'identité insulaire sous la IIIe République. Associé à la rébellion contre l'hégémonie de l'État français, le corse n'obtiendra son statut de langue régionale qu'en 1974.
Enseignée dès l'école primaire, cette langue qui peu à peu perdait de son ancrage dans les jeunes générations a été réinvestie par des auteurs et chercheurs contemporains.
Longtemps refuge de l'expression écrite, la poésie compte, parmi ses plus notables auteurs, Francescu Filippini. Quant au roman, des écrivains tel Rinatu Coti lui ont donné un renom.
En vous promenant dans les villages, vous entendrez le chant de cette langue riche et savoureuse, qui présente des analogies avec d'autres langues romanes, l'italien surtout. Elle est toujours considérée aujourd'hui comme une langue en danger inscrite au patrimoine immatériel de l'Unesco.

Des origines diverses

Idiome aux racines celto-ligures, le corse s'est lentement latinisé, puis a subi à partir du 9e s. une forte influence toscane. Les Sarrasins n'ont laissé que peu de mots et les Génois, présents durant cinq siècles, ont surtout légué un vocabulaire technique, maritime et administratif.
La syntaxe du corse reste proche du toscan médiéval, ce qui permet de considérer cette langue comme le reflet de celle de l'époque de Dante.
La langue présente quelques dissemblances entre le Sud-Ouest et le Nord-Est de l'île, la frontière étant parfois difficile à saisir. Le corse du Nord-Est est plus musical ; celui du Sud-Ouest reste plus original. La prononciation peut varier également d'une vallée à l'autre.

Quelques clés pour communiquer

Sachez qu'en Corse, la fin des mots est souvent avalée et que les voyelles qui se suivent sont prononcées séparément. Par exemple, on dira « Porto-Vec » et non Porto-Vecchio ; forêt d'« A-i-tone » et non d'Aitone.
• Autre élément important, les lettres k, w, x et y n'existent pas ; le u se prononce « ou », le t « d » et le tt « t ». De même, chj se dit « tj » et ghj « dj ».
• Nous connaissons les localités sous leur transcription toscane datant du 18e s. Le o qui en termine un bon nombre se transcrit par u, et plus surprenant, il est retranscrit par dd dans le Sud.
Quelques dictons corses :
Per cunosce una persona, bisogna manghjà cun ella una somma di sale : pour connaître une personne, il faut manger beaucoup de sel avec elle.
A lavà u capu a l'asinu, si perde fatiga e sapone : à vouloir laver la tête de l'âne, on perd fatigue et savon.
Buciardu cume a scopa : menteur comme la bruyère... (qui fleurit mais ne donne pas de fruits).

Un avenir plus serein

La progression de l'enseignement du corse à l'école se confirme ces dernières années puisqu'en 2005, environ 92 % des élèves ont accès aux cours de corse pendant leur scolarité. Il reste que cette langue est une option dans le secondaire et donc facultative. Même si certains trouvent la progression insuffisante, l'avenir de la langue semble aujourd'hui moins menacé.

Corse pratique

La pratique du corse n'est pas obligatoire pour se déplacer dans l'île, mais pour découvrir les bases de cette langue vous pouvez vous procurer le petit livret **Le corse de poche** des éditions Assimil. Nous vous proposons également, à la fin de ce guide, un petit **lexique** de base présentant les principaux mots et expressions utilisés dans la vie de tous les jours.

Mais une pratique contrastée

Il y a bien des émissions de télévision et de radio en corse, des journaux aussi bien sûr, mais la pratique n'est pas si fréquente sur l'ensemble du territoire ni dans toute les classes d'âge. Les éditeurs hésitent à publier dans cette langue car les tirages sont très faibles.

…es …nie

…n défi auquel la so- …re face. D'importan- …eu lieu ces dernières déc… …estent insuffisantes. D'ambitieux plans de relance sont prévus, avec l'aide de l'état, pour pallier les principales difficultés structurelles, comme celles des transports.

POPULATION

Démographie

Les grandes vagues d'émigration du 20e s. ont laissé la Corse exsangue. Avec 266 000 habitants en 2004, elle conservait le triste record de l'île la moins peuplée de la Méditerranée occidentale et le plus bas taux de natalité des régions françaises. Mais cette dernière décennie a été marquée par une croissance régulière due à un solde migratoire positif. Il faudra attendre sans doute quelques années avant de se réjouir. Les personnes âgées de plus de 60 ans représentent plus d'un quart de la population et dans certains villages isolés du centre, le tiers des administrés. Les jeunes de 20 à 24 ans constituent à peine 5 % de la population. Une grande partie d'entre eux gagnent le continent pour leurs études supérieures et leur carrière professionnelle, bien que l'université de Corte apporte une formation supérieure de qualité aux jeunes insulaires.

L'attraction des villes

La Corse du Sud reste la moins peuplée de l'île. Bastia et Ajaccio, principaux bassins d'emploi, regroupent 40 % de la population. Les villages d'accès facile et situés à quelques kilomètres de ces grands centres reprennent vie. Les familles nombreuses soucieuses de leur environnement y sont majoritaires, et entraînent l'ouverture de commerces de proximité et d'équipements.

L'arrière-pays et les communes du centre, hormis la région de Corte, atteignent en revanche de faibles densités (50 habitants au km^2). Situées à l'Ouest dans le massif montagneux du Cinto, à l'Est dans la Castagniccia ou plus au Sud dans le Haut-Taravo et l'Alta Rocca, de petites communes très enclavées voient leur population diminuer sans répit. La difficulté d'accès, l'absence de transports en commun, la rareté des équipements fragilisent leur situation. Pour lutter contre une désertification annoncée, des initiatives diverses se sont mises en place : tourisme vert, rénovation du bâti, aménagement des routes, maintient des services minimaux. Toutes n'ont pas encore porté leurs fruits. La plupart de ces villages sont égayés en été par les résidents secondaires qui trouvent là repos et pittoresque, mais le quotidien des habitants reste difficile, à tel point qu'ils sont parfois contraints de rejoindre, pour l'hiver au moins, les villes du littoral.

Emploi

La fonction publique, avec 92 fonctionnaires pour 1 000 habitants, occupe toujours une place prédominante sur l'emploi. Mais le tourisme demeure la plus importante source de revenus puisqu'elle emploie 79 % de la population active. L'agriculture et l'artisanat occupent une part infime des actifs.

AGRICULTURE

L'agriculture corse n'a pas été épargnée ces vingt dernières années par les grandes tendances nationales. Bien que la vie agricole tienne encore une place importante dans l'identité insulaire, elle ne représente plus économiquement un facteur de développement. Elle a su cependant conserver des activités ancestrales et en développer les potentiels.

Vie agricole

Les petites exploitations familiales se spécialisent dans les productions traditionnelles : élevages porcins et bovins, vergers et châtaigneraies. Elles détiennent près de la moitié des surfaces oléicoles. Attachés aux savoir-faire locaux, ces agriculteurs souffrent de la

Stéphane Sauvignier / MICHELIN

Composition autour de l'olive : filet et olives.

détérioration sensible de leur environnement. Les terrasses qui entouraient les villages, les jachères et les circuits d'entraide informels n'existent plus. En revanche, la disparition des terres cultivées a permis à un certain nombre d'entre eux de revitaliser l'élevage en libre parcours des animaux qui fait la réputation de la viande corse.

Les grandes exploitations se réservent la viticulture (75 % de la production AOC) et l'arboriculture, notamment les clémentines, les kiwis et dans la production laitière. La plaine orientale d'Aléria, assainie en 1944 et rénovée en 1957 par la Société d'économie mixte SOMIVAC, concentre une part importante de la production viticole et fruitière. Cependant, ces dernières années, ces surfaces ont sensiblement diminué pour laisser place à des prairies et des pacages. Cette tendance est motivée par le besoin croissant de l'île en fourrage (voir « Élevage ») et par les difficiles conditions climatiques de ces dernières années.

La recherche et l'agriculture biologique

En 1965, l'INRA s'implante en Corse en reprenant la station expérimentale d'agrumiculture et d'adaptation de fruits exotiques de San Giuliano dans la plaine orientale. Elle inaugure en 1978 un pôle de recherche sur l'économie rurale et l'élevage. Depuis 1985, le centre INRA-Corse travaille en liaison avec le CNRS, l'université de Corte et les exploitants. L'agriculture biologique s'implante sur le territoire depuis quelques années.

La vigne

Cette culture traditionnelle a subi de profonds bouleversements ces 40 dernières années. De 9 000 hectares en 1960, elle culmine à 32 000 hectares à la fin des années 1970 suite à l'assainissement de la plaine d'Aléria et à l'investissement massif des rapatriés d'Algérie. Dès les années 1980, les viticulteurs s'engagent dans une politique privilégiant la qualité. Alors qu'auparavant, la viticulture était souvent le complément d'une activité agricole, elle concerne aujourd'hui des exploitations spécialisées le plus souvent de taille moyenne. La première production de l'île en valeur regroupe 9 % des exploitations et près de 10 000 hectares. Les vignes se concentrent sur le littoral et en particulier dans la zone Aléria-Ghisonaccia (les 2/3 des vignes) suivi de la Balagne, des terres d'Ajaccio, de Calvi et Porto-Vecchio. Les région de la Marana-Casinca et du Sartenais ont perdu près de la moitié de leur vignoble.

Les productions d'AOC et Villages ont permis de relancer les cépages locaux, mais n'ont pas évité la disparition de certains d'entre eux dont le Muriscu ou le Cualtacciu. Le Nielluccio connaît une belle résurrection ainsi que le Vermentino et le Sciaccarello. La vinification majoritairement réalisée en coopérative redevient ces dernières années l'apanage des particuliers dans les terroirs d'appellation.

Les vergers

Dominant depuis plusieurs décennies la production, les vergers d'agrumes couvrent 2 100 hectares. 80 % sont occupés par les clémentines, bénéficiant de l'IGP (identification géographique protégée). La culture du kiwi qui s'est développée depuis les années 1970 a subi récemment une forte récession. Les vergers d'oliviers et de châtaigniers connaissent une progression sensible depuis une dizaine d'années. La rénovation de la châtaigneraie a permis d'augmenter de 50 % la surface récoltée. La production de prune d'ente et l'amande, particulièrement vulnérables au manque d'eau, a régressé d'un tiers suite aux étés secs et chauds des premières années 2000.

L'élevage

Il tient une place prépondérante dans l'agriculture insulaire. Plus du tiers des exploitants sont orientés vers l'élevage des ovins et des caprins, s'inscrivant ainsi dans une tradition ancestrale. Les plus grands troupeaux sont situés en Haute-Corse, pays montagneux et vert. La production laitière est répartie entre l'exportation dans les Causses et la fabrication locale de brocciu et de fromages secs. Plus récent est l'élevage intensif de bovins, bien qu'il représente aujourd'hui la première production animale de l'île. Le cheptel de 42 000 vaches régulièrement réparti sur tout le territoire est stable. Les porcins sont élevés pour la plupart en libre pâture et sont réputés de ce fait pour la qualité de leur chair.

Quant aux **cultures fourragères**, elles constituent plus de 90 % des 300 000 hectares agricoles de l'île.

Pêche et acquaculture

Relativement peu développée sur les côtes, la pêche est d'abord une histoire de famille. Les quelque 220 bateaux recensés se concentrent sur les deux sites d'Ajaccio et de Bastia. La production de 2 000 tonnes par an est écoulée sur le marché local. Dans les filets, les poissons de roche abondent (loups et mulets), ainsi que les poissons de sable (daurades et barbets).

L'**aquaculture** s'est implantée en Corse dans les années 1960 dans les étangs de Diane et d'Urbino. C'est aujourd'hui la deuxième activité exportatrice de l'île qui se classe au 3e rang des régions productrices françaises. La pisciculture apparue dans les années 1980 se développe sur l'ensemble du littoral. Les élevages sont essentiellement composés de loups et de daurades. Ses huîtres creuses sont réputées comme les meilleures de la Méditérranée.

TRANSPORT ET TOURISME

Transports maritimes

C'est à ce jour un des talons d'Achille de l'île pour les touristes. Il ne manque pourtant pas de bateaux, tous plus beaux les uns que les autres, rivalisant de confort et de rapidité. Le choix a été fait de privilégier les Navires à Grande Vitesse le jour, tandis que pour les traversées de nuit, les bateaux sont devenus de véritables palaces flottants.

Tout irait pour le mieux si les dernières années n'avaient été marquées par des grèves à répétition, des blocages de port qui ont laissé un image négative et ont perturbé l'activité touristique de l'île. La réalité est très contrastée suivant les compagnies qui sont parfois dans des situations économiques préoccupantes (crise de la SNCM en 2005).

Les quelque 37 navires répartis entre 9 compagnies transportent chaque année près de 3 800 000 passagers. Plus de la moitié ont choisi les Navires à Grande Vitesse introduits en 1996. Marseille, Toulon et Gênes sont les destinations de départ les plus fréquentées.

Ajaccio et Bastia accueillent l'essentiel du trafic. Porto-Vecchio, 3e port de l'île, assure prioritairement l'exportation des vins.

Transports aériens

Avec près de 2 500 000 passagers, le trafic aérien qui a connu une réelle expansion cette dernière décennie, semble aujourd'hui se stabiliser. Les quatre aéroports sont dotés inégalement, Ajaccio représentant plus de la moitié des passagers qui viennent pour 90 % du continent. Les quatre aéroports assurent des liaisons directes avec Paris, Nice, Lyon et Montpellier.

L'activité est donc soutenue même si les tarifs, très chers en saison, pénalisent fortement la destination.

Transports routiers

Les routes corses sont réputées pour leur beauté mais aussi pour leurs difficultés. Le manque de liaisons rapides entre les principales villes est un frein au développement économique. La circulation des touristes est également prise en compte et d'importants aménagements, élargissements ont été entrepris ces dernières années, notamment sur la côte.

Tourisme

Alors que la Corse accueillait en 1970 quelque 500 000 touristes, ils sont aujourd'hui près de 2 millions. Les longues plages de sable fin, les criques et les anses rassemblent la majeure partie des estivants. Pourtant, la montagne, moins équipée, présente de nombreux atouts pour un tourisme vert comme le montre la fréquentation des 2 000 gîtes ruraux de l'île. La randonnée est devenue une valeur sûre qui accueille chaque année bon nombre de passionnés. Les actions menées par les petites communes du centre, le Parc naturel régional et l'ONF ont permis que se développent de nouvelles activités, et l'on découvre aujourd'hui la Corse à vélo, à pied ou à cheval grâce à des sentiers balisés et une grande variété d'itinéraires. 60 000 résidences secondaires occupent la première place en matière d'hébergement, suivies des campings et des hôtels tandis que la plaisance semble séduire de plus en plus de touristes.

Malgé tous ces atouts, le bilan n'est pourtant pas si rose. Après une longue période d'essor, les dernières années ont marqué un net repli qui inquiète les professionnels du tourisme. Les nombreuses grèves et le coût des transports, la flambée des prix dans une hôtellerie souvent désuète, ainsi que la concurrence des pays du Maghreb, beaucoup plus abordables, expliquent une bonne part de cette crise qui semble s'installer.

Ces difficultés ne sont pas propres à la Corse qui est dans situation proche du Sud de la France. Mais les difficultés sont ici renforcées par l'insularité et le coût des transports qui grèvent encore plus le budget des familles.

De nouvelles solutions doivent être trouvées pour redonner à cette île ce pouvoir d'attraction qui a charmé ses hôtes depuis des années.

Les plaisirs de la table

Une simple omelette au brocciu et à la menthe, accompagnée de quelques tranches de coppa et arrosée d'un « patrimonio » : en Corse, le plaisir du voyage se retrouve aussi bien dans l'assiette que dans le verre. Fermes-auberges, restaurants et boutiques du terroir vous attendent pour vous faire découvrir ces trésors gastronomiques aux parfums irrésistibles.

Cochonnailles

La charcuterie corse constitue le fleuron de la gastronomie insulaire en raison de sa saveur parfumée et incomparable. La recette est simple : les porcs, élevés en pleine nature et en semi-liberté, se nourrissent de bons produits, tels que les châtaignes, les glands et les herbes odorantes. Le goût de la charcuterie est encore relevé par un fumage au bois de châtaignier.

Deux préparations sont particulièrement renommées : la « coppa », constituée d'échine, et le « lonzu », à base de filet. Leur font concurrence le « prisuttu », jambon cru qu'on déguste avec des figues fraîches, et les « figatelli », saucisses fumées faites avec les rognons, le cœur et le foie. Celles-ci se dégustent en période hivernale immédiatement après l'abattage des porcs qui a lieu en novembre et décembre.

Les autres charcuteries sont affinées et séchées de six mois à trois ans pour les jambons de grosse taille. Les boudins, sangui et terrines sont affaire de spécialistes et leur préparation varie selon les régions.

Poissons et fruits de mer

Le long du littoral, on se régale de poissons de roche, utilisés dans la bouillabaisse corse, « aziminu », de fritures, de rougets ou de loups braisés aux sarments, de sardines grillées, etc. La langouste règne partout sur la côte, avec une prédilection pour le Cap Corse, notamment du côté de Centuri.

Les huîtres et les moules viennent des étangs de Diane et d'Urbino, dans la plaine orientale.

En montagne, les gourmets apprécient les truites de torrent. Elles étaient autrefois pêchées par les bergers au fusil et cuites sur des galets chauffés au feu.

Potages

En dehors des concoctions de légumes (minestra) et de poissons en bouillabaisse, les Corses sont friands de soupes aux haricots rouges, aux petits oignons, aux herbes sauvages, aux pâtes avec addition de brocciu. Après moult efforts le long du GR 20, une soupe corse est un véritable bonheur ! Dans la vallée de la Restonica, la soupe est enrichie de la chair savoureuse des truites de torrent. En hiver et à l'automne, les herbes aromatiques qui couvrent le maquis servent à concocter une soupe aux saveurs magiques d'angélique, de myrte et toute autre « erbiglie ».

Viandes et gibiers

Les Corses importent une partie de leur viande du continent. Au printemps, ils font honneur aux côtelettes d'agneau et au chevreau rôti aux herbes du maquis. Le ragoût de cabri aux poivrons, **« pive-runata »**, est une grande spécialité. La chasse (d'août à février) fournit son lot de sangliers et de marcassins, servis

Stéphane Sauvignier / MICHELIN

Assiette de charcuterie et de fromages corses.

rôtis ou en ragoûts et accompagnés d'une « **pulenta** », purée de châtaignes. Depuis l'interdiction des pâtés de merles, on déguste toute l'année les **pâtés de sansonnets** (étourneaux) à la chair parfumée. Côté triperie, goûtez les andouillettes de Bonifacio, faites d'abats de chevreau ou d'agneau, et les tripes aux oignons « à la mode de Bastia ».

Pâtes

L'influence italienne l'emporte dans la pâte sèche *(past'asciutta)* cuite à l'eau, tandis que la personnalité corse domine dans le **« stufatu »**, pâte cuite à l'étouffée avec une sauce à la viande, et dans les raviolis ou les lasagnes garnis de brocciu (spécialité bastiaise). Les **cannellonis** au brocciu figurent en bonne place sur les menus corses. La « **pulenta** », composée de farine de châtaigne, est servie en bouillie épaisse ou en galette et accompagne bien les plats de viande et les *figatelli*. La farine de châtaigne est la base de l'alimentation traditionnelle. Il existait une variété étonnante de plats intégrants ce fruit, mais presque tous ont disparu des tables corses.

Fromages

Plutôt secs en Corse-du-Sud et frais en Haute-Corse, les fromages sont très répandus. La vedette revient au fameux « **brocciu** » (prononcez broutch), fromage de brebis ou de chèvre confectionné avec du petit-lait mêlé à du lait réchauffé et battu (broussé). Il entre dans la composition de maints plats locaux (omelettes, tartes, crêpes, beignets). D'octobre à juin, on le consomme généralement frais, nature ou sucré, arrosé d'eau-de-vie. Salé, il se conserve toute l'année et peut être dégusté très sec. On trouve aussi des fromages de chèvre ou de brebis secs et très forts dont le plus connu est le niolo. Le **calinzana**, fromage à pâte molle, était autrefois travaillé à façon par des femmes, e *casgilante*. Elles travaillaient de nuit évitant ainsi les hordes de mouches.

Stéphane Sauvignier / MICHELIN

Fromage corse.

Le Fiadone

Pour 6 personnes cuisson 30mn (pour un four chaud).

Ingrédients :

1 kg de brocciu frais, 7 œufs, 7 c à soupe de sucre, 1 zeste de citron rapé.

Préparation :

Battez le jaune des œufs avec le sucre jusqu'à ce que le mélange soit mousseux. Ajoutez le zeste citron rapé puis mélangez de nouveau pour rendre le tout homogène. Battez les blancs en neige dans un autre récipient puis incorporez-les délicatement à la préparation. Versez le tout dans une tourtière huilée.

Le **sartinese**, fromage à pâte pressée, est un fromage de garde permettant de faire le lien d'une production à l'autre. La croûte du sartinese ne s'affecte pas du temps qui passe et garde son intégrité quand l'intérieur, lui, se décompose. On le nomme alors *casgiu merzu*. Il fit la réputation d'*Astérix en Corse* mais reste réservé aux initiés.

Douceurs

Le brocciu intervient dans la confection de plusieurs pâtisseries : les **« falculelle »**, brioches de Corte et le **« fiadone »**, flan aromatisé au citron. Pour vous adoucir le palais, testez le beignet dit **« frittella »**, la « **torta castagnina** », tourte piquée de noix, amandes, pignons, raisins secs et rhum, et le **« canistrelli »**, gâteau mêlé d'amandes et de noisettes et parfumé à l'anis. Parfumé lui aussi à l'anis, le **pastizzu** est un de ces desserts à la farine de châtaigne qui rencontrent un grand succès. La châtaigne se retrouve dans bien d'autres spécialités : flans, gâteaux, mousses, glaces...

Parmi les sucreries, citons les compotes et gelées d'arbouses, les cédrats (agrume entre le citron et l'orange) confits et une grande variété de confitures. On ne présente plus la **confiture de figue** qui accompagne si bien les fromages les plus... corsés !

Les **miels** aussi sont une grande spécialité corse. Il y en a un pour chaque saison et les associations végétales lui donnent

Vignoble et vin de Balagne.

des propriétés uniques reconnues depuis l'Antiquité. Il est le deuxième miel français à avoir bénéficié d'une appellation d'origine contrôlée. Le miellat du maquis et le miel de châtaigneraie sont les plus corsés tandis que le miel de printemps est d'une tendre douceur. Le miel d'été se parfume de toutes les odeurs des plantes aromatiques.

Parmi les plus spécifiques, notons le miel de miellat du maquis, remarquable par sa couleur ambrée, tandis que dans la vallée de l'Asco, on peut trouver un miel blanc.

« A saluta », à votre santé

Les vins – La Corse possède plus de trente cépages ; les meilleurs sont le *nielluccio* et le *sciacarello* pour les vins rouges, le malvoisie *(vermentino)* et le muscat pour les vins blancs. Ils produisent des crus corsés et bouquetés. Actuellement, neuf appellations contrôlées couronnent les efforts de sélection des producteurs corses.

Le **patrimonio** est le premier à avoir obtenu l'AOC en 1968. Il comprend des vins rouges, rosés et blancs et a acquis une renommée internationale. Les rouges sont produits presque exclusivement avec le cépage *nielluccio*, originaire d'Italie. Ces vins généreux, souvent de qualité, accompagnent bien charcuterie et gibier.

Le **Cap Corse** produit d'excellents vins blancs moelleux de muscat et de malvoisie. Le vignoble est en pleine expansion comme le prouve la désormais incontournable foire du vin de Luri *(fiera di u vinu)*.

Les vins rouges d'appellation « **ajaccio** » comprennent au moins 40 % de *sciacarello*. Le **Sartenais** produit des vins rouges. Au **Sud de l'île**, sous l'appellation « porto-vecchio » et « figari-pianottoli », on trouve des vins rouges, rosés et blancs. La **côte orientale** de Bastia à Solenzara, la **Balagne** et les environs de Ponte-Leccia élaborent aussi des vins fruités de haute qualité.

Les alcools – Le Cap Corse est connu pour ses apéritifs comme le Cap Corse Mattei, un breuvage à base de quinquina fabriqué à Bastia.

Les liqueurs de fruits utilisent toutes les ressources d'une nature prodigue. Arbouse, airelle, myrte, cédrat composent des eaux de vie aux saveurs inhabituelles.

Le whisky corse commercialisé depuis 2003 est réalisé avec l'eau provenant de la source U canale à Patrimonio. Cette eau très calcaire exalte les arômes de l'orge. Le pastis a également trouvé ici des saveurs étonnantes.

Les bières – La Pietra (du nom du village d'un de ses créateurs) est apparue sur les zincs en 1996 ; elle est élaborée à base de châtaignes qui lui donne une saveur originale. La Serena et la Colomba, parfumée aux herbes du maquis, sont apparues en 1999. La Torra mêle des arômes d'arbouse et de myrte.

Les eaux – La montagne corse cache en ses flancs des sources d'eaux minérales exploitées depuis l'Antiquité. L'eau de Saint-Georges, produite à Grosseto-Prugna, possède de remarquables qualités désaltérantes. L'eau de Zilia, mise en bouteille depuis 1995, traverse une roche volcanique qui la filtre de toutes les impuretés. L'eau gazeuse d'Orezza, au goût délicat, est riche en fer et en gaz carbonique. Originaire de Castagniccia, elle a trouvé sa place sur toutes les bonnes tables de l'île.

Le site d'Évisa.

Amaury de Valroger / MICHELIN

DÉCOUVRIR LES SITES

Les Agriates★

CARTE GÉNÉRALE B2 – CARTE MICHELIN LOCAL 345 D/E3 – HAUTE-CORSE (2B)

Il paraît loin le temps où les Agriates étaient un éden verdoyant. Progressivement abandonné par l'homme, brûlé par le soleil et de nombreux incendies, il est devenu ce désert minéral qui se couvre, au printemps, d'un magnifique tapis de fleurs. Le maquis aux odeurs enivrantes accompagne le randonneur qui ne s'éloigne jamais beaucoup du littoral où l'attendent de superbes criques désertes et de longues plages de rêve.

Se repérer – À l'Ouest de St-Florent. La D 81 est la seule route asphaltée qui traverse le désert de collines ; de Saint-Florent, elle rejoint la N 1197 (« La Balanina ») vers l'anse de Peraiola.
Ouvert sur la mer par une côte dentelée de 36 km entre St-Florent et l'embouchure de l'Ostriconi, qui marque la limite de la Balagne, le désert des Agriates est dominé par quelques sommets d'altitude modeste : la Cima d'Ifana, point culminant, atteint 478 m.

À ne pas manquer – Le sentier du littoral et ses plages mythiques qui ne sont pas trop fréquentées au début de la saison. Pour les sportifs, des locations de kayak sont proposées sur la plage (la Roya) et offrent de superbes opportunités de profiter au mieux de la côte.

Organiser son temps – Les randonneurs qui veulent suivre le sentier (45 km) doivent partir tôt, car la chaleur peut être accablante en été, et bien prévoir les haltes *(voir conseils randonnée)*. En l'absence de liaison par la mer, sachez qu'il faut compter 4h de marche pour rejoindre la plage du Loto, et 5h30 pour celle de Saleccia.

Avec les enfants – Une balade en bateau pour aller à la plage ! Petits et grands ne se feront pas prier pour profiter d'une telle aubaine. Mais il est important de vérifier la présence des navettes qui peuvent être annulées en fonction de la météo.

Pour poursuivre la visite – Voir aussi Saint-Florent et la vallée de l'Ostriconi.

Comprendre

Le grenier à blé de Gênes – Tel était jadis le surnom des Agriates. Les cultivateurs de Saint-Florent et du Cap Corse venaient alors travailler la terre (blé, oliviers, vignes et vergers) de juin à l'automne ; ils laissaient ensuite la place aux bergers du Nebbio et de l'Asco qui faisaient paître troupeaux de brebis et de chèvres. Les « pagliaghj » (paillers), basses constructions de pierre qui jalonnent toujours les Agriates, servaient d'abri pour les bergers et les récoltes. Un troc s'établissait entre la production fromagère des uns, le blé, l'huile et les fruits des autres. Du 16e s. jusqu'au milieu du 19e s., cette civilisation agricole originale s'est développée dans les Agriates. Autrefois royaume des bergers et des cultivateurs, les Agriates sont de nos jours dépourvus d'habitat, à l'exception du hameau de Casta.

Le saviez-vous ?

Le nom de cette région viendrait d'une altération du mot latin ager, signifiant « terre cultivée » en référence à son riche passé agricole.

Les Agriates ont inspiré le célèbre auteur de *L'Atlantide*, **Pierre Benoît**, qui a consacré un ouvrage à cette région : « Les Agriates ! Une espèce de chaos rocheux [...] limité au Sud par les ombrages et les vallées du Nebbio, au Nord par la mer... ».

Les Agriates, 1950.

Flore et faune des Agriates – L'uniformité du maquis n'est qu'apparente. En bordure de la mer, plus résistants aux embruns et aux rafales de vent, on rencontre des lentisques et des myrtes. Les vallons plus abrités accueillent cistes, arbousiers, genêts et chênes verts. C'est le domaine d'un papillon emblématique des Agriates : le **jason**, que l'on repère aisément sur les arbousiers, les anciens arbres fruitiers et les excréments des bovins. Une multitude d'espèces de fauvettes, dont la fauvette sarde (la plus répandue), ont élu domicile dans ce maquis. L'**engoulevent** assure également par ses frôlements une présence discrète.

Promeneurs, campeurs, fumeurs... soyez prudents ! Le feu est le plus terrible ennemi du maquis et de la forêt.

Circuit de découverte

L'INTÉRIEUR : DE SAINT-FLORENT À LOZARI★

38 km. Quitter Saint-Florent par la D 81.

C'est l'unique route qui traverse d'Est en Ouest le massif. Au Bocca di Vezzu, dominé par la Cima d'Ifana, la **vue★** s'étend à l'Est sur le Nebbio, au Nord-Ouest sur les Agriates et au Sud-Est sur la vallée de l'Ostriconi et la Balagne. Attention, la route non revêtue sur la droite vers l'anse de Malfacu est difficile et réservée aux 4x4 (par beau temps). Avant les falaises de la Punta d'Arco, la route débouche sur une perspective séduisante à l'embouchure de l'Ostriconi sur l'anse de Peraiola.

Stéphane Sauvignier / MICHELIN

Désert des Agriates.

Randonnées

LE SENTIER DU LITTORAL★★

C'est ainsi que l'on découvrira le mieux, au gré des dénivelés d'un relief chaotique, les beautés cachées des Agriates. Ceux qui n'ont qu'une journée peuvent aller à pied jusqu'à la plage du Loto *(environ 4h)* et revenir par bateau à Saint-Florent *(voir navette dans le carnet pratique, bien confirmer sa présence et ses horaires).*

Quelques précautions avant le départ...

De par sa longueur – environ 45 km – cette randonnée suppose un « minimum » d'organisation. L'itinéraire proposé par le Conservatoire du littoral se fait en 2 étapes au minimum, 3 si possible. Il n'est ainsi pas inutile de prévoir une voiture au débouché du sentier (Ostriconi) ou de se renseigner sur les horaires de bus *(voir le « carnet pratique »).* Par ailleurs, il convient de s'assurer que le gîte d'étape est ouvert... et qu'il y a des places disponibles. Les deux étapes peuvent être faites à Saleccia (camping) où vous pourrez vous restaurer en saison, et au gîte de Ghignu où vous ne pourrez compter que sur vos propres ressources. Prévoyez donc une carte IGN ou un topoguide, quelques provisions de bouche, plusieurs litres d'eau, un chapeau et de la crème solaire.

À la sortie Ouest de St-Florent, après avoir franchi le pont sur l'Aliso, poursuivre au-delà de la plage la Roya, puis emprunter le sentier qui s'amorce à gauche et contourne des propriétés. Après la deuxième crique, le tracé rejoint le littoral.

De St-Florent à Saleccia

5h30 environ. Le sentier des douaniers longe et parfois traverse un maquis odorant d'épineux denses d'où émergent des escarpements rocheux séparés par de petits torrents. Ces ravins deviennent en périodes de pluies les seules sources d'alimentation de petits étangs où se rassemble une faune originale.

Le sentier aborde la **tour de la Mortella**, construite au 16e s. par les Génois *(illuminée la nuit)*. Son architecture défensive se révéla si efficace que la flotte anglaise de Nelson en releva les plans lors de l'éphémère royaume anglo-corse (1794). Ils édifièrent sur le même modèle les Martello towers, un chapelet de 73 tours identiques courant sur la côte Sud de l'Angleterre en réponse aux menaces d'invasion de Napoléon.

Sentier du littoral bordant les Agriates.

Il faut alors environ 30mn de marche pour rejoindre la **plage du Loto★★**, tapissée de sable fin et enchâssée entre deux promontoires rocheux.

De la plage du Loto (ou Lodo) à celle de Saleccia, vous avez deux possibilités qui partent à l'extrémité Ouest de la plage. Vous pouvez suivre le littoral (sentier bien tracé, compter 1h30) ou prendre le chemin qui monte vers les terres (environ 1h). Après environ 20mn à travers la végétation arbustive, on atteint un ensemble de bergeries que l'on quitte par la droite. À nouveau 20mn plus tard, on arrive à une petite mare (asséchée en été) que l'on franchit à l'aide d'une planche posée du côté gauche.

Pour la fin du parcours, suivre les panneaux bleus indiquant la buvette de la plage ; 5mn plus tard, vous voici dans un petit paradis : la **plage de Saleccia★★**. Elle s'étend sur plus d'un kilomètre le long d'une pinède de pins d'Alep plantés au 19e s. Ce cadre magnifique est rehaussé par la blancheur et la finesse du sable, et la limpidité d'une mer prenant de superbes teintes turquoises.

À proximité de la plage, un **pagliaghj** accueille un gîte d'étape *(voir l'encadré pratique)*. Dans le cas d'une étape au camping, il est possible d'effectuer en 4h environ une excursion dans l'intérieur jusqu'à l'ancienne bergerie de Chiosu qui permettra de se familiariser avec un maquis plus sauvage.

De Saleccia à Malfalcu

2h30 environ. L'anse double de Malfalcu compose un paysage plaisant ombragé de pins et de cyprès. Vers l'Est, le chemin bordé d'eucalyptus et de figuiers de Barbarie mène au promontoire de Ghignu ; vers l'Ouest, s'étire la grande plage de sable blanc de Malfalcu.

De Malfalcu à la plage de l'Ostriconi

6h30 environ. C'est la partie la plus sportive, car le sentier épouse les nombreuses anfractuosités de la côte. Il est fortement déconseillé d'emprunter d'hypothétiques raccourcis. Après la punta d'Acciolu, le sentier dévie vers l'intérieur à la hauteur de l'anse Pinzuta. L'itinéraire ménage de belles vues sur les criques dont les rochers rouges tranchent avec la limpidité des fonds marins. Au débouché de la vallée de l'Ostriconi, la sauvagerie de l'anse de Peraiola, ceinturée de dunes plantées de genévriers et limitée par une zone de marécages, s'accentue avec le déferlement des vagues.

Un décor de choix

Le site enchanteur de la plage de Saleccia servit de cadre pour le tournage de scènes de débarquement du film *Le Jour le plus long*. Les lieux avaient connu une activité plus furtive mais réelle les 1er et 2 juillet 1943 lorsque le sous-marin *Casabianca* y débarqua, par un silencieux ballet de canots pneumatiques, 13 tonnes d'armes et de munitions destinées à la Résistance corse.

Les Agriates pratique

Adresses utiles

Syndicat mixte des Agriates – ✆ 04 95 37 09 86 - été : 9h-13h ; hiver 9h-16h - fermé w.-end.

Office du tourisme de St-Florent – Centre administratif - ✆ 04 95 37 06 04 - pour les horaires d'ouverture, se renseigner.

Visite

Un site protégé – Depuis quelques années, le Conservatoire du littoral corse et le Syndicat mixte des Agriates ont entrepris une politique de préservation du site. La visite du domaine sauvegardé (5 000 ha comprenant les 36 km de côte) est régie par une réglementation affichée sur place.

Accès au rivage – Pour accéder au rivage, il faut suivre l'une des deux pistes cahoteuses qui s'embranchent de la D 81 vers la mer. La première débute vers le Nord, non loin de la sortie du hameau de Casta, et rejoint la plage de Saleccia *(12 km)* ; la seconde s'amorce au Nord du col de Bocca di Vezzu et mène à l'anse de Malfaco *(14 km)*. Mais attention, ces 2 pistes ne sont praticables qu'en 4x4 à vitesse très réduite, en VTT (pour les pratiquants confirmés) ou, pour les plus courageux, à pied. Les amateurs de marche pourront aussi aborder les Agriates par le sentier du littoral au départ de Saint-Florent.

Transports

Navettes maritimes le « Popeye » et le « Saleccia » – ✆ 04 95 37 19 07 (le Popeye) ou 04 95 36 90 78 (le Saleccia). De fin juin à mi-sept. : navettes reliant la plage du Loto au port de St-Florent. 10 € AR.

Bus – Autocars Santini - 20217 St-Florent - ✆ 04 95 37 02 98 - pour ceux qui font le sentier du littoral jusqu'à Ostriconi, possibilité de revenir en saison avec les bus qui relient L'Île-Rousse à St-Florent - 2 passages/j. (vers 11h30 et 18h30) en juil.-août - faire signe au car sur la route au niveau du camping.

Se loger

Bon à savoir – Si vous choisissez de suivre le sentier du littoral sur toute sa longueur, il vous faudra faire étape. Sachez qu'il n'y a pas d'hôtels sur le parcours ; vous pourrez cependant trouver un camping familial de 45 emplacements à la plage de Saleccia *(camping U Paradisu ✆ 04 95 37 82 51)* et un gîte d'étape installé dans l'un des pagliaghj, restauré et sobrement aménagé *(gîte de Ghignu ou Malfacu, réserv. nécessaire auprès du Syndicat mixte des Agriates, ✆ 04 95 37 09 86)*.

Le Relais de Saleccia – *Au village - 20217 Casta - ✆ 04 95 37 14 60 - www.hotel-corse-saleccia.com - fermé oct.-mars - - 12 ch. 40/63 € - rest. 13,50/17,50 €.* Arrêtez-vous dans ce paysage spectaculaire de rochers bruts dévalant vers la mer et la plage de Saleccia. Ce relais, modeste mais accueillant, dispose de chambres simples et confortables, avec vue sur la « grande bleue » pour certaines. Cuisine familiale et petite restauration toute la journée.

Camping Village de l'Ostriconi – *Rte du Bord-de-Mer - 20226 Palasca - ✆ 04 95 60 10 05 - info@village-ostriconi.com - ouv. de Pâques au 15 oct. - - 134 empl. 16,30 €.* Bonne tenue pour ce camping offrant un accès direct à la plage de sable fin, entourée de criques rocheuses. Bungalows et emplacements ombragés, auxquels s'ajoutent les équipements classiques : bar-restaurant, tennis et piscine. Départ de croisières en voilier.

Se restaurer

Ferme-auberge de Pietra Monetta – *Rte de l'Ostriconi (sur N 1197) - 20226 Palasca - 7 km à l'E de Lozari dir. St-Florent - ✆ 04 95 60 24 88 - aubergepietra-monetta@wanadoo.fr - fermé oct.-fév. et merc. sf juil.-août - 17/21 € - 4 ch. 60/88 €.* Cet ancien relais de poste du 19e s., joliment aménagé par ses propriétaires agriculteurs, est une étape agréable aux portes du désert des Agriates. Sous la treille, vous dégusterez spécialités corses et produits de la ferme. Quatre chambres très simples, claires et plaisantes.

Sports & Loisirs

Bon à savoir – Des traversées du désert des Agriates à cheval sont organisées à partir de St-Florent.

Le littoral se prête également très bien à la pratique du kayak de mer.

Se reporter à l'encadré pratique de St-Florent.

Forêt d'Aïtone★★

CARTE GÉNÉRALE B4 – CARTE MICHELIN LOCAL 345 B6 – CORSE-DU-SUD (2A)

Véritable cathédrale de verdure portée par les élégantes colonnes des pins laricio, la forêt d'Aïtone est l'une des plus belles et plus typiques de Corse. La réputation de cette haute futaie tient beaucoup à la beauté de ces arbres qui s'élancent jusqu'à 52 m de haut (avec un tronc de 95 cm de diamètre), accompagnés de quelques hêtres, sapins pectinés et pins maritimes. On rencontre les plus beaux sujets autour de la maison forestière d'Aïtone où certains s'épanouissent depuis plusieurs siècles. Englobant celle de Lindinosa, la forêt représente un îlot de fraîcheur baigné de quelques petites piscines naturelles et très prisé des promeneurs.

Se repérer – 22 km à l'Est de Porto, entre Évisa et le col de Vergio. La forêt qui s'étend sur quelque 2 400 ha, de 800 à plus de 2 000 m d'altitude, occupe le bassin supérieur de l'Aïtone, affluent du Porto. En venant du golfe de Porto, emprunter la D 84 dans des paysages grandioses, jusqu'à Évisa qui marque la lisière inférieure de la forêt. La route oscille ensuite au cœur de la futaie et dessert les accès aux sites que nous décrivons.

À ne pas manquer – Les cascades d'Aïtone, mais attention, l'accès est réglementé.

Organiser son temps – Évisa est un centre de villégiature idéal pour la randonnée et il serait dommage de ne pas prendre le temps de s'y arrêter, au moins une demi-journée. La forêt offre un large choix de circuits, d'une heure à une journée.

Avec les enfants – Le sentier de la sittelle, très facile, est une agréable promenade pour toute la famille. Mais attention, il faut beaucoup de patience, de silence et une bonne paire de jumelles pour observer ce sympathique petit passereau. Relèverez-vous le défi ?

Pour poursuivre la visite – Voir aussi les gorges de Spelunca, le col de Vergio, le Niolo.

Le saviez-vous ?

Aitone viendrait du mot latin abies signifiant « sapin ». Il s'agit ici du fameux pin laricio, un montagnard réputé pour la hauteur et la qualité de ses fûts.

Comprendre

Les pins laricio – Ces arbres au fût rectiligne sont un véritable trésor pour les constructeurs navals génois qui exploitent et aménagent la forêt. Au 18e s., une route est dégagée pour transporter le bois jusqu'à la plage de Sagone où il était ensuite acheminé vers Gênes. Au 19e s., d'importants travaux forestiers ont été mis en œuvre par les condamnés, ce qui donna son nom à la piste des Condamnés.

Stéphane Sauvignier / MICHELIN

Cascades d'Aïtone.

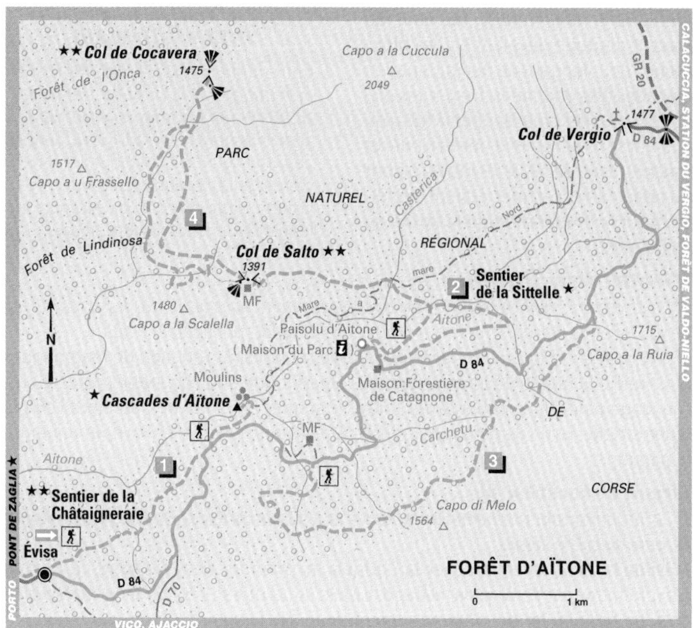

Refuge ou royaume ? – La forêt d'Aïtone abrita dans les années 1820, le célèbre bandit **Théodore Poli**, originaire de Guagno. Après avoir fusillé un brigadier pour se venger d'une injustice, il se réfugia plusieurs années dans les bois. Élu **« roi de la montagne »** il fit régner, avec l'aide de sa petite armée, sa propre loi (peines, impôts prélevés auprès des riches, etc.). Attiré dans un guet-apens, Poli trouva la mort en 1827.

Découvrir

LA FORÊT

D'Évisa au col de Vergio, la route *(12 km)* accuse un dénivelé impressionnant de 647 m. Tracée sur la face Nord du Capo di Melo et dominant la vallée d'Aïtone, elle parcourt de remarquables futaies. On peut en parcourir les sous-bois et se livrer aux plaisirs de la cueillette. Fraises des bois en juillet et août, cèpes, morilles et bolets en septembre et octobre abondent. Si vous ne connaissez pas bien les champignons, soyez vigilant.

Évisa

Station climatique appréciée, paradis des randonneurs, Évisa est établie à 830 m d'altitude à l'entrée des gorges de la Spelunca et à la lisière de la forêt d'Aïtone. Le village est cerné de châtaigneraies, ressource traditionnelle de la région.

Pont génois de Zaglia★ *(voir Gorges de Spelunca)*

1h30 AR par le sentier partant du cimetière d'Évisa.

Randonnées

Sentier d'interprétation de la Châtaigneraie★★ 1

Départ dans le village d'Évisa, 300 m après la mairie, sur la gauche, en haut d'une rampe (balisage discret). 3,5 km jusqu'aux cascades. 2h30 AR. Dénivelé 120 m.

« Castagna e castagnetu Un t'inchieta di u freddu » : Avec châtaigne et châtaigneraie, N'aie pas souci du froid. Ce dicton dit assez l'importance de l'arbre à pain dans l'économie traditionnelle de la montagne corse. Le « chemin des Châtaignes » raconte par l'intermédiaire de panneaux explicatifs l'histoire d'une culture ancestrale et de sa matière première, le châtaignier. Il suit un ancien chemin de transhumance emprunté par le GR « Mare a Mare » Nord. Le sentier rejoint la route que l'on remonte sur une centaine de mètres avant de prendre le premier chemin à gauche vers les cascades d'Aïtone.

Cascades d'Aïtone★ – *4 km au Nord-Est d'Évisa, sur la D 84. Sur le côté gauche, un poteau de bois vert marque le point de départ. 30mn à pied AR. Accès pentu et* *étroit. Baignade interdite.* Les eaux du torrent d'Aïtone dévalent sur les blocs rocheux et plongent un peu plus bas en cascades désordonnées. De petites piscines naturelles creusées par la force du courant se remplissent d'une eau pure et fraîche. Jusqu'en 1905, les moulins dont on aperçoit les vestiges étaient exploités pour la préparation de la farine de châtaigne.

Sitta whiteheadi

Couramment appelé sittelle corse *(illustration p. 65)*, ce petit passereau (12,5 cm) doit son nom à un naturaliste anglais, John Whitehead, qui l'a identifié à la fin du 19e s. Endémique à la corse, cette sittelle vit dans les pins laricio et a la particularité de pouvoir descendre le long de leurs troncs la tête en bas.

« Sentier de la Sittelle »★ 2

Point de départ : replat dans le virage, quelques centaines de mètres au-dessus du village de vacances au Païsolu d'Aïtone. À droite dans le replat ; panneau indicatif.

Circuit de 1h30 environ. Niveau facile. Le sentier sinue au pied de magnifiques pins laricio, d'une taille impressionnante, mais longe aussi de jeunes plantations. Aménagé par l'Office national des forêts, le sentier est balisé de poteaux à l'effigie d'une sittelle. En fin de parcours, redescendre la route environ 150 m pour rejoindre le parking.

Circuit en forêt★★ 3

3h environ par un chemin forestier partant à 9 km au Nord-Est d'Évisa, à droite sur la route du col de Vergio.

Suivi de l'embranchement avec la D 81 à la maison forestière d'Aïtone, ce chemin d'exploitation est dominé par le Capo di Melo. Alors que se déploient en arrière-plan de superbes pins laricio, on peut apercevoir au loin le golfe de Porto.

Excursion au col de Salto (Saltu) et au col de Cocavera (Cuccavera)★★ 4

5h environ AR. Même point de départ que pour le sentier de la Sittelle. Le chemin se trouve sur la gauche du replat. Niveau moyen, emporter de l'eau et être bien chaussé.

On atteint en 1h le **col de Salto** (1 391 m). Sur le versant Ouest du col, dominé par le Capo a la Scalella (1 480 m), la **vue**★★ se dégage sur le golfe de Porto.

Poursuivre à travers les pins laricio de la **forêt de Lindinosa** jusqu'au **col de Cocavera** (alt. 1 475 m) *(1h30)*, par le sentier qui s'embranche à droite dans le premier lacet après le col de Salto. Il offre un **panorama**★★ sur la vallée, le golfe de Porto et la forêt d'Aïtone. *Retour possible par le chemin d'exploitation reliant les deux cols.*

Forêt d'Aïtone pratique

Se loger

La Châtaigneraie – *20126 Évisa - 04 95 26 24 47 - www.hotel-la-chataigneraie.com - fermé de fin oct. à mi-mars - P - 12 ch. 36/49 € - 6 € - rest. 20 €.* Maison en pierre aux volets verts abritant des chambres simples et impeccablement tenues. Au menu du restaurant, une cuisine « maison » ancrée dans le terroir. Un grand jardin planté de châtaigniers incite au farniente. Accueil charmant.

Scopa Rossa – *20126 Évisa - 04 95 26 20 22 - fermé 1er déc.-28 fév. - P - 25 ch. 53/73 € - 7 €.* Longue bâtisse moderne au cœur du village. Les chambres, au décor tendance « seventies », sont simples et bien tenues ; celles de l'annexe sont plus actuelles mais sans vue. Recettes du terroir à déguster dans une salle à manger rustique ornée de fusils.

Se restaurer

U Mulinu – *Face à l'hôtel L'Aïtone - 20126 Évisa - 04 95 26 24 53 - fermé w.-end hors sais. - 22/50 €* – Originaire du Lot, le jeune chef concocte une cuisine gourmande des plus réussies. Les poissons grillés frais livrés du golfe de Porto côtoient des spécialités corses revisitées à la mode gasconne. Un pur régal !

Événement

Fêtes du marron – Chaque année mi-nov., Évisa fête l'*insitina*, variété locale de marron (aire d'appellation « Marron d'Évisa »).

Ajaccio★★

Aiacciu

52 880 AJACCIENS.
CARTE GÉNÉRALE A5 – CARTE MICHELIN LOCAL 345 B8 – CORSE-DU-SUD (2A)

Même si la mer et ses sirènes semblent irrésistibles, la ville natale de Napoléon mérite mieux qu'une courte halte. Rues, monuments et musées rappellent l'incroyable destin de cet enfant du pays, mais ne sauraient faire oublier les exceptionnelles collections du cardinal Fesch. Chaque matin, derrière l'hôtel de ville, le marché du square César-Campinchi anime la place et les rues adjacentes. Sur le port, les pêcheurs écoulent leurs poissons frais, tandis que, sur les bancs, les retraités discutent au soleil. Le soir, poussez jusqu'au bout de la jetée de la citadelle : le port, la ville basse et les collines environnantes commencent à scintiller dans la nuit.

Se repérer – Lové entre la montagne et la mer, au creux du plus grand golfe de l'île, Ajaccio s'étend le long du rivage et sur les hauteurs. Au Nord de la ville, la jetée du Margonajo abrite le nouveau port de plaisance (Charles-Ornano) ; quelques centaines de mètres plus bas, la jetée des Capucins accueille les ferries et le port de commerce ; enfin, devant la face Nord de la citadelle, on accède au petit port de pêche et de plaisance (Tino-Rossi).

Se garer – La vieille ville se visite aisément à pied. Si se garer à Ajaccio n'est pas une mince affaire, vous pouvez laisser votre véhicule au parking souterrain du Diamant, place du Gén.-de-Gaulle ou, à défaut (car il est souvent complet), sur la place d'Austerlitz, en haut du cours Grandval.

À ne pas manquer – Une véritable chasse aux trésors attend les admirateurs de Bonaparte qui peuvent suivre ses traces dans la ville. Pour les amateurs d'art, une petite visite s'impose au musée Fesch qui abrite l'une des plus importantes collections de tableaux de primitifs italiens.

Organiser son temps – Vous pouvez débuter la visite au petit matin par la pointe d'Aspreto avant de gagner le marché qui risque d'affoler vos yeux et vos papilles. Vous êtes alors paré pour partir à la découverte de la vieille ville où vous trouverez l'ensemble des musées et des monuments. L'après-midi peut être consacré aux plaisirs de la mer avant de conclure à une terrasse de café face au petit port Tino Rossi.

Avec les enfants – Le petit train des îles propose une promenade sans effort jusqu'à la pointe de la Parata. Vous pouvez également profiter des nombreuses activités proposées dans le golfe d'Ajaccio, notamment le parc de loisirs aquatiques Acqua Cyrné Gliss.

Pour poursuivre la visite – Voir aussi le golfe d'Ajaccio.

Stéphane Sauvignier / MICHELIN

Le site d'Ajaccio.

Comprendre

Une colonie génoise – Il ne reste plus traces aujourd'hui de la cité romaine située au Nord de la citadelle, prospère au Bas-Empire. La fondation d'Ajaccio sur son site actuel date de l'implantation en 1453 de l'Office de Saint-Georges qui administrait la Corse pour le compte de la république de Gênes.

La cité achevée en 1492 est investie par une centaine de familles ligures et quelques familles nobles génoises. Le séjour en ces lieux fut dès lors interdit aux Corses, cantonnés dans le faubourg du Borgo : si bien qu'Ajaccio demeure purement génoise jusqu'à sa prise en 1553 par Sampiero Corso. Des familles corses s'y fixent alors et obtiennent, en 1592, le droit de cité.

L'essor de la ville – Le 17e s. marque le début de la croissance de la cité, toujours génoise. Entre 1584 et 1600, la population passe de 1 200 à 5 000 habitants. Leur niveau de vie est la plupart du temps plus que modeste.

La vieille ville et la citadelle se développent à l'abri des remparts (démolis en 1801) tandis que vers le Nord, un faubourg, le **« Borgo »**, grandit dans l'axe de l'actuelle rue Cardinal-Fesch. Les habitants vivent surtout du commerce et de la pêche du corail.

Mais le véritable envol de la ville date du 18e s. Il est dû essentiellement à des facteurs politiques. Dès 1715, le commissaire des provinces de l'Au-Delà-des-Monts qui résidait à Ajaccio reçoit les mêmes prérogatives que celui de Bastia. Plus tard, en 1793, la Convention divise la Corse en deux départements : celui du Golo et celui du Liamone dont Ajaccio devient le chef-lieu. Puis un décret impérial de 1811 réunit les deux départements en un seul, sous l'administration d'Ajaccio. Dès lors, la cité ne cesse de grandir. Aujourd'hui chef-lieu du département de Corse-du-Sud, elle est le siège de l'Assemblée territoriale de Corse créée en 1991.

Le saviez-vous ?

Ajaccio dériverait du mot latin adjacium, signifiant « halte », « lieu de repos ». La « Cité impériale » qui vit naître Napoléon conserve avec piété le souvenir de « l'enfant prodigue de la gloire » que célèbre l'hymne local, « l'Ajaccienne ».

Premier débarquement sur le sol français – Le sous-marin *Casabianca* commandé par le capitaine de frégate L'Herminier va ravitailler à plusieurs reprises en armes et munitions les francs-tireurs et les partisans corses. Parti d'Alger, il débarque à Ajaccio, le 13 septembre 1943, à 1h du matin, 109 combattants du 1er bataillon de choc des Forces françaises libres venus aider les résistants locaux à libérer l'île *(plaque commémorative quai L'Herminier près de la gare maritime)*. Ce fut la première unité française à mettre pied sur le sol de France *(se reporter également à la plage de Saleccia aux Agriates)*.

Se promener

Au petit matin comme au coucher du soleil, la pointe d'Aspreto *(entrée Est de la ville)* offre une belle vue d'ensemble sur Ajaccio. Au-dessus des vieux quartiers paisiblement posés à fleur d'eau, dans une harmonie de tons pastel, ocre, roses, jaunes, la ville nouvelle grimpe à flanc de montagne.

LA VIEILLE VILLE★ (Plan II)

L'ancienne cité génoise est délimitée par la place du Gén.-de-Gaulle à l'Ouest, la citadelle au Sud-Est et la place du Mar.-Foch au Nord. Elle se prolonge rue Card.-Fesch par **le Borgo** (faubourg).

Jetée de la citadelle

Longue de 200 m, elle offre de son extrémité une excellente **vue★** sur le front de mer et une partie du golfe d'Ajaccio. Elle abrite le port de pêche et de plaisance. La **citadelle** date du milieu du 16e s. ; toujours domaine militaire, elle n'est ouverte au public que lors des Journées du patrimoine.

En sortant, suivre le boulevard Danielle-Casanova qui longe la forteresse et conduit au musée du Capitellu (voir « Visiter »).

Église St-Érasme

C'est l'ancienne chapelle du collège des jésuites, bâti en 1617. En 1656, les Anciens, réunis dans ce sanctuaire, consacrèrent Ajaccio à N.-D.-de-la-Miséricorde, désirant ainsi préserver la cité d'une épidémie de peste. L'église fut fermée sous la Révolution. En 1815, le sanctuaire désormais dédié à saint Érasme, patron des marins, fut rendu au culte. L'église est décorée de maquettes de navires ; elle contient trois beaux christs sur croix processionnelles, une statue de saint Érasme entouré d'angelots et un ensemble de chapes et dalmatiques du service pontifical.

Cathédrale

℘ 04 95 21 07 67 - tlj sf dim. 8h30-11h30, 14h-18h.

Construite à partir de 1582 dans le style Renaissance, elle présente une façade très simple. Par crainte de voir les travaux traîner en longueur, l'évêque fit réduire les dimensions de l'édifice conçu par l'architecte Giacomo Della Porta. Les travaux s'achevèrent en 1593.

En juillet 1771, Napoléon, âgé de 2 ans, reçut le baptême sur les fonts baptismaux, à droite de l'entrée.

Dernières paroles

Sur le premier pilastre à gauche de l'entrée de la cathédrale sont gravées les dernières paroles de l'Empereur prononcées à Ste-Hélène, le 29 avril 1821 : « Si on proscrit de Paris mon cadavre comme on a proscrit ma personne, je souhaite qu'on m'inhume auprès de mes ancêtres dans la cathédrale d'Ajaccio, en Corse. » Le caveau de la famille Bonaparte se trouvait en effet dans la cathédrale avant la construction de la chapelle impériale en 1857.

En longeant la nef sur la gauche, la première chapelle élevée au 16e s. par Pierre Paul d'Ornano est ornée d'une peinture de Delacroix, *Le Triomphe de la Religion*. La seconde abrite la statue de Notre-Dame de Miséricorde. C'est dans la troisième, celle du Rosaire, que se trouvait le tombeau de la famille Bonaparte.

Le maître-autel monumental en marbre blanc, surmonté de quatre colonnes torses de marbre noir, fut offert à l'église en 1811 par Élisa Bacciocchi, sœur de Napoléon. Au-dessus du faux transept, remarquez la coupole peinte en trompe-l'œil.

Notez dans la chapelle de l'Immaculée-Conception, sur la droite, une belle **Vierge** en marbre de Carrare, du 18e s., sous un dais aux draperies élégantes et, accolée à un pilier carré de la nef, la chaire en forme de calice.

Prendre la rue Notre-Dame qui longe le flanc droit de la cathédrale.

Au n° 3 s'élève la longue façade très sobre de l'**hôtel Cuneo d'Ornano**. La porte aux piédroits et au linteau de marbre est surmontée d'un ornement aux armes de la famille d'Ornano.

Prendre à gauche la rue du Roi-de-Rome, puis à droite la rue St-Charles.

On débouche dans la rue Bonaparte, l'ancien *carrughju drittu* (« rue droite ») de la cité génoise où résidaient les marchands et qui divisait la vieille ville en deux quartiers distincts : au Nord s'étendait le quartier populaire du Macello (boucherie), tandis que la bourgeoisie résidait au Sud.

Au n° 17, l'**hôtel Pozzo di Borgo** est habillé en palais italien par les trompe-l'œil en camaïeu d'ocre qui décorent ses fenêtres. Au rez-de-chaussée, une porte monumentale de marbre blanc, avec un fronton armorié, donne un air solennel à cet édifice en cours de restauration pour devenir un hôtel.

Stéphane Sauvignier / MICHELIN

Place du Maréchal-Foch.

AJACCIO
plan I
ALATA
LES MILELLI
CORTE N 194
D 61
SALINES
Chin de Blancarello
Montée St-Jean
Crs J. Nicoli
ST-JEAN
Chin de Loretto
N.-D. DE LORETTO
Rte du Vittulo
Av. du Cel Colonna d'Ormano
Bd D. Paoli
Napoléon
Bd Ch. Bonaparte
MOUILLAGE DES CANNES
PORT CH. ORNANO
JETÉE DU MARGONAJO
MOUILLAGE DES CAPUCINS
N 193, PROPRIANO, SARTÈNE
JARDINS DE L'EMPEREUR
Av. de la Gde Armée
Bd Masséria
Av. Napoléon-III
PIETRINA
Bd Sampiero
Rte du Salario
Bd H. Maillot
BELVÉDÈRE
Av. de Verdun
Cours
MOUILLAGE DE LA VILLE
MARSEILLE TOULON, NICE
CHAPELLE PERALDI
ASSEMBLÉE DE CORSE
Av. N. Pietri
Crs Gal Leclerc
Mont de Napoléon 1er
SACRÉ-CŒUR
Bd P. Rossini
voir plan II
SENTIER DES CRÊTES
POINTE DE LA PARATA
D 111, LA PARATA
Pl. d'Austerlitz
Bd Madame Mère
Bd Albert 1er
R. Marengo
ÎLES SANGUINAIRES
0
300 m
N

SE LOGER

Impérial ①
Le Dauphin ③
Marengo ⑤
Spunta di Mare ⑦

SE RESTAURER

L'Aéro-Club ①
Marinella ③
U Licettu ⑤

INDEX DES RUES

Bévérini Vico (Av.) 2
Griffi (Square P.) 4

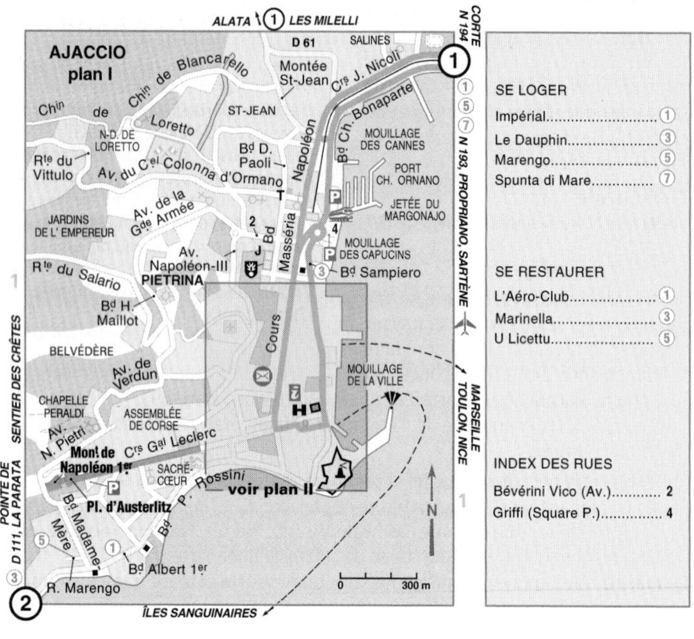

AJACCIO
plan II
0
100 m
N
Fesch
R. J.-Baptiste Marcaggi
R. des Trois Marie
Napoléon
JETÉE DES CAPUCINS
ST-ROCH
Bibliothèque
MUSÉE FESCH
PETIT ST-ROCH
Napoléon-III
Av.
Av. D.F. Cuneo d'Ornano
Quai l'Herminier
GARE MARITIME
Chapelle impériale
Rue Cardinal
Pge de la Guinguetta
R. L. Vero
Bd Roi-Jérôme
PALAIS DES CONGRÈS
Av. Impératrice Eugénie
R. Major Lambroschini
R. Sergent Casalonga
R. des Halles
Sq. César Campinchi
PORT
CONSEIL GÉNÉRAL
R. Mal Ornano
R. Gal Campi
Cours
Quai de la République
Av. A. Sérafini
SALON NAPOLÉONIEN
Musée A Bandera
Statue de Bonaparte
Pl. Mal Foch
POL
Statue de la Madonuccia
Quai Napoléon
R. des Glacis
Cours Grandval
Av. de Paris
Pl. Letizia
Hôtel Pozzo di Borgo
PORT TINO-ROSSI
Place d'Austerlitz
Av. du Dr. Ramaroni
Pl. Gal de Gaulle
Av. E. Macchini
R. Roi-de-Rome
MAISON BONAPARTE
LYCÉE FESCH
Mont de Napoléon
Cathédrale
R. Forcioli-Conti
Jetée de la citadelle
CASINO
R. Sœur-Alphonse
Hôtel Cuneo d'Ornano
Casanova
Citadelle
Boulevard Pascal Rossini
Plage St-François
Bd Lantivy
St-Érasme
Musée du Capitellu
Pl. Spinola
GENOVA
MARSEILLE, TOULON, NICE
ÎLES SANGUINAIRES

SE LOGER	SE RESTAURER
Kallisté ①	Au Bec Fin ①
San Carlu ③	L'Estaminet ③
	Le 20123 ⑤
	Le Grand Café Napoléon ⑦

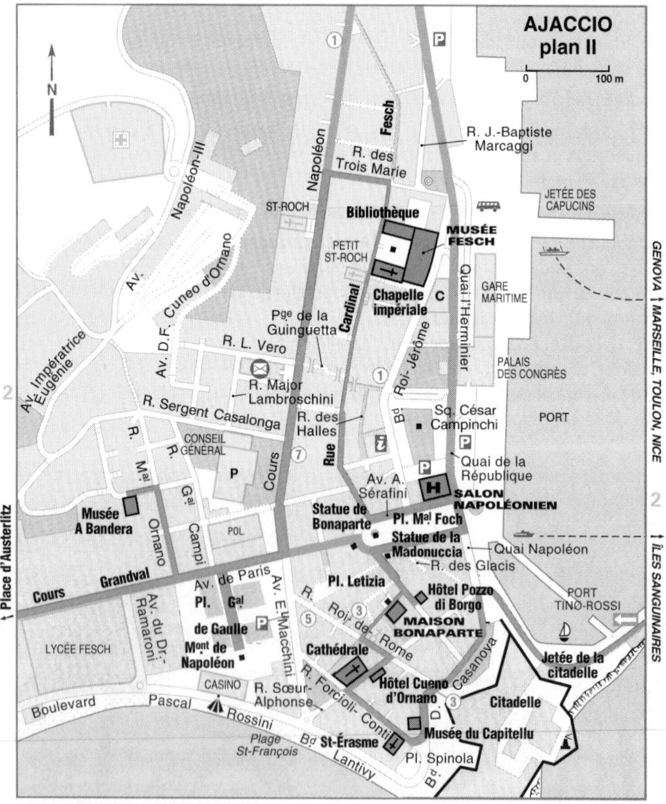

Place du Maréchal-Foch (ou des Palmiers)

L'ancienne piazza di l'Olmu, bel espace rectangulaire ombragé de vénérables palmiers et de platanes, s'ouvre face au port. C'est un lieu central de la vie ajaccienne : on y vient pour déambuler, discuter ou se reposer sur les bancs. Le côté Sud est bordé de petits restaurants. Remarquez la petite **statue de la Madonuccia** ou N.-D. de la Miséricorde, exposée dans la niche d'une maison en haut de la place *(nos 7-10, avenue Sérafini)*. Elle protège la ville depuis 1656 *(voir église St-Érasme)* et est fêtée en grande pompe le 18 mars : ville illuminée, messe solennelle à la cathédrale, procession dans les rues.
La statue de marbre blanc de **Bonaparte Premier consul** surmonte la fontaine des Quatre-Lions, œuvre de Maglioli, peintre et sculpteur ajaccien. Sur la gauche, en bas de la place, s'élève l'**hôtel de ville** qui abrite le Salon napoléonien.

Un autre empereur

La fabuleuse carrière artistique de **Tino Rossi** (1907-1983) débuta à 20 ans à l'Alcazar de Marseille avant de recevoir la consécration à Paris dans les revues de Vincent Scotto et le film *Marinella* (1936). Après avoir enregistré plus de mille chansons, participé à vingt-quatre films et animé quatre opérettes, le chanteur ajaccien à la voix veloutée demeure une référence dans la chanson de charme.
Les inconditionnels de l'interprète de *Petit Papa Noël* iront voir **sa maison natale** (45 r. Card.-Fesch) et se recueillir sur son tombeau en granit blanc *(situé à gauche de la 1re entrée du cimetière d'Ajaccio)*.

Rue Cardinal-Fesch (U Borgu)

Cette longue rue commerçante, très animée, traverse l'ancien « Borgo ».
Sur la façade du n° 1, une plaque rappelle que Vincentella Perini, plus connue sous le nom de **Danielle Casanova**, résistante morte à Auschwitz, naquit ici le 9 janvier 1909.
C'est au n° 28 que Napoléon Bonaparte, poursuivi par les « anglo-paolistes » en mai 1793, se réfugia chez l'ancien maire, Jean-Jérôme Levie, avant de s'évader par la mer vers Calvi.

Poursuivre la rue Card.-Fesch. Après la chapelle impériale et le musée Fesch (voir « Visiter »), tourner à gauche dans la rue des Trois-Marie et descendre le cours Napoléon, principale artère commerçante.

On passe devant la préfecture, dont le hall abrite un sarcophage romain du 3e s. apr. J.-C.

Reprendre le cours Napoléon jusqu'à la ville moderne.

LA VILLE MODERNE

Place Général-de-Gaulle (place du Diamant) (Plan II)

Ce vaste espace fait le lien entre les quartiers anciens et ceux qui se développent en bordure de la route des Sanguinaires. La place, prolongée par une terrasse, offre une belle **vue★** sur le golfe d'Ajaccio.
Au centre de la place se dresse le monument équestre en bronze de **Napoléon en empereur romain** et de ses quatre frères, dessiné par Viollet-le-Duc.

Cours Grandval (Plan II)

Aéré, agréablement bordé de palmiers et de platanes, le cours monte en pente douce de la place du Gén.-de-Gaulle vers la place d'Austerlitz qui clôt son élégante perspective.

Place d'Austerlitz (U Casone) (Plan I)

Elle est dominée par l'imposant **monument de Napoléon Ier** qui ferme l'axe ouvert 1 500 m plus bas, place Foch, par la statue de Napoléon, Premier consul. Précédé de deux aigles et d'une immense stèle inclinée rappelant ses victoires, l'Empereur, coiffé du bicorne, regarde la ville dans une attitude familière (réplique de la statue située dans la cour d'honneur des Invalides).
La tradition veut qu'avant d'être envoyé à l'école de Brienne, Napoléon, enfant, ait joué parmi les rochers et dans la grotte (à gauche) qui porte aujourd'hui son nom.

Visiter

Musée Fesch★★ (Plan II)

50-52 r. Card.-Fesch - ✆ 04 95 21 48 17 - www.musee.fesch.com - ♿ - juil.-août : lun. 14h-18h, mar.-jeu., w.-end et j. fériés 10h30-18h, vend. 14h-21h30 ; avr.-juin et sept. : tlj sf lun. 9h30-12h, 14h-18h ; oct.-mars : tlj sf dim. et lun. 9h30-12h, 14h-17h30 - 5,35 € (-15 ans gratuit).

« La Vierge et l'Enfant sous une guirlande », par Sandro Botticelli (1445-1510), musée Fesch d'Ajaccio.

Après d'importants travaux de réaménagement pour l'accueil et la préservation des collections, le musée est aujourd'hui une belle vitrine et un moteur culturel pour la région. On y accède par la cour d'honneur, ouverte sur la rue Cardinal-Fesch, qui correspond au 2e niveau (expositions temporaires).

Installé dans l'ancien collège Fesch (1827) où l'entomologiste Henri Fabre enseigna les sciences physiques, le musée abrite la plus importante collection de **peintures italiennes★★★** conservée en France, après celle du Louvre, ainsi que des œuvres des écoles française, espagnole, flamande et hollandaise. Ces toiles furent léguées à la ville par le cardinal Fesch, oncle maternel de Napoléon et archevêque de Lyon, fervent collectionneur d'œuvres italiennes.

Peinture italienne du 14e au 16e s. – *1er étage.* On peut admirer l'illustre **triptyque de Rimini** (14e s.), des œuvres de Jacopo Sellajo, et le triptyque du **Mariage mystique de sainte Catherine** (de Nicoló de Tommaso) présentant sur les volets saint Jean-Baptiste et saint Dominique.

Le thème de la Vierge à l'Enfant, traité en particulier par deux grands maîtres : **Giovanni Bellini** (1430-1516), de l'école vénitienne et **Sandro Botticelli** (1440-1510), de l'école de Florence, illustre l'art du Quattrocento (15e s.). Tendresse, charme et sensibilité se dégagent de la madone de Bellini, tandis que la **Vierge à la guirlande** de Botticelli, peinte en 1470, enchante par sa grâce et son naturel. La très belle **Vierge à l'Enfant** de Giovanni Boccati, chef de file de l'école des Marches influencé par Fra Angelico, illustre par ailleurs la haute époque florentine. La persistance du gothique et le goût des ruines antiques se retrouvent dans la madone de Cosimo Rosselli. **La Madone entre les deux saints**, de Cosimo Tura, au réalisme accentué, appartient à l'école de Ferrare.

Du 16e s., on retient en particulier deux œuvres de l'école de Venise : **Léda et le cygne** de l'atelier de Véronèse et l'**Homme au gant** de **Titien** ainsi qu'une belle **Adoration des Mages**, œuvre anonyme flamande.

Œuvres du 17e et 18e s. – *2e étage.* Remarquer la très riche collection de natures mortes (Cittadini, Boselli, G. Recco, Ruoppolo, Castelli dit Spadino) ainsi que les paysages de Gaspard Dughet (1613-1675), peintre français (né à Rome) qui a fortement subi l'influence de son beau-frère Nicolas Poussin. Les œuvres d'Amorosi et de Luca Giordano témoignent de l'influence qu'exerça le Caravage sur la peinture de l'époque. Les écoles flamandes du 17e s. sont représentées par une série de paysages tels ceux de Nicolaes Berchem. Dans les salles napolitaines on remarque particulièrement **Le Départ de Rebecca** par Solimène.

La visite se poursuit par des œuvres du 18e s., notamment celles de Pierre Subleyras et de Louis-Gabriel Blanchet. Le 19e s. est représenté essentiellement par des paysages. L'exposition à ce niveau s'achève par la **grande galerie** qui abrite les tableaux italiens de grandes dimensions classés par écoles d'origine.

Le rez-de-marine *(rez-de-chaussée côté mer)* rassemble des souvenirs des Premier et Second Empires.

Chapelle impériale – *Mêmes conditions que le musée Fesch - 1,50 € (achat du billet au musée Fesch).*

Elle fut édifiée par Napoléon III, en 1857, pour servir de sépulture à la famille impériale. De style néo-Renaissance, elle est construite en pierre de St-Florent. La grande coupole en trompe-l'œil peinte par l'artiste ajaccien Jérôme Maglioli ainsi que les vitraux sont décorés aux armes du cardinal Fesch. Un beau Christ copte, cadeau du général Bonaparte à sa mère lors de son retour d'Égypte, orne le maître-autel.

Dans la crypte circulaire située sous la coupole, et dans l'escalier d'accès reposent plusieurs membres de la famille Bonaparte, dont Charles Marie, son épouse Letizia Ramolino, et le demi-frère de celle-ci, le cardinal Fesch.

Bibliothèque du palais Fesch – *50 r. Card.-Fesch - ☏ 04 95 51 13 00 - www.ville-ajaccio.fr - tlj sf w.-end et j. fériés 10h-18h - Gratuit.*
Elle occupe le rez-de-chaussée du palais Fesch. Créée en 1801 par Lucien Bonaparte alors ministre de l'Intérieur à partir d'un fonds d'ouvrages confisqués sous la Révolution, elle fut installée ici en 1868. Elle rassemble plus de 40 000 volumes du 15e au 19e s., dont des incunables et des manuscrits.

Maison Bonaparte★ (Plan II)

☏ 04 95 21 43 89 - avr.-sept. : 9h-12h, 14h-18h, lun. 14h-18h (dernière entrée 45mn av. fermeture) ; oct.-mars : 10h-12h, 14h-16h45, lun. 14h-16h45 - 4 € (-18 ans gratuit), gratuit 1er dim. du mois.
Devant la petite **place Letizia**, ombragée de bananiers et d'orangers et ornée du buste du roi de Rome enfant sculpté par E.-J. Vezien en 1936, s'élève la maison natale de l'Empereur. Remontant au 17e s., elle présente une façade très sobre, sans décoration ni signe distinctif, hormis les armes de la famille.

La visite débute par le 2e étage.

2e étage – Quatre salles très claires aux plafonds peints à l'italienne sont dallées de tommettes rouges. Très belle introduction, une grande carte (1740) de Hyacinte de la Pegna illustre l'organisation des régions et villes corses au 18e s. De nombreux panneaux didactiques et quelques documents présentent l'histoire mouvementée de la maison. À travers cette histoire, c'est l'importance de la maison pour les Corses, la nécessité d'affirmer une position sociale dans une ville comme Ajaccio, et la jeunesse du futur Empereur qui sont expliqués.

La maison à travers les ans

La demeure entra dans le patrimoine familial en 1682. Charles Bonaparte s'y installa en 1743, occupant le rez-de-chaussée et le premier étage, tandis que ses cousins Pozzo di Borgo logeaient au second. Elle ne ressemble plus guère, intérieurement, à la Casa Buonaparte que connut le jeune Napoléon.
En mai 1793, menacés par les partisans de Paoli, les Bonaparte durent s'enfuir d'Ajaccio, ville alors ardemment paoliste. Leur maison fut saccagée. Pendant l'occupation anglaise (1794-1796), elle fut réquisitionnée et, ironie du destin, Hudson Lowe, le futur geôlier de l'Empereur à Ste-Hélène, y aurait logé. Le rez-de-chaussée fut transformé en dépôt de munitions.
De retour à Ajaccio, en 1797, Letizia put remettre la maison en état grâce à une indemnité que lui versa le Directoire. Le mobilier actuel date de cette époque. À son retour d'Égypte, le 29 septembre 1799, le général Bonaparte fit escale dans la demeure familiale ; il ne devait plus jamais la revoir. En 1805, l'Empereur fit don de cette maison au cousin de sa mère, André Ramolino. En 1923, le prince Victor-Napoléon, descendant du roi Jérôme, la donna à l'État.

1er étage – La pièce présentée comme la « **chambre natale** » de Napoléon n'a plus d'éléments d'origine mais est un lieu de pèlerinage depuis bien longtemps déjà. On peut y admirer un secrétaire italien du 18e s. incrusté de pierres dures (lapis-lazuli, nacre...), et une crèche en ivoire rapportée d'Orient par Bonaparte pour sa mère. Le salon de style Louis XVI et la chambre de « Madame Mère » au mobilier Louis XV impressionnent par leur riche décor. Après la salle à manger Directoire, la **grande galerie**, longue de 16 m et superbement restaurée, présente un beau parquet de noyer en point de Hongrie et un intéressant plafond à l'italienne. Elle compose un harmonieux salon et forme un trait d'union entre la maison principale et les pièces de la **petite maison** achetée en 1797. Cette dernière se compose d'un salon de musique et de deux petites chambres. Dans l'une d'elles, une trappe communiquant avec le rez-de-chaussée permit, dit-on, en 1799, au général Bonaparte de s'échapper avec Berthier et Murat pour éviter que « son cœur ne faiblisse devant le bon cœur de ses amis » qu'il devait quitter.
Le salles consacrées à Napoléon III ramènent au corps principal. Remarquez au passage les plus anciens masques mortuaires de l'empereur.
La visite se termine par les caves voûtées du sous-sol.

Salon napoléonien★ (Plan II)

Pl. Foch - ☏ 04 95 51 52 62 - ♿ - de mi-juin à mi-sept. : tlj sf w.-end 9h-11h45, 14h-17h45 ; de mi-sept. à mi-juin : tlj sf w.-end 9h-11h45, 14h-16h45. Fermé j. fériés - 2,30 € (-15 ans gratuit).

Aménagé au 1er étage de l'hôtel de ville, il détient des souvenirs, documents et tableaux se rapportant à l'Empereur et à sa famille. Dans le hall se dresse une statue de marbre de Jérôme Bonaparte par Bosio (1812).

Grand Salon – On y découvre la photocopie de l'acte de baptême de Napoléon (21 juillet 1771), rédigé en italien. Sur les murs de ce salon de style Empire, sont accrochés de grands portraits de la famille Bonaparte. Parmi les bustes, remarquez celui de **Letizia** qui, au faîte des honneurs, ne cessait de répéter : « J'ai sept ou huit souverains qui me retomberont un jour sur les bras. ». Le buste du roi de Rome enfant, par Bartolini, ornait la chambre de l'Empereur en exil. Le magnifique lustre de cristal, qui pèse une tonne, fut offert par l'ex-Tchécoslovaquie, en 1969, lors du bicentenaire de la naissance de Napoléon.

Salle des Médailles – Elle renferme une belle collection de monnaies et de médailles (218 pièces) d'or, d'argent et de bronze de 1797 à 1876 léguées à la ville par le prince Napoléon, fils du roi Jérôme, et une deuxième collection (Vognsgaard) reçue en 1974. Noter à gauche en entrant une bonbonnière sertie de diamants à l'effigie du prince Jérôme.

Musée « A Bandera » (Plan II)

1 r. Général-Levie - ✆ 04 95 51 07 34 - de déb. juil. à mi-sept. : 9h-19h, dim. 9h-12h ; de mi-sept. à fin juin : tlj sf dim. 9h-12h, 14h-18h. Fermé lun. de Pâques, 1er Mai et 11 Nov. - 4 € (enf. 2,50 €).

Ce musée offre une bonne initiation historique avant de partir à la découverte de l'île. Sa façade est décorée par le peintre Campana d'une fresque en trompe-l'œil figurant les principaux personnages historiques de la Corse.

Les collections révèlent une histoire mouvementée, ponctuée d'événements inscrits dans la mémoire corse. La première salle est consacrée à la préhistoire depuis l'époque des mégalithes et à l'Antiquité. Dans la 2e salle, maquettes de navires, cartes, gravures, armes et diorama illustrent les invasions barbaresques. La 3e salle est dédiée aux guerres d'Indépendance (1729-1769), en particulier à la bataille décisive de Ponte-Nuovo (1769). Les pièces suivantes rendent compte de la place occupée par la Corse dans les grands conflits des deux derniers siècles et de l'action de la Résistance durant la Seconde Guerre mondiale.

Musée du Capitellu (Plan II)

✆ 04 95 21 50 57 - ♿ - avr.-sept. : 10h-12h, 14h-18h, dim. 10h-12h - 4 €.

Après la projection d'une vidéo consacrée à l'histoire d'Ajaccio et de sa citadelle, la visite présente des objets illustrant la vie quotidienne d'une vieille famille au 19e s. On remarque un service de vaisselle en vermeil qu'utilisait Napoléon durant ses campagnes, deux peintures, copies d'élèves de Raphaël, ainsi que quelques huiles et aquarelles de peintres ajacciens, parmi lesquels Aglaë Meuron (1836-1925), Jean Canavaggio (1884-1941) et les contemporains Jean-Claude Quilici (études pour la fresque de l'université de Corte) et Pierre Vellutini.

Aux alentours

Les Milelli★

5 km au Nord-Ouest. Quitter Ajaccio par le cours Napoléon et, un peu après la gare, prendre à gauche la route d'Alata (D 61) ; puis encore à gauche après un rond-point, une route en montée (plaque indicatrice). Fermé pour travaux.

Abandonnée depuis des années, l'**ancienne maison de campagne de la famille Bonaparte** ne se visite pas. On peut néanmoins se promener autour, notamment à l'ombre d'une **oliveraie★** séculaire qui est à nouveau entretenue ; une association a en effet relancé une petite production d'huile d'olive.

En contrebas, un petit et jeune **arboretum** est un agréable lieu de promenade pour les enfants.

Lorsque les Bonaparte durent quitter leur maison d'Ajaccio, en mai 1793, Letizia, accompagnée de ses filles Élisa et Pauline et de l'abbé Fesch, vint se réfugier aux Milelli. Dans la nuit du 1er juin, elle parvint avec les siens à quitter la région d'Ajaccio en contournant la ville par le mont St-Angelo et en gagnant la tour de Capitello. À son retour d'Égypte, Bonaparte vint aux Milelli les 2 et 3 octobre 1799 en compagnie de Murat et de Lannes.

Ajaccio pratique

Adresse utile

Office de tourisme – 3 bd du Roi-Jérôme - ☎ 04 95 51 53 03 - www.tourisme.fr/ajaccio - juil.-août : 8h-20h30, dim. 9h-13h, 16h-19h ; sept.-oct et avr.-juin : 8h-19h, dim. 9h-13h ; nov.-mars : tlj sf dim. et j. fériés 8h-12h30, 14h-18h, sam. 8h-12h, 14h-17h.

Visites

Musées – Vous pourrez vous procurer à l'Office de tourisme, ou lors de votre première visite dans un musée ajaccien, la carte « ajacciopassmusées » qui est valable 7 jours consécutifs et donne accès à l'ensemble des musées de la ville (10 €).

Petit train des îles – Pl. Foch - ☎ 04 95 51 13 69 ou 04 95 21 10 23 - www.petit-train-ajaccio.com - 9h-20h (nocturnes en été), dép. ttes les h, selon demande. Fatigué de marcher ? Laissez-vous transporter sur l'un des deux circuits : visite des principales curiosités d'Ajaccio (45mn, 7 €) ; balade dans la ville et sur la rte des Sanguinaires, avec arrêt à la pointe de la Parata (1h30, 10 €).

Compagnie des promenades en mer – 15 bd Sampiero - 20000 Ajaccio - ☎ 04 95 21 83 97 - excursions commentées au dép. d'Ajaccio, Porticcio, Porto, Sagone et Gargese. La réserve naturelle de Scandola : 34 € à 46 €. Les Calanche de Piana-Capo Rosso : 22 €. Les falaises de Bonifacio : 55 €. Calvi : 59 €. Les îles Sanguinaires : 22 €. Navettes quotidiennes pour Ajaccio/Porticcio : 5 € (8 € AR).

Amaury de Valroger / MICHELIN

Ferry dans le golfe d'Ajaccio.

Transports

À L'AÉROPORT (CAMPO DELL'ORO)

Bus – Ligne 8 : aéroport gare routière. Départ gare routière (centre-ville) 6h04-19h25 ; départ aéroport (sur la droite en sortant du hall arrivée) 9h-23h15. Les horaires sont adaptés aux heures d'arrivée et de départ des avions. Trajet 15 à 20mn. 4,50 €. Renseignements : boutique TCA, 75 cours Napoléon, Ajaccio, ☎ 04 95 23 29 41.

Taxi – Pour Ajaccio, compter entre 17,10 € et 24,88 € (à titre indicatif).

À AJACCIO

Location de voitures – Les principales compagnies sont présentes sur le parking en sortant de l'aéroport. **Avis** – ☎ 04 95 23 92 50., **Budget** – ☎ 04 95 21 17 18.

En ville, **Europcar** – 16 cours Grandval (près de la place du Diamant) - ☎ 04 95 21 05 49. **Citer** – Bd Lantivy (près du casino municipal) - ☎ 04 95 51 21 21.

Location de motos, scooters et vélos – **BMS** - quai de la Citadelle - ☎ 04 95 21 33 75 ou 06 09 24 56 55 - 8h-18h, dim. 9h-12h.

Trains – ☎ 04 95 23 11 03 - Gare ferroviaire.

Bus – Gare routière - quai L'Herminier - ☎ 04 95 51 55 45. Une dizaine de compagnies desservent les principales localités de Corse.

Ligne Ajaccio-Porto-Ota (2 fois/j.), de déb. juil. à mi-sept. ; reste de l'année : tlj sf dim. et j. fériés. Ligne Porto-Calvi, de mi-mai à mi-oct. : 1 fois/j. - ☎ 04 95 22 41 99.

Gare maritime – Quai L'Herminier. Départ des ferries. Voir coordonnées des compagnies en début de guide, rubrique « Transports ».

Se loger

voir aussi le carnet pratique du golfe d'Ajaccio.

Hôtel Kallisté – *51 cours Napoléon - ☎ 04 95 51 34 45 - www.cyrnos.net - 50 ch. 45/69 € - ☕ 6,50 €.* Cet hôtel occupe une maison ajaccienne de 1864 au cœur de la ville. Avec sa belle façade colorée, son entrée voûtée et ses briques, elle a gardé son caractère. Pour votre confort, les chambres sont modernes. Prix très raisonnables hors saison.

Le Dauphin – *11 bd Sampiero - face au port - ☎ 04 95 21 88 69 - www.ledauphinhotel.com - P - 39 ch. 52/69 € ☕ - rest. 11 €.* Face au port et tout près du centre-ville, un hôtel bien placé si vous arrivez par le ferry. Chambres standard, dotées pour certaines d'un balcon donnant directement sur la mer. Restaurant-pizzeria à prix doux.

Hôtel Spunta di Mare – *Quartier St-Joseph - ☎ 04 95 23 74 40 - www.hotel-aspuntadimare-corse.com - fermé de mi-déc. à fin janv. - P - 59 ch. 53/93 € ☕ - restauration (soir seult) 10/15 €.* Entre le centre-ville et l'aéroport, cet hôtel (entièrement climatisé) bénéficie d'une vue sur le golfe d'Ajaccio depuis sa terrasse-solarium et de la majorité de ses chambres. Fonctionnelles et blanches, elles s'égaient de meubles de couleur.

Hôtel Impérial – *6 bd Albert-1er - 04 95 21 50 62 - fermé déc.-fév. - 61 ch. 59/87 € - 7 €.* Cet hôtel se transforme peu à peu sous l'impulsion du fils de la famille, artiste-peintre : les chambres du bâtiment principal ont toutes été refaites. Sa situation excentrée, sa plage et ses prix raisonnables restent toutefois ses atouts majeurs.

Hôtel Marengo – *2 r. Marengo - 04 95 21 43 66 - fermé 6 nov.-24 mars - 16 ch. 79/88 € - 6 €.* Voilà une petite adresse pas chère, dans un quartier légèrement excentré mais plutôt calme. Ses chambres claires sont simples et bien entretenues… Accueil aimable.

Hôtel San Carlu – *8 bd Casanova - 04 95 21 13 84 - fermé 20 déc.-31 janv. - 40 ch. 80/120 € - 9 €.* De certaines chambres, vous apercevrez la mer ou la célèbre citadelle du 15e s. Situé sur un boulevard un peu passant, l'hôtel est bien insonorisé et bénéficie aussi de la climatisation.

Se restaurer

Bon à savoir – Dirigez-vous vers le casino qui concentre autour de lui les bars et restaurants restant ouverts tard. De plus, le vendredi soir pendant les mois d'été, un « shopping de nuit » est organisé associant boutiques (ouvertes jusqu'à minuit), nombreuses animations de rues et concerts. Ambiance festive garantie !

Au Bec Fin – *3 bis bd du Roi-Jérôme - 04 95 21 30 52 - fermé 20 déc.-5 janv., lun. soir, dim. et j. fériés - 13,90/22 €.* Si vous appréciez la cuisine traditionnelle et les ambiances conviviales, ce sera le moment de prendre place et de vous régaler. Si en revanche vous aspirez à plus de tranquillité, prenez le temps de vous promener le long du port tout proche et revenez vous attabler en terrasse.

L'Aéro Club – *Campo dell'Oro - 04 95 10 08 93 - 9h-17h - 17 €.* Une adresse très pratique, à deux pas de l'aéroport. Restauration simple et sans chichis, composée de snacks et de quelques plats chauds, qui permet de faire une pause avant le décollage. Décoration et cadre contemporains de style bistrot.

L'Estaminet – *7 r. du Roi-de-Rome - 04 95 50 10 42 - fermé sam. midi - 18,50/25 €.* Banquettes de moleskine rouge, miroirs et nappes blanches… Vous ferez assurément bonne chère dans cet établissement où le jovial patron renouvelle ses spécialités suggérées sur l'ardoise du jour. Cave exceptionnelle et bar à vins.

Marinella – *Rte des Îles-Sanguinaires, Pointe du Scudo - 5 km à l'O d'Ajaccio - 04 95 52 07 86 - fermé déc. - 20,25/40,45 €.* Près de la maison du célèbre chanteur corse Tino Rossi, dans une atmosphère musicale, posez-vous sur cette terrasse au bord de l'eau comme Pagnol, Raimu et Fernandel l'ont fait. Appréciez la gargoulette, les poissons du jour, pâtes et pizzas au feu de bois.

Le 20123 – *2 r. du Roi-de-Rome - 04 95 21 50 05 - fermé mi-janv. à mi-fév., le midi et lun. - - réserv. obligatoire - 28 €.* De la vallée de Taravo, le patron a rapporté des saveurs authentiques et recréé un cadre pittoresque évoquant un village corse. Ici, une place avec sa fontaine, là une salle rustique avec sa cheminée et même un décor de bergerie… C'est souvent bondé !

Le Grand Café Napoléon – *10 cours Napoléon - 04 95 21 42 54 - cafe.napoleon@wanadoo.fr - fermé 24 déc.-1er janv., sam. soir, dim. et j. fériés - 17 € déj. - 29/45 €.* Une belle terrasse de grand café pour l'apéro, une immense salle de style Second Empire pour déjeuner, dîner ou prendre une collation l'après-midi… Cette prestigieuse maison, l'une des plus anciennes d'Ajaccio, est depuis peu dirigée par un jeune chef prometteur.

U Licettu – *Plaine-de-Cuttoli - 20167 Mezzavia - 6 km au NE d'Ajaccio par rte de Bastia, puis rte de Cuttoli (D 1) et rte de Bastelicaccia - 04 95 25 61 57 - fermé janv., dim. soir et lun. sf juil.-août - réserv. obligatoire - 34 €.* Quel bonheur de trouver cette jolie villa perdue dans le maquis et de s'y attabler autour d'une généreuse cuisine corse ! Terrasse, jardin fleuri et grande cheminée où rôtissent les viandes : rien n'y manque, jusqu'à l'accueil chaleureux garanti. Un seul menu gourmand incluant les boissons.

En soirée

Bon à savoir – Ajaccio, où plane encore l'ombre de Napoléon, vous invite à la flânerie dans son quartier ancien, mais la citadelle n'est accessible que grâce aux visites guidées organisées par l'Office de tourisme. Les mélomanes pourront assister aux concerts donnés dans le cadre des Polyphonies de l'été (le merc. en juil.-août).

L'Entracte – *Bd Pascal-Rossini - 04 95 50 40 65 - www.casino-ajaccio.com - tlj sf dim. et lun. à partir de 23h.* Mitoyen du Casino, ce restaurant-pianobar au cadre chic et élégant offre une programmation musicale de qualité, différente chaque semaine. Un chaleureux établissement pour finir la soirée en musique.

Au Son des Guitares – *7 r. du Roi-de-Rome - 04 95 51 16 47 - juin-oct. : 22h30-2h.* Depuis 60 ans, ce cabaret perpétue la mémoire de Tino Rossi et offre une belle programmation de chants corses traditionnels dont les polyphonies qui racontent les hommes, l'histoire et le malheur de cette terre mille fois occupée, jamais conquise.

Le Pavillon Bleu – *26 cours du Gén.-Leclerc - 04 95 51 12 90 - tlj sf dim. 6h30-2h.* Sous la férule de Charly Taverni, ancienne gloire du football, cet établissement datant de 1949 est devenu un haut lieu de la fiesta

Vieux port d'Ajaccio.

ajaccienne. Un décor au design élégant, bleu et blanc comme la cabine d'un bateau, où se produisent régulièrement les meilleurs chanteurs et musiciens corses.

Que rapporter

Halles aux Poissons – *Pl. du Marché - tlj sf lun. 7h-13h, 17h-19h, dim. 17h-19h en juil.-août.* Dans ces halles entièrement rénovées, une quinzaine de professionnels proposent la pêche du jour, provenant uniquement des côtes corses. Et le choix est amplement suffisant : langoustes, homards, loups de mer, moules, saint-pierre, soles de roche, dorades, mérous, huîtres, raies…

Marché central – *Square Campinchi - 7h30-12h (sf lun. hors sais.).* La Corse dans son intégralité est représentée dans ce marché central avec ses étals proposant de la charcuterie, des fromages, des pâtisseries et des fruits et légumes. En prenant son temps, on y découvre aussi des petits producteurs de confitures, de miel, d'olives ou d'huile. Le samedi et le dimanche, il y a foule.

A Casetta – *3 av. du 1er-Consul - ✆ 04 95 21 77 12 - été : 9h-13h, 15h-20h30 ; reste de l'année : 9h-13h, 15h-19h30 - ouv. j. fériés ; fermé janv.-avr.* Les produits envahissent la boutique du sol au plafond où sont suspendues les charcuteries de Monsieur Folacci. Éleveur de porc à ses heures, c'est bien lui qui fabrique ces délicieux coppa, lonzu, saucissons et jambons qui pendent aux crochets. Les autres spécialités (confitures, fromages, vins, etc.) couvrent l'étendue de la gastronomie corse dans toute sa richesse, ses saveurs et son authenticité.

Casa Napoleon – *3 r. du Card.-Fesch - ✆ 04 95 21 47 88 - www.corsicagastronomia.com - juil.-août : tlj 8h30-21h ; hors sais. : lun.-sam. 8h30-12h30, 14h-19h.* Dans une rue animée proche du marché aux poissons, cette boutique décline toutes les saveurs du terroir : vins blancs du Cap Corse, vins rouges d'Ajaccio, patrimonio, sartenais, liqueurs, fromages fermiers de chèvre et de brebis, poutargue (œufs de mulet fumés), *canistrelli* (gâteaux à l'anis).

Pantalacci – *1 bd Pugliesi-Conti - ✆ 04 95 21 15 28 - mar.-dim. 8h-12h30, 15h45-19h30 - fermé oct.* Cette charcuterie, dans la famille depuis quatre générations, offre à une clientèle de connaisseurs d'excellents produits. Vous y découvrirez coppa, *lonzu*, *prisuttu* (jambon sec) et *figatellu* (saucisse de foie), affinés pendant les mois d'hiver.

Enoteca – *2 r. Mar.-Ornano - ✆ 04 95 21 52 69 - 9h-12h30, 15h-19h (16h-20h juil.-août).* Cette boutique cache une incroyable sélection de vins. Monsieur Bungelmi, en fin connaisseur, ne choisit que des têtes de cuvées pour ses nectars corses et parcourt le « continent » pour dénicher de bons petits crus. Dégustation au verre proposée.

Confiserie de la Cité Impériale – *Rte de Cargèse - 8 km au NE d'Ajaccio par N 194 et D 81 - 20167 Alata - ✆ 04 95 10 82 33 - www.confiserie-imperiale.com - 8h30-12h15, 15h-19h - fermé janv.-fév.* Nougats à la châtaigne, à l'eau de myrte, à la figue, ou encore Bouligos, cette confiserie n'a pas son pareil sur l'île. En visitant le laboratoire, on vous dévoilera peut-être le secret de fabrication de la dernière création : les Secrets Bonaparte, subtil mélange des richesses naturelles corses.

Atelier du Couteau – *2 r. Bonaparte - ✆ 04 95 10 16 52 - www.latelierducouteau.fr - tlj sf dim. 9h-12h, 14h-19h - fermé j. fériés.* Laurent Bellini vous fera partager sa passion pour la coutellerie artisanale : dans sa boutique moderne, vous découvrirez un grand choix de couteaux traditionnels, des répliques anciennes, des créations personnalisées ainsi qu'une belle collection de stylets.

La Maison du Corail – *1 r. du Card.-Fesch - ✆ 04 95 21 47 94 - www.maisonducorail.fr - juin-sept. : tlj sf dim. 9h30-12h30, 14h30-19h30 ; oct.-mai : tlj sf dim. et lun. 9h-12h, 14h30-19h - fermé fév. et j. fériés sf juil. et août.* Dans cette magnifique boutique vous trouverez de splendides bijoux tous ornés de corail. Les plus beaux sont ceux faits avec du corail rouge directement prélevé sur les côtes corses par des pêcheurs professionnels.

Sports & Loisirs

Port de plaisance Charles-Ornano – *(ou l'Amirauté), av. Charles-Bonaparte - ✆ 04 95 22 31 98.*

Port de plaisance Tino-Rossi – *Quai de la Citadelle - ✆ 04 95 51 55 43 - en sais. 8h-21h ; hors sais. 8h-12h, 14h-18h - fermé 25 déc. et 1er janv.* Environ 260 places dont 120 réservées au passage.

E Ragnole (plongée) – Voir p. 124.

Événement

Chaque 2 juin, une procession haute en couleur promène jusqu'à la mer la statue de **saint Érasme**, le patron des marins : elle rassemble les autorités civiles et militaires, le clergé et une foule mi-recueillie, mi-joyeuse.

Golfe d'Ajaccio★★

CARTE GÉNÉRALE A5 – CARTE MICHELIN LOCAL 345 A/B7 – CORSE-DU-SUD (2A)

C'est le plus vaste et le plus profond golfe de la Corse. Sa rive Nord, entre la pointe de la Parata et Ajaccio, face aux sentinelles rougeoyantes des îles Sanguinaires, s'étire selon un tracé rectiligne. Sa rive Sud se découpe quant à elle d'anses et de baies isolées par des presqu'îles rocheuses telles la pointe de Porticcio, la pointe de Sette Nave ou celle de la Castagna. La douceur de ses rivages, son calme et l'harmonie de ses couleurs sont à l'origine de sa célébrité.

Se repérer – Une route longe presque tout le littoral : la route des Sanguinaires sur la rive Nord, la D 155 vers le Sud jusqu'à Portigliolo.

À ne pas manquer – Le coucher du soleil à la pointe de Parata.

Organiser son temps – Reportez-vous au temps indiqué ci-dessous pour chacun des circuits de découverte proposés ; ils ne tiennent naturellement pas compte des pauses baignade. Comptez environ 2h30, dont une heure d'escale, pour l'excursion en bateau aux Sanguinaires (l'après-midi seulement).

Avec les enfants – Le sentier du myrte à Pietrosella pour une courte promenade ludique et pédagogique ; le parc de loisirs Acqua Cyrné Gliss pour un moment de détente rafraîchissant.

Pour poursuivre la visite – Voir aussi Ajaccio.

Les couleurs

Les noms de lieux parlent d'eux-mêmes : les îles Sanguinaires sont constituées d'une roche rouge sombre ; le Campo dell'Oro (le « champ d'or », en référence peut-être au blé jadis présent) évoque le jaune de la plaine cultivée située derrière l'aéroport ; enfin la mer déploie dans tout le golfe ses tons intensément bleus. Les trois couleurs primaires sont bien là et leurs combinaisons créent une palette de vert, d'orange et de violet. Ajoutons à cela une pointe de gris-blanc scintillant avec la plage d'Argent.

Découvrir

LES ÎLES SANGUINAIRES★★

Pour approcher au plus près des Sanguinaires en voiture, quitter Ajaccio par l'Ouest et prendre la rte des Sanguinaires (12 km) qui mène à la pointe de la Parata. Le mieux, bien sûr, est d'entreprendre une excursion en bateau.

L'image que les voyageurs se font de la Corse semble toute entière contenue dans ces quatre îlots aux contours abrupts baignés d'une mer limpide. Promontoires de porphyre d'un rouge sombre, ils prolongent la pointe de la Parata et se disposent en sentinelles à l'entrée du golfe. Au coucher du soleil, ils se parent d'une chaude couleur ocre rouge.

Route des Sanguinaires.

Lettres de mon moulin

Alphonse Daudet habita le phare des Sanguinaires en 1863 et consacra à la grande île une des *Lettres de mon moulin* : « Figurez-vous une île… d'aspect farouche : le phare à une pointe, à l'autre une vieille tour génoise où, de mon temps, logeait un aigle. En bas, au bord de l'eau, un lazaret en ruine envahi de partout par les herbes ; puis des ravins, des maquis, de grandes roches, quelques chèvres sauvages, de petits chevaux corses gambadant, la crinière au vent ; enfin, là-haut, tout en haut, dans un tourbillon d'oiseaux de mer, la maison du phare avec sa plate-forme en maçonnerie blanche… »

De nombreuses spéculations circulent sur le nom de l'archipel. Il ferait allusion au sang noir *(i sangui neri)* des malades atteints de la lèpre. Mais l'interdiction d'installer des lazarets en Corse invalide cette hypothèse. Le nom proviendrait plutôt des îles *Sagonarii* situées à l'entrée du golfe de Sagone.

Excursion en bateau★★

✆ 04 95 21 83 97 - www.naveva.com - SARL Nave Va - accès en vedette au dép. du port d'Ajaccio - quai Napoléon - face à la pl. Mar.-Foch - apr.-midi - arrêt (1h) sur l'île - de déb. avr. à fin oct. - 22 €.

Cette promenade en vedette permet d'avoir une vue d'ensemble de la ville d'Ajaccio. Le bateau longe la côte Nord du golfe. Puis il passe au large de la pointe de la Parata couronnée d'une tour génoise pour accoster la **Grande Sanguinaire**. C'est le plus éloigné du rivage et le plus important des quatre îlots qui constituent cet archipel. La Grande Sanguinaire fut concédée par Gênes en 1503 à la famille ligure des Ponte « sous la condition qu'elle y plante 800 ceps de vigne et 600 arbres fruitiers ». L'îlot a conservé sa physionomie, mais on n'y voit plus d'aigle, de chèvres sauvages ni de petits chevaux *(voir* Lettres de mon moulin*)*. Sur la Grande Sanguinaire s'élèvent un phare à éclipses, un ancien sémaphore et une tour en ruine. Gagner l'extrémité de l'îlot en longeant le bord de mer ou monter au phare. De ces deux endroits, on découvre une **vue★★** splendide sur le golfe d'Ajaccio.

Circuits de découverte

ROUTE DES SANGUINAIRES ET ANSE DE MINACCIA★ 1

29 km – environ 1h30. Quitter Ajaccio par la D 111.

La route borde la côte Nord du golfe ; elle permet de découvrir la « corniche ajaccienne » où s'étendent les quartiers résidentiels, au pied de la ligne de crête. Quelques agréables petites plages font face à l'immensité du golfe. Entre la chapelle des Grecs et Scudo, postées le long de la mer, d'imposantes chapelles funéraires de familles ajacciennes contrastent sensiblement avec les villas, immeubles, hôtels et restaurants qui s'élèvent sur les premières hauteurs et en bordure de la route jusqu'à la pointe de la Parata. Plusieurs plages de sable fin caressées d'eaux claires se succèdent, animées par quelques bars d'où l'on peut admirer de superbes couchers de soleil.

Chapelle des Grecs

Ce modeste édifice de style baroque très sobre, surmonté d'une jolie croix de fer forgé, s'élève sur la gauche peu après la place Emmanuel-Arène. La chapelle évoque le souvenir de la communauté grecque qui, chassée de Paomia en 1731, s'installa à Ajaccio avant de s'établir à Cargèse *(voir p. 224)*. À droite de la place ombragée de micocouliers qui borde l'édifice, un sentier descend vers la mer.

Marinella

Cette belle plage, chantée par Tino Rossi, est tapissée de sable fin blanc. De nombreux Ajacciens y viennent le week-end.

Pointe de la Parata

Ce promontoire de granit noir est surmonté de la **tour de la Parata**, édifiée par les Génois pour protéger l'île des incursions barbaresques. La route s'arrête au pied du promontoire.

Le chemin qui la prolonge permet de gagner l'extrémité de la pointe *(30mn à pied AR)* qui offre une **vue★★** rapprochée sur les îles Sanguinaires.

Reprendre la route en sens inverse ; au bout de 2 km environ, emprunter à gauche la D 111^B, signalée « Capu di Fenu » (juste après l'hôtel Goéland). Poursuivre pendant 8 km *environ l'itinéraire qui serpente au milieu de pâturages clôturés. Suivre alors la direction « Paillote Capo di Feno, chez Dume », une route non goudronnée (sur 200 m) mène à un terre-plein servant de parking.*

Plage de Grand Capo★

Les Ajacciens affectionnent cette plage, belle et vaste étendue de sable fin, entourée de collines à la végétation rabougrie. Eau turquoise et impression de « bout du monde », les lieux sont restés sauvages. L'ouverture vers le large et l'orientation des vents attirent les adeptes du surf ; des compétitions s'y déroulent.

Rentrer sur Ajaccio par la D 11B (route de Saint-Antoine).

CÔTE SUD DU GOLFE★★ 2

104 km – environ 4h. Quitter Ajaccio par la N 193 puis suivre la route de Sartène (N 196).

Peu après la pointe d'Aspreto, on laisse, à droite, la jolie route bordée de pins qui mène à l'aéroport d'Ajaccio Campo dell'Oro et dessert la grande plage du Ricanto, très fréquentée.

Franchir la Gravona, puis le Prunelli, et prendre à droite la D 55 vers Porticcio.

Porticcio

Liaison par bateau-navette avec le port d'Ajaccio en saison. Cette station balnéaire, admirablement située face à Ajaccio, est un haut lieu du tourisme. On s'y retrouve pour profiter des plaisirs de la plage et des loisirs dont celui de la thalassothérapie.

De l'extrémité de la pointe, la vue s'étend sur la rade d'Ajaccio et les îles Sanguinaires.

La tour de Capitello

On aperçoit de la route cette tour génoise qui se dresse au Sud de l'aéroport, à l'embouchure de la Gravona. Elle rappelle la fuite d'Ajaccio en 1793 des Bonaparte sous la pression de la population favorable à la résistance de Paoli à la Convention.

À la sortie de Porticcio, la route borde la longue **plage d'Agosta** et laisse sur la droite la **presqu'île d'Isolella**, lieu paradisiaque dont la pointe porte une ancienne tour génoise *(propriété privée)*. Plusieurs élégantes petites criques, plus tranquilles que la plage d'Agosta, sont des mouillages bien abrités.

La route contourne ensuite la **plage de Ruppione** dans une anse profonde et passe à la lisière de la forêt de Chiavari.

Pietrosella (Pitrusella)

À la sortie du hameau (vaste espace, sur la gauche de la route, où l'on peut laisser la voiture), un sympathique **sentier du myrte** *(1h)* a été aménagé et balisé par l'ONF. Il permet aux botanistes en herbe d'effectuer une courte promenade odorante dans un maquis peuplé d'arbousiers, de myrtes, d'oliviers sauvages (oléastres), de lavande, de bruyères arborescentes, de lentisques et de cistes aux fleurs blanches ou mauves.

Au port de Chiavari, prendre à droite la route de la pointe de la Castagna (Punta di a Castagna) *(D 155)* qui suit la côte et procure de beaux coups d'œil sur le golfe. On rejoint le sable fin de la belle plage de **Mare e Sole**, dite **plage d'Argent**, ombragée par quelques pins sur son extrémité Sud. Sur la droite apparaît l'île Piana couverte d'une végétation dense.

La route suit la petite **anse de Portigliolo** bordée d'une plage avant de monter au hameau de la Castagna, dominé d'une tour génoise *(terrain militaire)*.

Revenir sur ses pas jusqu'à l'embranchement où l'on prend à droite la route de Coti-Chiavari (D 55).

Forêt de Chiavari★

L'étroite route bordée de majestueux eucalyptus pénètre dans la forêt domaniale, puis longe les bâtiments en ruine de l'ancien pénitencier fermé en 1906. S'arrêter sur le vaste terre-plein (un endroit idéal pour une pause pique-nique !). Du rebord dominant le littoral, belle vue sur le golfe d'Ajaccio. Au-delà, dans la montée vers Coti, la route en lacets serrés ménage, au hasard de trouées dans les frondaisons souvent impénétrables du maquis, de superbes vues sur le golfe.

Coti-Chiavari

Ce village, bâti en terrasse, tire son origine du peuplement de la région en 1714 par des habitants de la localité ligure de Chiavari, proche de Gênes. Son esplanade ombragée, formant belvédère, offre un agréable point d'observation vers la pointe de la Castagna et les îles Sanguinaires. D'autres **vues**★★ sur les golfes d'Ajaccio et

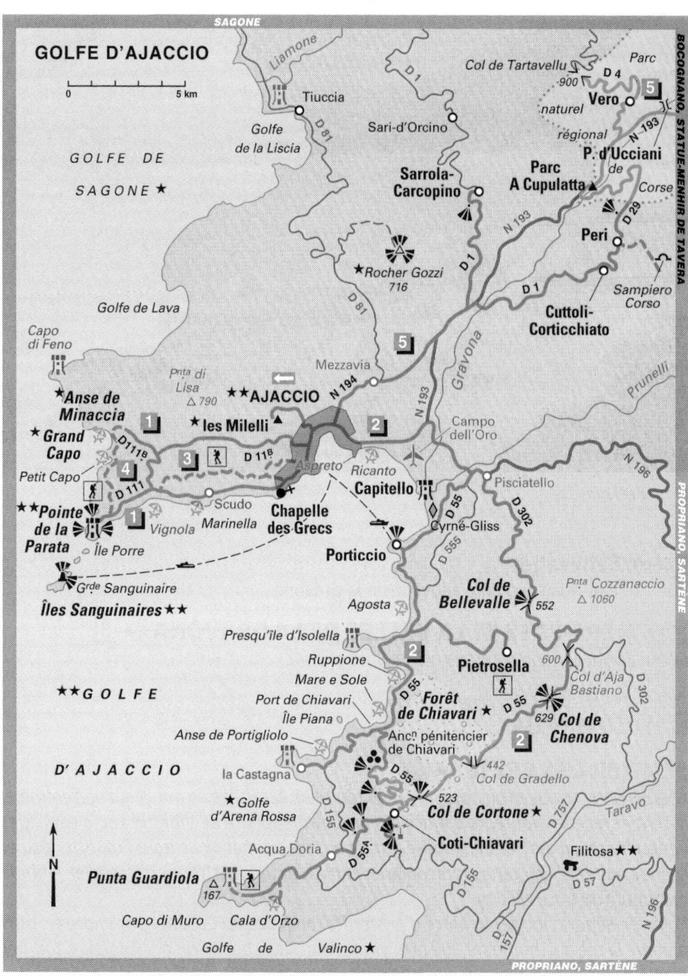

de Valinco, plus exceptionnelles encore, se dévoilent si l'on suit la route d'accès au relais de télévision et au camp militaire *(accès interdits)*.

Reprendre la route vers Acqua Doria et la presqu'île du Capo di Muro.

Sur la gauche, un chemin descend vers la belle plage de la **Cala d'Orzo**… où subsiste une « paillote » qui naguère défraya la chronique.

La route se termine brutalement. Laisser la voiture et poursuivre à pied sur un chemin non balisé (hors quelques cairns), tracé dans le prolongement. Au 1er embranchement, prendre sur la gauche le sentier en pente, puis continuer tout droit en négligeant le 2e sentier sur la gauche.

Punta Guardiola

1h à pied AR. Le promontoire, dominé par une tour génoise, ferme, au Sud, le golfe d'Ajaccio. À ses pieds s'ouvre le beau golfe d'**Arena Rossa★**, aux contours sauvages et boisés.

Revenir à Coti-Chiavari.

De là, le retour à Ajaccio s'effectue par la **route des Cols★** *(D 55)* qui embrasse le golfe d'Ajaccio.

Col de Cortone

Par-delà la **forêt de Chiavari**, **vue★** sur le golfe d'Ajaccio de la pointe de la Castagna à celle de la Parata ; au Sud sur le golfe de Valinco.

Col de Chenova

Vue sur la pointe de Sette Nave avec la tour de l'Isollela, sur les îles Sanguinaires et sur la vallée du Taravo. La route serpente alors dans un maquis très dense.

Au col d'Aja Bastiano, prendre à gauche la D 302.

Amaury de Valroger / MICHELIN

Plage de Marinella.

Col de Bellevalle

Vue sur le golfe et la plaine alluviale de la Gravona.

L'ARRIÈRE-PAYS ET LA VALLÉE DE LA GRAVONA★★ 5

50 km de Bocognano à Ajaccio (voir à Bocognano).

Randonnées

SENTIER DES CRÊTES★ 3

3h aller ; retour en bus, ou à pied environ 1h30. Accessible au marcheur non entraîné, le sentier relie les hauteurs d'Ajaccio à la centrale solaire de Vignola sur la route des Sanguinaires ; il est très bien balisé par de grands panneaux de bois. Emporter eau et crème solaire et éviter cette promenade les jours de grand vent (risque d'incendie). Altitude maximum du tracé : 360 m.

Point de départ : longer la place d'Austerlitz (ou place du Casone) par la droite, puis prendre la rue qui monte sur 200 m environ. À l'arrêt de bus « Bois des Anglais », tourner à gauche. Parking. Un panneau signale le sentier.

Il est possible d'écourter la balade : même point de départ mais, au col de Fortone, bifurquer sur la gauche par le sentier balisé qui rejoint la mer au niveau du parc Berthault. Retour sur Ajaccio par la route. Un peu plus d'une heure pour effectuer la boucle.

Le sentier se hisse en pente douce à travers la végétation du maquis : figuiers de Barbarie mêlés aux chênes verts. Il domine rapidement la ville d'Ajaccio, le golfe puis les Sanguinaires. Superbes points de vue tout au long du chemin. À l'arrivée à Vignola, contourner l'enceinte de la centrale solaire par la gauche avant d'atteindre l'agréable plage pour profiter des plaisirs de la baignade.

Retour par le bus n° 5 reliant la Parata au centre-ville depuis l'arrêt de Vignola (fréquence estivale : ttes les 30mn). À pied par la route, compter 1h30.

Un immigré bien assimilé en Corse : l'eucalyptus

Originaire d'Australie où il peut atteindre des hauteurs impressionnantes (plus de 100 m !), l'eucalyptus (espèce *globulus*) fut introduit en Corse au 19e s. dans les environs du pénitencier de Chiavari pour en assainir l'environnement. En effet, gros consommateur d'eau, l'eucalyptus pompe le sol et assèche les zones marécageuses ; en outre ses feuilles ont des vertus antiseptiques et repoussent les moustiques.

En Corse, la plupart des eucalyptus forment des plantations réalisées dans le cadre des fonds forestiers nationaux destinés au reboisement de domaines jusqu'alors composés de landes ou de terres insalubres. Ainsi près de 900 ha furent plantés dans les plaines côtières orientales jusqu'en 1960.

Certains secteurs de l'île, comme ceux de Coti-Chiavari, de Porto-Vecchio, de Porto ou de Sagone constituent, par la taille impressionnante de leurs peuplements et leur capacité de régénération, une part du patrimoine naturel de l'île.

ANSE DE MINACCIA★ 4

1h jusqu'à Petit Capo, 1h30 jusqu'à Grand Capo (anse de Minaccia). Promenade sans difficulté ; bien se chausser et prévoir de l'eau. Point de départ : environ 1 km avant le parking de la Parata, un large chemin de terre s'amorce à une centaine de mètres avant la chapelle précédée d'un obélisque.

Le chemin, bien tracé, franchit une crête qui procure de superbes vues sur les îles et la côte sur ses deux versants avant d'atteindre les belles plages sauvages de Petit Capo et de Grand Capo.

Golfe d'Ajaccio pratique

Voir également le carnet pratique d'Ajaccio.

Adresse utile

Office de tourisme de Porticcio – Plage des Marines - 04 95 25 01 01 - www.porticcio.org - juil.-août : 8h-20h30, dim. 9h-13h, 16h-19h ; sept.-oct et avr.-juin : 8h-19h, dim. 9h-13h ; nov.-mars : tlj sf dim. et j. fériés 8h-12h30, 14h-18h, sam. 8h-12h, 14h-17h.

Se loger

Le Belvédère – *20138 Coti-Chiavari - 04 95 27 10 32 - fermé 11 nov.-15 fév. et le midi sf dim. de fév. à mai - - 13 ch. 50/66 € - 5 € - rest. 25/28 €.* Tel un nid d'aigle, perché en plein maquis, cet hôtel n'a pas usurpé son nom. La vue sur le golfe d'Ajaccio est à vous couper le souffle, dans votre chambre au mobilier de bois peint ou dans la salle à manger panoramique. Prévenir pour les repas.

Camping U-Prunelli – *Bord du Prunelli - 20166 Porticcio - 3,5 km NE de Porticcio par D 55 (rte d'Ajaccio) - 04 95 25 19 23 - camping-prunelli@wanadoo.fr - ouv. avr.-oct. - réserv. conseillée - 200 empl. 26 € - restauration.* Dans un environnement sauvage et luxuriant, voici un beau terrain aux emplacements bien délimités et ombragés. Vous aimerez flâner sous la treille de la terrasse du bar et batifoler dans les eaux des deux piscines à débordement. Location de chalets.

Chambre d'hôte Piaggiola – *20166 Porticcio - 13 km au SE de la plage d'Agosta par D 255a (dir. Pietrosella) puis D 255 à droite - 04 95 24 23 79 - fermé fin janv. au 15 avr. - - 6 ch. 62 € - repas 22 €.* Chaleur de l'accueil, sens de l'hospitalité, cuisine honorant les produits du terroir et immenses chambres… Cette grande bâtisse en granit nichée au cœur d'une magnifique propriété ne manque pas d'atouts pour séduire. Et tout cela à quelques minutes des plus belles plages de l'île !

Kallisté – *Rte du Vieux-Molini, Agosta-Plage - 20166 Porticcio - 04 95 25 54 19 - info@hotels-kalliste.com - fermé 12 nov.-14 mars - - 9 ch. 92/118 € - 10 €.* Un joli jardin clos assure la tranquillité de cette villa nichée au cœur d'un quartier résidentiel, dans la très prisée station balnéaire de Porticcio. Chambres sobrement décorées ; expositions (mer ou verdure) et ampleurs diverses.

Se restaurer

Chez Alain – *Agosta Plage - 20166 Porticcio - 04 95 25 97 54 - www.antona.gregory@wanadoo.fr - fermé déc., dim. soir et merc. de janv. à avr. - 8/35 €.* On vient de toute la région pour la belle carte de plats de moules proposée ici. Accommodées à toutes les sauces (au curry, marinières, corses, etc.), elles sont toujours d'une fraîcheur irréprochable. Également petite carte traditionnelle. Cadre très simple, service efficace et surtout jolie terrasse face à la mer.

L'Ariadne Plage – *Rte des Îles-Sanguinaires - 20000 Ajaccio - 04 95 52 09 63 - fermé nov. à déb. janv. - 10/40 €.* Faisant écho à la « world music », chère au patron, la cuisine de ce restaurant fait le tour du monde : de Cuba à la Thaïlande, en passant par les recettes locales de poissons, toutes les saveurs exotiques sont là. Rythmes et ambiance garantis, surtout les soirs de concert sur la plage.

La Crique – *À Agosta-Plage - 20166 Porticcio - 04 95 25 94 73 - lacrique.agosta@wanadoo.fr - fermé 15 nov.-6 déc., 9-24 janv., dim. soir et lun. sf 13 juil. au 22 août - 15/24 €.* Murs lambrissés, arches en pierre et grosses planches en pin créent une atmosphère montagnarde dans la petite salle à manger. Et si vous choisissez de vous attabler en terrasse, le sable de la plage d'Agosta sera presque à vos pieds ! L'adresse, tenue par un patron jovial, propose en toute simplicité salades, poissons, et plats régioanux.

Auberge du Prunelli – *20129 Pisciatello - 12 km à l'E d'Ajaccio par N 194 puis N 196 - 04 95 20 02 75 - fermé janv. et mar. - 17,50/29 €.* Légumes du jardin et produits corses au menu de cette maisonnette de Pisciatello, juste à côté de l'ancien pont du Prunelli. Dans sa salle à manger simple et campagnarde, vous pourrez goûter une cuisine du cru sans prétention.

Chez Séraphin – *Usciatellu-Village - 20167 Peri - 04 95 25 68 94 - fermé 12 oct.-12 déc., lun.-jeu. du 12 nov. au 1er juil., mar. midi, merc. midi et lun. de juil. à sept. - 37 € - .* Vous vous sentirez comme chez vous dans cette maison en grosse pierre du pays : la salle à manger est tapissée de portraits de famille et l'ambiance y est plutôt conviviale. À table : cuisine corse authentique et généreuse, avec menu unique et vin à volonté !

Que rapporter

Samira e Ghjilormu Pierlovisi - a Muresca – *Funtanaccia - 20167 Cuttoli-Corticchiato - ✆ 04 95 25 61 49 - jerome.piercovisi@worldonline.fr - téléphoner pour RV 9h-20h.* Éleveur-transformateur, M. Pierlovisi propose ses excellents produits alimentaires : charcuteries (coppa, *salamu, prisuttu, lonzu*...), châtaignes transformées (liqueur, farine faite maison avec un moulin traditionnel) au label « Bio », terrines et liqueurs.

Casa Napoléon – *Centre Commercial de la Viva - 20166 Porticcio - ✆ 04 95 25 17 72 - www.corsicagastronomia.com - lun., mar., jeu.-sam. 9h-12h30 et 15h-19h, merc., dim. 9h-12h30, juil.-août tlj 8h30-12h30, 15h-19h30.* La charcuterie proposée dans cette boutique est exceptionnelle : à base de porcs corses de montagne élevés en liberté, elle offre saveur incomparable et grande finesse. Les jambons et les saucissons, les confitures, nougats et fruits confits proviennent également de l'atelier de production de la maison.

Clos Capitoro – *Rte de Sartène, lieu-dit Pisciatella - carr. N 196/D 302 - 20166 Porticcio - ✆ 04 95 25 19 61 - www.clos-capitoro.com - tlj sf dim. 9h-12h, 14h-18h - fermé j. fériés.* Dans la famille Bianchetti depuis 1856, le clos Capitoro produit des vins AOC ajaccio et des vins doux naturels d'apéritif (à base de cépage grenache) et de dessert (les malvoisies : vins moelleux pouvant aussi accompagner foie gras et viandes blanches). Visite de la cave, dégustation et vente.

Domaine Comte Peraldi – *Chemin de Stiletto - 20167 Mezzavia - ✆ 04 95 22 37 30 - dom.peraldi@wanadoo.fr - tlj sf dim. 8h-12h, 14h-18h - fermé j. feriés.* Dominant le golfe d'Ajaccio, le domaine appartient à la famille Péraldi depuis le 16e s. La façade des caves est ornée d'une magnifique fresque représentant la vie du domaine lors des quatre saisons. Souvent primés, les vins du domaine Péraldi se veulent les ambassadeurs d'Ajaccio à travers le monde amateur de bons vins. Dégustation et vente.

Sports & Loisirs

Acqua Cyrné Gliss – 👪 - *D 55 - 20166 Porticcio - ✆ 04 95 25 17 48 - www.acquagliss.com - juin-sept. : 10h30-19h - de 7 à 16,50 €.* Dans ce parc de loisirs aquatiques, la glisse est reine. Cinq toboggans avec décors animés font le bonheur des petits mais aussi des plus grands. Aires de jeux, bar et petite restauration.

Amaury de Valroger / MICHELIN

Plongeurs du club E Ragnole.

E Ragnole – *12 cours Lucien-Bonaparte, plage Trottel - ✆ 04 95 21 53 55 ou 06 08 47 25 51 - www.eragnole.com - avr.-oct. : tlj ; nov. et mars : w.-end et vac. scol. - à partir de 30 €.* E Ragnole, centre de plongée agréé, propose des baptêmes, des explorations pour les plongeurs plus aguerris (dans et hors du golfe d'Ajaccio) et des sorties à la journée dans la réserve de Scandola. Des formations et des expéditions sont spécialement organisées pour les enfants.

Couleur Corse – *13 bd François-Salini - 20000 Ajaccio - ✆ 04 95 10 52 83 - www.couleur-corse.com.* Organisation de séjours découverte en Corse.

Maeva Plongée – *Les Marines BP 48 - 20166 Porticcio - ✆ 04 95 25 02 40 - www.maeva-plongee.com - avr.-oct. : 8h-20h.* Installé depuis 1986 aux Marines de Porticcio, Maeva Plongée organise des baptêmes pour les novices et des explorations pour les plongeurs plus aguerris.

Aléria★

1 966 ALÉRIAIS
CARTE GÉNÉRALE C4 – CARTE MICHELIN LOCAL 345 G7 – HAUTE-CORSE (2B)

L'archéologie ressuscite depuis les années 1950 l'ancienne cité antique. C'est aujourd'hui un site unique en France, le seul témoignage d'envergure de l'implantation au 6e s. des Phocéens. Au débouché de la vallée du Tavignano, qui relie aisément le rivage à l'intérieur de l'île, et à proximité d'un abri portuaire naturel, Alalia fut ainsi la première métropole historique de la Corse. La cité connut des fortunes diverses jusqu'à la chute de Rome et aux invasions des Vandales. Véritable voyage à travers les civilisations méditerranéennes, les lieux offrent aussi d'agréables promenades le long des étangs et des rives du Tavignano.

Se repérer – Aléria se trouve à peu près à mi-chemin entre Bastia et Porto-Vecchio, le long de la N 198. Dominant le cours inférieur du Tavignano, un plateau de 40 à 60 m d'altitude et de plus de 2 km de long s'élève à 4 km de la mer. Au Nord-Est s'ouvre l'étang de Diane, le meilleur abri naturel de la côte pour les vaisseaux de l'Antiquité. Accès au musée et au site par une petite route, sur la droite de la N 198 lorsqu'on vient de Cateraggio. Parking obligatoire à l'entrée du hameau.

À ne pas manquer – Le musée Jérôme-Carcopino.

Pour poursuivre la visite – Voir aussi Cervione, Ghisonaccia.

Comprendre

Un relais du commerce attique – Après avoir fondé Marseille en 600 av. J.-C., les Phocéens (Grecs de Phocée, ville d'Asie Mineure) créèrent en Corse, vers 565, un comptoir à Alalia. Vingt ans plus tard, chassés de Phocée par la conquête perse, ils s'installèrent à Alalia et en firent leur métropole (de 540 à 535 av. J.-C.).

Amoindris par les batailles contre les Étrusques et les Carthaginois, les Phocéens transférèrent leur capitale à Marseille et utilisèrent Alalia comme relais commercial. Ce dernier servit d'escale sur les voies maritimes entre la Provence, l'Italie, la Sicile, l'Espagne et l'Afrique du Nord et devint un port d'importation pour la Corse.

La cité et l'intérieur de l'île connurent donc les influences helléniques avant de s'ouvrir aux autres civilisations méditerranéennes.

Amaury de Valroger / MICHELIN

Fort de Matra.

La base navale de Rome – En 259 av. J.-C., Rome enleva Aléria aux Carthaginois qui la contrôlaient depuis vingt et un ans, et entreprit la conquête de l'île. Jusqu'en 163 av. J.-C., la République dut réprimer de nombreuses révoltes des peuplades de l'intérieur ; la Corse perdit alors plus de la moitié de sa population.

L'île, qui formait avec la Sardaigne une province romaine, fut soumise aux aléas de la politique intérieure de la République. En 81 av. J.-C., Sylla, par mesure punitive, transforma Aléria en colonie militaire. Tour à tour, Pompée, César puis Octave s'emparèrent de la cité.

Sous l'empire, Aléria devint la capitale de la province Corse, séparée de la Sardaigne. Auguste (empereur de 27 av. J.-C. à 14 apr. J.-C.) créa un port de guerre dans l'étang de Diane, un port de commerce au pied du plateau dans un coude du Tavignano (où ont été trouvées les ruines des thermes de Santa Laurina des 2e et 3e s.) et fit entreprendre de vastes travaux d'aménagement. Après lui, les empereurs Hadrien, Caracalla et Dioclétien continuèrent à agrandir et à embellir la cité. Celle-ci connaissait alors un grand rayonnement et, par son intermédiaire, la civilisation romaine se répandit dans l'île. Pourtant Aléria ne résista pas à la lente décadence de l'Empire romain. Resserrée sur son plateau, décimée par la malaria, elle fut incendiée par les Vandales et finalement abandonnée au début du 5e s. apr. J.-C.

Le saviez-vous ?

L'antique cité porte l'empreinte des différents peuples méditerranéens qui l'ont convoitée : Phocéens, Étrusques, Carthaginois, Romains et Génois. À son époque faste, Aléria accueillait jusqu'à 80 000 habitants. La bourgade en regroupe aujourd'hui 1 966.

Une terre longtemps déshéritée – Après le départ des Romains, la population, fuyant les incursions barbaresques, abandonna la plaine d'Aléria. Les eaux descendues des montagnes se perdirent alors dans les terres et formèrent des marécages malsains. Le paludisme fit des ravages. Cernés par un haut maquis, les villages de Ghisonaccia, Aghione et Aléria tirèrent, durant des siècles, leurs maigres ressources de l'élevage et d'une agriculture aux techniques archaïques.

En 1944, les troupes américaines basées dans la plaine orientale inondèrent cette dernière de DDT, éradiquant définitivement la malaria. À l'heure actuelle, l'irrigation et la modernisation des méthodes agricoles ont transformé en un vaste verger cette région qui fut longtemps la plus déshéritée de Corse.

Visiter

Fort de Matra★

Sur la colline à l'extrémité du village s'élève le fort de Matra. Construit par les Génois à la fin du 15e s. sur un emplacement déjà fortifié, il a subi de nombreux remaniements et a été récemment restauré. Il abrite le musée départemental d'Aléria Jérôme-Carcopino.

Musée Jérôme-Carcopino★★ – *✆ 04 95 57 00 92 - www.cg2b.fr - de mi-mai à fin sept. : 8h-12h, 14h-19h ; reste de l'année : 8h-12h, 14h-17h. - fermé dim. (oct.-mars), 1er janv., 1er Mai, 1er et 11 Nov., 25 déc - 2 € (enf. 1 €)*

Ce musée regroupe une collection d'objets provenant de la nécropole préromaine et du site de la colonie d'Aléria fouillés et mis en valeur depuis 1955 par J. et L. Jehasse.

Divers objets de bronze, de fer, de verre et une précieuse collection de céramiques attestent la continuité des relations commerciales entre Aléria, la Grèce et l'Italie.

Parmi les céramiques étrusques, remarquer un groupe d'œnochoés (vases à verser le vin) provenant de Faléries et une série de cratères peints (vases à large ouverture servant aux mélanges d'eau et de vin) dont celui de Vulci représentant Pirithoos aux enfers. Les plus belles pièces viennent de l'Attique : une coupe attribuée à Panaitios (vers 480 av. J.-C.) ; un **cratère du peintre du Dinos** (vers 425 av. J.-C.) où l'on voit Dionysos assis, entouré de deux satyres et d'une nymphe.

Revenir sur ses pas. Le hall d'entrée et la salle suivante présentent le passé romain d'Aléria (plans, inscriptions, monnaies, amphores, lampes à huile…).

Dans la salle 2, on remarque une superbe tête de marbre : **Jupiter Hammon**, le front ceint de cornes de bélier, datant de l'époque de Trajan.

Dans les salles suivantes sont exposés les objets découverts dans la nécropole, en particulier des **bronzes étrusques** et une collection de **céramiques attiques** (coupes et cratères) des 5e et 4e s. av. J.-C. à figures rouges et noires. Signalons

L'emprise hellénique

Les Phocéens exploitaient les mines de cuivre et de fer de la région de Venaco et de Corte, le plomb argentifère de Ghisoni et les forêts. Ils utilisaient l'argile corse pour leurs céramiques. Ils tiraient parti des étangs voisins riches en huîtres et en anguilles et développèrent les pêcheries et les salaisons. Les salines et le murex, coquillage dont les Anciens tiraient la pourpre, alimentaient une grande part de leur commerce. Ils introduisirent en Corse la vigne, l'olivier et le blé.

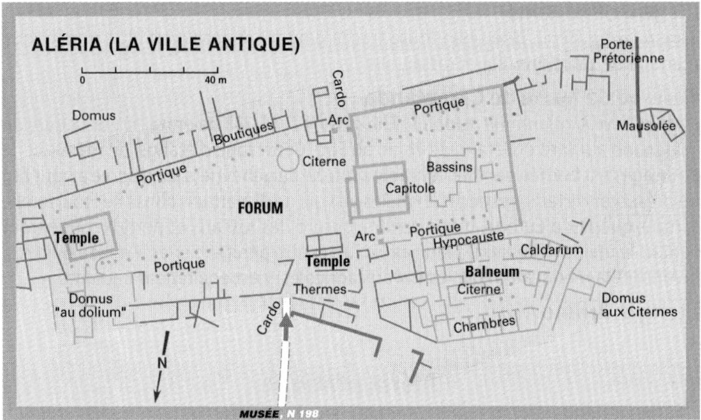

une coupe illustrant le thème d'Héraklès terrassant le lion de Némée (470 av. J.-C.) et un cratère du « peintre de Pan » (460 av. J.-C.) représentant Dionysos et Silène présidant à la vendange.

En sortant du fort, prendre à droite un chemin qui conduit à la cité antique.

La ville antique★

✆ 04 95 57 00 92 - de mi-mai à fin sept. : 8h-12h, 14h-19h, reste de l'année : 8h-12h, 14h-17h - fermé dim. (nov.-mars) et 1er janv., 1er Mai, 1er et 11 Nov., 25 déc. - 2 € (-10 ans, Printemps des musées gratuit).

Les fouilles ont permis de dégager le forum et le soubassement des principaux monuments de la ville romaine. Les lieux, peu spectaculaires pour les non-initiés, ont été replantés de pins et de cyprès.

Forum – *On y pénètre par l'axe Nord ou cardo, planté de châtaigniers.* Cette place de forme trapézoïdale, cœur de la vie publique de la cité, était bordée de portiques au Nord et au Sud. À ses extrémités se faisaient face un petit temple et le capitole.

Le capitole – *Accès par le portique Nord du forum.* Consacré à Jupiter, Junon et Minerve, c'est le monument religieux et politique le plus important de la colonie d'Aléria. Il a été rasé à l'époque génoise. On y accédait par un escalier monumental. Un triple portique le fermait vers l'Ouest et l'esplanade ainsi délimitée fut occupée au Bas-Empire par un petit ensemble thermal dont il reste les bassins.

Temple – Il date vraisemblablement de l'époque d'Auguste et présente un soubassement de galets taillés provenant du Tavignano. Sur son flanc Nord, l'abside d'un édifice chrétien montre la continuité de l'occupation du site à travers les siècles. Plus au Nord ont été dégagés les vestiges d'une vaste demeure dite **Domus « au dolium »** car elle possède en son milieu une grande jarre en terre cuite appelée *dolium*.

Balneum – Cet ensemble de plan trapézoïdal est séparé du capitole par le portique Nord. On y reconnaît les citernes, et probablement des chambres, vestiaires et salles, chauffées *(caldarium)* par un système de canalisations souterraines (hypocaustes). À l'Ouest du *balneum*, en bordure du plateau, était située une vaste *domus* où l'on distingue encore un hypocauste et des citernes destinées à des thermes privés.

Église St-Marcel

Fermé. Faisant face au fort, sur le site d'une ancienne cathédrale romane, cette église a été en partie construite avec des pierres provenant de la ville romaine (comme le montrent quelques éléments sculptés).

Aux alentours

Étang de Diane

3 km au Nord-Est d'Aléria. Accessible uniquement pour le restaurant.

Cet étang de 600 ha est un centre d'élevage de moules, de clovisses (ou palourdes) et d'huîtres. Dès l'Antiquité, l'étang de Diane, importante base de la flotte romaine, était réputé pour ses huîtres. Les huîtres sont importées de Bretagne à 18 mois ou 2 ans, puis commercialisées après huit mois d'affinage. L'élevage est surtout axé sur l'huître plate. L'îlot des Pêcheurs, au Nord-Est, a été formé par les valves plates de ces mollusques.

Plage de Padulone

3 km à l'Est d'Aléria. Une belle route tracée dans les vignes conduit à une longue étendue de sable gris. Bar et restaurant.

Réserve de faune de Casabianda

5 km au Sud. Accès interdit au public. Elle s'étend sur 1 748 ha entre l'embouchure du Tavignano au Nord et l'étang d'Urbino au Sud. Cette zone d'étangs, de marais et de pâturages est bordée par une véritable brousse de genévriers. La réserve a pour but de préserver certaines espèces animales en voie de disparition dans l'île : tourterelle turque, guêpier d'Europe, héron cendré, busard des roseaux et perdrix rouge trouvent ici le milieu nécessaire à leur survie. Un centre pénitencier en « milieu ouvert », favorisant la rééducation par les travaux agricoles, y est également implanté.

Étang d'Urbino *(voir p. 271)*

Aléria pratique

Adresse utile

Office de tourisme – Casa Luciana - ✆ 04 95 57 01 51 - tlj sf w.-end 9h-12h, 14h-18h.

Se loger

⊖ Le Banana's - Auberge du Corsigliese – *- N 200, à Casaperta - 10 km au NO d'Aléria par RN 200, rte de Corte - ✆ 04 95 57 04 87 - fermé dim. de nov. à déc. - P - 9 ch. 39/45 € - 5 € - rest. 12/40 €.* Une adresse des plus originales, à l'écart de l'agitation du bord de mer, comprenant piscine, salle de musculation, salon de coiffure, bar, restaurant... et une ferme exotique où vivent des autruches. Quelques chambres fonctionnelles et colorées.

⊖ Camping Marina d'Aléria – *Plage de Padulone - 3 km à l'E de Cateraggio par N 200 - ✆ 04 95 57 01 42 - info@marina-aleria.com - ouv. 15 avr.-15 oct. - réserv. conseillée - 220 empl. 31 € - restauration.* Parce qu'il est exactement en bord de mer, ce camping est un lieu rêvé pour le farniente, les baignades et les sports nautiques. Belle nature de pins, mimosas, eucalyptus et autres fleurs luxuriantes. Bungalows directement en bord de plage.

Se restaurer

⊖⊖ Aux Coquillages de Diana – *2 km au N d'Aléria par N 198 dir. Bastia - ✆ 04 95 57 04 55 - fermé janv. - réserv. conseillée - 16 € déj. - 25/35 €.* Une barge de bois est venue se poser sur les berges sauvages de l'étang de Diane. Malgré son allure de chalet ce restaurant n'oublie pas sa vocation maritime : objets et bibelots de la pêche et, à table, coquillages et poissons bien sûr. L'hiver retrouvez la même équipe à l'enseigne « Le Chalet » également sur l'étang.

Que rapporter

Domaine Mavela – *U Licettu - 3 km au S d'Aléria, prendre D 343 sur 1,5 km - ✆ 04 95 56 60 30 - mavela@wanadoo.fr - juin-sept. : 9h-20h ; oct.-déc. : tlj sf dim. 9h-12h, 14h-18h ; avr.-mai : tlj sf dim. 9h-12h, 15h-19h.* Cette distillerie élabore ses produits dans le respect de la tradition. On cultive les fruits de manière biologique, puis on les transforme sans colorant ni levure. Les eaux-de-vie de framboise, de cédrat, de myrte et de châtaigne sont les fleurons de ce domaine qui, en partenariat avec une brasserie, a créé le 1er whisky corse.

Les Vignerons d'Aléria – *N 200, lieu-dit Padulone - dir. plage de Padulone - ✆ 04 95 57 02 48 - tlj sf sam. et dim. 8h30-12h, 14h-17h30 ; été : jusqu'à 20h - fermé dim. et j. fériés.* La cave coopérative d'Aléria regroupe des vignerons tous situés dans les environs d'Aléria, haut lieu de l'histoire antique de la Corse. Elle propose de nombreux vins de qualité dont la « Réserve du Président », rouge, rosé ou blanc. Dégustation et vente.

Sports & Loisirs

Cure de remise en forme - Riva Bella – *Camping Naturiste Riva Bella - ✆ 04 95 36 38 38 - www.rivabella-spa.com - 10 avr.-oct. : 9h-13h, 15h-20h ; nov.-10 avr. : dim.-lun. et vend.-sam. 9h30-19h.* Cures anti-stress, soins du corps et du visage, hammam, hydrothérapie, enveloppement d'algues... Un bain de jouvence, à la carte ou en séjour. Sachez que le centre, à vocation naturiste, ouvre ses portes à tous et n'oblige pas à la tenue d'Ève.

Événements

Festa antica – Durant deux jours au début du mois d'août, Aléria replonge dans l'ambiance d'une cité romaine de l'Antiquité (Festa antica) : marché artisanal, joutes, olympiades, groupes de musique, repas et costumes romains, dégustation de vin.

Algajola

Algaghjola

216 ALGAJOLAIS
CARTE GÉNÉRALE A2 – CARTE MICHELIN LOCAL 345 C4 – SCHÉMA P. 144
HAUTE-CORSE (2B)

Nichée au creux le plus profond de la baie, une longue plage de sable fin a fait la popularité de cette agréable petite station balnéaire, établie entre les marines de Davia et de Sant'Ambroggio. Aux environs s'ouvrent des carrières de très beau granit porphyrique.

Se repérer – Accessible par la N 197 et le chemin de fer, Algajola se trouve à mi-chemin entre Calvi et L'Île-Rousse.

À ne pas manquer – Si vous êtes sur place un samedi soir, prévoyez une soirée musicale aux Trois Guitares.

Pour poursuivre la visite – Voir aussi la Balagne, Calvi, Corbara et L'Île-Rousse.

Le saviez-vous ?

La fondation d'Algajola remonte vraisemblablement aux Phéniciens. Selon la tradition, saint Paul, revenant d'Espagne, y aurait accosté.

Comprendre

Une vocation de place forte – De son architecture militaire, Algajola conserve des maisons blotties à l'intérieur de remparts, quelques ruelles et passages voûtés et une partie de sa citadelle au bout du promontoire. Jusqu'au 18e s., elle fut une défense génoise avancée de Calvi. La cité connut son apogée au 17e s. ; elle vivait surtout du commerce des olives et des huîtres. Ses remparts furent édifiés en 1664, pour la protéger d'un éventuel retour des Sarrasins qui l'avaient saccagée le 26 juin 1643. En 1729, les Corses insurgés contre Gênes s'en emparèrent. Par la suite, le marquis de Maillebois commandant les troupes françaises en Corse reconnut son importance de place forte lorsqu'en 1739, il réprima un soulèvement dans l'île. En 1767, elle fut pour Pascal Paoli une position de premier plan. L'essor de L'Île-Rousse provoqua, à la fin du 18e s., l'abandon presque total de la cité.

Se promener

Le bord de mer

La ville est bordée d'une belle **plage** longue de 1,5 km. Quelques bars, des activités nautiques et un camping animent le bord de mer. Au Sud d'Algajola, le quartier **San Damiano** accueille le petit port de pêche.

Citadelle★

Propriété privée, ne se visite pas. Construite au 17e s. autour d'un château (dont subsiste la tour fortifiée), elle conserve son bastion triangulaire et ses échauguettes.

Le site d'Algajola.

Le « château » servit de résidence au lieutenant-gouverneur de Balagne. En 1643, lors de la destruction d'Algajola par les Sarrasins, la garnison génoise s'y retrancha tandis que l'église St-Georges servait de refuge aux habitants.

Église St-Georges

Fermé. Cette église semi-fortifiée, placée sous le vocable du saint patron de la ville de Gênes, a été remaniée au 17e s. après avoir été incendiée par les Sarrasins. L'intérieur est éclairé par de petites fenêtres hautes et présente une abside à voûte génoise.

Algajola pratique

Visite

Visite guidée – L'association Loisirs et Culture organise des visites guidées (1h30) de l'église St-Georges et de l'ensemble de la ville en juil.-août : merc. 10h, au dép. de la gare. Se renseigner auprès de Mme Lemettre, ✆ 06 70 83 00 16.

Transports

Tramway de Balagne (ou train des plages) – Informations à la gare de L'Île-Rousse ou de Calvi - ✆ 04 95 60 00 50/61. D'avril à octobre, il relie Calvi à L'Île-Rousse en passant par Algajola et plusieurs plages du littoral. Prendre son billet dans le train car il n'y a pas de guichet à Algajola.

Se loger

Voir également les carnets pratiques de Calvi, de L'Île-Rousse et de la Balagne.

De la Plage – *✆ 04 95 60 72 12 - fermé 1er oct.-30 avr. - P - 36 ch. 62/65 € - 8 €.* Pension de famille au charme désuet postée au bord de la belle et longue plage. Bercés par le sac et le ressac, vous oublierez vite l'aspect monacal de certaines chambres !

Hôtel Saint-Joseph – *1 chemin de Ronde - ✆ 04 95 60 73 90 - fermé mi-oct. à mi-avr. - P - 15 ch. 65/83 € - 7 € - rest.* La gare du tramway de Balagne est proche, mais c'est surtout l'emplacement de ce petit hôtel, au bord d'une charmante crique, qui attire les habitués. Empruntez son escalier de bois et vous êtes sur les rochers face aux eaux claires de la mer. Chambres simples et calmes.

Hôtel Stellamare – *Chemin Santa-Lucia - ✆ 04 95 60 71 18 - stellamare2@wanadoo.fr - fermé 13 oct.-11 avr. - P - 16 ch. 80/90 € - 9 €.* Les chambres de ce petit hôtel, rénové dans le style provençal, dominent la citadelle d'Algajola et la mer. Petit parc, jardin et jolie terrasse pour le farniente.

Se restaurer

U Castellu – *10 pl. du Château - ✆ 04 95 60 78 75 - fermé de mi-oct. à fin mars - 10/35 €.* Ce pittoresque restaurant est aménagé dans une vieille demeure, mais dès les beaux jours on dresse les tables sur la jolie place face à la citadelle construite au 17e s. Cuisine goûteuse et soignée autour des richesses de la mer et des produits du terroir.

L'Ondine – *7A r. A.-Marina - ✆ 04 95 60 70 02 - www.hotel-londine.com - fermé nov.-mars - 18/30 € - 53 ch. 46/125 € - 7 €.* Pour un restaurant de bord de mer, quoi de plus naturel que de mitonner des petits plats aux saveurs iodées ? À table, on s'installera de préférence près des baies vitrées donnant sur la « grande bleue ». La terrasse sur plage vous incite à piquer une tête entre deux plats.

En soirée

Les Trois Guitares – *Rte de L'Île-Rousse - ✆ 04 95 60 11 05 - sam. à partir de 22h.* Tout en chantant le répertoire traditionnel, les frères Vicenti interprètent leurs propres textes. Ces Brassens insulaires ont en effet écrit la plupart des chants corses. Deux hommes au charme et à la sensibilité rares à ne manquer sous aucun prétexte.

Que rapporter

Produits Corses Costa – *ZA, Coopérative Oleïcole - ✆ 06 13 20 50 39 - tlj sf dim. 9h-12h, 14h-19h - fermé nov.-fév.* Dans le moulin qui jouxte cette boutique, les producteurs d'olives de la région apportent leurs fruits, et repartent un peu plus tard avec leur huile. Heureusement pour vous, quelques-uns en laissent une partie en dépôt... Outre ces produits extra, on trouve aussi sur place des vins, des biscuits, des confitures, etc.

Sports & Loisirs

Algajola Sport et Nature – *Villages Vacances l'Escale - ✆ 06 08 21 09 51 - contact@algajola-sportetnature.com.* Les nombreuses activités proposées font de ce village-vacances un véritable paradis des sports nautiques : plongée sous-marine, planche à voile, ski nautique, *wakeboard*, kayak de mer. Ceux qui n'ont pas le pied marin pourront parcourir en VTT les villages pittoresques des environs. Divers types d'hébergement sur place.

L'Alta Rocca★

CARTE GÉNÉRALE B6 – CARTE MICHELIN LOCAL 345 D9 – CORSE-DU-SUD (2A)

L'Alta Rocca est la partie orientale et montagneuse de l'ancienne seigneurie de la Rocca. Elle abrite de précieux témoignages d'un habitat préhistorique. Son paysage de versants boisés (chênes verts, pins maritimes et laricio, châtaigniers) et de plateaux abandonnés à la lande est semé de beaux villages aux massives maisons de granit, et sillonné de nombreux sentiers balisés.

Se repérer – Fermée au Nord par les massifs de l'Incudine et de Bavella, l'Alta Rocca s'ordonne autour de la vallée du Rizzanèse. C'est une région d'élevage extensif. Ses principales localités sont accessibles par la D 268, à droite de la N 198, 2 km au Nord de Sartène.

À ne pas manquer – Les sites de Cucurruzu et Cappula.

Organiser son temps – Le circuit de 39 km peut se réaliser en une demi-journée, mais si l'on inclut la visite de Ste-Lucie-de-Tallano (voir ce nom) et la visite du musée avec un arrêt dans l'après-midi au village de Carbini, mieux vaut consacrer la journée à ce secteur.

Avec les enfants – Partez à la recherche des vestiges préhistoriques du Pianu de Levie et du Chaos de Paccionitoli.

Pour poursuivre la visite – Voir aussi Aullène, Quenza, les sites de Cucurruzu et Capula, Ste-Lucie-de-Tallano, Zonza, Propriano.

Le saviez-vous ?

Alta Rocca signifie « haute roche » en langue corse et décrit bien la situation montagneuse de la contrée

Au Moyen Âge, l'Alta Rocca fut le territoire des puissants seigneurs della Rocca qui s'illustrèrent dans la lutte contre les Génois *(voir à la Cinarca)*.

Circuit de découverte

DE PROPRIANO À ZONZA

39 km – une demi-journée. Quitter Propriano par la route de Sartène (N 196) ; après le pont sur le Rizzanèse, prendre à gauche la D 268 vers Aullène.

À 4 km sur la gauche, un peu en contrebas de la route, un pont génois enjambe le Rizzanèse dont les eaux claires courent sur les galets.

Spin'a Cavallu (ou Cavaddu)★

Peut-être construit dès l'époque pisane, c'est sans doute le plus fameux des ponts génois. Il constituait le trait d'union entre les **« pièves »** du Vighjanu et de Sartène. Après les graves intempéries de l'automne 1993, une partie du pont a dû être profondément restaurée. Le paysage alentour a aujourd'hui retrouvé son charme bucolique. Une aire de pique-nique est aménagée sur la rive.

Gilles Magnin / MICHELIN

Pont Spin'a Cavallu.

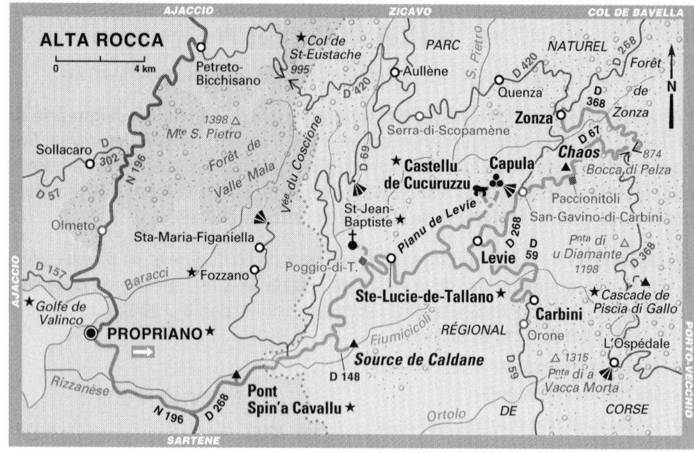

Poursuivre la D 268 en direction de Ste-Lucie-de-Tallano, puis emprunter à droite la D 148. Après avoir franchi le Fiumicicoli, continuer à gauche jusqu'au bar (propriétaire des Bains).

Source thermale de Caldane

À proximité du torrent, dans un joli site champêtre, la piscine thermale, alimentée par une source sulfureuse chaude, est fréquentée par des malades souffrant de rhumatismes et d'affections cutanées.

Revenir sur ses pas et reprendre la D 268.

On traverse un paysage de montagne et de maquis qui exhale de forts parfums, suaves et poivrés, caractéristiques du **ciste**. Sainte-Lucie-de-Tallano, première localité d'importance de l'Alta Rocca, apparaît bientôt, accrochée au flanc de la montagne.

Ste-Lucie-de-Tallano★ *(voir ce nom)*

Continuer la D 268 vers Levie. À 5 km, tourner à gauche en direction des sites archéologiques du Pianu de Levie (Cucuruzzu).

Le **Pianu de Levie** (*Pianu* en corse signifie « plaine » ou « plateau ») se situe à une altitude moyenne de 700 m au cœur de l'Alta Rocca. Son paysage de maquis, égayé de châtaigniers et de bosquets de chênes verts, est encore cloisonné de murs de pierres sèches, traces muettes d'une exploitation parcellaire fort ancienne. Le Pianu de Levie abrite un des sites préhistoriques les plus intéressants de Corse, le castellu (forteresse) de Cucuruzzu, et les ruines médiévales de Capula, dont la visite doit être associée à celle du musée de Levie.

Sites de Cucurruzu et Capula★★ *(voir ce nom)*

Reprendre la D 268 jusqu'à Levie.

Levie (Livia)

Le bourg, capitale de l'Alta Rocca, est situé sur un plateau granitique de 800 à 900 m d'altitude. Il est limité par les vallées du Rizzanèse et du Fiumicicoli, d'où émergent plusieurs chaos rocheux qui recèlent d'importants vestiges d'habitants néolithiques et de l'âge du bronze.

Du village de Levie, il est possible de rejoindre à pied (1h) les sites de Cucuruzzu et Capula *(voir ce nom)*. Départ du sentier en face de la fontaine (balisage orange). Le dernier kilomètre emprunte la route. Vue panoramique sur Levie.

Dans le village, prendre sur la droite la D 59 en direction de Carbini.

Musée de l'Alta Rocca★ – *✆ 04 95 78 46 34 - de mi-juin à fin sept. : 9h-18h ; de déb. oct. à mi-juin : tlj sf dim. et lun. 10h-12h, 14h-17h - fermé 1er Mai, Ascension, 1er et 11 Nov., 25 déc. - 2 € (-18 ans gratuit).*

Le nouveau musée constitue un bon complément à la découverte des sites du Pianu de Levie (Cucuruzzu). Présentées chronologiquement, les collections proviennent principalement des fouilles effectuées à Capula, Cucuruzzu, Caleca et Curacchiaghju. Elles présentent des objets variés relatifs aux modes de vie et aux techniques, du prénéolithique jusqu'au Moyen Âge.

On notera la présence de l'unique **vestige humain prénéolithique** mis au jour en Corse (6570 av. J.-C.), la **« dame de Bonifacio »**, ainsi que d'un squelette de *Prolagus*, mammifère rongeur (aujourd'hui disparu) tenant à la fois du lapin et du rat dont les anciens habitants des lieux étaient friands.

La **période néolithique** (6000 à 3000 av. J.-C.) est illustrée par une poterie ornée au poinçon (le curasien) et à la coquille (le cardial), associée à un outillage de silex et d'obsidienne, et à des éléments de parure en rhyolite.

L'**âge du bronze et l'âge du fer** (1800 à 250 av. J.-C.) sont évoqués par des céramiques, des bijoux en bronze et en pâte de verre. On observe également un squelette féminin bien conservé découvert à Capula dans une couche correspondant à l'âge du fer.

Enfin, le **Moyen Âge** est représenté par des pièces de monnaie et une vaisselle originale (cruchon pisan du 14e s.). Le **Christ en ivoire★**, œuvre d'une grande finesse, a été réalisé vers 1516 par un élève du sculpteur florentin Donato di Niccolò de Betto Bardi dit Donatello. On remarque la justesse des proportions, la vérité de l'anatomie, le réalisme des détails évoquant la douleur. Ce crucifix serait un don de Sixte Quint (pape de 1585 à 1590), dont la famille était originaire de Levie.

Reprendre la D 59 en direction de Carbini.

La route passe devant l'église à la jolie silhouette baroque. Elle serpente ensuite à flanc de montagne et traverse une région boisée à perte de vue. La forêt tapisse croupes, thalwegs, crêtes, mamelons, depuis les rives encaissées du Fiumicicoli et presque jusqu'aux sommets des monts. Quelques crêtes rocheuses comme la Punta di u Diamante ou la Punta di a Vacca Morta émergent de l'ensemble.

Carbini

Carbini s'élève dans les hautes collines granitiques du Sartenais. Au 2e s. de notre ère, le géographe grec Ptolémée y avait relevé l'existence d'une occupation humaine déjà très ancienne. Le village, avec son haut campanile, se voit à des kilomètres à la ronde.

L'**église San Giovanni Battista★**, superbe église piévane, fait partie d'un ensemble qui comprenait deux églises, un campanile et un baptistère. De nos jours, seuls subsistent l'église San Giovanni et le campanile voisin isolé. Mérimée, qui tenait ce **campanile★** pour le plus ancien de Corse, demanda sa restauration. Après sa tournée en Corse en 1839, il écrivit dans son rapport au ministre : « Ce clocher, très svelte et très élégant, produit un admirable effet dans le paysage lorsque, éclairé par le soleil couchant, il se détache sur les sombres montagnes du Coscione… »

L'église San Giovanni remonte probablement à la fin du 11e s. et relève des débuts de l'art roman pisan en Corse. Elle se distingue par son bel appareillage en moellons de granit et par son décor d'arcatures et de modillons en corniche et sur les frontons. Lors de fouilles archéologiques, on a retrouvé entre l'église et le campanile les bases d'une église San Quilico.

Amaury de Valroger / MICHELIN

Campanile de Carbini.

Revenir à Levie. Prendre la D 268 en direction de Zonza.

À la sortie de Levie, on traverse d'abord une forêt de pins, puis une rouvraie magnifique.

Chaos de Paccionitoli

Dans San-Gavino-di-Carbini, prendre à droite la D 67 vers Paccionitoli. Cette route facile relie en 7 km San-Gavino-di-Carbini et Paccionitoli au col de Pelza, en forêt de Zonza. Le plus souvent enserrée dans des murs de pierres sèches, elle traverse une zone de chaos granitiques aux formes étranges, à moitié enfouis dans une végétation dense de fougères et de maquis. Certains rochers évoquent des silhouettes d'hommes ou d'animaux. Toute la région de Paccionitoli est riche en vestiges préhistoriques. Remarquer, à hauteur d'une petite bergerie *(1,8 km après San Gavino)*, un dolmen à 30 m sur la gauche, demeuré intact au milieu de traces d'aménagements plus complexes *(propriété privée)* ; 300 m plus loin, toujours à gauche, une pierre se dresse dans un champ.

Des « cathares » insulaires, les Giovannali

Le mouvement des Giovannali (ou Ghjuvannali), branche dissidente d'une confrérie de tertiaires franciscains d'une centaine de personnes, prit naissance à Carbini au milieu du 14e s. Selon certains, l'appellation de « Giovannali » serait liée au nom du prédicateur, le frère Giovanni Martini ; selon d'autres, ce nom viendrait de l'église San Giovanni de Carbini où les dissidents se réunissaient. Le mouvement se caractérisait par son opposition, au nom de la pauvreté, à tout ordre établi. Dans le contexte déjà troublé du 14e s., l'affaire semble avoir été très vite prise au sérieux par l'évêque d'Aléria qui excommunia les Giovannali. Le mouvement dégénéra alors en véritable révolte contre toute autorité et s'étendit géographiquement dans tout l'Est de l'île. Taxé d'hérésie, il fut réprimé dans la violence.

Au col *(bocca)* de Pelza, on rejoint la D 368 qui traverse la **forêt de Zonza**, offrant de beaux coups d'œil sur les aiguilles de Bavella et le massif de l'Incudine.

Zonza *(voir ce nom)*

Alta Rocca pratique

Se loger

Voir aussi les encadrés pratiques de Zonza, Propriano

Bon à savoir – Perché à 900 m d'altitude, le gîte d'étape de Serra di Scopamena ouvre ses portes aux randonneurs à partir de 16h. En plus de la vue sur la montagne, vous apprécierez un bain de soleil sur la terrasse et vous vous reposerez dans une des cinq chambres, simples mais d'une tenue exemplaire. Grande salle à manger en bois.

Se restaurer

La Pergola – *20170 Levie - ✆ 04 95 78 41 62 - fermé nov.-avr. - ⊭ - réserv. obligatoire - 15 €.* Ce restaurant au centre du village est tout petit et la cuisine corse qui s'y prépare exhale ses saveurs jusque dehors et vous ouvrira l'appétit. Salle à manger modeste mais sympathique ou jolie tonnelle selon la température.

Pignata – *Rte du Pianu - 20170 Levie - 5 km de Sartène, puis rte site archéologique Cucuruzzu et Capula et rte de la promenade à cheval - ✆ 04 95 78 41 90 - www.apignata.com - fermé déc.-fév. - ⊭ - réserv. obligatoire - 30 €.* Cette ferme-auberge immergée en pleine nature, à 850 m d'altitude, vous séduira par son authenticité, son calme et son cadre rustique. Délicieuse cuisine préparée avec les produits maison, selon des recettes familiales (figatellu grillé au feu de bois et polenta à la farine de châtaigne, soufflé au brocciu et à la menthe, etc.)

Que rapporter

Pâtisserie Léonetti – *Sorba - 20170 Levie - ✆ 04 95 78 41 11 - 8h-12h, 15h-19h ; juil.-août : 8h-22h - fermé janv.-mars.* *Imbrucciate* (gâteau au brocciu), frappes (bugnes), canistrelli et le *Sciacci di patati* (sorte de tarte garnie de purée de pomme de terre au fromage corse relevé au poivre et à l'ail) sont les succulentes spécialités maison que vous trouverez dans cette pâtisserie aménagée à l'ancienne.

Sports & Loisirs

A Pignata – *Rte du Pianu - 20170 Levie - ✆ 04 95 78 41 90 - www.apignata.com - fermé 15 nov.-15 déc.* Cavalier débutant ou confirmé, de charmantes balades à cheval vous guideront vers le plateau d'où vous jouirez d'une vue imprenable sur les chaînes de montagnes de l'Alta Rocca. Promenades d'environ 2h30, uniquement sur réservation. Hébergement possible en chambres d'hôte.

Centre Équestre Staffa Corse – *20127 Serra-di-Scopamène.* Ce petit centre équestre, établi au pied des féeriques aiguilles de Bavella, propose des promenades et randonnées sur les sentiers de montagne. Dépaysement garanti.

Aqa-Canyon – *20170 Levie - ✆ 04 95 78 58 25 ou 06 20 61 76 81 - www.aqa-canyon.com - avr.-oct. : initiation 50 €, avr.-mi-juin : perfectionnement 60 €.* Christophe Pigeault, professionnel diplômé d'État, vous fait partager les frissons d'une journée de canyoning grâce à ses stages d'initiation ou de perfectionnement.

Randonnée

Demander à Info tourisme Alta Rocca - ✆ 04 95 78 56 33 - la brochure sur les sentiers de pays : 21 propositions de balades au cœur des richesses naturelles de la région.

Vallée de l'Asco★★

Ascu

CARTE GÉNÉRALE B3 – CARTE MICHELIN LOCAL 345 D5 – HAUTE-CORSE (2B)

Creusée par d'impétueux torrents dans les hautes montagnes corses, la vallée de l'Asco abrite dans ses forêts et ses gorges sauvages une faune originale aux espèces parfois endémiques : gypaètes (vautours), sittelles (oiseaux) et, surtout, mouflons. Genévriers et fleurs sauvages habillent les gorges profondes tandis que les forêts de pins laricio et maritimes verdissent la haute vallée. Constituées de rhyolite et de porphyre rouge violine, les montagnes s'empourprent sous le soleil. Les randonneurs apprécient son calme et sa nature sauvage.

Se repérer – Une route unique et en cul-de-sac, la D 147, dessert la vallée sur toute sa longueur (33 km). La vallée s'ouvre largement à l'Est sur la dépression drainée par le Golo, au Nord de Ponte Leccia. Mais elle est fermée à l'Ouest par un cirque de montagnes formé par le mont Cinto (alt. 2 706 m), point culminant de l'île, la Punta Minuta (alt. 2 549 m), le Capo Stranciacone (alt. 2 151 m), la Mufrella (alt. 2 148 m) et la Punta Gialba (alt. 2 101 m). Seuls quelques cols d'accès difficile permettent aux montagnards de franchir cette barrière : le col de Stranciacone mène dans le Filosorma, celui d'Avartoli dans le cirque de Bonifato, celui de Pampanosa dans le Niolo et celui de l'Ondella dans la vallée de Tartagine.

À ne pas manquer – L'ambiance sauvage des gorges de l'Asco ; ici comme souvent en Corse, une paire de jumelles peut se révéler très utile.

Organiser son temps – La route de Ponte Leccia à Haut-Asco se parcourt en deux heures, mais partez tôt si vous souhaitez en découvrir la faune protégée.

Avec les enfants – À l'affût au cœur de la réserve de faune d'Asco, vous pourrez découvrir quelques superbes spécimens de mouflons. Plus facile à suivre, la tortue d'Hermann se montre sous ses plus beaux atours au village des tortues. Les plus hardis peuvent tester leur courage en toute sécurité dans la via ferrata de la Manicella.

Pour poursuivre la visite – Voir aussi la Castagniccia, Ponte-Nuovo, le Niolo.

Comprendre

Une vallée à trois visages – L'Asco prend naissance au pied de la Punta Minuta, près du col de Stranciacone dont il porte le nom, jusqu'à son confluent avec le ruisseau de la Pinara, en amont du village d'Asco. Son cours présente trois parties géologiquement et climatiquement distinctes : la haute vallée, les gorges et la basse vallée.

La **haute vallée** a été creusée dans une gigantesque masse de roches cristallines s'étendant du golfe de Girolata au village d'Asco. Le cours du Stranciacone est impétueux car les neiges du Cinto et de la Punta Minuta alimentent de nombreux torrents. Le climat est alpin : la neige se maintient jusqu'en mai-juin et subsiste en été sur les versants Nord. Les massifs élevés reçoivent près de 2 000 mm d'eau par an (la moyenne annuelle de l'île est de 900 mm). La haute vallée est le domaine des pins : pin maritime appelé « pin de Corte » et pin laricio, fréquent sur les pentes exposées au Nord. Entre 1 700 et 2 000 m d'altitude croît l'aulne odorant ; il joue un rôle important dans le maintien du sol, de la neige et de l'humidité.

En aval, les **gorges de l'Asco★★**, arides et profondes, sont taillées dans les granits et reçoivent de 750 à 1 000 mm d'eau par an.

La **basse vallée** est une plaine alluviale de cailloutis ; chaude, couverte de maquis, de chênes verts et d'aulnes, elle reçoit moins de 500 mm de précipitations et débouche dans la vallée du Golo

Stéphane Sauvignier / MICHELIN

Ruches.

au Nord de Ponte Leccia. Son maquis dégradé se compose de lavande et de cistes de Montpellier, formant de vastes fourrés très odorants, aux fleurs blanches.

La transhumance, une tradition en déclin – Il y a peu encore, les bergers ascolais pratiquaient en hiver la transhumance vers les pâturages de Balagne (aujourd'hui dégradés par les incendies) pour les moutons, et vers ceux des Agriates pour les chèvres. Les bergers logeaient dans de basses maisons en pierres sèches, au toit de schiste et au sol en terre battue.
Fin mai, ils reprenaient le chemin d'Asco et se réunissaient en famille quelques jours. Après avoir tondu les bêtes, ils gagnaient les alpages où ils passaient l'été, occupés par la traite des brebis et la fabrication du fromage. Ils redescendaient à Asco à la mi-octobre.
Au début et à la fin de l'été, des caravanes de mulets quittaient Asco pour sillonner la Corse. Le fromage était alors vendu ou échangé dans les régions voisines contre d'autres denrées : l'huile d'olive de Balagne et les porcs de Castagniccia en particulier.
Aujourd'hui, rares sont ceux qui perpétuent ces traditions.

Activités artisanales – Les femmes, restées au village, cultivaient les jardins potagers, filaient et tissaient la laine de brebis et le poil de chèvre pour confectionner les *panni*, sorte de manteaux, et les *pelone*, pèlerines protégeant des intempéries. Pendant les longues heures de surveillance du troupeau, les bergers fabriquaient, avec le genévrier oxycèdre, les ustensiles nécessaires à la confection du fromage.
Ces activités ne sont plus pratiquées aujourd'hui que par quelques artisans à des fins touristiques.

Des nouvelles ressources – Le fromage demeure la principale production de cette région. Aujourd'hui, tout le lait de brebis de la vallée est envoyé dans l'Aveyron pour être transformé en fromage de roquefort. À ces ressources s'ajoutent l'exploitation du bois et de la résine des pins, l'élevage des vers à soie et l'apiculture. Le **miel de l'Asco**, dont le fameux miel blanc, est aujourd'hui très recherché. Trois microcentrales électriques ont été construites dans la haute vallée en vue de subvenir aux besoins locaux.

Découvrir

LES MOUFLONS DE L'ASCO

Symboles de la montagne corse, les mouflons ont choisi comme sanctuaire la vallée d'Asco, où ils attirent nombre de randonneurs désireux de les apercevoir.

Le mouflon

Observation – En juillet et août, on peut apercevoir, sur les replats des hauts vallons, les nouveau-nés et leurs mères. De mi-novembre à mi-décembre, période de rut, ont lieu de spectaculaires combats de mâles. De janvier à avril, les animaux descendent sur les bas versants. De mai à fin juin, période de mise à bas, évitez d'approcher les animaux de trop près.

Michel Guillou/MICHELIN
Mouflon

Comment déterminer l'âge d'un mouflon mâle ? – Il suffit d'en rencontrer un bien disposé à votre égard (ou de posséder une bonne paire de jumelles), afin d'examiner ses cornes. Leur croissance marque chaque hiver un arrêt matérialisé par un anneau ; au printemps, la reprise du développement repousse les anciens anneaux. On obtient le nombre d'années vécues par l'animal en comptant les sections entre les anneaux. Chez les mâles âgés, l'usure peut effacer les anneaux de la pointe. Le calcul est plus complexe pour les femelles, dont l'âge est proportionnel à l'étendue du masque facial blanc.

Maison du mouflon (Casa di a Muvra)

Sur la route menant au Haut-Asco, sur la droite au-delà du torrent Stranciacone, 2 km environ après le camping.
S'adresser à la mairie d'Asco - ✆ 04 95 47 82 07.

Cet espace d'information et d'exposition a pour but d'aider les visiteurs à mieux découvrir la vallée et la forêt, les activités humaines qui s'y développent, ainsi que

Un refuge pour rapaces

La faune endémique de l'Asco bénéficie aujourd'hui dans la vallée d'Asco d'une bonne protection. Le gypaète barbu, qui fait partie des espèces menacées d'Europe, peuplait avec **l'aigle royal** les massifs montagneux peu fréquentés. Décimés par la chasse, ces vautours sont aujourd'hui moins d'une vingtaine à survivre en Corse. L'oiseau, qui mesure plus de 1 m et dont l'envergure dépasse 2,50 m, est reconnaissable à sa tête blanche, au bandeau noir qui lui cerne l'œil, à une touffe de barbe à la base du bec, à ses ailes pointues et surtout à sa queue en losange. Appelé « altore » en corse (signifiant « celui qui habite les hauteurs »), il se nourrit principalement d'os de charognes dont il brise les gros morceaux en les lâchant en vol sur des pierriers. Il niche dans des failles de rochers verticaux. Dans le Parc régional, des charniers sont alimentés en hiver pour pallier la raréfaction des troupeaux en transhumance.

la flore et la faune locale, à commencer par l'incontestable vedette de l'endroit : le mouflon, bien entendu !

Réserve de faune d'Asco★

S'adresser à l'Office national de la chasse et de la faune sauvage - Funtanella - 20218 Motifao - ✆ 04 95 47 85 45.

La réserve d'Asco, créée en 1953, s'étend au cœur du massif du Cinto sur 3 510 ha et s'étage entre 800 m et 2 200 m, le long de vertigineuses parois rocheuses recouvertes de landes colorées de genêts épineux. Elle occupe tout le versant Sud de la haute vallée.

L'intérêt particulier de cette réserve est d'observer facilement dans son milieu naturel le **mouflon** de Corse dont on dénombre ici plus de 500 individus.

Certains oiseaux sont également typiques de la réserve : la **sittelle corse**, espèce endémique, reconnaissable à son chant particulier, niche dans les arbres morts. Au-dessus de 1 000 m, les vols de bandes de **chocards** à bec jaune sont fréquents et animent de leurs cris stridents les vallées encaissées.

Circuit de découverte

DE PONTE LECCIA À HAUT-ASCO

33 km – environ 2h.

Ponte Leccia *(voir Castagniccia)*

De Ponte Leccia suivre la route de Calvi (N 197) et, au bout de 2 km, tourner à gauche dans la D 147. La route remonte le cours de l'Asco en empruntant le fond de la vallée.

Emprunter la D 47 sur la droite et poursuivre sur 3 km.

Moltifao (Moltifau)

Dominé par les aiguilles rouges de Popolasca, ce village s'étage sur le versant bien exposé des hauteurs verdoyantes séparant la vallée d'Asco de celle de la Tartagine, au milieu de terrasses plantées de vergers et d'oliviers. L'église, d'une jolie couleur pain d'épice, s'élève au centre du village.

Poursuivre la D 47 sur 3 km.

Castifao (Castifau)

Accroché au-dessus de la vallée de la Tartagine, il se groupe autour d'une charmante place, bordée par l'église et la poste, à laquelle on accède par un petit pont.

Revenir à la D 147, puis poursuivre sur la droite vers Asco.

Village des tortues (Paese di e cuppilate)

Au lieu dit Tizzarella. La visite aura plus d'intérêt aux heures fraîches de la journée. ✆ 04 95 47 85 03 - visite guidée (45mn) - juil.-août : 10h, 11h, 15h, 16h, 17h, 18h ; de mi-mai à fin juin et sept. : tlj sf w.-end, se renseigner pour horaires des visites - 4,50 € (-10 ans gratuit).

Sur une dizaine d'hectares, le Parc régional a aménagé un centre d'étude, d'accueil, de soins et de présentation pédagogique de la tortue d'Hermann *(voir le chapitre faune)*. L'unique tortue terrestre de France ne se trouve plus que dans une petite partie du massif des Maures et, en Corse, dans la plaine orientale. La visite permet de suivre les différents stades de la vie de l'animal.

Reprendre la D 147 et 2 km après un pont, s'arrêter à la hauteur d'une cabane sur la rive opposée reliée par une passerelle.

Via ferrata de la Manicella★

Longueur totale du parcours câblé : 350 m ; durée moyenne du trajet : 2h à 2h30 ; dénivelé : 250 m. Stationnement dans le décrochement face à la passerelle. Toute l'année, présence de l'équipe sur le site et encadrement pour les débutants. En plus de la Manicella, le site Asco Vallée Aventure propose trois autres parcours de via ferrata, un parcours accrobranches et un de tyrotrekking. Renseignement auprès de In Terra Corsa - ✆ 04 95 47 69 48.

Une signalétique identifie les principaux points qui jalonnent l'itinéraire. Retour par un sentier balisé de points rouges.

En contrebas du point d'accueil, les nombreuses criques du torrent invitent à une pause rafraîchissante.

Gorges de l'Asco (Strette di l'Ascu)★★

Creusées dans le granit, ces gorges arides rappellent celles de la Scala di Santa Regina (voir ce nom). Elles sont cependant plus courtes et plus larges ; la végétation y est plus abondante et les crêtes rocheuses d'environ 1 000 m qui les surplombent leur confèrent un aspect plus sauvage. Elles sont dominées par des montagnes déchiquetées comme la Cima a i Mori (alt. 2 180 m) et le mont Terello (alt. 1 310 m).

De nombreuses ruches s'alignent sur les pentes. Aux abords d'Asco, la rive droite devient très aride, tandis que la rive gauche est tachetée de genévriers oxycèdres. De nombreuses vaches, d'une agilité surprenante, circulent en liberté sur la chaussée et sur ses abords, escaladant les coteaux avec allégresse.

Le genévrier

Le genévrier oxycèdre s'accroche aux roches nues autour d'Asco. Muni de feuilles très piquantes et de fruits brun-rouge, cet arbrisseau fournit un bois fibreux servant à la confection d'ustensiles. Le genévrier thurifère, reconnaissable à ses feuilles en écailles, vit uniquement dans la vallée d'Asco, indiquant un climat sec, froid l'hiver et très ensoleillé.

Asco (Ascu)

Établi au débouché des gorges et bien exposé au midi, c'est le seul village de la vallée. En dépit de quelques bâtiments récents, il est bien intégré aux versants rocheux du Capo Selolla.

Asco est peut-être d'origine ligure ; mais ses annales ne remontent qu'au 16e s., à l'époque de la guerre contre Gênes menée par **Sampiero Corso**, au cours de laquelle le village servit de refuge.

Au 18e s. le village d'Asco institua une sorte de tribunal paternel : élus par la communauté, les Paceri (« ceux qui apaisent », les « sages ») étaient chargés de trancher à l'amiable les conflits entre familles. Ce mode de juridiction a profondément marqué les hommes de cette vallée et l'expression « **saviu d'Ascu** » (« sage d'Asco ») est encore utilisée aujourd'hui.

Pont génois★

Continuer en direction de Haut-Asco sur la D 147 qui contourne le village. À la sortie de celui-ci, prendre sur la gauche une route étroite qui descend dans les gorges. Les eaux vertes et claires de l'Asco sont enjambées par ce beau pont en dos d'âne bâti

Pont génois de l'Asco.

pour permettre l'accès à la bergerie de Pinnera. Les eaux émeraude sont vraiment tentantes mais la baignade est interdite.

Revenir à la D 147.

À la sortie du village, la route remonte le Stranciacone et les pins laricio font leur apparition, escaladant les versants. On aperçoit encore des ruches. Après avoir franchi un pont, la route longe la rive droite du torrent.

Forêt de Carrozzica

Cette belle forêt de 3 220 ha s'étend sur toute la vallée supérieure d'Asco. D'abord clairsemée, elle devient plus dense et prend fin à 1 900 m d'altitude au pied de la grande barrière rocheuse. Elle se compose surtout de pins laricio qui croissent jusque dans le lit du torrent. Celui-ci coule au milieu de blocs de porphyre rose formant des vasques d'eau claire. Mais cette forêt, autrefois dévastée par les coupes d'arbres, puis par des incendies, a subi jusqu'à récemment les dommages des avalanches.

Maison du mouflon *(voir « Découvrir » ci-dessus)*

À 7 km d'Asco, au lieu dit **Giunte**, la route laisse sur la droite le Stranciacone qui reçoit la Tassinetta. Après avoir franchi le ruisseau de Manica, elle atteint le lieu dit **Caldane** (source minérale), puis s'élève jusqu'à Haut-Asco.

Haut-Asco

Alt. 1 450 m. Dans un beau **site★** de montagne, au milieu des pâturages et de pins laricio centenaires, ce replat procure de splendides vues : au Sud, le mont Cinto et le cirque glaciaire de Pampanosa au pied du Capo Larghia et de la Punta Minuta et à l'Ouest, le col et le Capo Stranciacone. Dans cette étape du célèbre GR 20, les aménagements, peu heureux, d'une station de ski désormais désaffectée, parviennent malheureusement à enlaidir le paysage.

Le gîte d'étape est un point de départ pour de spectaculaires randonnées vers Bonifato, le mont Cinto, ou le célèbre **cirque de la Solitude**. Attention, ces randonnées sont réservées aux bons marcheurs peu sujets au vertige et bien équipés.

Vallée de l'Asco pratique

Se loger

Cabanella – *Vallée de l'Asco - 20218 Moltifao - ✆ 04 95 47 80 29 - fermé 1 mois pdt l'hiver - ⊭ P - 6 ch. 40/60 € ☕ - rest. 8/26 €.* Sympathique petit hôtel-restaurant aux airs de « pension de famille ». Cuisine corse ou pizzas pour les budgets serrés. Chambres rustiques toutes simples, pour partie rénovées. Accueil convivial.

Se restaurer

Le Chalet – *20276 Haut-Asco - ✆ 04 95 47 81 08 - hotel.le-chalet@wanadoo.fr - fermé 15 oct.-1er Mai - 12/16 € - 22 ch. 40/52 € - ☕ 8 €.* Le paradis des randonneurs disent certains, un beau panorama sur les montagnes assurent d'autres… Le GR 20 est à deux pas de cette bâtisse à l'austérité montagnarde. La cuisine roborative comblera les grosses faims. Chambres modestes, un gîte-dortoir et un bar.

Que rapporter

Bon à savoir – Ne serait-ce que pour son délicieux miel, le village d'Asco vaut le détour. Plusieurs petits producteurs vous proposeront des produits de qualité, parmi lesquels on citera M. Guidoni, à l'entrée du village au petit snack ✆ 04 95 47 80 49 (ouv. avr.-sept.), et la Mielerie Renucci, rte d'Asco ✆ 04 95 47 80 46 (sur RV).

Aullène

Auddè

138 AUDDANINCHI
CARTE GÉNÉRALE B6 – CARTE MICHELIN LOCAL 345 D9 – CORSE-DU-SUD (2A)

Ce paisible et joli village de pierre est assis sur une haute croupe granitique du Sartenais. Les alentours, boisés de pins et de châtaigniers offrent un sauvage et magnifique décor de montagne.

Se repérer – Aullène se situe au Nord de l'Alta Rocca, au croisement de la D 69 et de la D 420, à 34 km au Nord-Est de Sartène et à 13 km à l'Ouest de Quenza, *(voir plan Alta Rocca p. 132)*.

À ne pas manquer – Les monstres marins de la chaire de l'église paroissiale ; à Petreto, les statues de bois peint et le mobilier de l'église ; la vue sur la vallée du Taravo à partir du village de Bicchisano.

Organiser son temps – La visite du village gagne à être faite le dernier week-end de juillet quand les rues sont animées par la foire annuelle.

Pour poursuivre la visite – Voir aussi Sartène et le Sartenais, l'Alta Rocca.

Visiter

Ce gros bourg montagnard présente une architecture traditionnelle de granit gris avec des maisons à arcades et quelques passages voûtés.

Église paroissiale

Fermé pour travaux.

Elle renferme de belles boiseries rustiques dans le chœur et une **chaire** du 17e s. La console en bois clair sculpté est formée de monstres marins prenant appui sur une tête de Maure, évocation probable des raids barbaresques qui ravagèrent les côtes de Corse jusqu'au 18e s.

Le saviez-vous ?

Auddè signifie « carrefour ». En effet, Aullène se trouvait sur la première route stratégique qui reliait Corte à Bonifacio. Les routes qui traversent le village permettent aujourd'hui d'aller vers les 4 points cardinaux.

Le général **Paulin Colonna d'Istria**, grand résistant, est un enfant du pays. La stèle de granit gris érigée à sa mémoire *(à l'entrée du village de Petreto sur la gauche)*, rappelle aussi le rôle éminent joué par la commune dans la libération de la Corse lors du dernier conflit mondial.

Circuits de découverte

ROUTE DU COL DE ST-EUSTACHE★

20 km par la D 420 jusqu'à Petreto-Bicchisano (voir plan Alta Rocca p. 132).

La route monte en lacet au-dessus de la vallée encaissée du Coscione offrant un beau coup d'œil sur le paysage rocheux où s'accroche un maigre maquis.

Entre le col de Tana et le col de St-Eustache, la route court à flanc de montagne, traversant un massif de porphyre, boisé de pins et entaillé par de nombreux affluents du Baracci et du Rizzanèse. Des **chaos★** aux silhouettes parfois étranges surgissent de la végétation.

Après le col de St-Eustache, la route, jalonnée d'énormes blocs rocheux, descend vers la vallée du Taravo. On observe une démarcation caractéristique de la végétation : alors que le versant Sud est couvert de pins, le versant Nord est surtout boisé de chênes verts auxquels se mêlent quelques châtaigniers, des asphodèles et des fougères.

Petreto-Bicchisano (Pitretu Bicchisgia)

Situé à un important carrefour de routes, ce bourg se compose de deux villages : Petreto, celui d'en haut, sur la D 420, et Bicchisano, celui d'en bas, sur la N 196.

Petreto

L'**église paroissiale** abrite un intéressant Christ en bois. Le maître-autel, le tabernacle et l'autel de saint Antoine, tous en marbre polychrome du 17e s., proviennent du couvent de Bicchisano, de même que les quatre superbes **statues** en bois peint représentant la Vierge à l'Enfant, saint François d'Assise, sainte Claire et l'Immaculée Conception. Derrière l'église, la terrasse offre une **vue** sur Bicchisano, la vallée du Taravo et les montagnes.

Bicchisano

À l'entrée de Bicchisano, en venant de Propriano, admirez la **vue★** étendue sur la vallée verdoyante du Taravo.

Le village dissémine ses massives maisons de granit de part et d'autre de la route. On remarque deux **maisons fortes**, témoignages de l'importance passée du bourg. La maison forte du bas présente encore, aux quatre angles, les corbeaux qui soutenaient les échauguettes, ultime survivance d'un système défensif du 16e s. Tout près, un **campanile** isolé dresse son élégante silhouette, dernier vestige de l'église « piévanne » St-Jean-Baptiste. L'autre maison forte, flanquée d'une bretèche, domine Bicchisano.

Un arrêt à l'**église** paroissiale permet d'admirer un Christ en bois du 16e s. et une chaire sculptée, provenant de l'ancien couvent St-François. Ce dernier *(propriété privée)* dresse encore son vieux bâtiment dans un cadre bucolique à l'écart du village.

Gilles Magnin / MICHELIN

Monstre marin dans l'église.

Vallée du Taravo (Taravu)

Né sur les pentes du mont Grosso au-dessus du col de Verde, le Taravo qui se jette dans le golfe de Valinco, près de Porto-Pollo, a formé une grande plaine alluviale, autrefois insalubre. Pour échapper à ses fortes chaleurs estivales et à ses miasmes, les habitants transhumaient de mai à octobre sur le plateau du Coscione *(voir l'Incudine)*. Ils édifièrent leurs villages sur des collines au-dessus des eaux stagnantes.

Les terres de la basse vallée nourrissent des champs de blé et des plantations d'oliviers et de chênes-lièges. La vigne apparaît au-dessous de Sollacaro dans la moyenne vallée et on pratique l'élevage des bovins et des brebis.

VALLÉE DU COSCIONE

Quitter Aullène par la D 69 vers Sartène. 24 km jusqu'au pont d'Acoravo.

La route en corniche descend la vallée très encaissée, venteuse et peu peuplée du Coscione, affluent du Rizzanèse. Elle traverse les villages de **Cargiaca** et de **Loreto-di-Tallano** bâtis sur d'aimables collines. L'autre versant de la vallée, moins raide, au climat plus doux, porte un essaim de villages, groupés autour du gros bourg de **Ste-Lucie-de-Tallano** *(voir ce nom)* au milieu des vignes et des oliviers.

Aullène pratique

Adresse utile

Point information tourisme de l'Alta Rocca – ✆ 04 95 78 56 33 - www.alta-rocca.com - juil.-août : 9h-13h, 14h-18h30, dim. 9h-13h ; mai, juin et sept. : tlj sf w.-end 9h-12h30, 14h-17h.

Se loger

⊖ **Hôtel de la Poste** – *✆ 04 95 78 61 21 - fermé oct.-avr. - 20 ch. 30/42 € - ☕ 5,80 € - rest. 16/22 €.* Vous serez accueilli chaleureusement dans cet hôtel de montagne. Les chambres un peu désuètes ne manquent pas de charme pour autant. Terrasse ombragée et fleurie. Cuisine corse copieuse, comme chez soi, à prix modérés.

Que rapporter

Domaine Alain-Courrèges – *À Cantina - domaine de Vaccelli - 20123 Cognocoli-Monticchi - ✆ 04 95 24 35 54 - vaccelli@aol.com - tlj sf dim. 8h30-12h, 15h30-19h, j. fériés sur demande préalable.* D'une superficie de 27 ha, le domaine Alain-Courrèges produit un excellent vin rouge, classé AOC ajaccio et primé au Concours général. Visite de cave, dégustation et vente au domaine. Un point de vente appelé « A Cantina » est ouvert aux marines de Porticcio.

La Balagne★★★

Balagna

CARTE GÉNÉRALE A/B3 – CARTE MICHELIN LOCAL 345 B/C 4/5 – HAUTE-CORSE (2B)

La Balagne est une enclave de collines fertiles, au Nord-Ouest d'une île montagneuse et rude. L'arrière-pays présente deux visages : au Sud de Calenzana s'étend une Balagne déserte et au Nord une Balagne féconde qui a fait autrefois la prospérité de cette région et lui maintient aujourd'hui son attrait touristique. Contrée la plus riante de l'île, elle offre sur 40 km de rivage d'agréables stations balnéaires et, sur les collines derrière la plaine côtière, de magnifiques villages entourés de vergers et de vignes. Palmiers, agaves et figuiers de Barbarie témoignent de la douceur du climat.

Se repérer – La Balagne descend doucement vers la mer, depuis la ligne de crêtes qui surplombe les gorges de l'Asco au Sud-Est. Elle est délimitée au Nord-Est par le désert des Agriates et au Sud-Ouest par la vallée du Fango. Les deux villes principales, Calvi et L'Île-Rousse, constituent de bons lieux de séjour pour concilier plaisir balnéaire, activités culturelles et visites des villages perchés.

À ne pas manquer – Sant'Antonino *(voir ce nom)* ; les panoramas sur le golfe de Calvi à Montemaggiore et au col de Salvi ; Lumio ; l'église en appareillage polychrome de la Trinité à Aregno.

Organiser son temps – Activités nautiques sur la côte, circuits de découverte dans l'arrière-pays, la Balagne n'est pas une région qui se traverse mais une destination de vacances à part entière.

Avec les enfants – Le petit train des plages, le centre équestre U Cavallu (Calvi) ou Balgn'Âne (Olmi-Capella).

Pour poursuivre la visite – Voir aussi Algajola, Calenzana, Sant'Antonino, Pigna, L'Île Rousse, Calvi pour la Balagne ; dans les abords immédiats, voir le cirque de Bonifato, le golfe de Galéria, la vallée de la Tartagine.

Comprendre

Une occupation ancienne – Cette région fut habitée depuis les temps préhistoriques. À l'âge du fer, la Balagne vivait vraisemblablement déjà de la pêche et du commerce maritime. Dans l'Antiquité, Phéniciens, Grecs et Étrusques abordèrent ses rivages. Puis les Romains s'y installèrent et la cultivèrent. Des témoignages de leur présence ont été découverts à Calvi, L'Île-Rousse, Algajola, Speloncato et Calenzana.
Les Sarrasins, attirés par les richesses de cette contrée, y multiplièrent de mémorables razzias dont celle d'Algajola, la plus célèbre.

Le verger de la Corse – La Balagne devint au 11e s. le fief des « marquis de Massa et Corse », établi par les Pisans pour se défendre contre les incursions sarrasines.
Pour surveiller le rivage, ils édifièrent des châteaux forts dont subsistent de nombreux vestiges : les ruines de la forteresse des Savelli à Corbara, par exemple.
Ces seigneurs furent les bienfaiteurs des bénédictins qui s'implantèrent solidement en Balagne au 12e s. et contribuèrent au renouveau agricole de la contrée, ruinée par l'anarchie et les invasions. Corrélativement, le commerce avec la Toscane reçut une nouvelle impulsion. À la fin du 12e s., la Balagne était la première région viticole de l'île avec Bastia et le Cap Corse.

Le saviez-vous ?

La région tirerait son nom du mot grec balanos signifiant « gland » ou « fruit du gland », allusion à la forme de l'olive et aux oliveraies qui couvraient jadis les plaines et les collines.

Une population aisée fit édifier, pendant la période pisane, un grand nombre d'églises, parfois sur d'anciens sites paléochrétiens : à Calenzana, Cassano, Montemaggiore, Lumio, Aregno… si bien que l'on parla de la **« sainte Balagne »**.
La république de Gênes s'implanta dans la région au 13e s. ; elle y fonda les places fortes de Calvi et d'Algajola qui disposaient ainsi d'un territoire assez riche pour subvenir aux besoins de la garnison et de la population.
Au 17e s., la Balagne était une région de polyculture méditerranéenne, où dominait l'olivier. Son huile était très prisée. Au 18e s., Pascal Paoli bâtit L'Île-Rousse, principal débouché de la Balagne fertile.

La Balagne aujourd'hui – La désertification, les menaces d'incendies, l'augmentation de la concurrence et le dépeuplement de la région ont conduit à une baisse d'intérêt pour les activités agricoles traditionnelles au profit du développement touristique. Des ensembles résidentiels de vacances avec ports de plaisance privés ont vu le jour ; Calvi est maintenant concurrencée par les stations balnéaires en pleine extension d'Algajola et de L'Île-Rousse. Les villages de l'arrière-pays se sont associés pour mettre en valeur leur patrimoine et faire connaître leurs traditions. Ainsi est née la **route des Artisans de Balagne**, circuit touristique à travers les plus beaux villages à la découverte des métiers ancestraux : coutelier, apiculteur, relieur, luthier, céramiste, etc.

Actuellement, un vaste schéma d'aménagement hydraulique dont relève le barrage de Codole, avec réseau de canalisations et stations de pompage établi pour l'ensemble de la Balagne, contribue à un renouveau de l'agriculture dans les plaines de L'Île-Rousse et d'Algajola.

Stéphane Sauvignier / MICHELIN

Paysage vers Belgodère.

Circuits de découverte

LES TRÉSORS DE BALAGNE★★ 1

Circuit au départ de Calvi – une journée.

Quitter Calvi par la N 197 direction L'Île-Rousse.

La route longe la pinède de Calvi ; aussitôt après le pont, prendre à droite la D 151 qui remonte la vallée de la Bartasca plantée de vignes. Elle conduit à Calenzana, point de départ du fameux GR 20.

Calenzana *(voir ce nom)*

Église Ste-Restitude★ *(voir Calenzana)*

À travers les chênes verts, les oliviers et les amandiers, la route contourne alors le bassin du Fiume Secco.

Zilia

Adossé au mont Grosso, ce village, véritable balcon donnant sur le golfe, est bâti dans un paysage d'oliviers et d'amandiers. Il conserve de vieilles maisons et offre de sa terrasse, face à l'église, une belle vue sur la vallée verdoyante du Fiume Secco. La commune a donné son nom à une **eau de source** captée à 80 m de profondeur et largement distribuée dans l'île.

Cassano

L'église paroissiale abrite un intéressant **triptyque★** sur fond or représentant la Vierge à l'Enfant sous un dais entre des saints ; cette œuvre de 1505 est due à un artiste nommé Simonis de Calvi.

Lunghignano

Ce minuscule hameau, en retrait de la route, possède une **église Saint-Vitus** de la fin du 18e s. édifiée en gros appareil de pierre, ainsi qu'une fontaine sous voûte.

À la sortie du hameau, un moulin à huile du 19e s., restauré et de nouveau en activité, propose des produits régionaux.

Montemaggiore★

Ce village est bâti sur un promontoire au-dessus du bassin du Fiume Secco et au pied de la chaîne du mont Grosso. De la terrasse de sa grande église baroque, un vaste **panorama★★** se développe sur le golfe de Calvi, la presqu'île de la Revellata, Calenzana et son cadre montagneux. Les abords du village ont malheureusement été dégradés par un des nombreux incendies qui ont touché la Balagne en 2005. Au Nord du village, près d'une fontaine, la vue se dégage sur la chaîne du mont Grosso.

1 km après Montemaggiore, dans un lacet, prendre à droite une petite route revêtue que l'on suit sur 800 m environ.

Chapelle St-Rainier

✆ 04 95 62 72 78 - visite sur demande préalable à la mairie.

Elle s'élève dans le cimetière. De style roman pisan, elle présente une façade polychrome ; au fronton, une croix ajourée sépare deux figures humaines. Le chevet arrondi a conservé son toit en *teghje* *(voir p. 80)*. À l'intérieur, les archivoltes surmontant les deux premières fenêtres sont décorées de curieux masques grimaçants. Une pierre cylindrique sculptée de visages servait de bénitier.

Reprendre la D 151 qui, étroite et tourmentée, monte dans un paysage désolé jusqu'au col de Salvi.

En montant vers le **col de Salvi**, la route tracée en corniche offre de beaux **coups d'œil★** sur Calenzana, le bassin du Fiume Secco et la mer.

Du col, splendide **panorama★★** sur le golfe de Calvi que l'on domine de 500 m et sur la pointe de la Revellata.

2 km après le col, tourner à gauche dans la D 71.

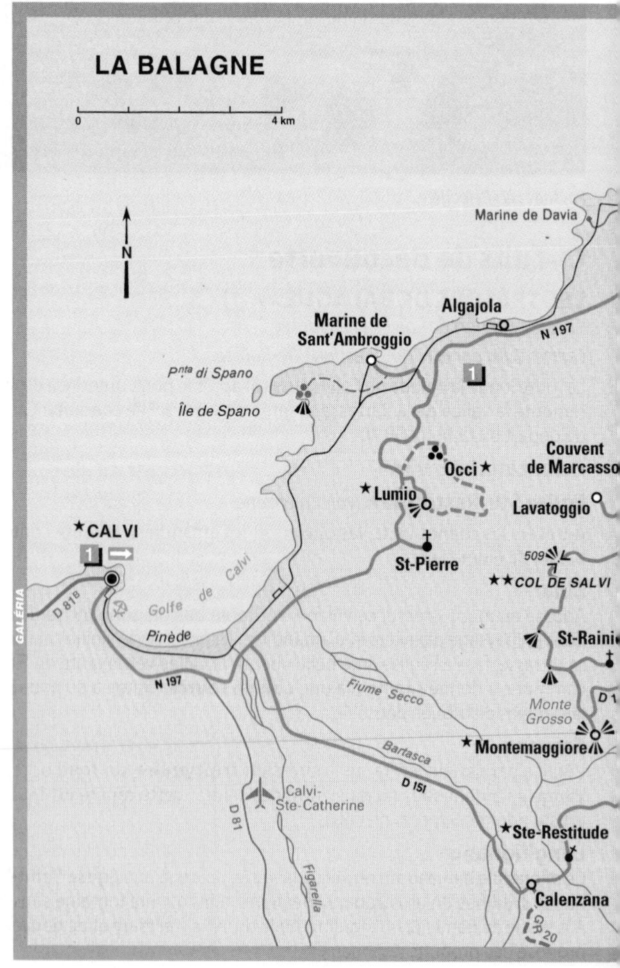

Cateri

Niché dans les oliviers, Cateri s'étage au-dessus du bassin d'Algajola. *Stationnement en descendant de la D 71.* Gagner à pied le cœur du village par des ruelles étroites, pavées, reliées par des passages voûtés et bordées de hautes maisons de granit où travaillent quelques artisans ; belle vue sur Aregno.

L'**église** accueille dans une châsse le corps de saint Bénin, rapporté de Rome au 18e s. En face de l'entrée, la chapelle du Très-Saint-Crucifix a été construite pour la confrérie de saint Antoine de Padoue.

Peu après sur la route de Lavattogio, le couvent de Marcasso est fléché sur la droite.

Couvent de Marcasso

Édifié en 1621, il s'élève sur une terrasse entourée d'olivaies et de vergers. L'**église conventuelle** abrite une toile restaurée du 18e s. représentant le Repas pascal, ainsi que des stalles, un beau meuble de sacristie et quatre statues de saints en bois du 17e s. Boutique monastique. *✆ 04 95 61 70 21 - visite guidée tlj sf w.-end 14h30-16h30.*

Lavatoggio

De la terrasse de l'église ou de celle du restaurant « Le Belvédère » *(100 m plus loin)*, la **vue★** s'étend sur la belle plage d'Algajola, la côte et les dernières pentes de la Balagne, à l'Ouest de la ligne de crêtes qui les sépare du bassin du Regino. Le village était jadis renommé pour la qualité de ses sources.

Faire demi-tour et regagner Cateri. Prendre à gauche la D 151, puis très rapidement à droite la D 413 vers Sant'Antonino.

Sant'Antonino★★ *(voir ce nom)*

Redescendre et prendre à droite la D 151 vers L'Île-Rousse.

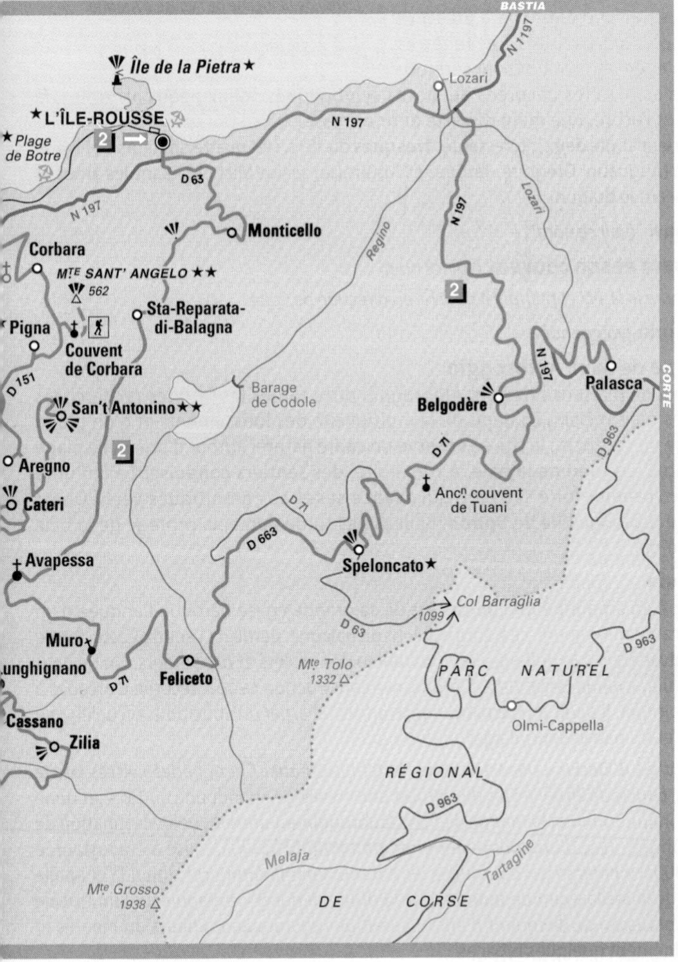

Aregno

À l'entrée du village, dans le cimetière, s'élève la charmante petite **église de la Trinité★**. Cette chapelle étonne par l'appareillage polychrome de ses murs de granit. Sa façade s'ordonne en trois registres. La porte s'ouvre sous un large linteau pentagonal protégé par un arc en plein cintre aux claveaux de couleur soigneusement alternée. Observer les **statuettes★** de chaque côté : à gauche, une femme en longue robe et à droite, un homme tenant sur les genoux peut-être les textes de la Loi. Au-dessus quatre arcatures aux motifs décoratifs variés prennent appui sur cinq chapiteaux ornés de figures animales naïves. Sous le fronton, huit arcs sur modillons encadrent une fenêtre formée de deux baies géminées, dont le tympan porte un motif de serpents. Au sommet du fronton, un troisième personnage semble s'extraire nonchalamment une épine du pied tout en jetant un regard malicieux sur les passants. Les murs latéraux rythmés par d'étroits pilastres et le chevet semi-circulaire recouvert de pierres plates sont parcourus par une corniche à arcature sur modillons sculptés. Les fenêtres latérales en meurtrières sont surmontées d'archivoltes décorées de motifs symboliques : deux paons affrontés, la croix et l'arbre, une main ouverte et une crosse.

Amaury de Valroger / MICHELIN

Détail de la façade de l'église d'Aregno.

L'intérieur abrite deux intéressantes **fresques** du 15e s. : les quatre docteurs de l'Église latine (Augustin, Grégoire, Jérôme et Ambroise) ; saint Michel pesant les âmes et terrassant le dragon.

Pigna★ *(voir ce nom)*

Corbara et son couvent *(voir ce nom)*

Rejoindre la N 197 et prendre à gauche en direction de Calvi.

Algajola *(voir ce nom)*

Marine de Sant'Ambroggio

Le port de plaisance de Sant'Ambroggio offre toutes les facilités recherchées par les plaisanciers. En dépit de la multiplicité des lotissements et d'un grand village de vacances, le site a conservé un cadre naturel autour d'une belle plage de sable, au fond de la baie. À proximité, des sentiers conduisent à la Punta Spano, promontoire sauvage qui avance ses chaos granitiques vers l'Ouest et que prolonge l'île de **Spano**. Belles vues sur le domaine protégé de la baie d'Algajola.

Lumio★

Groupé en amphithéâtre, au-dessus de sa grande église baroque flanquée d'un haut campanile ajouré, ce bourg opulent de Balagne, patrie de Laetitia Casta, forme un belvédère sur le golfe de Calvi, au milieu des oliviers et des vergers. On ne peut manquer, avenue Bella Vista, l'imposante construction carrée décorée d'arcades à son sommet. Il s'agit du **Carrubo**, construit au 18e s. par un abbé pour accueillir une école et les pauvres du village.

Site ruiné d'Occi★ – *Départ derrière l'hôtel-restaurant « Chez Charles ». Accès au site 30mn, boucle de 2h (éviter les shorts).* Cet ancien village abandonné au 19e s. et ruiné qui domine Lumio et la marine de Sant'Ambroggio est une très belle destination de randonnée, avec d'exceptionelles **vues panoramiques★**. L'église a été restaurée en 2000. Le chemin qui contourne les hauteurs par la droite conduit à la chapelle N.-D. de la Stella avant de redescendre (à droite) à travers le maquis sur Lumio. Une belle occasion de découvrir d'anciens vestiges pastoraux, les fleurs du maquis et certainement quelques rapaces.

Chapelle St-Pierre

1 km de Lumio par la route de Calvi, puis, à gauche, une route d'accès revêtue.

Cette chapelle romane (11e s.) en granit ocre relève du début du roman pisan en Corse, mais a subi un remaniement au 18e s. En façade, deux pittoresques **têtes de lion**, en granit, probablement remployées, encadrent le linteau de sa porte d'entrée. La chapelle vaut surtout par son **chevet★** : l'influence pisane se manifeste dans les chapiteaux à palmettes, les archivoltes doubles et les petites ouvertures géométriques.

Retour à Calvi par la N 197.

LES BALCONS DE BALAGNE★ 2

Au départ de L'Île-Rousse – environ une demi-journée. Quitter L'Île-Rousse par la N 1197 vers l'Est.

La route longe la côte jusqu'à Lozari, réputé pour sa plage. Prendre alors la N 197 à droite qui s'élève vers Belgodère.

Belgodère

Ce village dominé par un vieux fort, occupe un séduisant **site★** de terrasses au-dessus de la vallée verdoyante du Prato.

Église St-Thomas – Dans le chœur, un panneau sur bois (16e s.) représente la Vierge à l'Enfant entre deux apôtres et les membres d'une confrérie. Un beau retable baroque en bois sculpté orne une chapelle, à droite.

Vieux fort★ – *Accès par une ruelle en escalier.* Des ruines, belle **vue★** sur la vallée.

De Belgodère, suivre la N 197 vers l'Est (sur 7 km), puis prendre à gauche la D 163.

Palasca

Ce village isolé est blotti dans un creux en contrebas de la nationale. Son **église** au joli clocher abrite une belle toile du 16e s. représentant la Crucifixion. *✆ 04 95 61 33 02 - tlj sf w.-end 9h-12h, 14h-17h - en cas de fermeture, demander les clés à la mairie.*

Rejoindre ensuite Belgodère, puis prendre la D 71.

Environ 5,5 km après Belgodère, on aperçoit sur la gauche la masse harmonieuse de l'ancien **couvent du Tuani**. Ce couvent franciscain fut repris un temps par les dominicains, puis devint propriété privée en 1964. L'église, construite en 1494, fut restaurée en 1898. À 100 m du couvent émergent les ruines de la chapelle St-Jean, édifice pisan du 11e s.

L'étroite D 663, sur la gauche, conduit en lacets serrés à Speloncato.

Speloncato★

Perché au-dessus du bassin du Regino sur un éperon détaché du mont Tolo, ce village doit peut-être son nom au tunnel naturel distant de 2 km (*spelunca* signifie « grotte » en corse). Le village est un charmant dédale de ruelles sinueuses et de passages voûtés bordés de vieilles maisons de granit.

La **place de la Libération**, ornée d'une fontaine, est animée par deux petits bars.

Située un peu au-dessus de la place centrale, l'**église Saint-Michel**, d'origine romane, a été pourvue d'un portail daté de 1509. Elle est devenue collégiale en 1749. Remarquer son bel orgue (Saladini) de 1821.

Sur la place de la Libération, regardez dans l'axe de la rue qui jouxte l'église sur la droite. On aperçoit l'ouverture naturelle longue de 8 m de la **Pietra Tafonata** à travers laquelle filtrent les rayons du soleil. Chaque année, le 8 avril et le 8 septembre se produit un curieux phénomène d'éclipse. Après avoir disparu derrière la montagne vers 18h, le soleil réapparaît quelques instants par l'ouverture de la Pietra Tafonata

La route tracée à mi-pente contourne en corniche le bassin du Regino.

Feliceto

Ce village entouré de vergers s'étale au-dessus du bassin du Regino. En contrebas s'élève son église baroque au clocher étagé et coiffé d'une coupole.

À l'Ouest de Feliceto, la route serpente à travers un maquis de bruyères et d'arbousiers.

Muro

La grande **église** qui surgit au bord de la route dresse sur la place du village son imposante façade blanche. L'intérieur de l'église offre un bel exemple de baroque tardif : maître-autel et clôture du chœur en marbre polychrome, beau buffet d'orgue, profusion de marbres, de colonnes torses, de dorures… Remarquer au fond de l'édifice le **visage du crucifié** qui, en 1730, « se mit à saigner et s'auréola d'une lumière éclatante ». Chaque année, une foule vient commémorer ce miracle.

C'est à Muro qu'est né **Pietro Morati** (1658-1715), célèbre juriste, auteur de la *Prattica Manuale*, manuel de droit et de jurisprudence qui fit longtemps autorité en Corse. Muro a conservé ses maisons à arcades.

Attention, la route ne traverse pas Avapessa (voie privée), mais le contourne par la droite. Visite à pied.

Avapessa

À mi-pente au-dessus de la vallée du Regino, dans un paysage d'oliviers, de figuiers de Barbarie et de jardins en terrasses, ce hameau possède une petite église baroque (1618) dotée d'un joli clocher carré.

Retour vers L'Île-Rousse par la D 13.

Santa-Reparata-di-Balagna *(voir L'Île-Rousse)*

Stéphane Sauvignier / MICHELIN

Muro.

Balagne pratique

Voir également les encadrés pratiques de Calvi, Corbara, L'Île-Rousse, Pigna et Sant'Antonino. Site www.balagne-corsica.com

Visites

Visite guidée de Montegrosso – *04 95 62 72 78 - s'inscrire la veille à la mairie, à Montemaggiore.* Cassano, Lunghignano et Montemaggiore constituent la commune de Montegrosso. Des visites guidées en minibus des trois hameaux, d'une durée de 2h, sont organisées par le service du patrimoine de la commune ainsi que des visites à la demande sur réservation.

La Montagne des orgues – 04 95 61 34 85 - association Saladini - visites commentées des églises et villages.

Transports

Pour vous déplacer entre Calvi et L'Île-Rousse, vous pouvez prendre le « tramway de Balagne » qui dessert une dizaine de localités le long du littoral (voir le carnet pratique d'Algajola).

Se loger

Auberge Aghjola – *20259 Pioggiola - 04 95 61 90 48 - aghjola@wanadoo.fr - 8 ch. 48/74 € - 6 € - rest. 27 €.* Une adresse attachante que cette maison du bout du monde où le temps semble s'être arrêté. Chambres simples agrémentées de meubles en bois peint. Installez-vous autour de la grande table d'hôte pour goûter à une cuisine corse authentique *(menu unique).*

A Spelunca – *20226 Speloncato - 04 95 61 50 38 - hotel. a.spelunca@wanadoo.fr - fermé déc.-mars - 18 ch. 50/70 € - 5,50 €.* Dressé au cœur de ce village perché, cet ancien palais du cardinal Savelli, ministre de la police de Pie IX, offre un panorama splendide sur toute la haute Balagne. De vastes chambres au luxe discret y voisinent avec de riches salons au décor d'origine.

Camping Le Panoramic – *Rte Lavatoggio - 20260 Lumio - 12 km au NE de Calvi par N 197 (rte de L'Île-Rousse), puis D 71 (rte de Belgodère) - 04 95 60 73 13 - ouv. juin-15 sept. - - 100 empl. 18,20 € - restauration.* L'accueil est familial et chaleureux dans ce camping situé entre L'Île-Rousse et Calvi. Ici, c'est simple mais bien tenu. Belles terrasses ombragées. Piscine avec petite plage et sa buvette.

Hôtel Mare E Monti – *20225 Feliceto - 04 95 63 02 00 - fermé 16 oct. à mars - P - 18 ch. 81/114 € - 7 €.* Cette belle demeure familiale fut construite au 19e s. par les ancêtres revenus fortunés de Porto-Rico. Demandez au maître des lieux de vous faire visiter la petite chapelle et le salon-musée. Chambres joliment personnalisées (meubles chinés, tableaux).

Se restaurer

Le Cyrnéa « Chez Françoise » – *20214 Montegrosso - 04 95 62 81 02 - fermé 5 oct.-Pâques - - 13 €.* Françoise vous accueille au café-bar-tabac du village, entre l'église et la maison de Don Juan. Le menu, servi en toute simplicité dans la salle voûtée ou sur la petite terrasse, est généralement composé de charcuteries corses et du plat du jour.

Chez Léon – *20225 Cateri - 04 95 61 73 95 - sdume@wanadoo.fr - 15/35 € - 7 ch. 34/55 €.* Les terrasses de ce restaurant ménagent une vue panoramique sur les massifs et la mer. Là ou dans la grande salle à manger, vous dégusterez une cuisine régionale faisant la part belle au poisson. Quelques chambres et studios.

⊖⊖ **Niobel** – *Lieu-dit Ajola - 20226 Belgodère - ✆ 04 95 61 34 00 - niobeltrani@hotmail.com - fermé nov. et janv. - 16 € déj. - 20/24 €.* Un chemin très pentu mène à cette maison dominant le village bâti à flanc de colline. Chambres très sobres, idéales pour se ressourcer. Depuis le restaurant et sa terrasse ombragée, jolie vue sur la vallée du Réginu. Recettes corses (sauté de veau du Niolu aux parfums d'orange, flan caramélisé à la châtaigne, etc.)

⊖⊖ **Auberge de Domalto** – *Lieu-dit Domalto - 20226 Speloncato - 5 km au N de Speloncato par D 663 (dir. L'Île-Rousse), puis D 71 (dir. Calvi) - ✆ 04 95 61 50 97 - fermé midi - ⊭ - réserv. obligatoire - 32 €.* Poussez la porte de cette maison particulière pour dîner à la lueur des chandelles et des lampes à pétrole. Plaisirs d'un copieux repas soigné, entre vin de pêche, liqueur de violettes sauvages et pain maison servis dans une auberge pittoresque chez une dame de caractère.

⊖⊖ **Ferme-auberge L'Aghjalle** – *Hameau de Toro - 20220 Santa-Reparata-di-Balagna - 2 km au S de Santa-Reparata par D 13 dir. Muro - ✆ 04 95 60 31 77 - fermé de fin sept. à fin mars, merc. et le midi - ⊭ - réserv. conseillée - 21 €.* Elle nous plaît bien cette ancienne bergerie avec sa salle voûtée et colorée et sa terrasse sous les canisses en pleine campagne. Le patron parle avec ferveur de ses veaux, de son huile d'olive et de ses légumes préparés avec amour par son épouse.

Que rapporter

Bon à savoir – La Route des Artisans vous permettra d'aller à la rencontre des artisans de Balagne qui vous dévoileront avec plaisir les secrets de leur savoir-faire : céramique, jouets, coutellerie, bijoux (Corbara), instruments de musique (Pigna), reliure (Calenzana), ferronnerie, verrerie, etc.

GAEC de Lozari – *Ham Lozari - 20226 Belgodère - ✆ 04 95 60 18 13 - tlj 17h-19h et sur RV.* Réputés depuis l'Antiquité, les miels corses sont autant de poèmes célébrant l'île. Leurs noms enchanteurs révèlent des saveurs inattendues et « corsées » que les frères Gacon, artistes du goût, déclinent sous toutes les formes : hydromels, vinaigres…

U Fragnu – *Lunghinano Village, D 151 - 20214 Montegrosso - ✆ 04 95 62 75 51 - www.ufragnu.com - avr.-juin, sept.-oct. : 9h-12h, 14h-18h ; juil.-août : 9h-19h - fermé nov.-mars.* Si vous cherchez une huile traditionnelle, demandez Georges ! Georges, c'est l'âne qui, tous les deux ans, à la récolte des olives, fait tourner ce moulin de 1850. Outre une huile douce et fruitée, vous trouverez ici une sélection de produits corses.

Clos Reginu e Prove – *Domaine Maestracci - en quittant Feliceto vers Muro, prendre la D 215 dir. Santa-Reparata - 20225 Feliceto - ✆ 04 95 61 72 11 - www.clos-reginu-eprove.com - été : tlj sf dim. 9h-12h, 14h-19h30, hors sais. : merc.-sam. 9h-12h, 14h-17h.* Située sur une ancienne moraine glaciaire, la vigne de ce domaine de la vallée du Reginu produit deux très bonnes cuvées (gardées trois ans en foudre et en barrique). Vous pourrez les déguster sur place, après avoir suivi Michel Raoust dans la visite de ses caves.

Clos Culombu – *Chemin San-Petru - 1,5 km de Lumio dir. Calvi, prendre la route du cimetière à gauche - 20260 Lumio - ✆ 04 95 60 70 68 - www.closculombu.com - tlj sf dim. 9h-12h, 15h-19h.* Cette exploitation de 55 ha s'étend sur les communes de Lumio et Montegrosso. Le succès grandissant de ses deux cuvées Clos et Domaine (chacune en blanc, rouge et rosé) est un encouragement pour Étienne Suzzoni qui met un point d'honneur à entretenir ses vignes de la façon la plus raisonnée possible.

Domaine d'Alzipratu – *Rte de Zilia - 20214 Zilia - ✆ 04 95 62 75 47 - tlj sf dim. 8h-12h, 14h-19h.* Situé sur un coteau entre mer et montagne, ce domaine produit un délicieux vin nommé le Fiumeseccu (rouge, rosé ou blanc).

Sports & Loisirs

Altore – *Montemaggiore - 20214 Montegrosso - ✆ 06 08 72 67 19 - www.altore.com - selon la météo et sur RV. 9h-19h.* Cette annexe du centre sportif de Saint-Florent vous propose des baptêmes et des stages de parapente dans le décor extraordinaire qui domine la baie de Calvi.

Sub Corsica Club – *Marine de Sant'Ambroggio - dir. Balagne-Calvi - 20260 Lumio - ✆ 04 95 60 75 38 ou 06 81 70 46 35 - http://plongeecorse.fr.st - tlj 2 sorties à 9h et 15h - fermé déc.-avr.* Avec son navire de 17 m, c'est l'un des centres de plongée les mieux équipés de la côte. Il propose des explorations jusqu'à Girolata, parmi plus de 30 sites répertoriés, dont le célèbre Danger d'Algajola et les impressionnants tombants de la Revellata. Également, baptêmes, brevets, plongées adaptées aux enfants et *snorkeling* (plongée libre).

Bastelica

460 HABITANTS
CARTE GÉNÉRALE B5 – CARTE MICHELIN LOCAL 345 D7 – CORSE-DU-SUD (2A)

Ce petit chef-lieu de canton montagnard groupe ses hameaux sur les pentes du mont Renoso, dans un paysage d'alpages semés de châtaigniers. À 800 m d'altitude, Bastelica est le plus haut village de la vallée du Prunelli ; la vie locale y demeure active et authentique. Il attire en hiver les amoureux du ski (nombreux parcours de ski de fond et stade de neige du val d'Ese à 16 km) et constitue en été un lieu de villégiature apprécié des Ajacciens à la recherche de fraîcheur. Bastelica est aussi le point de départ d'une route aux panoramas splendides en direction des champs de neige du plateau d'Ese.

Se repérer – À partir d'Ajaccio, prendre la N 196 jusqu'à Cauro (20 km). Tourner alors à gauche sur la D 27, petite route de montagne qui grimpe jusqu'à Bastelica (20 km environ).

À ne pas manquer – Revivre l'épopée de Sampiero à travers son monument et la façade de sa maison natale ; le barrage de Tolla.

Organiser son temps – Les routes du plateau d'Ese ou des gorges de Prunelli, mal entretenues et particulièrement sinueuses se prêtent à une allure bonhomme. Prévoyez en moyenne 1h pour une vingtaine de kilomètres.

Avec les enfants – Les cascades des gorges de Prunelli.

Pour poursuivre la visite – Voir aussi Ajaccio.

Comprendre

Un chef militaire – **Sampiero Corso** est né vers 1498 d'une famille d'origine modeste. Très jeune, il quitte la Corse pour embrasser le métier des armes au service des Médicis à Florence, puis du pape Clément VII. Le cardinal Jean du Bellay, ambassadeur de France à Rome, prend sous sa protection l'ardent capitaine, et le fait engager dans les armées de François Ier en 1536. Devenu officier français, il le restera pendant près de trente ans.

Portrait de Sampiero Corso (1498-1567).

Aux côtés de Bayard, puis de La Châtaigneraie, il s'illustre alors dans toutes les batailles menées contre Charles Quint. À Perpignan, il sauve la vie du dauphin Henri, ce qui lui vaut de porter sur ses armes « deux bandes d'azur à fleurs de lys d'or ». Auréolé de prestige et fortuné, il peut épouser en 1545 Vannina d'Ornano, dont la famille compte au rang des grands de l'île. En 1547, il est promu colonel par Henri II et reçoit le commandement de l'ensemble des compagnies corses au service du roi.

Serviteur de la France en Corse – Peu après son mariage, Sampiero est incarcéré à Bastia par le gouverneur génois, dans des circonstances demeurées obscures. Il est rapidement libéré grâce à l'intervention de Henri II. En 1553, il s'illustre en Italie où la France mène campagne. Mais c'est lors de la conquête de la Corse par les Français, dès la fin de la même année, que Sampiero devient une figure dans l'île. La légende le donne pour l'initiateur de cette expédition et son promoteur auprès du roi. On sait en fait aujourd'hui que Sampiero, loin d'approuver ce projet, avait tenté d'en détourner le Conseil de guerre. Toujours est-il qu'il seconde avec bravoure les opérations menées par le maréchal de Thermes. À la tête de 500 mercenaires corses, Sampiero rallie sans peine à la cause française les chefs de l'île et une population hostile à la politique de Gênes.

Farouche adversaire des Génois – En 1557, l'administrateur français, Giordano Orsini, successeur du maréchal de Thermes, peu estimé de Sampiero, déclare à Vescovato l'incorporation de la Corse à la couronne de France.
Cette déclaration qui trompa les Corses, puis les historiens, n'était que pure invention d'Orsini, sans doute soucieux de ranimer le zèle défaillant des tenants du parti

français. C'était imprudemment anticiper la tournure que prirent les événements : le 3 août 1559, le **traité de Cateau-Cambrésis** rend la Corse aux Génois.

En 1563, Sampiero, retiré en France pour préparer une nouvelle campagne contre les Génois, tue sa femme Vannina en fuite vers Gênes avec une partie de sa fortune. Le 14 juin 1564, discrètement appuyé par Catherine de Médicis, il débarque dans le golfe de Valinco : la révolte redémarre. Sampiero se rend vite maître de l'intérieur de l'île, mais Gênes conserve les places maritimes. L'intensité des combats diminue, sans victoire décisive. Les défections se multiplient parmi les insurgés, lassés du pourrissement de la situation.

C'est dans ce contexte que, le 17 janvier 1567, Sampiero tombe dans une embuscade entre Cauro et Eccica-Suarella *(voir p. 152)*, dirigée par les frères d'Ornano, cousins de sa femme ralliés aux Génois. Sampiero entra dans la légende, et son prestige porta en France le renom des qualités militaires des Corses.

Visiter

Statue de Sampiero

Cette statue monumentale en bronze s'élève devant l'église de Santo, principal hameau de Bastelica. Brandissant son épée, Sampiero symbolise le courage et la force des insulaires. Trois faces du piédestal sont ornées d'un bas-relief en bronze évoquant le combat des Corses contre Gênes au 16e s.

Maison natale de Sampiero

Au hameau de Dominicacci, tout en haut du village. Incendiée par les Génois, cette modeste demeure fut reconstruite à l'identique au 18e s. Elle porte une inscription en langue corse rédigée en 1855 par William Wyse, petit-fils de Lucien Bonaparte, exaltant pompeusement la vaillance de l'enfant du pays : « Au plus Corse des Corses, héros fameux parmi les innombrables héros que l'amour de la patrie – mère superbe des mâles vertus – a nourris dans ces montagnes et dans ces torrents… »

Circuits de découverte

ROUTE PANORAMIQUE DU PLATEAU D'ESE★ 1

Cette magnifique route de crêtes mène au « stade de neige » du val d'Ese. *N'escomptez pas trouver au val d'Ese une station mondaine ! Si vous désirez y passer une journée à la neige, il est prudent de se munir d'un panier repas !*

16 km – environ 1h. Prendre la D 27^{A} à l'entrée de Bastelica, face à la statue de Sampiero.

Rapidement, le parcours devient aérien (mais gardez toutefois les pieds sur terre : le revêtement de la route a beaucoup souffert et nombre de cochons y errent en liberté) et offre des **vues exceptionnelles**★★ sur Bastelica et le massif montagneux qui sépare les vallées du Prunelli et du Taravo : à la lumière du soir, on peut compter jusqu'à dix plans successifs de lignes de crêtes. On regrettera toutefois qu'il traverse une décharge sauvage…

GORGES DU PRUNELLI★ 2

50 km – environ 3h. Quitter Bastelica au Sud-Ouest par la D 27 ; à 4,5 km prendre à droite la D 3 vers Tolla. La chaussée est étroite et de revêtement médiocre.

La route descend dans la vallée du Prunelli. Elle pénètre bientôt dans les gorges et ménage de beaux **coups d'œil**★ à gauche sur la Punta di Forco d'Olmo (alt. 1 631 m), la crête dentelée de la Punta Arghiavana (alt. 1 346 m) et le lac de barrage de Tolla.

Tolla

Ce village, entouré de pommiers, de noyers et de châtaigniers, domine un lac de barrage. Haut de 88 m, le **barrage de Tolla** est un ouvrage du type voûte retenant 32 millions de m^{3} d'eau. Il alimente à son tour une autre usine hydroélectrique. Le plan d'eau a été peuplé en truites fario et en saumons de fontaine.

Belvédère

Au col de Mercujo (alt. 715 m), garer la voiture. Emprunter à pied, sur la gauche, le chemin en cul-de-sac qui monte au belvédère. Il offre une **vue**★★ plongeante sur le barrage de Tolla et la retenue, et, plus bas, sur les gorges du Prunelli dominées par la Punta Arghiavana, la Punta de Serra Cimaggia et la Punta de Mantellucio.

Poursuivre la D 3. La descente en lacet sur le village d'**Ocana** procure un superbe spectacle sur toute la chaîne de montagnes. Le bourg s'accroche à mi-pente au-dessus des gorges face à la chaîne.

À 5 km d'Ocana, prendre à gauche la route d'Eccica-Suarella (D 103).

Stèle de Sampiero Corso

15mn à pied AR. Stationner près du pont sur le Prunelli. Remonter à pied la D 103 sur 100 m vers Eccica-Suarella. Immédiatement après un petit pont dans un virage à droite, prendre le sentier qui monte sur la gauche à travers un agréable sous-bois.
C'est près de Suarella, en plein maquis, que Sampiero Corso fut assassiné. Une stèle érigée à la fin du 19e s. commémore l'événement.

Eccica-Suarella

Les vignobles de ses coteaux produisent d'excellents vins de table. On y fabrique aussi de délicieux fromages de chèvre artisanaux.

On atteint bientôt la N 196 que l'on emprunte à gauche vers Cauro. À la sortie de Cauro, suivre la D 27 vers Bastelica.

La route traverse des bois de chênes et débouche sur un paysage de pâturages. Après le hameau pastoral de Radicale, on s'élève vers le col de Sant'Alberto.

Cascade de Sant'Alberto (dite aussi de Carnevale)

15mn à pied AR. Accès à 5 km de Cauro dans un virage à gauche. Stationner à proximité du pont. Quelques mètres après le pont, un sentier escarpé (non balisé) grimpe sur la rive droite du ruisseau, dans les ombrages de beaux chênes. On entend bientôt sur la droite la cascade qui plonge d'une dizaine de mètres.

Continuer la D 27 vers Bastelica et franchir le col de Marcuccio qui offre des vues de qualité.

Pont génois de Zipitoli

10mn à pied AR. Sentier fléché sur la gauche de la route, dans la descente du col de Mercurio. Garer la voiture à l'un des emplacements aménagés après la maison forestière de Pineta. Prendre à pied sur la gauche un chemin qui descend vers le pont sur l'Ese que l'on aperçoit très vite sur la droite.
Franchir ce joli petit pont à arche unique environné de buis dans un paysage alpestre, continuer le sentier sur une trentaine de mètres, puis couper sur la gauche pour descendre au bord de la rivière d'Ese.

Reprendre la D 27 vers Bastelica. La route, tracée à flanc de montagne, descend à travers la **forêt de la Pineta** peuplée de pins maritimes auxquels se mêlent des châtaigniers et quelques hêtres. Elle procure de belles échappées sur la vallée du Prunelli et sur les arêtes rocheuses : Punta d'Antraca, mont Rosso et, en arrière, Punta Tirolello (alt. 1 541 m).

Au col de Cricheto, vous pouvez choisir de rejoindre Bastelica par la route supérieure qui rejoint la D 27 au col de Menta. Le parcours (ancienne route forestière), plus tourmenté, étroit et mal goudronné, offre de meilleures **perspectives★** *sur les crêtes.*

Au col de Menta commence la descente rapide sur Bastelica. À 50 m en contrebas de la route, on aperçoit, au pied de grandes parois rocheuses, la **cascade d'Aziana**, haute de 15 m, formée par le Prunelli.

Amaury de Valroger / MICHELIN

Site du pont de Zipitoli.

Randonnée

Cascades d'Ortala

Compter 2h30 AR. Départ au niveau d'une fontaine couverte près du restaurant « Chez Paul », en haut du village. Balisage orange partiel. Carte IGN (Mont Renoso) conseillée.

Cette promenade rafraîchissante est l'occasion de découvrir un système d'aduction d'eau particulièrement bien conservé. En effet, après une demi-heure de montée, apparaît un petit canal qui achemine l'eau de la montagne jusqu'au village. En le remontant on arrive presque jusqu'aux cascades d'Ortala qui se cachent dans un très beau décor sauvage.

Bastelica pratique

Se loger

Le Sampiero – *Au bourg - ✆ 04 95 28 71 99 - fermé du 20 oct. à déb. janv. - 24 ch. 46/53 € - 6 € - rest. 15/20 €.* Face à la statue monumentale de Sampiero Corso et à l'église, hôtel-restaurant proposant une vraie cuisine corse. Vaste salle à manger au décor des plus rustiques, très chargé. Même style dans les chambres qui, au dernier étage sous les toits, sont plus spacieuses et peuvent accueillir les familles.

Se restaurer

Chez Paul – *✆ 04 95 28 71 59 - 12/20 € - 6 ch. 40 €* . La tradition corse est au rendez-vous dans ce petit restaurant où règne une bonne ambiance familiale. Vous pourrez prolonger votre séjour dans l'une des chambres équipées de cuisinette.

Que rapporter

Urbani François – *✆ 04 95 28 71 83 - vente directe, sonnez à l'entrée.* François Urbani, éleveur-producteur, propose à la vente ses excellentes charcuteries - coppa, pancetta, voletto, prisuttu (jambon) et figatellu (saucisse de foie) - toutes légèrement fumées au bois de châtaignier. Si vous aimez les confitures, achetez celles de Marion, la fille de la maison.

Sports & Loisirs

Cors'Aventure – *Corri-Bianchi, RN 196 - 20117 Eccica-Suarella - ✆ 04 95 25 91 19 - www.corse-aventure.com - 9h-18h - fermé déc.-janv.* Propose des sorties canyoning, VTT et kayak de mer.

Centre nautique du lac de Tolla – *20117 Tolla - ✆ 04 95 27 00 48 - de déb. juin à mi-sept. :* location de canoës, kayaks, pédalos, vélos d'eau et barques de pêche.

Bastia

37 884 BASTIAIS
CARTE GÉNÉRALE C2 – CARTE MICHELIN LOCAL 345 F3 – HAUTE-CORSE (2B)

Grande ville d'affaires de la Corse et préfecture de la Haute-Corse depuis 1975, premier port français en Méditerranée, Bastia affiche une belle santé. Son succès pourtant n'a pas édulcoré sa forte personnalité, toute en contrastes, oscillant entre exubérance et goût de l'intimité. La ville ancienne s'ordonne en deux quartiers autour du vieux port : la ville basse, Terra-Vecchia, au Nord ; la ville haute (ou citadelle), Terra-Nova, au Sud. De hautes maisons aux volets peints y tracent des rues sinueuses et colorées. Le soir, les illuminations du vieux port, du jardin Romieu, de la citadelle et de St-Jean-Baptiste invitent à la flânerie. Bastia cultive également une relation privilégiée avec la musique et les chanteurs corses fidèles à de nombreux lieux de la vieille ville.

Se repérer – Aujourd'hui, Bastia développe ses immeubles administratifs vers le Nord et étend ses quartiers d'habitation et sa zone industrielle et commerciale dans la plaine littorale, au Sud. Dans le centre-ville, le boulevard Paoli, artère principale, animé et commerçant, connaît les embarras de circulation d'une petite capitale. Laissez votre véhicule au parking (payant) de la place Saint-Nicolas ou de la gare ferroviaire ; quelques minutes suffisent alors pour gagner à pied le dédale des ruelles pavées de Terra Vecchia ou la citadelle.

À ne pas manquer – Le dédale de Terra-Vecchia ; la vue sur le vieux port de la jetée du Dragon ; le bel ensemble de l'Assomption de la Vierge à l'église Sainte-Marie.

Organiser son temps – L'atmosphère de la ville est particulièrement animée et agréable en soirée (place Saint-Nicolas). Bars, glaciers et restaurants produisent régulièrement chanteurs et musiciens locaux (place du Marché). Il est donc aisé d'y prendre pied en fin d'après-midi et de consacrer la journée du lendemain à la visite. Commencer le matin par la place du marché vivante et odorante à proximité de l'église St-Jean-Baptiste et de Terra-Vecchia.

Avec les enfants – Le musée de la Miniature ; la réserve naturelle de Biguglia.

Pour poursuivre la visite – Voir aussi le Cap Corse, Patrimonio, la Casinca.

Comprendre

Naissance d'une cité – Bastia ne fut vraiment établie qu'à la fin du 14e s., mais les objets découverts sur les hauteurs environnantes confirment une occupation du site dès 1500 av. J.-C. Les Romains y installèrent une colonie, sans doute **Mantinôn** (citée par le géographe grec Ptolémée) qui ne survécut pas à l'invasion vandale et fut abandonnée à la fin du 6e s. Au début du 11e s., les pêcheurs utilisèrent dans la crique de « Terra-Vecchia » le petit port de Cardo, mais n'y édifièrent que des cabanes, le rivage étant trop vulnérable aux raids barbaresques. À la fin du 12e s., la Balagne,

Amaury de Valroger / MICHELIN

La ville et le vieux port.

les régions du Cap Corse et de Bastia étaient les plus productives des zones viticoles et exportaient du vin en grande quantité.

Citadelle génoise – Les Génois recherchèrent un emplacement propice à l'établissement d'une cité capable d'assurer un contact permanent et sûr entre leur patrie et leur colonie. C'est ainsi qu'en 1380, le gouverneur Leonello Lomellini choisit la marine de Cardo. En 1480, Tomasino de Campofregoso entreprit la construction de remparts autour de ce site qui devint le quartier de Terra-Nova, tandis qu'autour du port de Cardo, le quartier de Terra-Vecchia poursuivit son extension vers le Nord.

Le saviez-vous ?

En 1380, le gouverneur génois Leonello Lomellini choisit la marine de Cardo (crique de « Terra-Vecchia ») pour établir une cité sûre et proche de Gênes. Ce port naturel, étroit, peu profond, exposé aux terribles coups du libeccio, était en effet protégé par un rocher aisément défendable.

Au 15e s., les Génois élevèrent sur le rocher du port une bastiglia ou « bastille » pour protéger la ville. Celle-ci donna son nom à Bastia.

Rayonnement politique et économique – Bastia fut, sous la domination génoise, la capitale de la Corse. Le gouverneur et ses services administratifs y entretenaient un commerce dynamique et établirent quelques manufactures. C'est à Bastia, en 1547 ou 1548, que Sampiero Corso *(voir p. 150)* fut incarcéré par le gouverneur, lorsqu'il fut soupçonné, à son retour d'un voyage dans la ville pontificale, de menées subversives. Il fut relâché sur l'intervention du nouveau roi de France Henri II.

Au 17e s., Bastia connut une forte croissance démographique liée à la vitalité économique de la ville. Sa position géographique en faisait un trait d'union entre la terre génoise et les plus riches régions agricoles de la Corse : Cap Corse, Balagne, plaine orientale. Au 17e s. et au 18e s., la bourgeoisie de Bastia rivalisait, par ses constructions et son activité, avec le patriarcat de la Superbe (Gênes). Terra-Vecchia, érigée en paroisse à partir de 1619, rassemblait autour du Porto-Cardo une population triple de celle de Terra-Nova.

La floraison d'églises et de chapelles de confréries indiquait au 17e s. un regain de ferveur religieuse et témoignait d'une certaine aisance. De cette époque date notamment le somptueux oratoire de St-Roch, décoré par le Florentin Filiberto. Cette expansion de la cité permit une progressive fusion des colons génois primitifs et des Corses venus de l'intérieur. En 1700, Bastia comptait tout un peuple d'artisans et plusieurs fabriques de pâtes alimentaires…

Le sac de Bastia – Bastia, capitale du gouvernement génois de l'île, symbolisait la « tyrannie génoise ». Sa richesse apparente provoqua la colère populaire en cette période de disette alimentaire. Des pillages avaient déjà eu lieu à Aléria, au Cap Corse, à St-Florent et en Balagne. Le 19 février 1730, 4 000 montagnards pillèrent et saccagèrent Terra-Vecchia trois jours durant tandis que la citadelle de Terra-Nova restait à l'abri derrière ses remparts. À force d'instances et de promesses, Mari, l'évêque d'Aléria, obtint enfin le départ des envahisseurs.

Entre 1740 et 1770, la cité perdit de son attrait et sa population stagna. De nombreux habitants partirent exercer leur métier en des lieux moins troublés. Cependant, les « populani », essentiellement des artisans et des marins, pour se protéger des paysans montagnards (« paesani ») qui avaient mis la ville à sac, restèrent fidèles à Gênes. Celle-ci perdra de sa puissance pour n'être plus qu'une cité exsangue incapable de faire face aux manifestations indépendantistes. Quand, en vertu du traité de Versailles, la Corse devint française, Bastia célébra unanimement la fin du carcan économique et politique génois.

La Révolution française – L'application de la Constitution civile du clergé, en 1791, sema le trouble dans l'esprit religieux des Corses et engendra de violents incidents à Bastia. L'évêque, Mgr du Verclos, dut s'exiler en Italie et céder son siège épiscopal. À l'appel de certains religieux, les fidèles se révoltèrent et suivirent les directives d'une femme de caractère, **Fiora Oliva**, bientôt surnommée « la colonelle ». À la tête des rebelles, elle réussit à forcer les portes de la citadelle et à faire le siège du palais épiscopal… en vain, puisque le nouvel évêque constitutionnel était absent. Pascal Paoli, qui commençait en cette année 1792 à prendre clairement ses distances avec les partisans corses de la Révolution, réprima ces troubles sans grande vigueur.

Au moment où le Directoire succédait à la Convention, une nouvelle vague de persécutions religieuses s'abattit sur la Corse, déjà bien éprouvée par les excès révolutionnaires. En 1798, une révolte éclata dans le Golo, conduite par **Agostino Giafferi**, âgé de 80 ans, qui vivait retiré sur ses terres. Arborant une petite croix blanche **(la**

Crocetta) sur leur coiffure, en signe de reconnaissance, les insurgés se rendirent bientôt maîtres d'une partie de la Castagniccia et de la Casinca. À Bastia, Lucien Bonaparte, anticlérical notoire, dirigea la répression. Devant sa détermination et le supplice de quelques insurgés, le mouvement de la Crocetta se dispersa. Giafferi fut enfermé à Bastia et fusillé sur la place St-Nicolas le 21 février 1798.

Un nouvel essor commercial – En 1796, la Corse fut divisée en deux départements : le Golo, avec Bastia pour chef-lieu, et le Liamone avec Ajaccio. Dès lors, Bastia se tourna résolument vers le commerce et devint une place d'échange entre les produits agricoles du pays et les objets manufacturés du continent. C'est à cette période que Flaubert écrivit : « Bastia n'est pas comme Ajaccio, une ville de plaisir ; elle ne s'enorgueillit pas d'un casino et ne cherche pas à retenir les étrangers de passage. Si Ajaccio, toute en sourires et en chants, est la cigale de la Corse, Bastia en est la fourmi économe et laborieuse. » Les industries s'y développèrent, comme les forges du Toga, au Nord de la ville, qui exploitaient le fer de l'île d'Elbe et celui de Cardo. La ville poursuivit son essor et sa population dépassait 20 000 habitants à la fin du 19e s. Son nouveau port, commencé en 1862, fut achevé cinquante ans plus tard. La construction de la nouvelle préfecture en 1976, puis celle de l'hôtel du département aux allures futuristes, la rénovation du port, enfin, ancrent l'image d'une capitale moderne de la Haute-Corse.

Une capitale économique moderne – L'aéroport de Bastia-Poretta et le port connaissent une activité croissante. Le port, avec 60 % du trafic marchandises et le plus important trafic passagers de l'île, est le deuxième port français de la Méditerranée pour l'ensemble du trafic. Il constitue une des principales têtes de ligne des liaisons maritimes en NGV entre la Corse et le continent.

Le commerce, les industries (cigarettes, produits alimentaires), le tourisme, ainsi que la présence des administrations animent la ville dont l'extension s'effectue vers le Sud : quartiers de Lupino et Montesoru et deux zones industrielles de plus de 20 km. Bastia entretient avec l'Italie (et particulièrement la Toscane), par Gênes, La Spezia, Livourne et Piombino, des liaisons qui renforcent son rôle de premier centre économique de l'île et en font un pôle d'attraction pour tout le Cap Corse, le Nebbio, la Castagniccia, la Balagne et une grande partie de la plaine orientale.

Se promener

TERRA-VECCHIA★ (2)

Environ 2h. Au cœur de la vieille ville bastiaise, cet itinéraire permet de découvrir la ville basse organisée autour d'une petite crique qui fut autrefois la marine d'un village de pêcheurs, **Cardo**. Elle offre aujourd'hui le visage d'un petit port méditerranéen où l'on se perd avec plaisir dans un dédale de rues étroites et mouvementées : ruelles en escalier, linge suspendu aux cordes, passages couverts, venelles tortueuses réservent mille surprises.

Place St-Nicolas (2)

S'ouvre ici l'une des plus grandes places d'Europe, plus vaste encore que Saint-Pierre de Rome. Ouverte sur le port où se profilent régulièrement les silhouettes des gigantesques ferries, elle a la noblesse et l'ampleur d'une place royale. Ceinturée d'une allée de platanes et de palmiers, elle offre un ombrage apprécié à la belle saison. À l'Ouest et au Sud, de hauts immeubles couverts de lauzes dressent leurs sobres façades. En arrière-plan, la montagne abrupte et dénudée clôt l'horizon. Cette vaste esplanade, longue de 300 m, doit son nom à une ancienne chapelle pisane détruite au 19e s.

La place a été aménagée à la fin du 19e s. De part et d'autre du kiosque à musique, on remarque la statue de Napoléon et un monument aux morts de la guerre de 1914-1918. Ce dernier est l'œuvre des sculpteurs Peckle et Patriarche qui ont représenté un épisode de la guerre d'Indépendance : il s'agit de la veuve de Renno faisant don à Paoli de son dernier fils pour la défense de la patrie corse.

Prendre dans le prolongement de la place le cours H.-Pierangeli.

Sur la gauche, un ensemble de bâtiments abrite le lycée Jean-Nicoli qui occupe l'ancien couvent des missionnaires Lazaristes (17e s.) ; il devint palais du Gouvernement lors de l'annexion de la Corse par la France, puis fut habité par Sir Gilbert Elliott, le vice-roi de l'éphémère royaume anglo-corse.

Place du Marché (2)

Bordée par l'ancienne mairie, plantée de platanes et dallée de schiste, la place a gardé son cachet originel grâce aux vieilles maisons – plusieurs datent du 17e s. –, aux façades hautes et percées de fenêtres souvent occultées de persiennes. Elle s'éveille chaque matin aux volubiles accents des commerçants du marché. L'église St-Jean-Baptiste s'ouvre sur la place par une porte percée dans son flanc Est et surmontée d'un portique à quatre colonnes.

Place St-Nicolas.

Amaury de Valroger / MICHELIN

Église St-Jean-Baptiste (2)

✆ 04 95 55 24 60 - 9h-12h, 14h-18h30, dim. 9h-12h.(en dehors des offices religieux).

La haute façade classique de ce vaste édifice, calée entre deux fines tours, domine Terra-Vecchia et veille solennellement sur le vieux port. Plus vaste église paroissiale de Corse, elle fut élevée de 1636 à 1666. À l'intérieur, la haute nef et ses deux collatéraux, à l'ordonnance caractéristique du baroque bastiais, ont reçu au 18e s. un décor où se mêlent les marbres précieux (fonts baptismaux), l'or des stucs et les peintures en trompe-l'œil (celles de la voûte datent de 1871). Remarquez en particulier l'élégante **tribune d'orgues** (1742), les quelques **tableaux** de la collection du cardinal Fesch et le curieux **Christ** en papier mâché du maître-autel à la cambrure élégamment baroque (17e s.). Nombre de Bastiais reposent sous le dallage de la nef.

En sortant par le porche latéral, passer devant la façade monumentale et remonter la rue St-Jean. Prendre à droite la rue des Terrasses.

Oratoire de l'Immaculée-Conception★ (2)

✆ 05 95 55 24 60 - 9h-12h, 14h-18h30, dim. 9h-12h (en dehors des offices religieux).

Donnant sur un minuscule parvis à mosaïque de galets représentant un soleil, cette chapelle de confrérie cache la richesse de son décor intérieur sous une apparence extérieure d'une grande sobriété, à peine égayée par une frise de guirlandes et d'angelots. Cet édifice à nef unique fut commencé en 1589. Dans ce monument se tinrent au 18e s. de nombreuses réunions politiques et historiques, dont les assises du parlement anglo-corse dirigées par le vice-roi Elliot.

L'intérieur, richement paré au 18e s., offre des murs couverts de boiseries dans leur partie basse et tendus de damas de velours de Gênes cramoisi pour le reste. Une symphonie de dorures et de marbres s'étale sous un plafond peint à fresque. La décoration de la voûte représente l'Immaculée Conception et les 18 médaillons ovales sous la corniche, les apôtres et les évangélistes. Le maître-autel de 1624, rénové en 1763, est orné d'une copie d'une Immaculée Conception de Murillo.

Sur la gauche, une armoire-vitrine abrite la statue de la Vierge, portée en procession solennelle chaque 8 décembre à travers les rues de Terra-Vecchia jusqu'à l'église St-Jean-Baptiste.

La chapelle de droite abrite un beau crucifix de bois génois du 18e s. Remarquer les superbes lustres d'époque Directoire. La chaire à prêcher en marbre polychrome est décorée d'un trompe-l'œil. Elle présente l'originalité de n'être accessible que de l'extérieur de la chapelle.

La sacristie – *Entrée à gauche du maître-autel.* Elle a été agréablement aménagée en petit musée regroupant divers objets d'art sacré, allant du 15e au 19e s. Notez un trône d'exposition bastiais en bois doré du 17e s., une curieuse statue de saint Érasme (1788), patron des pêcheurs, un missel enluminé (1685), présenté sur un lutrin en forme d'ange.

Poursuivre dans la rue qui prend dès lors le nom de rue Napoléon. Certaines façades, restaurées, ont retrouvé des teintes chaudes qui leur confèrent une apparence très italienne.

Oratoire de la confrérie St-Roch (2)

Élevée en 1604, sans doute après une épidémie de peste, cette chapelle est, elle aussi, précédée d'un parvis décoré en mosaïque de galets. Sa décoration est l'œuvre de maîtres ligures et le retable du maître-autel est dû au Florentin Giovanni Bilivert. Remarquez à gauche, dans une vitrine, la statue processionnelle de saint Roch et les belles boiseries d'applique de facture génoise du 18e s. qui courent le long des murs.

Avant de sortir, admirez la tribune d'orgue en bois sculpté et doré. Le buffet d'orgue, en noyer, abrite un rare instrument de 1750.

Revenir sur ses pas en direction du vieux port.

Juste après le croisement avec la rue St-Jean, remarquez au n° 4 de la rue des Terrasses, le vestibule décoré de fresques. Cette demeure, appelée la maison Castagnola, et celle qui lui fait face (n° 5), avec sa façade sculptée, appartenaient à deux familles rivales, et passent pour être les deux plus vieilles maisons de Bastia.

Vieux port★★ (3)

La petite crique de l'ancienne marine de **Cardo** abrite le port de pêche et de plaisance, au pied de la citadelle et de son donjon. Les vieux immeubles de Terra-Vecchia s'ordonnent en amphithéâtre autour de l'anse. Petits yachts au mouillage, barques de pêche en bois peintes aux couleurs vives, pêcheurs ravaudant leurs filets invitent à la flânerie aux terrasses des cafés. En saison, des chanteurs viennent, le soir, animer les lieux. Les hautes façades, serrées les unes contre les autres, usées par les ans et polies par le vent du large courent le long des quais.

La relève du gouverneur

Le deuxième week-end de juillet, le vieux port de Bastia retrouve les fastes d'une cérémonie datant de plus de cinq cents ans. Elle rappelle la passation des pouvoirs entre les gouverneurs nommés par Gênes et dont le protocole, scrupuleusement reproduit, est inspiré de l'étiquette de la cour d'Espagne.
Selon ce rite, l'ancien gouverneur quitte le donjon de l'ancien palais des gouverneurs vers 21h pour accueillir, sur le môle génois, son successeur à bord de la galère d'honneur. Cette brillante rétrospective historique, ponctuée de nombreuses joutes (archers, ballets de drapeaux), est animée par plusieurs centaines de figurants bastiais en costume d'époque.

Le front de mer *(quai des Martyrs-de-la-Libération)* qui relie le vieux port à la place St-Nicolas, est occupé par les terrasses de cafés d'où l'on peut apprécier le ballet des car-ferries. Remarquer l'intéressante façade du 17e s. du palais Galeazzani.
Il faut aller jusqu'au bout de la **jetée du Dragon** pour avoir une **vue★★** remarquable sur le port, revêtu d'une douce lumière. En arrière-plan, se profile l'échine montagneuse du Cap Corse, souvent coiffée de « l'os de seiche », nuage annonciateur d'une libecciada (coup de libeccio). Au large, par temps très clair, on distingue l'archipel toscan (du Nord au Sud : les îles Capraia, d'Elbe et de Montecristo).

Depuis les quais du port, reprendre au fond de la crique, puis à gauche, la rue L.-Casanova et enfin, sur la droite, la rue Gén.-Carbuccia, en montée sensible. Au n° 23, Honoré de Balzac séjourna au mois de mars 1838. Au terme de la montée, on accède à l'église St-Charles.

Église St-Charles-Borromée (3)

☏ 04 95 55 74 60 - tlj sf w.-end : 10-12h, 15h-16h30 (en dehors des offices religieux).
Elle a été construite par les jésuites pour servir de chapelle au collège qu'ils fondèrent à Bastia en 1635. La façade, très classique avec ses deux étages de pilastres et son fronton triangulaire, est vraiment imposante. Les deux statues de marbre blanc représentent saint Ignace de Loyola et saint François-Xavier.
L'intérieur de l'église se singularise par l'ampleur du vaisseau à nef unique, sans proportion avec la taille du collège. La tradition jésuite voulait en effet que la chapelle soit suffisamment vaste pour accueillir les professeurs, les élèves et leur famille ainsi que le voisinage. La décoration peinte a presque entièrement disparu. Seul subsiste, au maître-autel, un retable triomphal. La toile, encadrée d'une très riche décoration de bois, représente la vénérée **Vierge de Lavasina** *(voir ce nom dans Cap Corse)* dont on peut également voir la statue de procession.
En sortant, remarquer à gauche le bel alignement des façades ornées d'encorbellement.
Face à l'église, se dresse l'imposante façade, quelque peu dégradée, d'une très ancienne demeure, la maison de Caraffa.

Prendre à droite les escaliers jusqu'au boulevard Gaudin et poursuivre à droite.

Palais de justice (3)

De majestueuses proportions avec ses deux pavillons latéraux surmontés d'un fronton, il a reçu une colonnade de marbre bleu de Corte. Il fut bâti au milieu du 19e s.
Revenir jusqu'au terme du boulevard Gaudin qui conduit à l'entrée de la citadelle.

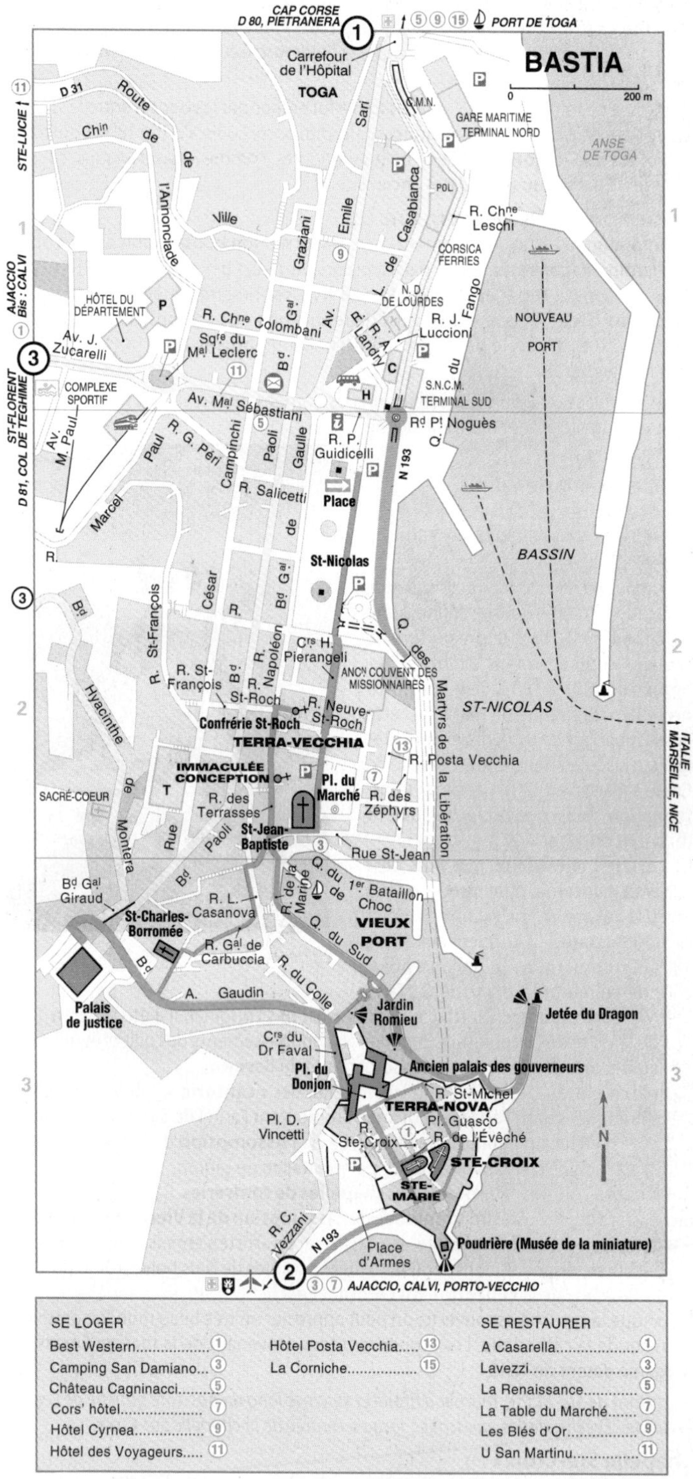
BASTIA
CAP CORSE
D 80, PIETRANERA
PORT DE TOGA
Carrefour de l'Hôpital
TOGA
0
200 m
C.M.N.
GARE MARITIME TERMINAL NORD
ANSE DE TOGA
STE-LUCIE
D 31
Route de
Chin de Ville
l'Annonciade
Sari
Emile
Graziani
de Casabianca
POL
R. Chne Leschi
CORSICA FERRIES
N.D. DE LOURDES
AJACCIO Bis : CALVI
HÔTEL DU DÉPARTEMENT
R. Chne Colombani
R. J. Luccioni
Av. J. Zucarelli
Sqre du Mal Leclerc
NOUVEAU PORT
du Fango
Landry
S.N.C.M. TERMINAL SUD
COMPLEXE SPORTIF
Av. Mal Sébastiani
Rd Pt Noguès
ST-FLORENT D 81, COL DE TEGHIME
Av. M. Paul
R. G. Péri
Campinchi
Paoli
Gaulle
R. P. Guidicelli
N 193
R. Salicetti
Place
Marcel
St-Nicolas
BASSIN
César
Bd Gal de
R. St-François
Crs H. Pierangeli
ANCN COUVENT DES MISSIONNAIRES
Q. des Martyrs de la Libération
R. St-François
R. Napoléon
St-Roch
R. Neuve-St-Roch
ST-NICOLAS
Confrérie St-Roch
TERRA-VECCHIA
ITALIE MARSEILLE, NICE
Hyacinthe
IMMACULÉE CONCEPTION
Pl. du Marché
R. Posta Vecchia
SACRÉ-COEUR
de Montera
R. des Terrasses
R. des Zéphyrs
Rue Paoli
St-Jean-Baptiste
Rue St-Jean
Bd Gal Giraud
Q. du 1er Bataillon de Choc
R. de la Marine
R. L. Casanova
St-Charles-Borromée
VIEUX PORT
R. Gal de Carbuccia
Q. du Sud
A. Gaudin
R. du Colle
Palais de justice
Jardin Romieu
Jetée du Dragon
Crs du Dr Faval
Pl. du Donjon
Ancien palais des gouverneurs
R. St-Michel
TERRA-NOVA
Pl. D. Vincetti
R. Ste-Croix
Pl. Guasco
R. de l'Évêché
STE-CROIX
STE-MARIE
R. C. Vezzani
N 193
Place d'Armes
Poudrière (Musée de la miniature)
AJACCIO, CALVI, PORTO-VECCHIO
SE LOGER
Best Western 1
Camping San Damiano 3
Château Cagninacci 5
Cors' hôtel 7
Hôtel Cyrnea 9
Hôtel des Voyageurs 11
Hôtel Posta Vecchia 13
La Corniche 15
SE RESTAURER
A Casarella 1
Lavezzi 3
La Renaissance 5
La Table du Marché 7
Les Blés d'Or 9
U San Martinu 11

LA CITADELLE - TERRA-NOVA★

Visite 1h30. On y accède à pied par le boulevard Gaudin à l'issue de la promenade précédente, ou, depuis le vieux port, en empruntant le quai du Sud vers le jardin Romieu, d'où l'on gagne le cours du Dr-Favale, ouvert sur l'emplacement des anciens fossés. En voiture, après le boulevard Paoli, prendre le boulevard Gaudin vers la citadelle. Laisser la voiture au parking de la place d'Armes.

Ceinturée de remparts du 15e s., la citadelle fut édifiée par les Génois entre le 15e et le 17e s. Y pénétrer par la porte monumentale, dite porte Louis-XVI (fin 18e s.), qui mène à la **place du Donjon**, bordée de belles demeures, comme A Casetta qui accueillait jadis les réunions du conseil des anciens.

Ancien palais des gouverneurs (3)

À l'intérieur du fortin, les bâtiments accolés au donjon bordent une petite cour et des jardins. Ils constituèrent le palais des gouverneurs génois du 15e au 18e s., puis celui du Conseil supérieur créé par Louis XV, avant d'être sérieusement endommagés en 1943. À l'issue des travaux de rénovation et de reconstruction partielle qui ont été engagés, le palais devrait accueillir un **musée** d'Art, d'Histoire et de Civilisation urbaine.

Depuis la place du Donjon, plusieurs ruelles bordées de très vieilles maisons traversent la citadelle et mènent à l'ancienne cathédrale.

Église Ste-Marie★ (protocathédrale) (3)

Été : 8h-12h, 14h-18h30 ; hiver : 8h-12h, 14h-17h30.

Surmontée d'un fronton rectangulaire, sa façade restaurée donne sur une petite place. Au nº 12 dans le presbytère, le général Hugo et son fils Victor séjournèrent de 1803 à 1805. Élevée à partir de 1495 par l'évêque de Mariana, cette église fut érigée en cathédrale en 1570 et le resta jusqu'au transfert de l'évêché de Corse à Ajaccio en 1801. Certaines transformations, ainsi que le clocher, datent du début du 17e s.

Gilles Magnin / MICHELIN

Eglise Ste-Marie.

L'intérieur majestueux, aux trois nefs richement décorées dans une harmonie joyeuse de rose et d'or, est un bon reflet du goût baroque en honneur aux 17e et 18e s. On remarque : le dallage polychrome en marbres, blanc de Carrare, bleu de Corte, rouge d'Oletta (ce pavage n'est pas l'original, il a été posé en 1869 lors de la visite de l'impératrice Eugénie) ; les soubassements des piliers et des murs de l'église, plaqués de roche verte (serpentine) du Bevinco.

Dans le chœur, au-dessus de l'autel, se font face les **« cantorie »**, tribunes des chanteurs pratiquées dans l'épaisseur du mur. Surmontant l'autel du Sacré-Cœur, dans le bas-côté gauche, un panneau peint sur bois de l'**Assomption** de Leonoro d'Aquila (1512) est la seule œuvre signée de ce peintre italien de renom.

Dans les bas-côtés, sont disposées des **chapelles de confréries**. Remarquez dans une niche vitrée du bas-côté droit, le groupe de l'**Assomption de la Vierge★★**. Composée d'argent, la statue fut ciselée au 18e s. à Bastia par un artiste siennois, Gaetano Macchi. On découvre, dispersés dans l'église, de belles statues de bois polychrome du 17e s. et des tableaux de la **collection du cardinal Fesch**.

Et lorsque la sacristie est ouverte, on peut apprécier un très beau mobilier ainsi que le trésor de la cathédrale. Les orgues réputées provenant de la maison Serassi de Bergame datent de 1845.

En sortant de Ste-Marie, tourner à droite et suivre le long du bas-côté gauche de l'église la rue de l'Évêché, dallée en escalier, jusqu'à l'entrée de la chapelle Ste-Croix.

Chapelle Ste-Croix★ (3)

Mai-sept. : tlj sf w.-end 9h-12h, 15h-18h ; reste de l'année : 9h-12h, 14h-17h.

Elle fut construite par les deux plus puissantes confréries bastiaises de pénitents afin d'abriter un crucifix miraculeux, repêché en 1428. Ce **Christ des miracles★** (appelé

aussi *U Cristu Negru* : le Christ Noir), œuvre la plus vénérée des paroissiens de Bastia, est exposé dans la chapelle latérale droite. Le 3 mai, une procession solennelle honore ce Christ des miracles, patron des pêcheurs bastiais.
L'intérêt de l'édifice réside aussi dans le somptueux **décor**★★ rococo du 18e s., représentatif du style « **barocchetto** » génois. Sur le fond bleu du plafond de la nef se détachent harmonieusement des angelots et les gracieuses arabesques des stucs recouverts d'or. Le maître-autel en marbre polychrome est dominé par un majestueux retable de Giovanni Bilivert, *L'Annonciation*, de 1633.
Remarquez également l'intéressant buffet d'orgue du 18e s. et un groupe processionnel en bois polychrome aux expressions particulièrement théâtrales.

En sortant de Ste-Croix, remonter la rue de l'Évêché, tourner à gauche devant l'église Sainte-Marie, puis tout de suite à gauche dans une ruelle qui longe l'église.

On passe sur une minuscule place, pavée de galets disposés en mosaïque, sur laquelle donne la façade de l'oratoire Sainte-Croix.

Une rampe voûtée donne accès au bastion Sud de la citadelle aménagé en jardin public. Vue dégagée sur la côte Sud de Bastia.

Musée de la Miniature (3)

℘ 06 10 26 82 08 - www.eco-musee.com - visite guidée de déb. avr. à mi-oct. : 9h-12h, 14h-18h - 3,50 € (7/12 ans 2,50 €).

Installé dans la **poudrière**, il s'agit d'un village corse idéal construit par René Mattei avec quelque dix tonnes de matériaux, et peuplé de santons animés. On y reconnaît le four communal, la bergerie, le pont génois, le moulin hydraulique à châtaignes, l'église, la chapelle sur sa colline ainsi que différentes échoppes d'artisans. L'ensemble, véritable œuvre d'une vie, est empreint d'un charme naïf indéniable.

Avant de quitter la citadelle, on goûtera le charme paisible de la place Guasco et des venelles alentour.

Descendre vers le port par le jardin Romieu.

Jardin Romieu (3)

Sur les pentes qui montent à la citadelle, ce jardin verdoyant apporte fraîcheur et calme. Depuis un point de vue d'où l'on contemple une nouvelle fois le vieux port et les vieilles maisons du quartier de Terra-Vecchia, un sentier tortueux se glisse parmi les palmiers, les lauriers, les pins et les plantes grasses. Un escalier à double révolution amène au vieux port sur le quai du Sud.

Circuits de découverte

MIOMO ET LA CORNICHE SUPÉRIEURE 1

Circuit de 24 km. Quitter Bastia par le Nord et par la D 80.

Après avoir longé la plage de Toga et la station balnéaire de Pietranera, la route épouse les sinuosités du littoral.

Miomo

Ce village conserve en bordure de mer une solide tour génoise, campée sur des affleurements de schiste vert. La vue de la petite plage de galets de Miomo, dominée par sa tour, est un peu l'image d'Épinal des tours génoises du Cap Corse.

Prendre à gauche la D 31 en direction de San-Martino-di-Lota.

La route serpente à flanc de montagne, passe au pied de deux cascades avant d'arriver à Acqualta, principal hameau de San-Martino-di-Lota.

San-Martino-di-Lota

La placette qui borde l'église d'**Acqualta** offre une vue plongeante sur la vallée profonde. L'église est flanquée d'un élégant clocher à deux étages.
Chaque Vendredi saint, les habitants ont coutume de réaliser un objet en palmes tressées.

Après San-Martino-di-Lota, la route est taillée en **corniche**★ dans les schistes verts aux reflets dorés.

Ste-Lucie

Église perchée sur un rocher, d'où la **vue**★★ se développe sur Bastia avec son port et sa citadelle, l'étang de Biguglia et l'archipel toscan.

Retour par le petit village résidentiel de Cardo et l'oratoire de Monserrato.

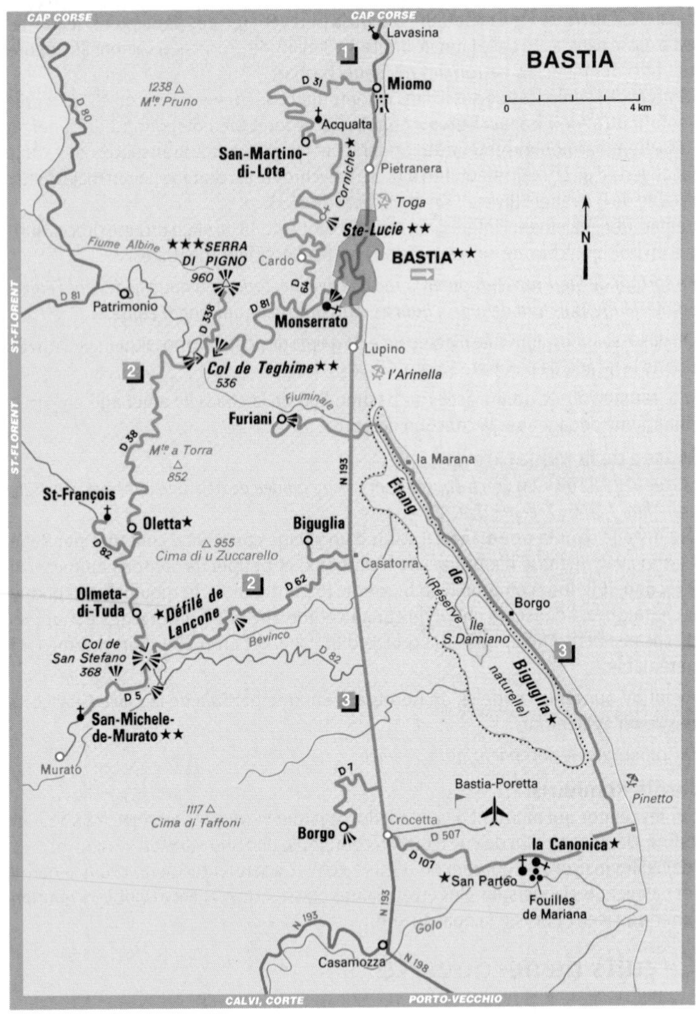

Oratoire de Monserrato

Se garer dans le tournant juste au-dessus du couvent St-Antoine sur la D 81. Un peu plus haut, sur la gauche, une petite route étroite dessert de luxueuses résidences avant de rejoindre (15mn à pied) l'oratoire.

Accès à pied possible également depuis le palais de justice de Bastia en 1h de marche. Se renseigner à l'Office de tourisme.

Extérieurement très simple, cet oratoire daté du 18e s. abrite un « escalier saint » ou **Scala Santa**, réplique de celui de la basilique St-Jean-de-Latran à Rome. En 1816, le pape Pie VII conféra à Bastia le rarissime privilège de posséder un tel escalier, en reconnaissance de l'aide apportée par les Bastiais aux prêtres romains refusant de prêter serment et exilés en Corse par Napoléon Ier.

Selon la tradition chrétienne, la Scala Santa désigne l'escalier du palais de Ponce Pilate à Jérusalem que le Christ gravit le jour de sa Passion. La faveur attachée aux répliques de cet escalier veut que le fidèle qui le gravit à genoux soit absout de ses péchés.

La Scala Santa actuelle a été installée en 1884. Remarquer, dans l'abside, la belle Vierge à l'Enfant en marbre du 17e s.

Deux pèlerinages ont lieu chaque année : le 12 mai (St-Pancrace) et le 2 juillet. En sortant, admirer la **vue★** sur Bastia depuis le couvent St-Antoine.

À proximité, en descendant vers la ville, la fontaine sous voûte d'Alletto (ou Monserrato) présenterait la plus vieille inscription lapidaire bastiaise (1560).

ÉGLISE SAN MICHELE DE MURATO PAR LE DÉFILÉ DE LANCONE★ 2

Circuit de 49 km – environ 2h. Quitter Bastia par le Sud et rejoindre la N 193. À Casatorra, prendre à droite la D 62.

La route serpente dans les derniers vergers de la plaine de Bastia. Elle s'élève progressivement au milieu des chênes verts et des chênes-lièges qui cèdent la place au maquis. Puis, dans un décor minéral avec des surplombs parfois vertigineux, la route s'engage dans le défilé de Lancone.

Défilé de Lancone★ *(voir le Nebbio)*

Prendre sur la gauche la D 5 qui mène à Murato.

Entre le col de **San Stefano** et l'église San Michele *(4 km environ)*, on jouit d'un ample **panorama★★** sur la conque du Nebbio avec ses ondulations de collines et de plateaux verdoyants. On devine en arrière-plan St-Florent et, sur la gauche, les monts des Agriates.

Église San Michele de Murato★★ *(voir ce nom)*

Retour au col de San Stefano par la même route.

Du col de San Stefano au col de Teghime

Portion de l'itinéraire décrit dans le chapitre Nebbio.

Au col de Teghime, descendre sur Bastia par la D 81.

ÉTANG DE BIGUGLIA 3

Circuit de 65 km – environ 3h. Quitter Bastia par le Sud et rejoindre la N 193. Après avoir traversé la ville nouvelle de Lupino, prendre à gauche la D 107 vers Marana-Plage. La route suit un étroit cordon littoral entre l'étang de Biguglia et la mer.

Réserve naturelle de l'étang de Biguglia★

✆ 04 95 33 55 73 - visite guidée (1h à 2h) tlj sf w.-end - réserv. obligatoire - gratuit.

Le plus grand étang de Corse s'étire sur 1 800 ha. Il constitue l'une des étapes incontournable des espèces migratoires et hivernantes sur l'axe Europe-Afrique. L'étang et sa périphérie hébergent une population unique d'oiseaux, plus de 100 espèces dont près de 30 hivernants et plus de 60 migrateurs estivants avec quelques oiseaux rares comme le grand cormoran, le héron pourpré, le foulque macroule, le crabier chevelu…).

L'importante densité de tortues cistudes contribue à la réputation de ce patrimoine naturel unique en Méditerranée occidentale. Mulets et surtout anguilles fréquentent assidûment les eaux de l'étang. L'anguille a d'ailleurs longtemps constitué la principale ressource de Biguglia.

Sa richesse floristique n'est pas moindre. Grâce à son cordon lagunaire constitué des alluvions de l'ancienne embouchure du Golo et la source d'eau de mer située à son extrémité Nord, il abrite une exceptionnelle variété des végétaux : herbiers de zostères au Nord, prairies inondées au centre, roselières denses et vasières au Sud.

La pêche en barque ou équipé de cuissardes est interdite.

Étang de Biguglia.

Dans une pinède, le village de vacances de **Borgo** forme un grand ensemble pavillonnaire. On traverse les parcs à moutons avant d'atteindre la route d'accès à la plage de Pinetto.

La Canonica★ *(voir ce nom)*

Continuer la D 107 jusqu'à Crocetta sur la N 193 et prendre à droite vers l'aéroport.

Aéroport Bastia-Poretta

Sur l'esplanade de l'aéroport, une plaque rappelle la dernière mission de reconnaissance photographique (le 31 juillet 1944) de l'écrivain-aviateur Antoine de **Saint-Exupéry**, membre d'une escadrille basée à Bastia-Borgo.

Regagner la N 193. À 1,5 km prendre sur la gauche la D 7.

Gilles Magnin / MICHELIN

Clocher de l'église de Borgo.

Borgo (Borgu)

Ce village **belvédère★** occupe un replat au-dessus de l'étang de Biguglia.

Borgo fut le théâtre des deux plus importants revers de l'armée française en Corse.

Le premier, en décembre 1738, porte le nom de « **Vêpres corses** » : les troupes du comte de Boissieux, envoyées dans l'île par le roi de France à la demande de Gênes, sont écrasées par les Nationaux.

Le second, en octobre 1768, retarda la réunion de l'île à la France. Le Français Ludre se retranche, avec ses hommes, à Borgo pour des raisons stratégiques. Mais ils se trouvent bloqués par les troupes corses commandées par Clément Paoli, frère de Pascal. Le marquis de Chauvelin, chef de la garnison de Bastia, se porte au secours de Ludre, mais il doit renoncer après dix heures de combat. Les Français laissent sur le terrain 600 morts, 1 000 blessés, 600 prisonniers et 700 fusils, et Ludre est contraint à la reddition.

Depuis le début des années 1980, Borgo, englobé dans l'aire économique du « Grand Bastia », jouit d'un développement dynamique.

Sur la façade de l'**église baroque Saint-Appien**, une plaque commémorative rappelle les revers subits par les Français lors de la guerre d'Indépendance corse. À proximité se dressent les ruines de l'ancienne église et son clocher de guingois.

Revenir à la N 193 par laquelle s'effectue le retour à Bastia.

Biguglia

2,5 km au départ de la N 193 par la petite route qui s'ouvre à gauche peu après l'embranchement de la D 82.

On a peine à croire que ce gros village qui domine l'étang et la mer fut la capitale de l'île sous la domination pisane puis génoise. En 1372, les Génois en furent chassés suite à une révolte corse ; ils s'installèrent alors à Bastia.

Furiani

4 km au départ de la N 193.

Perché sur une colline et gardé par une tour génoise, ce village offre une belle **vue★** sur l'étang de Biguglia et la mer. Il accueille la célèbre brasserie Pietra *(voir le carnet pratique)*.

Bastia pratique

Adresse utile

Office de tourisme – Pl. Saint-Nicolas - ✆ 04 95 54 20 40 - www.bastia-tourisme.com - de mi-juin à mi-sept. : 8h-20h ; reste de l'année : 8h30-12h, 14h-18h, dim. 9h-12h.

Visite

Visite guidée de la ville – Bastia, qui porte le label Ville d'art et d'histoire, propose des visites-découvertes animées par des guides-conférenciers agréés par le ministère de la Culture et de la Communication. Renseignements à l'Office de tourisme ou sur www.bastia-tourisme.com

Promenades en petit train – *Pl. St-Nicolas - ✆ 04 95 35 40 20 ou 06 16 97 06 32.* 45 minutes de visite guidée de la ville en petit train touristique, à la découverte des quartiers les plus typiques de Bastia : la rue Napoléon, la Citadelle et le vieux port, etc. Le départ se fait depuis la place St-Nicolas.

Transports

Aéroport Bastia-Poretta – À 20 km au S de Bastia - 20290 Lucciana - ✆ 04 95 54 54 54.

Bus – Pour Bastia (préfecture) - 8 €.

Taxi – Pour le centre-ville, compter environ 35 €/j., 45 €/nuit - 7j/7, 24h/24.

Location de voitures – **Avis** - ✆ 04 95 54 55 46.

Budget – ✆ 04 95 30 05 05.

Europcar – ✆ 04 95 31 59 29 ou 04 95 30 09 50.

Gare ferroviaire – ✆ 04 95 32 80 61.

Autocars – Au dép. de la gare routière ou de la gare SNCF, une dizaine de compagnies desservent les principales localités de Corse.

Demander la fiche détaillée à l'Office de tourisme.

Se loger

⊜ **Hôtel Posta Vecchia** – *R. Posta-Vecchia - ✆ 04 95 32 32 38 - hotel-postavecchia@wanadoo.fr - 51 ch. 41/78 € - ☕ 6,50 €.* Retenez cet hôtel pour sa situation en plein cœur de la vieille ville, en face du port. Les chambres sont très modestes mais bien tenues ; certaines sont climatisées notamment dans l'annexe.

⊜ **Hôtel Les Voyageurs** – *9 av. du Mar.-Sébastiani - ✆ 04 95 34 90 80 - hotel-voyageurs@ifrance.com - fermé 20 déc.-10 janv. - 24 ch. 60/90 € - ☕ 7 €.* Une bonne adresse de Bastia. Sur une des grandes avenues de la ville, cet hôtel moderne accueille ses hôtes dans d'agréables chambres au goût du jour, décorées de jaune et de bleu.

⊜ **Cors'hôtel** – *N 193 - 20620 Biguglia - 6 km au S de Bastia par RN 193 - ✆ 04 95 30 02 00 - P - 61 ch. 44,50/74 € - ☕ 7 € - rest. 14,50/19,50 €.* En léger retrait de la zone commerciale du Sud de la ville, construction des années 1980 tournée vers un jardin verdoyant agrémenté d'une piscine et d'un court de tennis. Chambres fonctionnelles et - pratique pour les familles - modulables de 2 à 4 couchages.

⊜ **La Corniche** – *20200 San-Martino-di-Lota - 8 km au NO de Bastia par D 80 (vers Cap Corse) puis D 131 à Pietranera - ✆ 04 95 31 40 98 - info@hotel-lacorniche.com - fermé 1er janv. au 15 fév. - P - 19 ch. 58/99 € - ☕ 8 € - rest. 26/45 €.* Dans un petit village de l'arrière-pays, cet hôtel propret ouvre les fenêtres de ses chambres sur la vallée et la mer. Une vue époustouflante qui compense nettement le sobre décor de cette maison tranquille. Belle piscine et menus du terroir copieusement servis.

⊜ **Hôtel Cyrnea** – *20200 Pietranera - 3 km au N de Bastia par D 80 - ✆ 04 95 31 41 71 - hotelcyrnea@wanadoo.fr - fermé 15 déc.-15 janv. - P - 20 ch. 60/81 € - ☕ 6 €.* Dans cet hôtel situé près de l'église du village de Pietranera, vous descendrez vers la mer par un jardin en espaliers. Les chambres sont sobres, classiques et bien insonorisées.

⊜ **Camping San Damiano** – *Biguglia - 9 km au SE de Bastia par N 193 et rte du cordon lagunaire (D 107) - ✆ 04 95 33 68 02 - l.pradier@wanadoo.fr - ouv. avr.-20 oct. - 280 empl. 23 € - restauration.* Belle situation sur le bras de mer de l'étang de Biglulia. Ici, les emplacements, en bord de mer, sur une plage de sable fin et pinède, sont agréablement ombragés et paysagés. Pour les loisirs et les sports, vous aurez l'embarras du choix.

Hervé Le Gac / MICHELIN

Port de Bastia.

⊜⊜ **Best Western** – *Av. Jean-Zuccarelli - ✆ 04 95 55 05 10 - contact@corsica-hotels.fr - 71 ch. 73/78 € - ☕ 7,30 €.* Un hébergement tout confort à quelques minutes du port et du centre-ville :

chambres spacieuses et fonctionnelles, toutes climatisées et équipées du câble et d'Internet. Garages fermés.

Chambre d'hôte Château Cagninacci – *20200 San-Martino-di-Lota - 8 km au NO de Bastia par D 80 (vers Cap-Corse), puis D 131 à Pietranera - 06 78 29 03 94 - www.chateaucagninacci.com - fermé oct.-14 mai - - 4 ch. 72/97 €* . Agrippé à flanc de montagne, divin couvent de capucins du 17e s. remanié au 19e s. dans l'esprit des demeures toscanes. Rénové avec goût, il offre des chambres spacieuses meublées à l'ancienne et des salles de bains modernes impeccablement tenues. Le calme y est absolu et le panorama superbe.

Se restaurer

Les Blés d'Or – *7 av. Émile-Sari - 04 95 36 39 50 - 6h-20h30 - - 4/7,50 €.* Dans cette boulangerie-pâtisserie qui fait également salon de thé, la carte vous met l'eau à la bouche avec son choix appétissant de pains et de douceurs corses. À proximité immédiate de la place St-Nicolas, un lieu parfait pour une petite pause gourmande ou un déjeuner léger.

La Renaissance – *30 r. César-Campinchi - 04 95 31 17 94 - fermé dim. - 15 €.* Depuis trois générations, les pizzaïoli de cette affaire familiale se passent le flambeau et se transmettent la recette de la pizza Renaissance (fromage corse et figatellu), très prisée par les habitués. À la saison chaude, on apprécie la fraîcheur du caveau et de ses murs en pierre.

U San Martinu – *Pl. de l'Église - 20200 San-Martino-di-Lota - 10 km au NO de Bastia par D 31 - 04 95 32 23 68 - usanmartinu@hotmail.com - fermé 15 déc.-15 janv. et lun. en hiver - - 8/20 € - 10 ch. 40 €.* La route qui grimpe jusqu'à cette vénérable maison corse est étroite et sinueuse, mais une fois arrivé, quel bonheur ! La vue sur la mer est féerique et vous vous régalerez de produits et vins du pays, servis dans un très joli cadre campagnard. Quelques chambres simples dont certaines avec vue.

A Casarella – *R. de Ste-Croix - 04 95 32 02 32 - fermé nov., sam. midi et dim. - 30 €.* Petite adresse simple au cœur de la citadelle : avec sa véranda-terrasse et sa décoration façon jardin d'hiver, elle est appréciée des clients. Petite carte bien tournée avec spécialités du terroir.

La Table du Marché – *Pl. du Marché - 04 95 31 64 25 - fermé dim. - 24 € déj. - 21/39 €.* Ce sympathique restaurant présente un cadre « cosy » et une cuisine irréprochable ; on n'y travaille que des produits frais. Poissons à l'aïoli, charcuterie corse de village ou tripette à la bastiaise composent ainsi autant de petits plats soignés et savoureux à déguster, aux beaux jours, sur la jolie terrasse.

Lavezzi – *8 r. St-Jean - 04 95 31 05 73 - fermé 10 fév. à fin mars et dim. hors sais. - 23/36 €.* Le plus ancien restaurant de Bastia (ouvert en 1940) et, sans doute, l'une des plus belles terrasses sur le vieux port ! Le décor sans façon s'égaye çà et là de quelques bouquets de fleurs artificielles. La carte, quant à elle, propose un large choix de produits de la mer.

Chez Huguette – *R. Laurent-Casanova, vieux port - 04 95 31 37 60 - panta@wanadoo.fr - fermé 24 nov.-14 déc., sam. midi, dim. sf le soir en juil.-août et lun. midi en juil.-août - 40/58 €.* Restaurant familial situé face aux nombreuses embarcations du vieux port. Cet agréable - et pittoresque - voisinage donne le ton à la cuisine qui met à l'honneur fruits de mer et poissons frais.

Faire une pause

Raugi-Serge – *2 bis r. Chanoine-Colombani - 04 95 31 22 31 - été : tlj sf lun. 9h-2h ; hiver : 9h-22h - fermé de fin sept. à déb. oct. et de mi-fév. à fin mars.* Depuis trois générations, ce glacier a su plaire aux bastiais qui aiment se retrouver pour déguster une de ses nombreuses glaces artisanales. En hiver, le glacier se transforme en pizzeria.

En soirée

U Fanale – *Pl. Galetta - 04 95 32 68 38/04 95 31 12 05 - tlj 22h-5h - fermé Noël.* Depuis 30 ans, U Fanale (le phare en corse) brille par sa programmation musicale de plus en plus variée : groupes africains, mexicains, antillais, brésiliens et chanteurs corses se succèdent dans cette cave voûtée qui fut jadis un entrepôt à cédrat (une variété d'agrume), puis une forge s'ouvrant sur le vieux port.

Que rapporter

Marché – Le sam. et le dim. mat., de nombreux vendeurs de spécialités, de fleurs et de vêtements se retrouvent pl. du Marché, dans une ambiance animée et colorée.

U Muntagnolu – *15 r. César-Campinchi - 04 95 32 78 04 - tlj sf dim. 9h-12h30, 14h-20h - fermé j. fériés.* La Corse est réunie ici, du salé au sucré en passant par le liquide ou le solide. Charcuterie, fromages, huile d'olive, vins, liqueurs, miel AOC, confitures, fruits confits, aromates, rien ne manque à l'appel et tout a été sélectionné avec soin. Dégustation de charcuterie. Expédition possible de certains produits.

U Paese – *4 r. Napoléon - 04 95 32 33 18 - www.u-paese.com - lun.-sam. 9h-12h, 15h-19h.* Dans sa boutique, où le bois et la pierre évoquent les origines paysannes du propriétaire, Ange Bereni aime partager sa passion pour la gastronomie corse. Ce charcutier de talent ne propose que des produits de saison, ce qui est un gage de qualité.

Bastiani – *ld U Vergale - en quittant Borgo vers Casamoze, prendre la D 10 dir. église de la Canonica - 20290 Borgo - 04 95 36 06 64 - lun.-sam. 15h-19h et sur demande préalable.* Parmi les divers types de miel extraits par les époux Bastiani, c'est sans doute celui de châtaigneraie qui est le plus étonnant. Après une forte et inattendue amertume première, se révèle en rétro-olfaction une intensité florale impressionnante.

Brasserie Pietra – *N 193 Casatorra, lieu-dit Arbucetta - 20620 Biguglia - ✆ 04 95 30 14 70 - brasseriepietra@wanadoo.fr - juil.-août : tlj sf w.-end 9h-12h, 14h-18h ; reste de l'année sur demande préalable.* Fondée en 1996, c'est la première brasserie de l'île et la première au monde à brasser une bière à la farine de châtaigne. Les délicieuses Pietra, Serena et Colomba (aux herbes du maquis) se retrouvent partout en Corse. Et depuis 2003, la gamme s'est enrichie d'une autre boisson originale, le Corsica Cola.

Jo-Antonini – *33 r. Chanoine-Letteron - tlj sf dim. 9h-12h.* Ce n'est pas tant le couteau qui intéresse cet ethnographe du métal que la trace de la culture insulaire et de la taillanderie méditerranéenne. Outre la beauté de ses créations, ce coutelier est une source intarissable de savoir sur l'histoire corse.

Librairie Terra Nova – *12 r. Napoléon - ✆ 04 95 32 25 11 - 9h-12h, 14h-19h - fermé dim.* Cette librairie est remarquablement fournie en livres sur la Corse.

Sports & Loisirs

Port de plaisance Toga – *Quartier Toga - ✆ 04 95 34 90 70.*

Capitainerie – Au vieux port – ✆ 04 95 31 31 10.

Club Nautique Bastiais – *Lido de la Marana - Plage de l'Igesa - 20600 Furiani - ✆ 04 95 32 67 33/06 11 83 09 14 - www.ffv.fr/cn-bastia - été : 9h-18h30 ; le reste de l'année : 9h-12h, 14h-18h - fermé 15 déc.-15 fév.* Installé sur la plage durant tout l'été, le club propose des locations de catamarans, planches à voile, optimists..., mais également des cours, des raids maritimes en canoë ou des découvertes du littoral en bateau.

Acti'Voile – *Villa St-Andréa - 20620 Biguglia - ✆ 04 95 33 52 88 - www.activoile.com.* Sur ces voiliers modernes et confortables, les matelots en herbe vont pouvoir s'adonner, en croisière accompagnée, aux joies de la navigation et découvrir les rivages corses (Lavezzi, réserve de Scandola, etc.) ou ceux de la Sardaigne (Costa Smeralda). Plusieurs points d'embarquement possibles.

Objectif Nature – *3 r. N.-D.-de-Lourdes - ✆ 04 95 32 54 34 - www.objectif-nature-corse.com - lun.-sam. 9h-12h, 14h30-18h - fermé 20 déc.-10 janv.* Kayak de mer, plongée sous-marine, parapente, activités équestres, randonnées pédestres, VTT, pêche en barque, rafting, hydrospeed, canyoning, etc. Cette boutique réunit tout ce qu'il faut pour les nombreux sports praticables dans la région.

Thalassa Immersion – *Lieu-dit Minelli, base nautique - sortie N de Bastia dir. Cap Corse. - ✆ 04 95 31 78 90 ou 06 11 11 54 00 - thalassa.immersion@free.fr - tlj sf dim. apr.-midi 8h15-18h30 ; hors sais. sur demande préalable - fermé déc. et dim. en été.* Ce grand centre très bien équipé propose des baptêmes, des stages de perfectionnement (passage des différents niveaux), des plongées de nuit ou l'exploration de nombreuses épaves d'avions et de bateaux datant de la Seconde Guerre mondiale (P47, Heinkell 111, canonnière...).

Plage de l'Arinella – Se diriger vers le Sud, direction Bonifacio. Juste avant la caserne des pompiers, tourner à gauche, suivre les panneaux. 3,5 km du centre-ville. Une plage de sable fin gris s'étend sur des kilomètres.

Plage de Toga – *De la pl. St-Nicolas, prendre l'av. Émile-Sari. 15mn à pied.* Toga, le nouveau port de plaisance, s'étend à la sortie N de Bastia. La marina regroupe restaurants, glaciers et bars. Juste après la sortie du port, on accède à une petite plage de galets.

Amaury de Valroger / MICHELIN

Détail de l'ancien palais du Gouverneur.

Événements

Bastia entretient une vie culturelle animée. La ville organise notamment chaque automne le **festival Arte-Mare** où une ville méditerranéenne est chaque année l'invitée d'honneur.

Saint-Jean-Baptiste, fête patronale de la ville (en juin : le 23 en soirée et le 24) - ✆ 04 95 54 20 40.

Procession en mer en l'honneur de **saint Érasme**, patron des pêcheurs (déb. juin) - se renseigner à l'Office de tourisme.

Musicales (mi-oct.) - ✆ 04 95 54 20 40.

Fête de l'Assomption de la Vierge (15 août) - ✆ 04 95 54 20 44.

Aiguilles de Bavella★★★

BAVEDDA
CARTE GÉNÉRALE C6 – CARTE MICHELIN LOCAL 345 E9 - CORSE-DU-SUD (2A)

Les aiguilles, ou « fourches » de Bavella appelées aussi cornes d'Asinao, composent un étonnant et somptueux décor, domaine de prédilection des randonneurs et des alpinistes. Un arrêt au col de Bavella (1 218 m) permet d'admirer ces pics aux formes déchiquetées, la couleur changeante des grandes murailles rocheuses émergeant des pins laricio et l'âpreté du paysage. Les pins tordus par le vent s'accrochent à un terrain rocheux couvert de quelques touffes d'herbe. À la fin du printemps, les lieux se parent de la belle couleur mauve rosé des odorantes fleurs de thym.

Se repérer – Le col de Bavella est traversé par la D 268 qui relie la partie Ouest (région de Sartène) à la côte Est de l'île (Solenzara). Le GR 20 parcourt aussi les environs ; venant de l'Incudine, il se dirige vers le col de Finosa et la Punta Tafonata di i Paliri. C'est l'une des plus belles étapes du sentier de randonnée ; une variante alpine du GR permet même de pénétrer au cœur du massif de Bavella. Pour séjourner autour du col, il faudra se rendre à Zonza (9 km) ou à Quenza (14 km).

À ne pas manquer – Aller jusqu'au col de Bavella pour profiter du splendide panorama sur les aiguilles de Bavella ; se promener avant dans la forêt éponyme récemment reboisée et randonner jusqu'au Tour de la Bombe.

Organiser son temps – L'itinéraire, très apprécié, est particulièrement fréquenté les dimanches d'été. Privilégier pour vous y rendre un jour de semaine et la fin de la journée.

Pour poursuivre la visite – Voir aussi Zonza, l'Alta Rocca, le massif de l'Ospedale, Aullène, Quenza.

Amaury de Valroger / MICHELIN

Vue des aiguilles de Bavella depuis Quenza.

Circuit de découverte

DE SOLENZARA À ZONZA

30 km - environ 2h.

Solenzara *(voir ce nom)*

La D 268 – particulièrement étroite : croisements difficiles, mais travaux d'élargissement en cours – longe la Solenzara dont le lit s'encombre bientôt de rochers. Les berges de la rivière se couvrent de pins lorsqu'elle pénètre dans la **forêt domaniale de Tova**.

Col de Larone (Bocca di Laronu)

Alt. 608 m. Il offre une très belle **vue★★**, à gauche sur la Punta di Ferriate formant la partie extrême du chaînon des Paliri et, à droite, sur la forêt de Tova accrochée aux pentes abruptes de la montagne.

La route, très sinueuse, pénètre alors dans la forêt de Bavella dont on admire de très beaux peuplements de pins laricio *(voir Forêt de Vizzavona)*.

Cascades de Polischellu★

Environ 3 km après le col de Larone, on parvient au lieu dit Arggiavara. 500 m plus loin, laisser la voiture sur le bord de la route, à côté d'un gros chêne entouré de deux rochers.
Emprunter le sentier qui remonte le long de la rive gauche du Polischellu. Après 10mn de marche environ, on atteint une première cascade où un agréable bassin invite au plongeon. Au-dessus se succèdent de nombreuses autres chutes mais leur accès est plus difficile.

Forêt de Bavella★★

Étagée entre 500 et 1 300 m d'altitude, cette belle forêt de 930 ha a été malheureusement dévastée à plusieurs reprises par les incendies, notamment en 1960. Devenue réserve nationale, elle a fait l'objet d'un reboisement important de pins maritimes et laricio, de cèdres et de sapins. De plus l'Office national des forêts a fait ouvrir des tranchées pare-feu de 50 m et planter des châtaigniers, plus résistants aux flammes que les résineux. Une réserve de chasse y a été créée en 1950. L'observateur attentif et chanceux pourra peut-être voir, sur les rochers abrupts, à plus de 1 000 m, évoluer des hardes de mouflons.
À l'approche du col, chaque contour de la route ménage une vue différente sur les immenses parois rocheuses.

Bavella

Peu avant le col s'étagent, au milieu de superbes pins laricio, quelques constructions basses en pierre ou en bois. Il s'agit d'anciennes bergeries bâties sur un terrain concédé par Napoléon III aux habitants de Conca qui venaient y passer l'été. Un peu au-dessus de ce « village d'été », près d'une source, s'est établie l'**auberge du Col**.

Col et aiguilles de Bavella★★★

Alt. 1 218 m. Ce col qui échancre la grande arête faîtière de l'île est marqué par une croix et par la **statue de N.-D.-des-Neiges**. Le site et le panorama sur le massif de Bavella sont splendides. *Pour apprécier au mieux le panorama depuis le col de Bavella, grimpez quelques dizaines de mètres au-dessus du parking ou dépassez la statue... et, si vous le pouvez, évitez les dimanches d'été où l'affluence est considérable !*
De la forêt de Bavella émergent, à l'Ouest du col, les célèbres **aiguilles de Bavella★★★** curieusement découpées, derrière lesquelles on peut apercevoir le massif de l'Incudine. À l'Est se profilent la grande paroi de la Calanca Murata et l'arête rouge en dents de scie de la Punta Tafonata di i Paliri, avec la mer Tyrrhénienne dans le lointain.

La route descend ensuite sur Zonza. Peu avant le village, on distingue, inattendu parmi les pins et les châtaigniers, l'hippodrome de Viseo.

Zonza *(voir ce nom)*

Randonnées

Départ de l'auberge du Col (citée plus haut), située 200 m en contrebas du grand parking, sur la D 268 (direction Solenzara). Des topoguides détaillent les itinéraires proposés dans le massif, voir la bibliographie en début de guide.

Promenade de la chapelle

30mn AR. Point de départ : la fontaine située à droite de l'auberge du Col (sur la droite en descendant du grand parking). Après avoir longé un petit torrent, la **chapelle de la Vierge** apparaît, blanche et rose sur un mamelon, encadrée de pins. Depuis la prairie voisine, au-dessus du monument, **vue★** magnifique sur les aiguilles de Bavella.

Promenade de la Pianona★

Boucle d'1h environ. Balisage orange. Départ du parking du col de Bavella ou de l'auberge du Col (voir ci-dessus).
À gauche, la vue porte sur la Punta Tafonata di i Paliri, la forêt de Bavella et la mer que l'on distingue dans le lointain. Sur les pentes douces, crocus et anémones donnent au printemps mouvement et couleur aux prairies. On progresse parmi des pins majestueux.

En appuyant sur la droite, on accède à une plate-forme herbeuse, une *pianona*, piquetée de pins aux formes tourmentées par le vent. De là se découvre une **vue★★** saisissante sur les aiguilles de Bavella et, par temps clair, sur le rivage occidental et oriental de la Corse.

Rejoindre la chapelle de la Vierge où l'on retrouve l'itinéraire de l'aller.

Trou de la Bombe (Tafonu di u Cumpuleddu)★★

Boucle de 2h environ. Balisage rouge signalé « Cumpuleddu » au départ de l'auberge du Col. Pour votre sécurité, ne quittez pas le sentier balisé.

Celui-ci s'élève dans une combe boisée, jusqu'à une crête. On aperçoit bientôt sur la gauche une tête rocheuse émergeant des arbres. Le sentier suit la ligne de crête. En descendant vers le col, on découvre le « trou de la Bombe » ; il s'agit en fait d'une ouverture circulaire d'environ 8 m de diamètre transperçant l'arête faîtière du chaînon des Paliri, située sur la droite de la Calanca Murata et en avant du campanile de Ste-Lucie.

Au retour, quand le sentier croise un petit ruisseau, possibilité de revenir au col (parking) en suivant la direction d'Alturaghja (fléché, balisage rouge, compter environ 45mn). Belles vues sur les aiguilles.

Amaury de Valroger / MICHELIN

Vue depuis le col de Bavella.

Les aiguilles par la variante alpine★★★

Pour sportifs équipés de bonnes chaussures, topoguide du GR 20 (ou carte IGN) vivement conseillé. Balisage jaune pour la variante au début, puis balisage GR blanc et rouge, compter environ 6h. Ce parcours en boucle qui réunit deux alternatives du GR 20 n'offre pas de véritable difficulté (1 seul passage avec chaîne), mais la première partie requiert prudence et résistance. Départ au col, du côté de la statue. Rapidement, il faut attaquer une montée très raide qui est la principale difficulté ; attention à ne pas déclencher de chutes de pierres sur ceux qui sont plus bas. Le parcours suit approximativement une ligne de crête, passe sous les aiguilles avant de descendre dans une forêt où l'on rejoint le GR 20. Prendre à gauche le sentier assez facile qui ramène au col.

Bavella pratique

Se restaurer

Auberge du Col de Bavella – *20124 Col de Bavella - 04 95 72 09 87 - fermé nov.-mars - 15,50/22 €.* Blottie au milieu des pins, cette auberge de montagne, qui est aussi un gîte d'étape, se situe juste au-dessous du col, à proximité des fameuses aiguilles de Bavella. Une occasion de déguster des spécialités insulaires et charcuteries maison.

Bocognano

Bucugnà

343 BOCOGNANAIS
CARTE GÉNÉRALE B4 – CARTE MICHELIN LOCAL 345 D7 – CORSE-DU-SUD (2A)

Dans les châtaigniers de la haute vallée de la Gravona, Bocognano fait face à la chaîne du mont d'Oro. Ses 640 m d'altitude, sa fraîcheur estivale, la proximité de la forêt de Vizzavona et des hauts massifs de l'île font de ce village une étape agréable sur la route d'Ajaccio à Bastia.

Se repérer – Bocognano se trouve sur la N 193 à peu près à mi-chemin entre Ajaccio et Corte.

À ne pas manquer – La cascade du voile de la Mariée ; la statue-menhir de Tavera.

Organiser son temps – Une seule contrainte : évitez les heures chaudes de la journée !

Avec les enfants – Après une rencontre avec les tortues du parc A Cupulatta une petite pause rafraîchissante s'impose dans les vasques de la Gravona.

Pour poursuivre la visite – Voir aussi le golfe d'Ajaccio, Bastelica, la forêt de Vizzavona, Vivario.

Le saviez-vous ?

Meurtriers, hors-la-loi, Antoine Bonelli et son frère Jacques, surnommés **Bellacoscia** régnèrent, avec la complicité de la population, durant quarante-quatre ans sur la région. Ils contribuèrent à la légende qui auréola au 19e s. le banditisme dans l'île. Antoine se rendit solennellement à la justice en gare de Vizzavona *(voir ce nom)*.

Se promener

Le village

On s'arrêtera devant la majestueuse **fontaine de galets★** (1883), située près de la poste. De la terrasse de la chapelle au campanile rustique, **vue** sur le mont d'Oro.

Cascade du Voile de la Mariée★

3,5 km au Sud par la D 27, puis 25mn à pied AR. Quelques mètres avant de s'engager sur le pont routier qui franchit le torrent, prendre à gauche le sentier qui rejoint la rive et remonter pendant 10mn environ jusqu'au point d'observation de la cascade : des chutes se succèdent sur un dénivelé de près de 150 m.

Circuit de découverte

LA VALLÉE DE LA GRAVONA★★ 5

Schéma page 121. Au départ de Boccognano, 40 km au Nord-Est d'Ajaccio.

Ce circuit permet de découvrir, sur la rive droite de la Gravona, la microrégion du Celavo-Mezzana.

Quitter Bocognano au Sud-Ouest par la N 193 en direction d'Ajaccio. À 7,5 km, laisser sur la gauche la D 127 (direction de Bastelica) et poursuivre sur 1 km environ.

Statue-menhir de Tavera

À gauche de la N 193. Prendre le sentier qui mène aux ruines d'une tour ; 100 m à l'Ouest se dresse la statue. Découverte en 1961, elle date du 2e millénaire (fin de l'âge de bronze). Haute de 2,40 m, son visage est profondément creusé par des yeux tandis qu'à l'arrière de la tête des croisillons dessinent une résille.

Pont d'Ucciani

Laisser la voiture sur les espaces libres à l'entrée du nouveau pont.

Son arche élégante en forme d'anse de panier enjambe sur 24 m la Gravona. Sa construction à la fin du 18e s. aurait été dirigée par le futur maréchal Bernadotte, alors simple sous-officier d'un régiment du roi.

Le pont est le cadre, tous les ans au 1er Mai, d'une foire réunissant bergers et artisans d'art.

4 km après le pont, prendre à droite la petite D 4.

Vero (Veru)

Étagé à flanc de montagne, ses maisons de granit gris présentent une belle unité architecturale entrecoupée de jardins en terrasses.

Dominant le village, le col de Tartavellu donne accès à la région, plus sauvage, du Cruzini.

Revenir à la N 193 et la reprendre sur la droite, vers Ajaccio.

Parc A Cupulatta

En bordure de la N 193, lieu-dit Vignola, au kilomètre 21. Éviter les heures chaudes pour effectuer la visite. ✆ 04 95 52 82 34 - juin-août : 9h-19h ; avr.-mai et sept.-oct. : 10h-17h30 ; nov.-mars : w.-end et j. fériés 11h-15h (vac. scol. : tlj) - 8 € (enf. 4,50 €).

Ce centre de protection et d'élevage de la tortue (*cupulatta* signifie « tortue » en corse) occupe une surface de 2,5 ha. Un environnement particulièrement favorable, combinant les milieux terrestre et aquatique, permet de découvrir des tortues, à la morphologie parfois étonnante (tortue-alligator, tortue à carapace molle, etc.) sans oublier les stars des lieux : les énormes tortues seychelloises dont la plus svelte affiche un honorable 150 kg sur la balance !

Stéphane Sauvignier / MICHELIN

Tortues dans le parc A Cupulatta.

1 km plus loin, prendre sur la gauche la D 129 en direction de Carbuccia puis, peu avant le village, à droite la D 29 vers Peri.

Dominée par la crête de Falconaia, la route serpente à flanc de coteaux. Elle procure tout au long du trajet de belles **échappées★** sur le versant Nord-Ouest de la vallée. Les villages depuis Sarrola jusqu'à Vero semblent épinglés au relief. Vers le Nord, les contreforts du mont d'Oro ferment le haut de la vallée.

Peri

Adossé au relief qui s'élève par paliers jusqu'à la ligne faîtière séparant la vallée de la Gravona de celle du Prunelli, cet humble village présente un intéressant ensemble religieux. De l'église paroissiale St-Laurent, bâtie sur un plan en forme de trèfle, on accède par un perron en escalier double, au campanile et à la chapelle de l'Annonciation du 15e s.

Au Nord du village, un sentier mène à la grotte dite de Sampiero Corso.

Les nombreuses vasques de la vallée de la Gravona sont propices à la baignade. Laisser la voiture sur le terre-plein de la buvette « Bagdad café » sur la D 229 juste avant l'embranchement avec la N 193. Emprunter les sentiers qui rejoignent le lit du torrent.

Poursuivre sur la D 29.

Cuttoli-Corticchiato

Ce village de montagne, à 20 km au Nord-Est d'Ajaccio, est connu pour sa coutellerie artisanale *(voir l'encadré pratique)*.

À ne pas confondre avec le stylet – qui, lui, est une arme –, le couteau corse traditionnel est un outil indispensable de la vie quotidienne : la largeur, le galbe prononcé sur la pointe, la découpe sur le dos de la lame (utilisée comme tarabiscot) en font, dans une civilisation agropastorale, un instrument aussi précieux que personnel utilisé aussi bien pour creuser ou trancher que pour manger.

Revenir à Petri et prendre à gauche la D 229.

La route contourne les contreforts montagneux couverts d'une belle forêt de chênes verts et de châtaigniers. Au cours de la descente, remarquer le **pont génois**.

Reprendre sur la gauche la N 193 puis, 6 km après avoir franchi le col de Carazzi, prendre à droite la D 1 qui monte vers Sarrola-Carcopino.

La route s'élève dans les chênes-lièges et les oliviers et procure, en face, une belle vue sur le mont Sant'Eliseo.

Sarrola-Carcopino

Le village se compose de trois hameaux qui dominent un affluent de la Gravona : en bas **Carcopino**, au centre **Trinité** et, tout en haut, **Sarrola**. À la sortie de Carcopino, **vue★** sur le golfe d'Ajaccio et la vallée de la Gravona. Le féroce corsaire turc Dragut, qui écumait la Méditerranée chrétienne, pilla et fit brûler les hameaux de Sarrola et Carcopino en 1540.

Du village est originaire la famille Carcopino-Tusoli dont les enfants les plus célèbres sont **Francis Carco** (1886-1958), connu pour ses poèmes, biographies et romans (*Jésus la Caille*, *L'Homme traqué*) et **Jérôme Carcopino** (1881-1970), dont les ouvrages sur l'archéologie et l'histoire de la Rome antique font autorité.

Par la N 193 puis la N 194, on atteint Ajaccio.

Bocognano pratique

Se loger

Beau Séjour – *04 95 27 40 26 - fermé 16 oct.-14 avr.* - P - *17 ch. 38,50/47,30 € - 5,50 € - rest. 13,90/32 €.* Au milieu des châtaigniers, bâtisse de la fin du 19e s. appréciée des randonneurs et autres amoureux de la nature. Chambres simples ; certaines offrent une belle vue sur le mont d'Oro. Au restaurant, copieuses recettes insulaires présentées dans un cadre sobre et fleuri.

Se restaurer

Ferme-Auberge A Tanedda – *N 193 - 04 95 27 42 44 - achille.martinetti@wanadoo.fr - fermé nov.-mars - 16/40 €.* Dans cette ferme-auberge, la plupart des produits qui composent les plats sont faits maison, à l'instar de la charcuterie, du porc, de la farine de châtaignes et des légumes, ou viennent de fermes voisines. Recettes simples et traditionnelles (omelette au brocciu et à la menthe, veau aux olives...). Accueil souriant.

L'Ustaria – *04 95 27 41 10 - fermé 15 fév.- 3 mars, 25 oct.-3 nov., merc. du 15 sept. au 30 juin et le soir - 19/55 €.* Cet établissement transmis de père en fils depuis 1912 dispose d'une plaisante salle à manger (cheminée, poutres et mobilier de style) et d'une terrasse dressée près de la route. À toutes les tables, on sert une généreuse cuisine du terroir.

Que rapporter

Coutellerie artisanale Biancucci – *Corticchiato - 20167 Cuttoli-Corticchiato - 04 95 25 64 72 - 11h-12h30, 16h-19h, dim et j. fériés sur RV.* Dans le bas du village Jean et Paul Biancucci vous feront découvrir avec passion la fabrication traditionnelle des couteaux corses. Jean, ébéniste depuis 1976, fabrique des manches en corne (chèvre, bélier, bouc...), ou en bois (olivier, jujubier, amandier...) coupé en hiver et à la lune. Son fils Paul forge selon les techniques anciennes, et réalise des lames en acier au carbone ou feuilletées (rares). Vidéo.

Événement

Fiera di a castagna (2e w.-end de déc.) : Foire à la châtaigne, la plus importante foire régionale de Corse - 04 95 27 41 76.

Stéphane Sauvignier / MICHELIN

Présentation de couteaux corses.

Bonifacio★★★

Bunifaziu

2 658 BONIFACIENS.
CARTE GÉNÉRALE C7 – CARTE MICHELIN LOCAL 345 D11
CORSE-DU-SUD (2A)

Ville la plus méridionale de l'île, édifiée sur un site★★★ exceptionnel, Bonifacio est un lieu incontournable. Enfermée dans ses fortifications, la vieille ville est juchée sur un étroit et haut promontoire de calcaire modelé par la mer et le vent. Elle est séparée du rivage par une ria longue de 1 500 m au fond de laquelle fleurit une marine. Jadis havre sûr pour les vaisseaux de guerre, le port offre aujourd'hui son mouillage aux bateaux de plaisance. De la mer, la ville haute présente un aspect encore plus saisissant avec ses vieilles maisons agglutinées à l'extrémité de la falaise.

Se repérer – L'approche de Bonifacio par la route de Sartène ou par celle de Porto-Vecchio fait apparaître cette cité médiévale comme un magnifique « bout du monde », isolé du reste de l'île par un vaste et aride plateau calcaire, véritable **causse** d'une superficie de 25 km². Large de 12 km et parsemé de petites îles, le détroit, appelé **bouches de Bonifacio**, sépare la Corse de la Sardaigne.

Se garer – En arrivant à Bonifacio, deux possibilités : soit laisser la voiture aux parkings de la marine et monter à la ville haute à pied ou en empruntant le petit train touristique ; soit tenter de se garer dans les parkings aménagés dans la citadelle et dominant le « goulet de Bonifacio ».

À ne pas manquer – L'atmosphère vivante de la marine ; la rue Saint-Dominique, le quartier de l'église Sainte-Majeure et plus largement la vieille ville ; les 187 marches de l'escalier du Roi-d'Aragon ; les grottes marines ; un embarquement pour la Sardaigne.

Le saviez-vous ?

Boniface, marquis de Toscane, donna son nom à la cité en 828.

Des fouilles réalisées à l'abri-sous-roche de l'Araguina-Sennola à l'entrée de la ville ont livré la sépulture d'un squelette féminin, la **« dame de Bonifacio »**, datant de 6570 av. J.-C. (prénéolithique). C'est la plus ancienne trace de présence humaine en Corse.

Organiser son temps – Le musée et le mémorial sont ouverts en continu, vous pouvez donc vous y réfugier aux heures de canicule. La visite de la ville haute demande au moins deux heures et les excursions en mer d'une heure à une demi-journée pour les îles Lavezzi.

Avec les enfants – Les promenades en mer sont souvent d'excellents moments à partager en famille. Les grottes marines et leurs formes insolites devraient ravir petits et grands.

Pour poursuivre la visite – Voir aussi les îles Lavezzi, le golfe de Figari.

Comprendre

UNE VILLE STRATÉGIQUE

Habité dès la préhistoire, le site fut également occupé par les Grecs et les Romains (sous l'Antiquité). À quelques kilomètres à l'Est de la ville, à Piantarella, près du cap Spérone (Sprono), les restes d'une vaste et splendide villa romaine ont été découverts. Elle témoigne de l'existence d'un important foyer d'activité au 1er s. apr. J.-C. Non loin, l'étang de Spérone, aujourd'hui ensablé, est un ancien port antique.

Ville libre puis colonie génoise – Érigée en commune au 9e s., Bonifacio vécut plusieurs siècles de piraterie. Cependant, Pise et Gênes étaient désireuses de contrôler ce port naturel qui permettait de surveiller la Méditerranée occidentale. En 1187, les Génois réussirent à s'infiltrer par ruse et huit ans plus tard, après en avoir chassé les habitants, ils y installèrent une colonie. La ville fut dotée de nombreux privilèges et devint une sorte de petite république autonome, battant monnaie. Au fil des siècles, elle demeura l'une des plus fidèles places génoises de Corse.

L'escalier du roi d'Aragon – La valeur stratégique du célèbre rocher ne laissait pas indifférents les principaux souverains d'Europe. Bonifacio eut ainsi à soutenir de nombreux sièges : ceux de 1420 et 1553, longs et rigoureux, sont restés célèbres.
En 1420, Alphonse V d'Aragon, fort d'un acte du pape Boniface VIII concédant la Corse en fief à son père Jacques II, revendiqua l'île. Avec Vincentello d'Istria, qu'il avait nommé vice-roi de Corse, il assiégea Bonifacio durant cinq mois. L'escadre aragonaise occupa le port et empêcha tout ravitaillement par terre. Malgré les privations, la colonie génoise fut animée d'un courage exceptionnel. La légende veut que les soldats aragonais, pour surprendre les assiégés, aient taillé un escalier de 187 marches au flanc de la falaise Sud.
En fait, cet escalier « du roi d'Aragon » empruntait un ouvrage antérieur utilisé par les Bonifaciens pour accéder à un puits. Seule la vigilance de **Marguerite Bobbia**, vaillante Bonifacienne, fit échouer la manœuvre. Gênes put se porter au secours de sa colonie et Alphonse V leva le siège.

La trahison de Cattaciolo – En 1553, un quart de siècle après la grande épidémie de peste qui décima les deux tiers de la population, le « Gibraltar corse » dut subir une nouvelle épreuve. Les troupes du roi de France Henri II, dirigées par le maréchal de Thermes et Sampiero Corso, et soutenues par la flotte du corsaire turc **Dragut**, canonnèrent la cité pendant dix-huit jours et dix-huit nuits. À l'aube du dernier jour, les Bonifaciens repoussèrent trois assauts successifs. Le clergé, les femmes et les enfants participèrent au combat avec une telle détermination que Dragut fut sur le point de lever le siège.
Mais le corsaire était rusé : alors qu'il revenait de Gênes avec 15 000 écus destinés à soutenir l'ardeur des Bonifaciens, **Dominique Cattaciolo** fut emprisonné et rallia la cause franco-turque. Il se présenta à ses concitoyens avec une lettre fallacieuse dans laquelle Gênes s'avouait incapable de les secourir. Les Bonifaciens se résignèrent alors à capituler « vies et bagues sauves ». Mais, les portes de la cité à peine ouvertes, Dragut, revenant sur sa parole, la pilla et massacra la garnison ainsi que quelques civils. Il fallut l'intervention de Sampiero et l'argent du maréchal de Thermes pour obliger le Turc à épargner la cité.

Stéphane Sauvignier / MICHELIN

Le site de Bonifacio au-dessus de la mer.

Échanges de bandits – Au 19e s., il n'était pas rare qu'un bandit corse, pour échapper à la justice de son pays, passât le détroit et se réfugiât en Sardaigne. Son homologue sarde effectuait la traversée en sens inverse. Ces échanges devinrent si fréquents qu'en 1819 et 1843 la Corse et la Sardaigne se mirent d'accord pour se livrer leurs hors-la-loi respectifs et faire surveiller les bouches de Bonifacio par des navires de guerre.

Bonifacio aujourd'hui – L'exploitation des oliviers et des chênes-lièges, la pêche à la langouste et au corail constituaient, au début du siècle, les principales activités de la région. Aujourd'hui, Bonifacio vit surtout du tourisme. Elle a conservé une langue qui lui est propre, le « **bonifacien** », très ancien dialecte ligure, encore parlé par quelques dizaines de familles de la citadelle.

Se promener

LA MARINE★ (Plan I)

Visite 45mn. Le quartier du port, étiré sur le quai Sud et dominé par l'imposant bastion, protégeait jadis l'entrée de la citadelle. Les hôtels, restaurants, cafés et magasins de souvenirs rassemblés dans cette basse ville entretiennent durant l'été une activité qui se prolonge tard dans la nuit.

Des constructions nouvelles de 4 ou 5 étages, certaines à arcades ou avec piscine, alignent leurs toitures roses inégales sur la rive Nord. C'est le quartier de **Giovasole**.

Le quartier de la marine est placé sous la protection de saint Érasme (San Teramo), patron des navigateurs. La confrérie organise chaque année deux processions : le 2 juin pour célébrer son saint patron et le 20 juin, jour de la Saint-Silvère, pape et martyr du 6e s., protecteur des pêcheurs de langoustes.

Col St-Roch

À gauche de l'église St-Érasme, un large chemin pavé, en escalier, permet d'accéder au col où s'élève une modeste chapelle, à l'endroit où succomba la dernière victime de la grande peste de 1528. Ce belvédère naturel offre une **vue★★** très étendue sur le large, jusqu'aux côtes de la Sardaigne, les hautes falaises calcaires aux strates burinées par la mer, le bastion et la marine. À gauche, le **« Grain de sable »,** dont la base est sapée par les vagues, dresse sa silhouette familière en avant de la falaise.

Du col St-Roch, un escalier descend à la petite plage de Sutta Rocca et un sentier longe le haut des falaises jusqu'au cap Pertusato offrant de superbes **vues★★** sur la vieille ville.

LA VILLE HAUTE★★ (Plan II)

Visite 2h. Les piétons y accèdent par les montées Rastello et St-Roch, longue rampe, qui mène à la porte de Gênes... ou par le petit train qui part des parkings de la marine. Les automobilistes peuvent laisser leur véhicule à l'un des parkings (P3 à P7) situé à l'entrée de la citadelle.

La ville haute comprend **la vieille ville** à l'ambiance moyenâgeuse et **la citadelle**. À l'extrémité Ouest du plateau s'étend **le Bosco**, avec le cimetière marin et l'esplanade St-François.

La route d'accès à la ville haute a été créée par Napoléon III. Elle contourne le bastion de l'Étendard et domine le goulet de Bonifacio. Puis elle se sépare en deux au niveau de la **colonne romaine** (découverte sur l'îlot de San Baïnzo et faisant office de monument aux morts) : la voie de droite conduit à la gare maritime (embarquement des voitures pour la Sardaigne) et la rampe de gauche permet de pénétrer dans la vieille ville par le tunnel creusé sous le fort St-Nicolas. La sortie se fait par la **porte de France** (1854).

La vaste place Bir-Hakeim donne accès à la vieille ville.

Monument de la Légion étrangère

Il occupait autrefois une place de Saïda, petite ville d'Algérie, en mémoire des légionnaires tombés dans le Sud oranais entre 1897 et 1902. Transféré en Corse, il fut inauguré sur la place Bir-Hakeim le 23 juin 1963, date de l'arrivée de la Légion étrangère à Bonifaci qui fut remplacée ensuite par un centre de commandos, jusqu'en 1989.

Église St-Dominique★

✆ 04 95 73 11 88 - possibilité de visite guidée sur demande (hors juil.-août) à l'Office de tourisme - juil.-août : 9h-20h - 2,50 € (2-16 ans 1,50 €).

Ce sanctuaire, édifié dès 1270 par les dominicains sur une ancienne église de Templiers, compte parmi les rares édifices gothiques de la Corse. Il aurait été achevé en 1343. Un couvent contigu abritait les religieux.

Son architecture extérieure est sommaire. Le campanile, en revanche, ne manque pas d'originalité avec ses étages supérieurs octogonaux et son couronnement de créneaux et merlons à double pointe.

À l'intérieur, le plan est simple, rectangulaire à chevet plat. La nef, flanquée de bas-côtés, est voûtée de six croisées d'ogives.

L'acoustique exceptionnelle de cette église lui vaut d'accueillir régulièrement des groupes de polyphonie *(se renseigner à l'Office de tourisme).*

Rue St-Dominique (San Dume)

Les maisons s'ouvrent sur des escaliers vertigineux à marches très hautes. On remarque sur la droite la maison de la Miséricorde, ancien hospice fondé au 13e s. Siège de la confrérie de la Sainte-Croix, elle conserve pieusement un morceau de la vraie Croix.

Stéphane Sauvignier / MICHELIN

La citadelle.

Un peu plus loin, à gauche, des blasons sculptés ornent les portes des n°s 12 et 10 (armoiries des Salineri). Après la place du Fondaco Montepagano (« U Fundugu », de l'arabe *fondouk* qui signifie « magasin »), on oblique sur la gauche dans la **rue St-Jean-Baptiste** et on longe la petite chapelle de la confrérie du même nom (1775), dont l'intérieur aux deux nefs voûtées ne manque pas de charme. Sur la gauche, remarquer le groupe de bois sculpté représentant la *Décollation de saint Jean-Baptiste* que la confrérie sort en procession le Vendredi saint et le 29 août.

Suivre la rue St-Jean-Baptiste, puis tourner à droite dans la rue du Palais.

On aperçoit, au bout de la rue, le clocher et les arcs-boutants de l'église Ste-Marie. Emprunter à gauche un passage sous voûtes à poutrelles de bois (« U Cantu Scöru ») qui débouche sur le n° 9 de la rue Longue qui devient bientôt rue des Deux-Empereurs.

Rue des Deux-Empereurs

Deux maisons qui se font face conservent le souvenir de deux hôtes illustres. Le n° 4, demeure du comte Philippe Cattaciolo, abrita, du 3 au 6 octobre 1541, **Charles Quint** au retour d'une expédition à Alger. Un beau linteau en marbre sculpté aux armes de l'empereur orne la porte d'entrée.

Presque en face, le n° 7 hébergea **Napoléon Bonaparte**, du 22 janvier au 3 mars 1793. Alors lieutenant-colonel, le futur général de l'armée d'Italie y prépara un débarquement en Sardaigne dont l'échec entraîna la disgrâce de Paoli. Quelques marins marseillais faillirent changer sans le savoir le destin de l'Europe : prenant à partie le futur Empereur dans une ruelle de la vieille ville, ils l'auraient sans doute tué si des passants n'étaient intervenus... La maison avait appartenu au 16e s. à un de ses ancêtres, François Bonaparte.

Place d'Armes

Sur la gauche, quatre socles circulaires (dont l'un est pris dans la devanture d'une boutique de souvenirs) indiquent l'emplacement des anciens silos à grains qui, avec ceux de la Manichella, permettaient à la cité d'emmagasiner 5 000 hl de blé.

Face à la porte de Gênes, la **rue du Corps-de-Garde** offre un bel aperçu sur le chevet de l'église Ste-Marie et ses arcs-boutants.

Bastion de l'Étendard

Jusqu'au 19e s., la **porte de Gênes** constituait l'unique entrée de la ville. Il fallait franchir huit portes successives et un pont-levis (de 1598) pour accéder à la place d'Armes. Le système d'ouverture par contrepoids du pont-levis est encore en place. Le bastion surveillait à la fois l'entrée du goulet, le port et la route du col St-Roch. Avec la porte de Gênes, il constituait la pièce maîtresse des 2,5 km de remparts qui conservent, aujourd'hui encore, quelques tours rondes de défense.

Mémorial du bastion – *☏ 04 95 73 11 88 - avr.-sept. : 9h-19h - 2,50 € (-12 ans gratuit).*

Le bastion de l'Étendard reste la partie la plus imposante des fortifications de la ville haute. Des scènes marquantes de l'histoire de Bonifacio ont été reconstituées : visite de l'empereur Charles Quint en 1541, passage de Bonaparte au cours de la tentative d'invasion de la Sardaigne en 1793 et naufrage de *La Sémillante* aux îles Lavezzi. Sont également exposés une copie de la « **dame de Bonifacio** », dont l'original se trouve au musée de l'Alta Rocca à Levie, ainsi qu'un squelette fossilisé, probablement celui d'un soldat turc. L'extrémité des bastions offre de belles **vues★** sur le goulet et le port.

Passer sous la voûte de la porte de Gênes et tourner immédiatement à droite.

Rue du Portone (« U Bastiun »)

Elle longe le jardin des Vestiges où l'on voit les ruines des anciennes fortifications, détruites lors du siège de 1553 par les Français et les Turcs, et mène à la place du Marché.

Place du Marché (« U Masgilu »)

Entourée de cafés et de restaurants, cette place ensoleillée donne accès au belvédère de la Manichella : une **vue★★** superbe se déploie, à gauche sur le port, à droite sur les bouches de Bonifacio, le Grain de sable et, toute proche, la côte sarde.

Quitter la place par la rue Doria, tourner à droite dans la rue Cardinal-Zigliara (« U Campanin »), puis à gauche.

Rue du St-Sacrement

Cette ruelle pavée – d'autant plus étroite qu'elle est envahie par les tables du restaurant voisin –, et jalonnée d'arcs-boutants, longe l'église Ste-Marie-Majeure.

Église Sainte-Marie-Majeure

Cet édifice à clocher carré, achevé au 14ᵉ s., a perdu la pureté de son style au cours des nombreux remaniements qui l'affectèrent jusqu'au 18ᵉ s. Les portails ont été refaits en 1789, dans un style néoclassique.

La **loggia**, vaste préau accolé à la façade de l'église, en constitue le porche. Elle est ouverte par de larges baies en plein cintre, et couverte de charpente. Sous le dallage de la loggia, une vaste citerne communale d'une capacité de 650 m^3 recueillait l'eau s'écoulant des toits environnants par des arcades qui enjambent la rue. Cette citerne est aujourd'hui aménagée en salle de conférences.

Au temps de la domination génoise, les quatre Anciens, élus pour trois mois par le Grand Conseil, y délibéraient des affaires de la cité. Deux fois par semaine, le magistrat y rendait la justice.

Au-dessus de la loggia, la façade de l'**église** conserve une élégante corniche de style pisan qui pourrait remonter au 12ᵉ ou 13ᵉ s. *Pour bien la distinguer, se placer sous les arcades de la rue Archivolta.*

À l'intérieur, le maître-autel abrite des reliques de saint Boniface, choisi comme patron de la ville à cette époque. Remarquez, près des fonts baptismaux, le **tabernacle** en bas-relief (1465), exécuté sans doute par un sculpteur génois, dans le style raffiné de la première Renaissance italienne. Huit angelots célèbrent le Christ sortant du tombeau.

Les maisons bonifaciennes traditionnelles

Elles constituaient jadis de véritables forteresses dont l'accès était commandé par une échelle que l'on retirait la nuit. À l'intérieur, un pressoir à huile, un cellier, une réserve de grains et parfois une étable pour l'âne se groupaient au rez-de-chaussée autour de la cour intérieure. De plus, chaque maison possédait son four et sa citerne alimentée par un ingénieux système de gouttières. Hautes à l'origine d'un étage, elles ont été surélevées au 19ᵉ s., pour présenter l'aspect qu'on leur connaît maintenant. Ce réaménagement s'explique par la forte croissance démographique de l'époque et l'exiguïté de la ville.

Palazzu Publicu - Musée d'Art sacré

✆ 04 95 73 11 88 - juil.-août : 9h-19h - 2,50 € (-12 ans gratuit).

Face à l'église Ste-Marie-Majeure se dresse l'ancien palais du Podestat (représentant de la Superbe à Bonifacio), bâtiment à arcades de style médiéval. Sur la droite *(rue du Palais)*, la façade de calcaire du Palazzu Publicu, ancienne mairie, s'agrémente d'un porche à arcades souligné à l'étage d'une frise d'arcature. Il abrite le **trésor★** des églises de Bonifacio et présente les cinq confréries bonifaciennes. On y remarque un sarcophage romain du 3ᵉ s. *(dans l'entrée)*, de nombreuses toiles de l'école italienne du 17ᵉ s., une Vierge au rosaire incorporant une des premières représentations picturales de Bonifacio et un beau coffret en ivoire attribué à un atelier florentin.

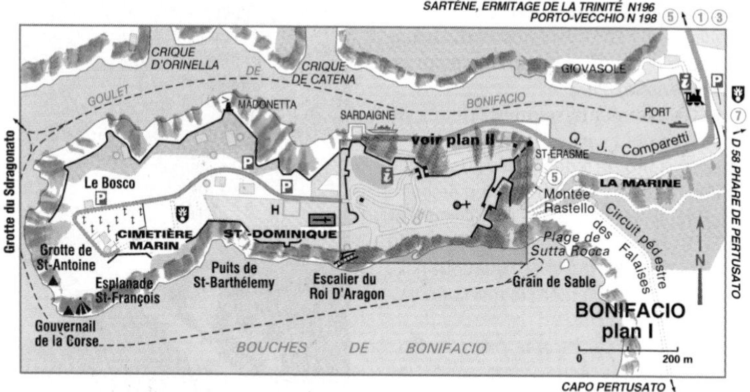

SE LOGER		SE RESTAURER	
A Cheda	①	Café Restaurant de la Poste	①
Camping Pertamina Village	③	Stella d'Oro	③
Hôtel des Étrangers	⑤	U Campanile	⑤
Le Golfe	⑦		

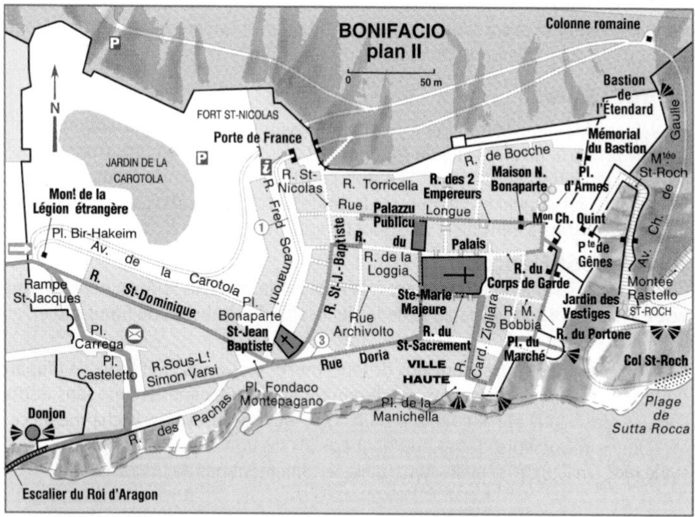

Vieilles rues★

Les ruelles jouxtant l'église Ste-Marie-Majeure sont particulièrement pittoresques : étroites, bordées de hautes et anciennes maisons aux élégantes façades souvent décorées d'arcatures. Les curieux arcs-boutants qui relient les maisons sont des canalisations destinées à diriger les eaux pluviales vers les citernes privées ou vers la réserve communale.

Rue Doria

En descendant cette rue commerçante bordée de maisons du 17e s. (comme la maison des Doria, au nº 28, dont l'entrée est surmontée d'un blason), on retrouve la place du Fondaco.

Monter par la rue du Sous-Lieutenant-Simon-Varsi (« A Culaia di Castile ») menant à la place Casteletto. On traverse le quartier du **Casteletto**, qui fut dès les 7e et 8e s. le premier îlot urbain fortifié du plateau. La place Casteletto (ou « Castile Vecchio ») marque l'emplacement du cantonnement pisan.

Prendre à gauche de la place Casteletto une ruelle qui conduit à l'accès de l'escalier du Roi-d'Aragon.

Escalier du Roi-d'Aragon

Avr.-sept. : 10h-19h - 2,50 € (12-16 ans 1,50 €) - fermé par mauvais temps ou vent trop violent.

Cette étonnante saignée oblique de 187 marches taillées dans la falaise possède sa propre légende liée au siège de Bonifacio *(voir « Escalier du roi d'Aragon » au début de ce chapitre)*. L'origine de cet accès est à rattacher à l'existence du puits de St-Barthélemy *(ne se visite pas)*, qui fut probablement la réserve d'eau potable de la cité.

Au terme de la descente, on peut effectuer à droite la petite promenade à flanc de falaise qui mène à l'extrême pointe occidentale du plateau. Belles **vues★** en encorbellement des falaises. *Revenir sur ses pas jusqu'au pied de l'escalier.*

Stéphane Sauvignier / MICHELIN

Escalier du Roi-d'Aragon.

Donjon (Torrione)

Reconstruit dans les années 1980, l'ancien donjon de 1484 abrite aujourd'hui des salles d'expositions temporaires. La terrasse circulaire (table d'orientation) offre une intéressante vue en enfilade de la ville haute.

Revenir au point de départ, le monument de la Légion étrangère, pour pénétrer dans le Bosco, à l'extrémité Ouest du plateau.

LE BOSCO (Plan I)

Le plateau pelé auquel on parvient est encore désigné de nos jours par les Bonifaciens comme le *bosco*. Jusqu'à la fin du 18e s., il était couvert de végétation arborescente, oliviers, genévriers, lentisques... Ce bois constituait l'environnement du couvent St-François. Remarquer en chemin, sur la droite, les vieilles tours ruinées qui sont les **anciens moulins à vent** de la ville dont l'origine remonte au 13e s.

Esplanade St-François

Cette vaste esplanade, fermée face à la mer par la batterie St-Antoine, offre une **vue★★** splendide sur les falaises de la vieille ville, les bouches de Bonifacio et, au large, la Sardaigne.

Cimetière marin★ – Très soucieux de leurs morts, les Corses choisissent la plupart du temps de magnifiques lieux qui dominent la mer. Ce cimetière est sans doute l'un des plus beaux et n'en paraît pas un : on tombe en effet sous le charme de ces mosaïques de couleurs, de ces petites chapelles si soignées et variées, de cette vue sur la mer. Un lieu de recueillement, mais certainement pas de tristesse.

Amaury de Valroger / MICHELIN

Cimetière marin.

Couvent St-François – De l'ancien couvent, longtemps isolé à l'extrémité du promontoire, il ne reste qu'une église gothique, ouverte seulement lors de cérémonies funéraires. On peut également y voir quelques bâtiments conventuels, dont l'un abrite l'école de musique de la ville. L'ensemble remonte vraisemblablement à la fin du 13e s.

Gouvernail de la Corse – *Face à l'entrée du cimetière marin. 132 marches raides. ✆ 04 95 73 16 90 - juin : 10h-18h ; juil.-août : 9h-19h ; sept : 10h-17h - 2 €.*
Un passage creusé dans la falaise permet d'accéder à une bouche à feu aménagée dans l'entre-deux-guerres. Située au milieu du rocher dénommé « Gouvernail de la Corse », composant l'extrémité des falaises, elle offre une vue particulièrement originale sur les bouches de Bonifacio.

Retourner vers le monument de la Légion étrangère par le même chemin.

Se promener en mer

Les grottes marines et la côte★★

De mi-avr. à mi-oct. Promenade en mer « Grottes et Falaises » (1h, dép. fréquents) par beau temps seulement. Pour les excursions à Lavezzi, voir ce nom. Plusieurs compagnies proposent ces promenades, les contacter sur le port.
La sortie du port par le goulet permet d'apprécier l'importance des remparts qui sanglent la vieille cité. Contournant le phare de la Madonetta, la vedette aborde les bouches de Bonifacio et pénètre dans la **grotte du Sdragonato★**.
Le bateau revient vers Bonifacio, passe au large de la **grotte de St-Antoine** ou grotte Napoléon (elle a la forme du chapeau de l'Empereur), avant de contourner la pointe de la presqu'île, marquée par le **« Gouvernail de la Corse »**. Il longe les falaises calcaires, hautes de 60 à 90 m, dont les stratifications tantôt horizontales, tantôt obliques témoignent des nombreux changements de direction des courants marins au cours de la sédimentation. On découvre le **puits de St-Barthélemy**, le fameux **escalier du Roi-d'Aragon**, et le **site★★** spectaculaire de la vieille ville édifiée à l'aplomb de la falaise.
Le bateau fait demi-tour à hauteur du **« Grain de sable »**, gros bloc calcaire détaché de la falaise il y a huit siècles. Le lent recul de celle-ci par effondrements successifs est dû à l'action des eaux douces infiltrées à la surface du plateau. Les stalactites visibles tout au long de la promenade, en particulier dans la grotte de St-Antoine, et la présence d'une nappe d'eau souterraine au puits de St-Barthélemy confirment l'ampleur des infiltrations.

Îles Lavezzi★★ *(voir ce nom)*

Aux alentours

LES SITES

Capo Pertusato★

5 km au Sud-Est. Quitter Bonifacio par la D 58 et prendre la première route à droite signalée. Une allure modérée est recommandée, car la route est étroite, en forte pente et présente de nombreux nids-de-poule.
Cette route longe la falaise dénudée et resplendissante de blancheur. En arrière, les maisons de la vieille ville de Bonifacio apparaissent accrochées au rebord de la falaise. *Prendre ensuite à droite la route en forte descente.* Les virages qui précèdent le sémaphore laissent apparaître de belles **vues★** sur la ville et la montagne de Cagna.
Après le sémaphore, continuer à pied sur la route qui serpente dans le maquis avant d'atteindre le phare de Pertusato *(l'accès au-delà du phare est interdit)*. Un sentier contourne le phare et offre une **vue★** panoramique sur l'île Cavallo à l'Est, l'île Lavezzi, l'île italienne de la Maddalena et le relief de la côte sarde qui barre l'horizon. En contrebas à droite, on aperçoit la silhouette curieuse des rochers en forme de proue de navire et surmontés d'une croix *(accès à la plage par le sentier en pente à droite avant le parking du phare)*.

Ancien couvent St-Julien

6 km à l'Est. Quitter Bonifacio par la D 58. À moins de 2 km du carrefour avec la N 198, on aperçoit, dominant le vallon, l'ancien couvent St-Julien. La tradition veut que saint François d'Assise ait passé quelque temps dans cet endroit à son retour d'Espagne en 1214 *(propriété privée)*.

Ermitage de la Trinité

7 km à l'Ouest. Quitter Bonifacio par la N 198. À 2 km, prendre à gauche la N 196 vers Sartène, puis la 1re route à gauche. Cet antique sanctuaire occupe un site splendide, au milieu des oliviers, des chênes verts et des énormes blocs de granit. Il était vraisemblablement fréquenté dès la préhistoire, puis par des ermites, lors des premiers temps de la christianisation de Bonifacio. Le couvent primitif fut remanié au 13e s., avant d'être fortement restauré en 1880. Face au parvis de la chapelle, une cavité dans les *taffoni* est aménagée en sanctuaire. Les vieux Bonifaciens racontent qu'encore au début du siècle, les religieux avaient coutume de recueillir les pauvres hères. Certains quelquefois n'avaient pas hésité à nager depuis la Sardaigne pour trouver meilleure fortune sur cette côte.

Faire quelques pas sur les sentiers à droite du sanctuaire pour apprécier la **vue★** dégagée sur Bonifacio et son plateau. Les falaises qui dominent le site sont très fréquentées le week-end par les adeptes de l'escalade.

LES PLAGES★

À proximité de Bonifacio se trouvent **Catena** et **Orinella**, deux criques nichées sur la rive Nord du goulet, accessibles en bateau ou par un sentier. Mais préférez les plages un peu plus éloignées le long des côtes Ouest et Est.

Le littoral Ouest

Le relief, plus abrupt qu'à l'Est, a multiplié les belles criques, difficiles d'accès mais assez tranquilles.

Cala di Paragnano – *4 km à l'Ouest par la N 196. Peu avant l'intersection avec la D 60, prendre à gauche ; une fois dépassé le char d'assaut qui orne le bas-côté (!), le revêtement de la chaussée s'améliore.* Un petit paradis : belle crique sableuse encadrée de rochers rouges et eau d'une rare transparence. Le sol descend en pente très douce.

Plage de la Tonnara – *10 km au Nord-Ouest. Quitter Bonifacio par la N 196 et prendre la direction de Sartène, puis la 2e grande route à gauche : la D 358.* Belle étendue convexe de sable située face aux îles du même nom, très proches de la côte et habitées par des oiseaux de mer.

Les plages du levant

Le relief plus doux du versant oriental, marqué par l'avancée de la mer dans le golfe bien abrité de Santa-Manza, a développé de vastes plages de sable qui ont favorisé l'implantation de nombreux centres nautiques.

Les accès rayonnant au départ de Bonifacio nécessitent parfois des allers et retours pour atteindre chaque site.

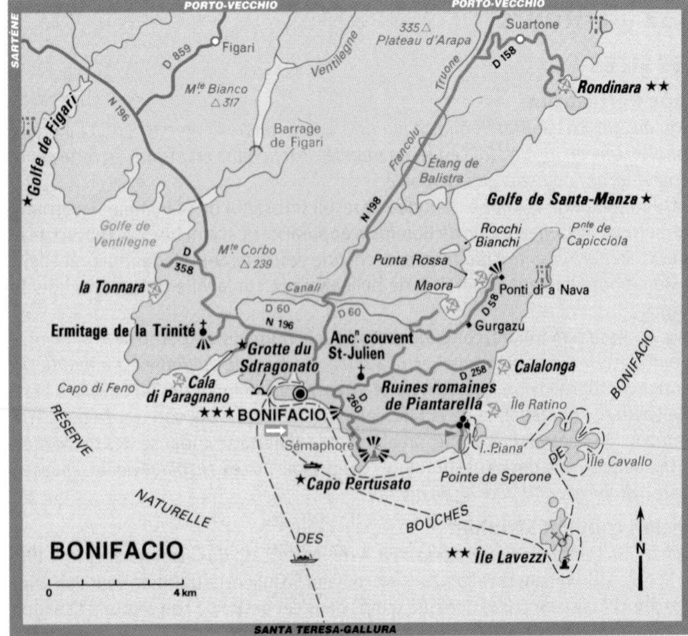

Gilles Magnin / MICHELIN

Vue aérienne de la pointe de Spérone.

Plage de Piantarella – *8 km à l'Est par la D 58, puis la première route à droite en direction de Spérone.* 2 km après ce carrefour, on franchit la limite entre le calcaire, si particulier à la région de Bonifacio, et le granit, plus traditionnel dans le sous-sol de la Corse. Les rochers qui affleurent, d'abord blancs et disposés en strates (calcaire), apparaissent bientôt fissurés et d'une couleur franchement rose (granit). Les murets qui bordent la route changent eux-mêmes de couleur. La végétation diffère aussi : garrigue sur le sol calcaire, maquis sur le sol granitique.
La belle anse de sable fin de Piantarella, face aux îlots de Piana et Ratino, est très fréquentée par les véliplanchistes. Au-delà de la **pointe de Sperone (Sprono)**, belle crique de sable fin adossée à des dunes. L'accès aux îlots appartenant à la **réserve naturelle de Lavezzi** est réglementé. Au large se dressent les luxueuses constructions privées de l'île Cavallo.
Plage de Calalonga – *9 km à l'Est par la D 98, puis à 3 km prendre à droite la D 258.* Le revêtement caillouteux nécessite une allure modérée. Suite de criques de sable bien abritées, précédées d'îlots aux formes émoussées et désormais dominées par un important ensemble résidentiel.

Le Parc marin international

Le **Parc marin international** vise à protéger les fragiles écosystèmes du détroit séparant la Sardaigne de la Corse. Mais son caractère binational représente un frein certain à sa mise en place décidée par un protocole signé entre l'Italie et la France en 1992. Côté corse, il se concrétise avec la **Réserve naturelle des Bouches de Bonifacio** qui s'étend sur 80 000 ha, entre les îlots des Moines et la pointe de Chiappa (au Sud, à la limite des eaux territoriales qui en assure la « frontière »). Quatre zones de protection renforcée ont été définies : le secteur Moine-Bruzzi, celui de l'archipel de Lavezzi et celui des îles Cerbicale, à quoi vient s'ajouter la façade littorale entre Bonifacio et le Capo Pertusato.
Observation, étude, surveillance, protection et information sont les maîtres-mots de cette réserve gérée par l'Office de l'environnement de la Corse. Pour plus de renseignements, consultez le site www.parcmarininternational.com

Golfe de Santa-Manza★ – *6 km à l'Est par la D 58.* De la pointe de Capicciola jusqu'à l'étang de Balistra s'offre une grande diversité de paysages avec une succession d'anses sablonneuses, de quelques constructions éparses et discrètes bâties autour de ports, et de falaises sur la rive Nord. Le golfe est resté d'une grande beauté sauvage, les couleurs des collines couvertes de maquis contrastent avec la palette bleu-turquoise de la mer. Les principales plages publiques sont **Maora** et **Santa-Manza**, à proximité des rochers de **Punta-Rossa**.
Du petit port de **Gurgazu** à **Ponti di a Nava**, la D 58 longe une série de plages (taverne sur la dernière) tournées vers les falaises de **Rocchi-Bianchi**.

Baie de Rondinara★★ – *18 km au Nord-Est en direction de Porto-Vecchio par la N 198. À 14 km, prendre à droite la D 158 vers Suartone. Route sinueuse et étroite.* La superbe anse semi-fermée de Rondinara, ourlée de sable fin, est de ces lieux magiques qui font le charme du littoral corse. Elle souffre cependant, comme ses célèbres voisines, d'une importante surfréquentation en été.

Bonifacio pratique

Adresse utile

Office de tourisme – 2 r. Fred-Scamaroni - ✆ 04 95 73 11 88 - www.bonifacio.fr - Juil.-août : 9h-20h ; mai - juin et sept. : 9h-19h.

Visite

Petit train touristique – ✆ 04 95 73 15 07/13 16 - juil.-août : 9h-0h (35mn + arrêt en ville) ; avr.-juin et sept.-oct. : 9h-18h - 5 € (enf. 2,50 €) - effectue en saison un circuit dans la vieille ville depuis les parkings du port.

Transports

Aéroport de Figari – *Voir à ce nom.*

Distributeur de billets – La ville dispose de deux distributeurs automatiques : sur le port, r. St-Érasme (Société générale) ; haute ville, pl. Carrega (La Poste). Prendre ses précautions lors d'un séjour incluant un w.-end ou des j. fériés.

Se loger

Hôtel des Étrangers – *Rte d'Ajaccio - ✆ 04 95 73 01 09 - fermé de fin oct. à déb. avr. - P - 31 ch. 35/74 €* ☕. Une adresse familiale, bien connue à Bonifacio pour ses prix tout doux. Cette maison des années 1930, située à deux pas du port, a conservé une simplicité confortable dans ses chambres : murs blancs, double vitrage, et climatisation pour certaines. À noter : le petit-déjeuner est inclus dans le prix de la nuitée.

Camping Pertamina Village – *5 km au NE de Bonifacio par N 198 - ✆ 04 95 73 05 47 - pertamina@wanadoo.fr - ouv. 15 avr.-15 oct. - réserv. conseillée - 150 empl. 27 € - restauration.* Ici, emplacements, bungalows, chalets et mobile homes sont agréablement ombragés dans un décor de lauriers roses, mimosas, oliviers et palmiers. Deux belles piscines avec toboggan raviront les grands et les petits. Club enfants et nombreuses activités sportives et ludiques.

Camping de Rondinara – *À 400 m de la baie de Rondinara - 16 km au NE de Bonifacio par N 198 puis D 158 - ✆ 04 95 70 43 15 - reception@rondinara.fr - ouv. 15 mai à sept. - 120 empl. 25 € - restauration.* Les équipements de ce camping, dans la baie de la Rondinara, réputée pour ses eaux turquoise et ses plages magnifiques, sont irréprochables. Belle piscine avec terrasse dallée et plantée d'arbustes.

Le Golfe – *À Gurgazu - 6 km au NE de Bonifacio par rte de Santa-Manza - ✆ 04 95 73 05 91 - golfe.hotel@wanadoo.fr - fermé 25 oct.-31 mars - P - 12 ch. ½ pension 75 € - rest. 14,50/26 €.* Pour échapper à l'agitation de Bonifacio, rien de mieux que ce petit hôtel familial au bord du golfe de Santa-Manza. Au-dessus de la plage, ses chambres sont simples mais bien tenues. Restaurant modeste mais sérieux et bien coté.

A Cheda – *Rte de Porto-Vecchio, Cavallo-Morto - ✆ 04 95 73 03 82 - acheda@acheda-hotel.com - P - 15 ch. 179/299 € - ☕ 15 € - rest. 39/90 €.* Un jardin planté de multiples essences (palmiers, fleurs, herbes aromatiques…) entoure les chalets en bois et les bungalows de ce charmant hôtel. Chambres de plain-pied, joliment égayées de couleurs méditerranéennes. Cuisine actuelle aux accents du Sud souvent servie en terrasse, face à la ravissante piscine.

Se restaurer

U Campanile – *7 montée Rastello - ✆ 04 95 73 09 10 - restaurant-u-campanile@wanadoo.fr - fermé déc.-fév. - 15/18 €.* Au pied de l'escalier qui mène à la citadelle, cette maison est face à l'église Saint-Érasme, protecteur des pêcheurs. La salle à manger bleu mer et ses bibelots lui donnent un bon air marin. Pizzas et cuisine d'ici pour requinquer les navigateurs en herbe. Terrasse.

Café Restaurant de la Poste – *6 r. Scamaroni (ville haute) - ✆ 04 95 73 13 31 - www.corsud.com/laposte - fermé 1er janv.-15 fév. et dim. soir en hiver - 13,50 € déj. - 15,80/28 €.* Cette salle voûtée abritait autrefois le tri postal. Les trieuses ont laissé la place à des tables sur lesquelles on déguste pâtes fraîches, pizzas ou cabri et cochon de lait rôtis au feu de bois. Terrasse au bord de la rue et balcon très prisé offrant une vue sur le goulet de Bonifacio.

Stella d'Oro – *7 r. Doria (ville haute) - ✆ 04 95 73 03 63 - stella.oro@bonifacio.com - fermé oct. au 3 avr. - 22 €.* Les spécialités bonifaciennes, poissons grillés et pâtes fraîches sont à l'honneur dans cette maison typique de la ville haute. L'accueil familial y est chaleureux. Deux accueillantes salles simples à l'atmosphère rustique ont déjà reçu quelques célébrités…

Stéphane Sauvignier / MICHELIN

Terrasse de café sur le port.

En soirée

Bon à savoir – De Bonifacio à Porto-Vecchio, de nombreux night-clubs animent, le temps d'une saison, les soirées d'une clientèle très cosmopolite. Dans la haute ville, des restaurants proposent certains soirs des animations avec des chanteurs traditionnels.

Que rapporter

Bon à savoir – Des bijoux en corail et en nacre et de belles arborescences de corail ainsi qu'un choix important de couteaux de collection sont exposés dans les boutiques du quai Comparetti, du quai Bando-del-Ferro et également en haute ville.

La Casa Corsa – *R. St-Dominique - ✆ 04 95 73 53 54 - 10h-23h - fermé oct.-mars.* Composé d'une boutique proposant un choix de produits locaux (charcuteries, fromages, vins...) de qualité et d'une « cantineta » à l'ambiance typiquement corse, cet établissement sera une sympatique halte lors de votre visite de la ville haute.

Roba Nostra – *15 r. Doria - ✆ 04 95 73 12 56 - www.bonifacio.com/roba/ - 9h-12h, 15h-18h30 ; juil.-août : 9h-23h - fermé janv.-fév. et dim. hors sais.* Vous trouverez ici un choix impressionnant de produits corses - charcuterie, huile d'olive, miel, confiture, herbes du maquis - toujours goûteux et d'une qualité extra. C'est que Madame Pino sélectionne avec attention ses fournisseurs et teste les produits avec le palais de la restauratrice qu'elle fut pendant 10 ans.

Boulangerie Faby – *4 r. St-Jean-Baptiste - ✆ 04 95 73 14 73.* Cette boulangerie fabrique toute l'année des spécialités locales, autrefois préparées lors de certaines fêtes : la Fugasi de Pâques, galette à la fleur d'oranger, la Vea Seccata ou pain des morts de la Toussaint, brioche aux raisins et aux noix.

Sports & Loisirs

Bon à savoir – Sur la marina, de nombreuses compagnies proposent des excusions en mer autour du site de Bonifacio et vers l'archipel des Lavezzi. Certaines proposent un parking. N'hésitez pas à comparer les prix mais vous pouvez également choisir en fonction de vos horaires.

Atoll – *27 quai Banda-del-Ferro - ✆ 04 95 73 53 83 - www.atoll-diving.com - avr.-oct. : tlj quai Bando-del-Ferro ; reste de l'année : Cavallo-Morto - fermé dim. apr.-midi.* Ce centre développe son activité dans l'un des plus beaux sites naturels du littoral corse : les îles Lavezzi et de Cavallo. Baptêmes pour débutants ou plongées se font dans une eau limpide permettant de découvrir de magnifiques fonds marins. Également, location de matériel haut de gamme.

Barakouda – *Av. Sylvère-Bohn - départ : port de Piantarella - ✆ 04 95 73 13 02 - www.club.barakouda.fr - juin-août : tlj 8h30, 12h, 14h et 18h ; reste de l'année : 8h30, 14h - fermé dim. apr.-midi - 1 plongée 30 à 48 €.* Que l'on soit novice ou expérimenté, vous prendrez plaisir à plonger dans des fonds marins de toute beauté. Faune et flore vous émerveilleront. Les plongeurs aguerris pourront découvrir le site appelé « mérouville » proche des Îles Lavezzi.

Bonifacio Windsurf – *Hameau de Piantarella - ✆ 04 95 73 58 55 - www.bonifacio-windsurf.com - 10h-18h - fermé oct.-avr.* Implanté au hameau de Piantarella, Bonifacio Windsurf propose location de planches à voile, stages d'initiation ou de perfectionnement dans le cadre magnifique d'un lagon aux eaux peu profondes et très limpides, protégé par l'île de Piana. Bon vent ! Les jours sans vent (rares), vous pourrez découvrir les environs en kayak.

Centre nautique des Glénans – *Rte de Santa-Manza - ✆ 04 95 73 03 85.* Santa-Manza est souvent fréquenté par les véliplanchistes. Le golfe accueille d'ailleurs au mois de mai l'une des épreuves du championnat de France.

Pirate Adventure Corsica – *Plage de la Tonnara - ✆ 04 95 73 56 36 - www.pirate-adventure-corsica.com.* Le Sud de la Corse et notamment les bouches de Bonifacio vous dévoilent leurs beautés sauvages lors de randonnées en jet-ski encadrées par des moniteurs diplômés. Si vous préférez garder les pieds sur terre, des visites en quad de la haute ville de Bonifacio ainsi que des traversées du maquis en VTT vous sont également proposées.

Golf Club Sperone – *Domaine de Sperone - ✆ 04 95 73 17 13 - www.sperone.com - juil.-août : 7h30-19h ; le reste de l'année : 8h30-18h30 - fermé janv., jeu. de nov. à mars, jeu. apr.-midi d'avr. à oct.* Golf 18 trous aménagé sur un site magnifique dominant les bouches de Bonifacio. Le parcours, réalisé par Robert Trent Jones SR, vous laissera des souvenirs inoubliables. Le club-house accueille un bar panoramique, un restaurant et un pro-shop.

Escapade en Sardaigne

De Bonifacio, la Sardaigne, distante de seulement 12 km, mérite le déplacement. Vous découvrirez notamment l'**archipel de la Maddalena★★**, magnifique chapelet d'îles qui conserve le souvenir de Garibaldi, et la **Costa Smeralda★★** qui frange à l'Est la Gallura sauvage et vallonnée *(voir* Le Guide Vert Italie *pour une description détaillée).*

LA GALLURA★★

Sta-Teresa-Gallura

Plaisante station balnéaire dont le port se niche au fond d'une ria, elle est la tête de pont des communications avec la Corse.
L'étonnant plan en damier de la cité résulte de sa reconstruction en 1803. À son extrémité Nord, la tour Longosardo (16e s.), vestige d'un château, constitue un agréable but de promenade. Par temps dégagé, on distingue les falaises blanches et les maisons de Bonifacio. En contrebas, la plage de sable fin de Rena-Bianca est un site apprécié des véliplanchistes.

Capo Testa★

Intéressante excursion jusqu'à ce promontoire rocheux, distant de 5 km du centre de la localité, magnifiquement sculpté par l'érosion éolienne.

ARCHIPEL DE LA MADDALENA★★

Composé de sept îles et d'autant d'îlots, l'archipel a été aménagé en parc naturel afin de préserver son exceptionnelle végétation. Seule l'île principale est habitée.

Île de la Maddalena★★

Ceinte d'une route panoramique très plaisante à parcourir, l'île est pourvue d'un charmant port de pêche, Cala Gavetta. De nombreuses possibilités d'excursions en bateau vers les îlots permettent de découvrir des anses de sable fin aux eaux limpides, comme l'Isola Spargi.

Île Caprera★

Accès possible en saison par un bus partant devant la gare maritime de La Maddalena.
Reliée à la précédente île par une chaussée *(distante de 5 km)*, elle est essentiellement connue pour abriter la dernière résidence et la sépulture de **Giuseppe Garibaldi**, patriote d'origine niçoise qui se mit au service de l'indépendance italienne. La maison est devenue un musée à sa mémoire : sur l'esplanade trône un majestueux pin qu'il avait planté pour célébrer la naissance de sa fille. Sa tombe, veillée par une garde d'honneur, a l'apparence d'un bloc de granit.
Sur le pourtour de l'île, d'agréables criques invitent à la baignade sous les pins.
À l'Est de Palau, la Costa **Smeralda★★** s'est identifiée à l'urbanisme original de **Porto-Cervo**, œuvre de l'architecte français Jacques Couelle.

Sardaigne pratique

Adresses utiles

Office du tourisme de Sta-Teresa – Azienda di soggiorno e turismo - piazzale Vitt. Emanuele I 24 - ✆ 0789 75 41 27.

Office du tourisme de la Maddalena – Cala Gavetta - ✆ 0789 73 63 21.

Traversée

Le trajet de Bonifacio jusqu'à Sta-Teresa-di-Gallura dure 50mn. Se renseigner pour les horaires (il est vivement conseillé de réserver en haute sais.) : ✆ 04 95 73 00 29. Une excursion d'une journée est trop courte. Préférez un séjour de quelques jours. Les bouches de Bonifacio étant un des lieux les plus ventés d'Europe, le voyage, qui dure habituellement moins d'une heure, peut aisément atteindre 1h30 voire 2h, par grands vents. Lorsque les vents et la mer s'allient pour rendre la traversée particulièrement périlleuse, la rotation du navire est alors annulée sans préavis. Intégrer donc, même pour une excursion d'une journée, l'éventualité de devoir prolonger son séjour.

Moby Lines – Gare maritime de Bonifacio - ✆ 04 95 73 00 29 - avr.-sept. : 4 à 5 liaisons par jour. Prix de base : passager 12,50 €, voiture de tourisme 23,70 € ou 28,70 €, selon saison.

Moby Lines-Navarma – Sta-Teresa (Sardaigne) - ✆ (00-39) 0 789 75 14 49.

Saremar – Gare maritime - quai Comparetti (Bonifaccio) - ✆ 04 95 73 00 96. Service toute l'année. 2 à 3 liaisons quotidiennes. Passager : 6,80 €, 7,40 € ou 8,70 € hors taxes selon saison ; voiture : 20 €, 33,40 € ou 29,90 € hors taxes selon saison.
Saremar - Sta -Teresa (Sardaigne) - ✆ 0 789 754 788.

Transports

Découverte en voiture – La côte Nord de la Sardaigne dispose d'un faible réseau de distributeurs de carburant en dehors des agglomérations notables : Sta-Teresa, Palau, Arzachena et Olbia. Plusieurs loueurs de voitures proposent leurs services dans le centre-ville de Sta-Teresa (s'adresser à l'Office de tourisme pour leurs coordonnées).

Autobus – Un bon réseau d'autobus permet d'accéder aux principales curiosités et sites du Nord de l'île au départ, entre autres, de Palau, Sta-Teresa et la Maddalena. Se renseigner à l'Office de tourisme pour les horaires, qui varient selon les compagnies et les jours.
Les autobus partent de la gare routière, située le long de la poste centrale (à gauche de la via Nazionale et de la via Berlinguer) ; les billets s'achètent au tabac faisant face à la station-service Agip ou au Centro Bar.

Bac – Pour se rendre dans l'archipel de la Maddalena, il faut emprunter le bac à Palau (à 25 km de Sta-Teresa). Traversée 20mn, dép. ttes les 30mn - se renseigner auprès de la Saremar à Palau pour les modalités d'embarquement des véhicules et les horaires exacts - ✆ 0 789 737 660/709 270.

Se loger

⊜⊜ **Da Cecco** – *Via Po 3 - 07028 Sta-Teresa-Gallura - ✆ 0789 75 42 20 - hoteldacecco@tiscalinet.it - fermé 1er nov.-24 mars -* P *- 32 ch. 72/105 €* ☕. Les résidents de cette maison ne se lassent pas de la vue sur la côte et les Bouches de Bonifacio depuis sa terrasse et son solarium. À l'intérieur, simplicité, ambiance chaleureuse et atmosphère pension de famille sont appréciées.

⊜⊜ **Garibaldi** – *Via Lamarmora - 07024 La Maddalena - ✆ 0789 73 73 14 - htlgaribaldi@tiscalinet.it - fermé 11 oct.-19 mars - 19 ch. 85/145 €* ☕. Les touristes de passage trouveront dans cet hôtel une adresse au calme, un confort assez simple mais adapté à leur besoin. Bien situé en centre-ville, il permet de profiter de son animation.

⊜⊜⊜ **Hôtel Marinaro** – *Via Angios 48 - 07028 Sta-Teresa-Gallura - ✆ 0789 75 41 12 - info@hotelmarinaro.it - ouv. tte l'année - 27 ch. 100/120 €* ☕ *- rest. 33/41 €*. Bien situé dans un quartier calme à mi-chemin du port et du centre-ville, c'est une adresse intéressante pour un début ou une fin de séjour en attente de l'embarquement. Assure également la restauration et la demi-pension.

Se restaurer

⊜⊜ **La Terrazza** – *Via Vila Glori 6 - 07024 La Maddalena - ✆ 0789 73 53 05 - fermé dim. sf de mai à sept. - 27/36 €*. Pour déguster des fruits de mer, installez-vous, face au débarcadère des bateaux, sur la terrasse de ce restaurant très prisé. En cas de mauvais temps, réfugiez-vous dans la salle à manger, elle dispose de la même vue. Nombreux menus pour la satisfaction de tous.

Que rapporter

Gastronomie – Le visiteur, au fait des subtilités de la cuisine méditerranéenne, découvrira les touches d'exotisme dont se pare la cuisine sarde. Parmi les préparations servies dans les trattorie de l'île, les « **maloreddus** » (gnocchi striés), les « **culurgiones** » ou « **culunzones** » (raviolis à la ricotta, servis avec épinards et feuilles de menthe).

La production charcutière est réputée – il faut goûter à la « **mustela** », et au « **proceddu** » (cochon de lait cuit au four) – car comme son cousin corse, le porc est ici élevé en liberté.

Enfin les pâtisseries et douceurs sont particulièrement variées ; les plus originales, les « **sospiri d'Ozieri** » (caramel à la pâte d'amandes) et les seadas (gâteaux enroulés fourrés au fromage, frits puis enrobés de miel).

Parmi les vins et liqueurs se distinguent la « **vernaccia** » (blanc mœlleux en apéritif), « **l'Anghelu Ruju** », les diverses liqueurs parfumées à la myrte et la fameuse grappa « **su filu'e ferru** » (le fil de fer).

Artisanat – Très diversifié, il est bien représenté à la Casa dell'artigianato à Sta-Teresa (place Vitt. Emanuele I) : article en liège, en cuir...

Laura Pessina / MICHELIN

Costa Smeralda

Distributeurs de billets – À Sta-Teresa, deux établissements disposent de distributeurs acceptant les cartes étrangères : Banco di Sardegna, via Nazionale (à côté de la station Agip), et la banque jouxtant l'Office de tourisme.

Cirque de **Bonifato**★

Bonifatu

CARTE GÉNÉRALE B3 - CARTE MICHELIN LOCAL 345 C5 - HAUTE-CORSE (2B)

Le cirque de Bonifato, avec ses murailles de porphyre rouge et ses aiguilles élancées qui se dressent au-dessus des pins laricio, est un lieu apprécié d'excursions pédestres. Fragment de la Balagne déserte, le cirque est baigné par les eaux pures de la Figarella. Il forme un ensemble de hautes vallées séparées des voisines (Tartagine, Asco et Fango) par une chaîne de montagnes de près de 2 000 m d'altitude.

- **Se repérer** – Le cirque de Bonifato surplombe le golfe de Calvi ; on y accède par la D 251, au-delà de l'aéroport de Calvi-Sainte-Catherine. Laisser la voiture devant l'Auberge de la Forêt.
- **Se garer** – Parking payant en saison (2 €).
- **Organiser son temps** – Vous aurez le choix à l'arrivée à l'Auberge de la Forêt : vous pouvez rejoindre le GR 20 ou partir sur le Mare e Monti. Pique-nique possible près de l'auberge ou du torrent.
- **Pour poursuivre la visite** – Voir aussi Galéria, Calvi, Calenzana.

Randonnées

Accès – Quelques kilomètres après l'aéroport de Calvi-Ste-Catherine, la route s'élève au-dessus de la rivière et pénètre dans la **forêt domaniale de Calenzana** partiellement abîmée par les incendies : elle est constituée de pins laricio, de pins maritimes, de chênes verts et de maquis. Avant d'arriver, sur la gauche dans un tournant, le site de **Bocca Reza** offre une belle vue sur les alentours. La route asphaltée s'arrête au pont sur la Nocaghia. Juste après le pont se présente sur la droite un site agréable où s'écoule une fontaine sous de grands chênes verts. Poursuivre jusqu'à l'Auberge de la Forêt, seul emplacement où il est possible de laisser la voiture.

Promenade à la maison Pierre Bonaparte

Depuis l'auberge, en suivant le sentier dit de la « boucle d'Erbaghiolu » (départ à droite du pont sur la Nocaghia), le chemin s'élève en empruntant un tronçon du sentier « Mare et Monti » (45mn AR depuis le parking). Le sentier (balisage orange et rouge) traverse deux bras du torrent, et passe devant les ruines de la maison **Pierre Bonaparte (1815-1881)**. Élevé en Italie, ce cousin turbulent et aventureux de Napoléon III *(voir généalogie p. 73)* s'est toujours cherché un destin mais son naturel violent lui a surtout valu de se trouver lié à de sombres affaires. Il a quand même été un valeureux commandant de la légion étrangère et un élu de Corse, proche de Lamartine. Il a vécu de nombreuses années à Calenzana où il s'est malheureusement distingué en tuant, après de nombreuses altercations et menaces de duel, le journaliste Victor Noir le 10 janvier 1870.

Stéphane Sauvignier / MICHELIN

Cirque de Bonifato.

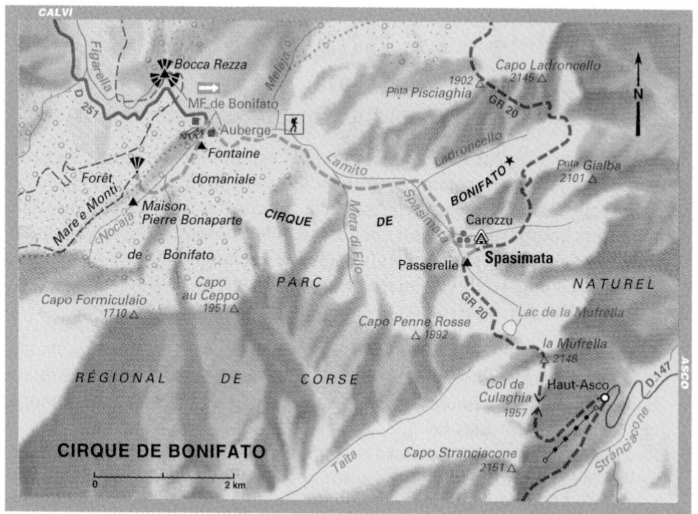

Un peu au-dessus, à la première bifurcation, une belle **vue★** se dévoile sur la forêt et la vallée.

Sentier de Spasimata★

4h30 environ AR au départ de l'Auberge de la Forêt par le chemin forestier. Attention, il s'agit d'une randonnée en montagne pour bons marcheurs bien équipés.

Suivre la large piste forestière qui longe la rive gauche du torrent et pénètre dans la **forêt domaniale de Bonifato** composée de pins laricio et de feuillus. Dans un paysage de montagne dominé par la ligne de crête des « 2 000 », la Figarella coule sur un lit encombré de belles tables de granit rose, formant de larges vasques.

Après 30mn, on atteint le confluent de la Melaja et de la Figarella (alt. 620 m). Ne pas traverser le torrent mais suivre sur la droite une variante du GR 20 jalonné de marques jaunes qui emprunte un sentier muletier (traces de l'ancien pavement) s'élevant vers la Mufrella. En face se dressent les sommets délimitant le cirque. Après avoir franchi plusieurs torrents (1 passerelle), on gagne en 2h30 le lieu dit Spasimata.

Spasimata

Alt. 1 190 m. Source à proximité. Les cabanes de pierres sèches en ruine abritaient autrefois pendant l'été des curistes venus soigner leur asthme à dos de mulet depuis Calenzana. Plus au Sud, dans une large combe, se dresse le **refuge de Carozzu** (alt. 1 392 m). Le site, majestueux, constitue en lui-même un but d'excursion. Très fréquenté par les randonneurs et les alpinistes, c'est une base de départ pour les courses dans le massif de Bonifato. Depuis le refuge, descendre une centaine de mètres jusqu'à la **passerelle de la Spasimata** afin d'admirer la témérité des alpinistes qui la franchissent. *Ne pas poursuivre au-delà sans de solides connaissances de la haute montagne et un topoguide spécialisé.*

Cirque de Bonifato pratique

Visite guidée

Des sentiers en forêt sont accessibles au public dans les forêts territoriales comme celle de Bonifato. Renseignements : ✆ 04 95 46 01 30.

Se restaurer

Pour l'hébergement comme la restauration, voir aussi les encadrés pratiques de Calenzana, de Calvi et de Balagne.

Auberge de la Forêt – *Rte de Bonifatu - 20214 Calenzana - ✆ 04 95 65 09 98 - fermé 1er nov.-1er avr. - - 17 €.* Randonneurs ! C'est dans cette auberge au milieu des pins et des chênes qu'il vous faudra puiser vos forces avant d'entamer le superbe sentier de Spasimata. Vous y trouverez une cuisine familiale simple, un accueil des plus sympathiques et le calme absolu.

Le Bozio★

U Boziu

CARTE GÉNÉRALE B3- CARTE MICHELIN LOCAL 345 E6 – HAUTE-CORSE (2B)

Prolongeant au Sud-Ouest les hauteurs de la Castagniccia, les monts du Bozio sont encore plus sauvages et impénétrables. Ils furent au 18e s. l'un des foyers des révoltes corses. La région se caractérise par la vivacité des traditions orales : dans de nombreux bourgs reculés, il est encore possible d'entendre des musiques anciennes et des chants polyphoniques (« paghjella » et joutes oratoires ou « chjama è rispondi »). La plupart des villages s'enorgueillissent de petites chapelles édifiées dans le plus pur style roman et enluminées de superbes fresques.

Se repérer – Les multiples villages du Bozio sont reliés par des routes très sinueuses, fréquentées par nombre de cochons, chèvres et vaches, peu respectueux du Code de la route. Rouler donc très lentement et anticiper au maximum le croisement de véhicules.

Au départ de Corte, deux possibilités s'offrent pour atteindre le Bozio : soit sortir de la ville par la route de Bastia jusqu'au col de San Quilico, puis prendre à droite la D 41 vers Tralonca ; soit prendre la N 200 en direction d'Aléria, qui descend la vallée du Tavignano, et s'engager à gauche après 5 km dans la D 39 vers Sermano et Bustanico.

À ne pas manquer – Les fresques peintes de la chapelle San Nicolao ; la route des cols ; les randonneurs apprécieront les itinéraires aux départs de Sermano et d'Erbajolo.

Pour poursuivre la visite – Voir aussi Corte, la Castagniccia.

Le saviez-vous ?

Alando, village du Bozio, est la patrie du célèbre **Sambucuccio**, personnage emblématique, à qui les chroniqueurs attribuent la direction des insurrections de 1358. Ces mouvements populaires, dirigés contre les seigneurs, aboutirent à la création de la « Terre du Commun » dotée (sous le regard bienveillant de Gênes) de « statuts » communautaires. De cette époque date l'organisation de la vie des villages, régie par une assemblée générale des habitants et un magistrat élu à sa tête (le gonfalonier).

Circuit de découverte

DE CORTE À ZUANI

Le col de San Quilico fait communiquer les bassins du Golo et du Tavignano. La D 41 suit une ligne de crête jusqu'à **Tralonca**.

Tralonca

Ce village perché et harmonieux, dominant la plaine par une sorte de « chemin de ronde », regroupe ses façades telles de hautes murailles.

Poursuivre vers Santa-Lucia-di-Mercurio qui marque la véritable porte du Bozio, puis vers Sermano qui se trouve en contrebas, sur la droite de la route.

Sermano (Sermanu)

Perché sur un mamelon dominant de curieuses cimes, ce village est un des rares de l'île où, lors des fêtes religieuses, la messe est encore chantée en *paghjella*. Tous les ans, en août, a lieu à Sermano la fête du quadrille et du violon.

Chapelle San Nicolao – *15mn à pied par le chemin qui s'ouvre devant l'église et descend en contrebas du village vers un ensemble de bergeries à l'architecture traditionnelle. Un bosquet de cyprès entoure la chapelle. S'adresser au Gîte des Papes pour emprunter la clé, en cas d'absence se renseigner sur la pancarte de la mairie.*

Cette humble chapelle romane, dont l'origine doit remonter au 7e s., est particulièrement renommée pour la richesse de sa décoration intérieure. Les **fresques★★** peintes vers 1455 dans des coloris pastels harmonieux dégagent une émouvante sensibilité. Noter l'importance attachée aux regards qui marque une certaine analogie avec les fresques du Quattrocento italien. Dans l'abside, remarquer le **Christ en majesté★** dans une mandorle, entre la Vierge au visage particulièrement gracieux et un saint Jean-Baptiste revêtu d'une peau de chameau.

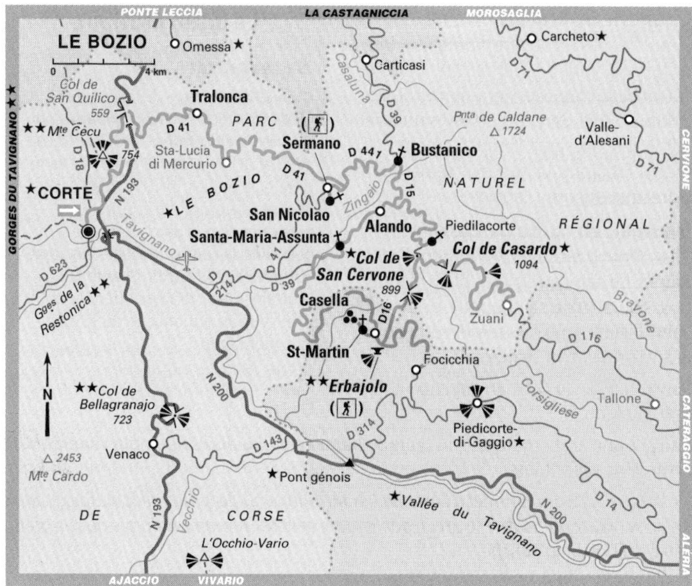

Tracée en corniche, la route de Bustanico, au revêtement parfois assez dégradé, traverse une zone schisteuse où prédomine une végétation de maquis.

Bustanico (Bustanicu)

De ce village serait partie en octobre 1729 la guerre d'Indépendance. Un vieillard surnommé Cardone, menacé de la saisie de ses biens par le collecteur d'impôts génois, aurait ameuté les autres bourgades du Bozio. La jacquerie se répandit en Castagniccia et en Casinca, et aboutit au sac de Bastia en 1730.
Flanquée d'un élégant clocher, l'**église** abrite un beau **Christ** en bois polychrome du 18e s. L'artiste a réalisé une œuvre d'une facture très personnelle empreinte d'un réalisme émouvant, qui fait penser aux sculptures romanes.

Prendre la D 39 au Sud vers Alando.

Alando (Alandu)

Ce minuscule hameau est dominé par un rocher de 50 m de haut qui supportait le château de Sambucuccio. Table d'orientation au sommet.

D'Alando, revenir au carrefour de l'ancien couvent Saint-François du Bozio et prendre à droite la D 339 en direction des hameaux d'Alzi, A Mazzola et Piedilacorte, qui constituent la commune de St-Andrea-di-Bozio.

La route s'enfonce dans une profonde vallée aux hauteurs boisées et coiffées de minuscules villages paraissant coupés de toute communication routière.
À Piedilacorte, remarquer la pittoresque église St-André.

Revenir à Alando et poursuivre sur la D 39 vers Favalello.

La route, en corniche, descend le cours du Zingaïo. S'arrêter à l'entrée de Favalello pour visiter la chapelle Santa-Maria-Assunta.

Chapelle Santa-Maria-Assunta

L'édifice roman est situé sur le bord de la route d'Alando, dans le haut du village. Elle est encore utilisée pour les offices. Les **fresques★** de la fin du 15e s. qui recouvrent une grande partie des murs intérieurs sont parmi les plus variées de Corse. Le raffinement et l'élégance de leurs traits renforcent l'atmosphère mystique de l'ensemble. Remarquer dans l'abside, le **Christ en majesté**, et au registre inférieur, l'expression émouvante des apôtres, séparés par des arcades peintes en trompe-l'œil.

Continuer la D 39 ; 1,5 km après Favalello, tourner à gauche dans la D 14 qui s'élève en lacet jusqu'à Erbajolo.

Erbajolo (Erbasgiolu)

Du belvédère situé à la sortie du village, près du cimetière, on découvre un vaste **panorama★★** sur la profonde vallée du Tavignano fermée à l'arrière par le mont d'Oro. Table d'orientation en lave de Riom.

Chapelle St-Martin

Départ au pied de l'église paroissiale. Une piste carrossable permet de s'approcher à 100 m de la chapelle. Cet édifice roman pisan s'élève dans un **site★** sauvage admirable qui serait l'emplacement primitif d'Erbajolo. À l'intérieur, remarquer la fresque qui orne l'abside.

Hameau en ruine de Casella

30mn à pied depuis la chapelle St-Martin. Ce hameau isolé en plein maquis possède encore sa chapelle dédiée à Saint Joseph. Une messe y est dite pour la fête du saint, le 19 mars.

Poursuivre sur la D 14, en direction d'Altiani sur 5 km.

Bâti sur une arête rocheuse, le typique hameau de **Focicchia** semble vivre au seul rythme de sa fontaine.

De là, possibilité de retourner à Corte via Altiani (parcours décrit à la vallée du Tavignano). Si l'on souhaite poursuivre le circuit par la route des cols, revenir à Erbajolo où l'on prend l'étroite D 16 sur la gauche.

Le Bozio pratique

Se restaurer

L'Altu Pratu – *20212 Erbajolo - 04 95 48 80 07 - www.altupratu.com - - réserv. obligatoire - 22,50 € - 10 ch. 60/70 €.* Ici on prend le temps de vivre : terrain de boules, piscine, dégustation du vin de la propriété et soirées musicales. Servie dans un décor dépouillé, la cuisine familiale fait appel aux produits du terroir. Chambres - certaines avec terrasse - bénéficiant d'une vue exceptionnelle sur la vallée et la montagne.

Route des cols

Au départ d'Erbajolo, la D 16 franchit deux cols avant d'atteindre les contreforts de la basse Castagniccia. Le parcours procure de belles échappées sur les vallées profondes du Zingaio et du Corsigliese. Cet itinéraire était fréquenté par les moines des couvents de Zuani et de Piedicorte-di-Gaggio *(voir la vallée du Tavignano).*

Col de San Cervone – Belle **vue★** en enfilade sur la vallée du Tavignano jusqu'à l'étang de Diane et la mer.

Col de Casardo – Une splendide **vue★** s'étend sur la vallée du Tavignano et les deux sommets qui barrent l'horizon (le mont d'Oro et le mont Renoso).
Juste avant le col de Casardo, possibilité de rejoindre Bustanico par une route escarpée rejoignant Sant'Andrea-di-Bozzio. Au-delà du col, le maquis laisse petit à petit la place aux châtaigniers qui marquent l'entrée dans la Castagniccia.
En poursuivant la D 116 au-delà de Zuani, on atteint la côte à Cateraggio, au Nord d'Aléria.

Randonnées

C'est le moyen idéal pour découvrir l'âme des villages du Bozio et pouvoir apprécier les points de vue offerts et les rencontres improvisées. Ces **itinéraires★** peuvent être également suivis en VTT.

Au départ de Sermano

Des sentiers de pays, balisés en orange, permettent des boucles à la journée.
Circuit vers le couvent d'Alando : *5h.*
Même circuit que le précédent, incorporant un détour par Bustanico : *7h.*

Au départ d'Erbajolo

Plusieurs sentiers relient les chapelles d'Erbajolo à Pianello et Zuani.

Montagne de **Cagna★**

CARTE GÉNÉRALE B6- CARTE MICHELIN LOCAL 345 D10 - CORSE-DU-SUD (2A)

La montagne de Cagna, au relief de granit et de calcaire, présente une arête isolée transversale d'Est en Ouest. La partie centrale du massif est couverte par les sapins centenaires de la forêt de Cagna. La Punta d'Ovace (1 340 m), point culminant, porte le célèbre Uomo di Cagna, étonnant rocher sphérique en équilibre sur une pointe de granit. Une excursion au cœur de la montagne offre de superbes vues sur ce chaos granitique et sur la vallée.

Se repérer – La montagne de Cagna se situe à l'écart des grands axes routiers ; elle est accessible à pied à partir du village de Gianuccio, au bout de la petite D 50 qui part de la route de Sartène à Bonifacio. On rejoint la forêt de Cagna par la D 59 que l'on emprunte à Sotta en direction de Carbini, sur la D 859, route de Porto-Vecchio à Figari.

Pour poursuivre la visite – Voir aussi Bonifacio, Sartène.

Randonnée

L'Uomo di Cagna★ (l'Omu di Cagna)

Depuis la N 196, la D 50 conduit à Monacia-d'Aullène, puis au hameau de Gianuccio. Y laisser la voiture.

3h aller depuis la partie la plus élevée du village (mais on parvient en 2h15 à un coup d'œil remarquable sur l'Uomo). Comportant quelques passages assez raides, cette randonnée offre des points de vue superbes sur la vallée, la montagne de Cagna, les chaos granitiques et le maquis.

Renseignez-vous sur la météo avant de partir. En effet, la montagne peut rapidement se couvrir de nuages, ce qui rend la randonnée risquée. Il est impératif d'apporter sa réserve d'eau. Le sentier est certes balisé par des cairns (petits tas de roches), mais il convient d'être très attentif, et il vaut mieux se munir d'une carte au 1/25 000. La meilleure période pour entreprendre la randonnée est le printemps, lorsque le maquis est en fleurs.

Le saviez-vous ?

Uomo (Omu, en corse) di Cagna signifie l'Homme de Cagna : et, de fait, le rocher qui a reçu ce nom évoque un visage humain.

L'isolement de la montagne de Cagna fut propice à la **résistance corse** qui y trouva refuge lors de la dernière guerre.

Le sentier s'élève au milieu d'un maquis bas : bruyères arborescentes, lavandes, genêts et cistes. Remarquez au pied des cistes les petites masses rouges à fleur de terre. Ce sont des plantes parasites appelées cytinets. Dépasser le réservoir ; le sentier franchit un ruisseau (à sec en été) et traverse une végétation dense où abondent les lianes du maquis : garance et salsepareille. De nombreux oiseaux habitent les lieux : fauvette, rouge-gorge, troglodyte... Par une pente assez forte, on accède à un premier plateau offrant de belles formes d'érosion granitique, puis à un petit bois de pins d'où la vue sur le village et les vallées voisines est magnifique.

Au bout d'une heure de marche apparaît un chaos de roches impressionnant, surmonté de quelques pins tordus et de chênes verts. À gauche, dans un vallon plus humide, prospère l'aulne. Un second plateau, couvert de bruyères arborescentes et hérissé de formes granitiques étonnantes est atteint après 1h30.

Quelques centaines de mètres plus loin, après avoir laissé sur la gauche un énorme rocher cubique, puis un second évoquant un visage de profil, on découvre au loin l'**Omu di Cagna** dont on apprécie pleinement l'allure. On peut alors faire demi-tour, ou marcher encore 45mn pour parvenir à la base du rocher. Le **panorama★**, à la base du bloc, offre une vue aérienne de la pointe méridionale de la Corse et des côtes de la Sardaigne. En direction du Nord-Est, en suivant l'arête faîtière, on distingue un autre miracle d'équilibre naturel : l'**Omu di Monaco**.

Calacuccia

340 CALACUCCIAIS.
CARTE GÉNÉRALE B3 – CARTE MICHELIN LOCAL 345 D5 – SCHÉMA P. 290
HAUTE-CORSE (2B)

À 830 m d'altitude, Calacuccia occupe un versant bien ensoleillé du Niolo dont elle joue le rôle de chef-lieu. C'est un très bon point de départ pour les randonnées et en hiver pour la station de ski du col de Vergio. À l'entrée Est de Calacuccia, au débouché du défilé de la Scala di Santa Regina, on découvre le meilleur point de vue de ce village dominé par la barrière de porphyre rose des montagnes environnantes.

Se repérer – Calacuccia est accessible par la D 84 qui relie Porto à la N 193, à 13 km au Nord de Corte. Le village est dominé par un haut et beau massif de montagnes : la **Punta Licciola** (alt. 2 237 m), l'arête aiguë de la **Paglia Orba** (alt. 2 525 m) « la reine des montagnes corses », la crête dentelée des Cinq Moines, le mont Falo (alt. 2 549 m) et le mont Cinto.

À ne pas manquer – Les rives apaisantes du lac de Calacuccia, la fête de la Santa di u Niolu, début septembre.

Organiser son temps – Calacuccia est une base arrière pour randonner dans le Niolo.

Avec les enfants – Loisirs à la base nautique du lac, baignade dans les vasques au double pont Alto, à la sortie d'Albertacce.

Pour poursuivre la visite – Voir aussi le défilé de la Scala di Santa Regina, le Niolo, la forêt d'Aïtone.

À savoir

Calacuccia est composé de deux termes pré-indo-européens : kala signifiant « pierre » (abri-sous-roche, maison) et kukia désignant la hauteur.

Devant le couvent de Calacuccia, une stèle a été érigée en mémoire des onze patriotes corses condamnés à mort et pendus par les troupes françaises le 23 juin 1774, à l'issue de l'insurrection du Niolo *(voir ce nom)*.

Visiter

Église paroissiale

Fermé.

Située à l'entrée du village, sur la gauche de la route lorsqu'on arrive du col de Vergio, elle abrite au-dessus du maître-autel un beau **Christ** en bois (art populaire), très expressif par la stylisation du visage et de la musculature.

Pont d'Albertacce.

Stéphane Sauvignier / MICHELIN

Lac de Calacuccia.

Circuit de découverte

LAC DE CALACUCCIA★

9 km. Quitter Calacuccia par la route qui longe le lac et traverse Sidossi.

Casamaccioli

Ombragé de châtaigniers, ce village domine de près de 200 m le barrage de Calacuccia. Il est situé au pied de la crête boisée qui ferme le Niolo au Sud et sépare la vallée du Golo de celle du Tavignano. Il offre une belle **vue★** sur la chaîne du mont Cinto.

L'**église** paroissiale abrite dans le bas-côté droit un saint Roch, en bois sculpté, au visage naïf, auquel l'artisan a donné l'allure d'un berger. Dans le bas côté gauche, statue en bois de la Santa di u Niolu.

Une tradition rapporte l'origine de la vénération pour la « Sainte du Niolo » : cette Vierge à l'Enfant, réputée miraculeuse, fut convoitée par plusieurs couvents après la destruction de celui qui l'abritait. Comme le désaccord persistait, on installa la statue sur une mule, décidant qu'on l'honorerait sur les lieux où s'arrêterait l'animal. Le village de Casamaccioli reçut ce privilège.

Prendre en contrebas de l'église, à gauche, la route qui longe le lac sur la rive Sud.

La route offre de belles **vues★★** sur Albertacce, Poggio, Lozzi, Calacuccia, Corscia, villages bien exposés, entourés de vergers et de châtaigniers, adossés à la longue chaîne du mont Cinto. Elle franchit, 2 km plus loin, un torrent formé par des eaux captées sur le Tavignano et amenées par un canal de dérivation pour alimenter le lac artificiel de Calacuccia.

Barrage de Calacuccia

Mis en eau en 1968, cet ouvrage retient 25 millions de m^3 d'eau descendue des cirques torrentiels du Golo. Le lac n'est pas aménagé pour la baignade, mais une petite **base de loisirs** anime ses rives en saison *(voir le carnet pratique)*.

Après avoir produit à l'usine de Pont-de-Castirla de l'énergie électrique pour toute la Corse, les eaux irriguent les plaines littorales au Sud de Bastia.

Le barrage franchi, regagner Calacuccia par la D 84.

SCALA DI SANTA REGINA

21 km par la D 84 – environ 1h. Décrit à la Scala di Santa Regina.

Randonnées

Dans un secteur particulièrement bien préservé, le Niolo offre d'innombrables possibilités de randonnées pour tous les niveaux. Nous en proposons deux petites ci-dessous, mais la proximité du Mare a Mare Nord et du GR 20 permet aux plus sportifs de s'évader dans des boucles de plusieurs jours. Nous indiquons une belle randonnée avec la description du Niolo *(p. 288)*.

Pont de Muricciolu

1h AR. Départ au niveau d'une croix, juste au Sud du hameau.
Pour ceux qui ne veulent pas s'engager dans une étape complète Mare a Mare Nord, jusqu'au Castel de Vergio par exemple (au Sud du col), le pont de Muricciolu est un agréable but de promenade.
Le sentier traverse une châtaigneraie et d'anciens jardins avant de s'approcher de la rivière Viru. Un oratoire consacré à saint Antoine annonce l'arrrivée au **pont génois**, objectif de la promenade. Le cadre ne manque en effet pas d'intérêt, notamment grâce aux vasques de la rivière et au **moulin** restauré par le Parc naturel régional.

Défilé de la Scala di Santa Regina

Itinéraire décrit p. 353
Sentier des muletiers – *2h au départ de Corscia. Partir de bonne heure car le défilé est un véritable four lors des grandes chaleurs. Prévoir le retour car ce n'est pas un itinéraire en boucle.* Taillé en plein roc, contournant les aplombs, bravant les à-pics, ce véritable escalier très éprouvant s'élevait en gradins vers le haut pays. D'où le nom de scala (escalier) attribué à la fin du 19e s. à la nouvelle route.
Le **mont Cinto★★★**, la **forêt de Valdu-Niellu★★** et le **lac de Nino★** peuvent être visités depuis Calacuccia *(voir Le Niolo)*.

Calacuccia pratique

Adresse utile

Syndicat d'initiative de Calacuccia - Av. Valdoniello - ✆ 04 95 47 12 62 - Juil.-août : 9h-19h ; le reste de l'année : tlj sf w.-end 9h-12h, 14h-18h.

Se loger

Hôtel des Touristes – *Au bourg - ✆ 04 95 48 00 04 - www.hotel-des-touristes.com - fermé de fin oct. à fin avr. - P - 29 ch. 44/54 € - 6 €.* Immense bâtisse blottie au cœur de la vallée du Niolo. L'intérieur épuré, avec ses longs couloirs étroits et ses chambres très sobres mais impeccablement tenues, donne une impression quelque peu monacale. Différents niveaux de confort possibles pour convenir à toutes les bourses.

L'Arimone – *13 r. Mizzania, Rte du Mont-Cinto - 20224 Lozzi - 5 km au NO de Calaccucia par D 218 - ✆ 04 95 48 00 58 - fermé de fin sept. à mi-mai - 4 ch. 34/38 €.* À la sortie du hameau, un chemin pentu vous conduit jusqu'à ce bâtiment situé au centre d'un terrain de camping bien ombragé. Les quatre chambres, bénéficiant d'un accès direct sur l'extérieur, sont simples et bien tenues, joliment habillées de murs colorés.

Hôtel Acqua Viva – *✆ 04 95 48 06 90 - P - 14 ch. 62/66 € - 9 €.* L'hôtel se trouve au débouché de la Scala di Santa Regina qui fut, selon la légende, taillée par la Vierge en personne. Les chambres sont fonctionnelles, scrupuleusement tenues et dotées de balcons où l'on petit-déjeune aux beaux jours. Épicerie et bar local permettent d'aller à la rencontre des villageois.

Auberge Casa Balduina – *Lieu-dit Le Couvent - ✆ 04 95 48 08 57 - jeannequilichini@aol.com - P - 8 ch. 62/66 € - 7 € - rest. 20 €.* Cette avenante maison récente nichée dans un jardin abrite des petites chambres claires et sobrement décorées. Les petits-déjeuners sont servis sous une jolie pergola. Pour les amateurs de randonnée, formule « auberge et randonnée » (demi-pension, itinéraires et panier-repas fournis pour la journée).

Se restaurer

U Valduniellu – *Au bourg - ✆ 04 95 48 06 92 - fermé de fin sept. à mi-avr. - 17/40 €.* Une adresse appréciée des Corses du bord de mer lorsqu'ils s'offrent une escapade en montagne. L'accueil chaleureux ainsi que les beignets au brocciu, les brochettes aux trois viandes et les entrecôtes forestières ne vous laisseront sûrement pas indifférent. Grande terrasse sous pergola.

Le Corsica – *Rte du Couvent - ✆ 04 95 48 01 31 - fermé nov.-fév. - 16/22 €.* Sur une terrasse toute en longueur ou dans une belle salle rustique tapissée de cartes postales anciennes, une cuisine familiale, traditionnelle et généreuse : *stuffatu* de veau aux olives, *storzapretti*, *tianu* de haricots blancs au petit salé.

Sports & Loisirs

Base Nautique de Calacuccia – *Av. Valdoniello - ✆ 04 95 48 05 22 - asniolu@club-internet.fr - fermé j. fériés sf été.* Uniquement sur réserv. - kayak, parapente, escalade et canyoning.

Événement

La Santa di u Niolu – Déb. sept. (pdt 3 j.) se déroule la fête de la Santa di u Niolu, célébration religieuse, foire (l'une des plus anciennes et importantes de Corse) et spectacle où les bergers rivalisent de talent dans des improvisations dialoguées ou chantées (Chjama è rispondi, concours de mora) - ✆ 04 95 48 03 31/11 72.

Les Calanche★★★

CARTE GÉNÉRALE A4 – CARTE MICHELIN LOCAL 345 B6 - CORSE-DU-SUD

Dominant le golfe de Porto, se profilent d'étonnantes sculptures granitiques formées par l'érosion. De ce paysage chaotique se dégage une beauté étrange et unique. Le bleu intense de la mer, la lumière souvent irréelle qui baigne la côte, la palette des oranges et des roses du granit et le relief vigoureux en font un site exceptionnel.

Se repérer – La D 81 traverse les Calanche sur 2 km, ménageant d'excellents points de vue sur les amas rocheux et la mer. De la terrasse du chalet des Roches Bleues, on peut apercevoir plusieurs rochers à la silhouette évocatrice : à gauche la Tortue, à droite l'Aigle et la Confession. Sur un promontoire dominant la mer trône l'Évêque, une crosse à la main. Enfin, 600 m après le chalet en direction de Porto, on distingue, à gauche, la « Tête du Chien » en surplomb sur une falaise. C'est à ce niveau qu'un assez grand parking a été aménagé de chaque côté de la route.

Le saviez-vous ?

Calanche est le pluriel du mot corse calanca signifiant... calanque et désignant des criques surplombées de rochers abrupts.
Prononcez *calanque*.

À ne pas manquer – Le « château fort », bloc de granit dévoilant sur un panorama splendide.

Organiser son temps – Le meilleur moment pour découvrir les Calanche est en fin d'après-midi, idéalement dans le sens Piana/Porto. Le pays se découvre à pied exclusivement à votre rythme. Veillez à être bien chaussé et protégé du soleil. Toutefois, la longueur variable des circuits s'adapte à toutes les envies d'une heure à une demi-journée de marche.

Avec les enfants – Les enfants s'amuseront de toutes les formes insolites des *taffoni*. Ne les laissez gambader que sous votre vigilante attention.

Pour poursuivre la visite – Voir aussi Porto, le golfe de Porto, Cargèse.

Comprendre

Le spectaculaire travail de l'érosion – Les *taffoni* (gros trous, en corse) se développent dans les pays à longue saison sèche, sur les fortes pentes où la roche est à nu et surtout dans les zones d'ombre. Ces cavités hautes parfois de plusieurs mètres, éventrant des rochers dénudés sur le littoral comme à l'intérieur des terres, fascinent par l'équilibre instable de leurs ciels en baldaquin, la subtilité de leurs jeux d'ombres et de lumières et les figures extraordinaires nées de leur recoupement. Choisis durant la préhistoire pour lieu de repos des morts, et toujours disposés à servir de gîte sommaire, ils font partie intégrante de la culture corse.

Stéphane Sauvignier / MICHELIN

Les Calanche.

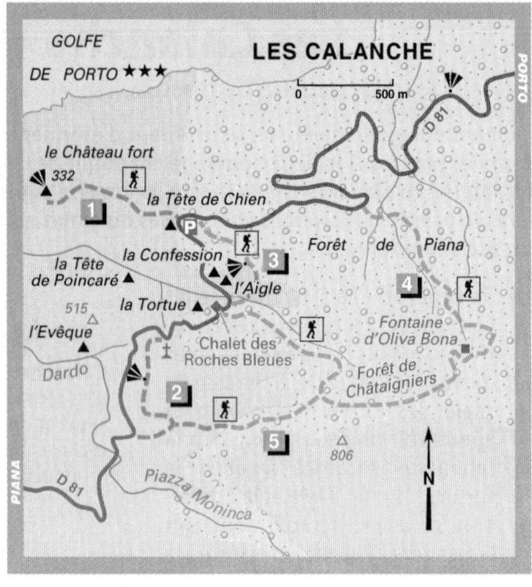

Les roches grenues sont leur terre d'élection. La désolidarisation d'un seul cristal suffit à livrer la pierre à un processus de gigantesque carie, sous l'action combinée des variations de température et d'humidité, renforcée au bord de la mer par le rôle corrosif des embruns. Certains granits à gros cristaux : granit beige de Sant'Ambroggio, granit gris de Calvi, granit rouge de Porto au sein duquel s'inscrivent les Calanche de Piana, se prêtent particulièrement au façonnement des *taffoni*. Certains *taffoni*, séniles, n'évoluent plus ; d'autres, toujours soumis à la désagrégation, sont dits « vivants » ; des écailles se détachent de leurs voûtes et leurs parois rugueuses se délestent de grains de sable lorsqu'on les frotte avec la paume de la main.

Les mots du poète – Guy de Maupassant se laissa envoûter par les lieux et les décrit avec force dans *Une vie* (1884) : « C'étaient des pics, des colonnes, des clochetons, des figures surprenantes, modelées par le temps, le vent rongeur et la brume de mer. Hauts jusqu'à trois cents mètres, minces, ronds, tordus, crochus, difformes, imprévus, fantastiques, ces surprenants rochers semblaient des arbres, des plantes, des bêtes, des monuments, des hommes, des moines en robe, des diables cornus, des oiseaux démesurés, tout un peuple monstrueux, une ménagerie de cauchemar pétrifiée par le vouloir de quelque dieu extravagant. »

Découvrir

À PIED★★

Le château fort 1

1h AR. Le chemin d'accès s'ouvre à droite de la Tête du Chien, à 700 m au Nord du chalet.

Quel que soit l'itinéraire choisi, soyez bien chaussé, emportez eau et protection solaire. Évitez les jours de grand vent (risque d'incendie).

Ce sentier est le seul qui pénètre dans l'intimité des Calanche. À travers un dédale de rochers patinés par le soleil, envahis par le maquis et les arbousiers, on distingue le bois d'eucalyptus de Porto et le promontoire portant la tour carrée. Puis le chemin remonte légèrement jusqu'à une plate-forme faisant face au « château fort », imposant bloc de granit évoquant un donjon. De là, une **vue★★★** splendide embrasse tout le golfe de Porto de la tour du Capo Rosso au golfe de Girolata.

Chemin des muletiers 2

1h30. Le sentier d'accès, jalonné de points bleus, s'amorce sur la route de Porto à Piana, 400 m au Sud-Ouest du chalet des Roches Bleues et à gauche près du petit oratoire de la Vierge.

Le sentier grimpe fortement avant de se frayer un passage entre deux gros rochers. De là, on suit en corniche un ancien chemin muletier Piana-Ota. On découvre alors derrière soi une très belle **vue★★★** d'ensemble sur les Calanche et le golfe de Porto. Puis le sentier descend dans le maquis et rejoint la route.

La corniche 3

45mn. Le chemin d'accès, jalonné de points bleus, s'ouvre à quelques mètres du chalet des Roches Bleues, vers Porto, à droite avant le pont.

Le sentier suit une forte montée en offrant une **vue★★★** sur les Calanche et le golfe de Porto. Il se poursuit sous les pins laricio jusqu'à la route.

La châtaigneraie 4

3h30. Prendre le sentier qui s'amorce sur la gauche tout près du chalet des Roches Bleues, en venant de Porto. Il est jalonné de croix bleues.

Une montée assez raide conduit à une belle forêt de châtaigniers. Après environ 1h de marche, obliquer sur la gauche. Le sentier passe près de la fontaine d'Oliva Bona. Il descend à travers la forêt de pins de Piana pour aboutir sur la D 81, à 2 km du chalet des Roches Bleues.

Le Mezzanu 5

2h30. Suivre dans un premier temps le même sentier jalonné de croix bleues évoqué ci-dessus, mais une fois parvenu à la châtaigneraie, bifurquer à droite au cairn (petit tas de pierres) et descendre vers le Sud-Ouest. Cette boucle, moins longue, offre néanmoins une bonne diversité de paysages. En fin de parcours, on rejoint l'itinéraire 2.

Amaury de Valroger / MICHELIN

Les Calanche vues de la mer.

EN BATEAU★★

Le bateau est certainement le meilleur moyen de découvrir les Calanche et plusieurs compagnies proposent des excursions de découverte. *Voir l'encadré pratique de Porto.*

Les Calanche pratique

Voir l'encadré pratique de Porto.

Adresses utiles

Office de tourisme de Piana – 04 95 27 84 42 - www.sipiana.com et www.calanche.com - juin-sept. : 9h-18h, w.-end et j. fériés 9h-13h ; avr.-mai : 8h30-11h30, 13h30-16h - dispose d'une carte sur les sentiers de randonnées.

Office du tourisme de Porto – Pl. de la Marine - 04 95 26 10 55 - www.porto-tourisme.com - juin-août : 9h-19h, dim 9h-13h ; avr.-mai et sept. : tlj sf dim. 9h-18h ; reste de l'année : tlj sf w.-end 9h-17h.

Quelques conseils

Privilégiez les fins d'après-midi, car c'est quand le soleil se couche que les Calanche se parent de leurs plus belles couleurs.

Attention, en été, la route entre Piana et Porto est encombrée de voitures et de cars. Il est alors difficile de profiter sereinement des lieux.

Calenzana

Calinzana

1 722 CALENZANAIS
CARTE GÉNÉRALE A3 – CARTE MICHELIN LOCAL 345 C4 – SCHÉMA P. 144
HAUTE-CORSE (2B)

Adossé au mont Grosso parmi oliviers et amandiers, ce gros bourg de la Balagne domine le golfe de Calvi. Si Calvi demeura fidèle à Gênes, le village fut quant à lui un bastion de l'indépendance corse. Son terroir produit des vins et du miel parfumé par les plantes du maquis.

Se repérer – Calenzana se trouve à 11,5 km au Sud-Est de Calvi, au-delà de l'aéroport de Sainte-Catherine.

À ne pas manquer – Rejoignez, à 1 km de Calenzana, l'église Sainte-Restitude implantée dans un enclos aux oliviers centenaires. Vous pourrez y admirer des fresques du 13e s.

Pour poursuivre la visite – Voir aussi Calvi, la Balagne.

Comprendre

Les abeilles, alliées de l'indépendance – Dès 1729 apparaissent les premiers troubles qui mèneront à la guerre d'indépendance, puis en 1769 au rattachement de la Corse à la France. Pour venir à bout des rebelles, Gênes fait appel à l'empereur Charles VI d'Autriche à qui elle loue, moyennant 30 000 florins par mois, 9 000 mercenaires allemands. En outre, il est convenu que chaque soldat tué, blessé ou disparu soit payé 100 florins.

C'est ainsi qu'en 1732 débarquent à Calvi 800 mercenaires de l'armée de **Wachtendonck**. Afin de dégager l'arrière-pays, ils se présentent le 14 janvier devant Calenzana. Les habitants ne disposent que d'une vingtaine d'arquebuses, de quelques pistolets, de haches et de couteaux… mais aussi de nombreux ruchers. Les ruches sont alors rassemblées sur les rebords des fenêtres, les terrasses et les toits et jetées aux pieds des Allemands qui parcourent les ruelles à la recherche des partisans. Des escadrilles d'abeilles s'en échappent et assaillent les mercenaires. Ils se défont alors de leurs fusils et courent vers les fontaines.

Aussitôt, les Corses se précipitent dans les rues, s'emparent des armes abandonnées et achèvent le travail des aiguillons : 500 soldats gisent sur le terrain, aujourd'hui appelé « Campo Santo dei Tedeschi » (Cimetière des Allemands), face à l'église St-Blaise.

Visiter

Église Saint-Blaise

Ancienne collégiale, cette grande église baroque fut édifiée de 1691 à 1701, sur les plans d'un architecte milanais renommé, Domenico Baïna, également auteur des plans de la célèbre église de la Porta (voir ce nom). L'édifice s'appuie sur des contreforts massifs et présente une façade à pilastres et corniches sculptées.

Au plafond de la nef principale, une fresque en médaillon, du 18e s., représente saint Blaise guérissant un enfant. Les deux chapelles situées de part et d'autre du chœur sont coiffées de coupoles dont les peintures en trompe-l'œil (1880) accusent l'élévation. Le chœur très profond doté d'un bel autel (1767) est fermé d'une balustrade en marbre marqueté, flanquée de deux angelots porte-cierge.

> **Le saviez-vous ?**
>
> **Restitude** a été proclamée patronne de Calenzana et de la Balagne par le pape Jean-Paul II, en 1984. Cette sainte avait été martyrisée et décapitée à Calvi au 3e s. et fut depuis lors vénérée dans la région *(voir église Ste-Restitude)*.

Érigé sur la Grand-Place entre 1870 et 1875, le beau **campanile** de style baroque menace, hélas, de tomber en ruine (un périmètre de sécurité a été institué).

Ouvrant également sur la place, la **chapelle Ste-Croix** est le siège de la confrérie Saint-Antoine et Sainte-Restitude. Elle a gardé ses 80 stalles d'origine.

Place de l'Hôtel-de-Ville

Dominée par le mont Grosso, cette grande place rectangulaire, ornée de platanes et de palmiers, s'ouvre face au golfe de Calvi.

Aux alentours

Église Ste-Restitude (Santa Ristituta)★

Stéphane Sauvignier / MICHELIN

Fresques de l'église Ste-Restitude.

1 km par la D 151 en direction de Montemaggiore (route partant sur la gauche de l'église St-Blaise). Clé disponible au bureau de tabac Meunier (angle rue Napoléon/rue Casazza).

La route est bordée d'impressionnantes chapelles funéraires. D'une grande simplicité, l'église blanchie à la chaux s'élève dans un enclos planté d'oliviers centenaires, au lieu dit *U Loru*. Remarquer à gauche en entrant le bénitier en albâtre du 16e s.

Chœur – La coupole octogonale, éclairée par trois fenêtres et un lanternon, s'orne d'entrelacs et de motifs géométriques. Des médaillons décorent les écoinçons. La **statue** de sainte Restitude, en bois polychrome du 18e s., est placée dans la chapelle de gauche.

L'**autel** du 4e s. est constitué de deux morceaux de sarcophage en marbre placés verticalement ; ils supportent une table de granit. Le cénotaphe présente deux petites **fresques**★ du 13e s. relatant le martyre de la sainte : sur le côté gauche, sainte Restitude devant ses juges ; sur le côté droit, la décapitation de la sainte et de ses cinq compagnons. En arrière se tiennent les hommes d'armes et les notables. Derrière le cénotaphe, un reliquaire contient les ossements des saints martyrs.

Crypte – *Escaliers de part et d'autre du chœur.* Elle abrite le **sarcophage** (en marbre de Carrare) de sainte Restitude (1re moitié du 4e s.). Sa découverte en 1951 a donné un fondement historique inattendu à toutes les traditions orales touchant à sainte Restitude.

Calenzana pratique

Se loger

La Maison d'hôtes – *Rte de Calvi - 3 km au S de Calenzana - ☏ 04 95 60 15 53 - www.calvi-gites.fr.st - fermé oct.-mars - ⊠ - 5 ch. 60/65 €* ☕. À mi-chemin entre mer et montagne, avenante maison récente abritant cinq chambres avec accès indépendant. Vous apprécierez la vue superbe sur Calvi depuis la véranda et le petit-déjeuner servi dans le verger, à l'ombre des orangers et des pamplemoussiers. Accueil très sympathique.

Se restaurer

Bon à savoir – Si Calenzana ne se distingue pas par ses établissements gastronomiques, le centre abrite néanmoins deux adresses qui pourront vous dépanner en cas de besoin : « Le Calenzana, chez Michel » et « Le Petit Pierre », proposant à peu de choses près le même menu, pour un prix raisonnable. Le second restaurant possède une agréable terrasse sous les platanes.

Que rapporter

Domaine Orsini – *À Rochebelle-Pietralba - ☏ 04 95 62 81 01 - www.domaine-orsini.com - 9h30-12h30, 14h-19h (20h juil-août).* Dans cette boutique à la superbe décoration (murs ornés de frises peintes, mobilier de bois et de cuir), vous découvrirez les délicieux produits à base de fruits, les fameux vins, les liqueurs, la confiture et les bonbons Orsini, fabriqués artisanalement.

Achats

La grande spécialité de la ville, les « cusgiulelle », gâteaux secs au vin blanc, passent pour être les meilleurs de l'île.

Loisirs-Détente

Randonnée – De Calenzana, le GR 20 prend la dir. du SE : 220 km de sentiers, balisés de rouge et blanc jusqu'à Conca. C'est aussi d'ici que part le sentier Mare e Monti.

Événement

Deux processions annuelles se déroulent en l'honneur de sainte Restitude : la première (lun. de Pâques) transfère la statue et la châsse contenant les reliques à l'église paroissiale St-Blaise, où elles restent exposées ; la seconde (1er dim. suivant le 21 mai) accompagne leur retour à l'église Ste-Restitude.

Calvi★

5 177 CALVAIS.
CARTE GÉNÉRALE A3 – CARTE MICHELIN LOCAL 345 B4 – HAUTE-CORSE (2B)
SCHÉMA P. 144

Fièrement campée sur sa rade lumineuse dans un cadre de montagnes souvent enneigées, Calvi compte parmi les plus beaux sites marins de Corse. L'arrivée par mer est mémorable : la citadelle plantée sur le promontoire qui s'avance entre le golfe de Calvi et celui de la Revellata contraste avec le paysage environnant d'une grande sérénité. La « capitale » de la Balagne est un centre de villégiature très apprécié. Sa plage, longue de 6 km, bordée de pins parasols, s'allonge au fond d'une vaste baie. C'est aussi une escale pour les plaisanciers, assurés d'un excellent mouillage réputé depuis l'Antiquité. Calvi pratique encore la pêche à la langouste. Ses autres ressources, tirées de l'arrière-pays, sont les vins, les huiles, les fromages, les fruits et le gibier.

Se repérer – Ville la plus proche des côtes de Provence (176 km de Nice), Calvi entretient des relations maritimes avec Nice, Toulon et Marseille et des liaisons aériennes quotidiennes avec le continent. Elle se compose d'une ville haute, la **citadelle**, ancien bastion génois, et d'une ville basse, la **marine**, dont les maisons colorées se serrent autour du port où se concentre l'animation estivale et nocturne.

Se garer – Laissez votre véhicule au parking (gratuit) du port de plaisance ou à celui, plus vaste, de la place Christophe-Colomb (payant).

À ne pas manquer – Vous ferez un bon en arrière de quelques siècles en franchissant le pont-levis qui marque l'entrée de la citadelle.

Organiser son temps – Deux sites des alentours, Notre-Dame-de-la-Serra et le domaine de la punta de Revellata valent une excursion matinale. La visite de la ville peut s'effectuer en une demi-journée et s'achever sur la mythique terrasse du Tao, lieu très animé en soirée.

Avec les enfants – Partir une journée entre terre et mer avec l'hydrojet qui vous transportera jusqu'aux plus beaux sites naturels de la côte.

Pour poursuivre la visite – Voir aussi la Balagne, L'Île-Rousse, Calenzana.

Comprendre

De l'occupation romaine à la domination pisane – Fréquenté probablement dès le 5e s. av. J.-C. par les Phéniciens, les Grecs et les Étrusques, le golfe de Calvi est désigné par les Romains sous le nom de *Sinus Cæsiæ* ou *Sinus Casalus*.
La cité que fondèrent les Romains au 1er s. occupait la partie basse de la marine qu'abrite actuellement la tour du Sel. À la fin de l'Empire, c'était déjà une bourgade dotée d'une basilique paléochrétienne. Réduite à quelques maisons à la suite des invasions des Vandales, puis des Ostrogoths qui ravagèrent la Corse entre le 5e et le 10e s., elle se ranima sous l'hégémonie de Pise aux 11e, 12e et 13e s., mais demeura une simple marine.

Stéphane Sauvignier / MICHELIN

Le site de Calvi.

Le saviez-vous ?

Le nom de Calvi viendrait du mot latin **calvus** signifiant « chauve », en référence au rocher dénudé sur lequel fut construite la citadelle.
Plusieurs villes d'Italie et d'Espagne revendiquent avec Calvi l'honneur d'avoir vu naître **Christophe Colomb**. Si nul ne discute plus que « l'amiral des Mers Océanes » ait été à sa naissance sujet génois, certains font valoir que ça ne l'empêchait nullement d'être né à Calvi qui, vers 1450, faisait partie de la république de Gênes... À côté des marches permettant aux piétons d'atteindre la citadelle depuis la place Colomb, un monument a été élevé à la gloire de l'enfant du pays, « Cristofanu Colombu ».

Un bastion génois – Dans la seconde moitié du 13e s., une guerre entre seigneurs fut à l'origine de la fondation de la haute ville. Giovanninello, un seigneur du Nebbio, s'allia à de puissantes familles du Cap Corse, favorables aux Génois et, en 1268, se retrancha sur le promontoire où s'élève aujourd'hui la citadelle.
Les Calvais se rebellèrent ensuite contre la tyrannie de leurs seigneurs et demandèrent en 1278 protection à la république de Gênes. Celle-ci, désireuse de s'assurer la fidélité de la population pour faciliter sa pénétration dans l'île, lui octroya alors les mêmes privilèges et exemptions qu'aux Bonifaciens. Calvi resta jusqu'au 18e s. un point d'appui de la puissance génoise en Méditerranée occidentale.

Cité de la fidélité – De 1553 à 1559, la domination de Gênes rencontra la résistance de Sampiero *(voir Bastelica)* appuyé par le corps expéditionnaire du maréchal de Thermes. À deux reprises, en 1553 et en 1555, Calvi leur opposa une résistance victorieuse : la devise de la ville *Civitas Calvi semper fidelis* (toujours fidèle), gravée au-dessus de la porte d'entrée de la citadelle, commémore son fait d'armes de 1555. Cette fidélité de Calvi explique la résistance de la cité à **Paoli**, le grand ennemi de Gênes, et l'accueil qu'elle réserva à ses opposants, en particulier à Napoléon Bonaparte en mai et juin 1793.
Lors de l'éphémère royaume anglo-corse *(voir Morosaglia)*, la ville fut assiégée du 16 juin au 5 août 1794, par 6 000 Anglais et paolistes. C'est au cours de ce fameux siège que le futur amiral Nelson, blessé par une projection de pierrailles, perdit l'œil droit. Défendue par le général de Casabianca, la citadelle repoussa leurs attaques incessantes. Du haut des collines de la Serra, les artilleurs anglais la canonnèrent sans discontinuer. Calvi, à bout de ressources, dut capituler. La citadelle, ayant reçu plus de 30 000 boulets, bombes et obus, fut réduite en un tas de gravats noircis. Les Anglais n'évacuèrent Calvi que le 24 octobre 1796.

La Semaine sainte – Elle donne lieu à de grandes cérémonies. Le Jeudi saint commence par une messe à l'église Ste-Marie. On y bénit et distribue les **canistrelli** (petits gâteaux en forme de couronne), juste avant le lavement des pieds. La messe est suivie de la procession de pénitence des deux confréries de la ville. Cette procession s'achève à l'oratoire St-Antoine où a lieu une seconde bénédiction de *canistrelli*.
Le vendredi, de 21h à 23h, une procession, la **Granitula**, décrit une spirale au départ de l'église St-Jean-Baptiste à travers les rues de la haute et de la basse ville, accompagnée de vieilles complaintes calvaises. Les membres des confréries de St-Antoine et de St-Érasme portent une statue grandeur nature du Christ mort, suivie de celle de la Vierge du rosaire, en pleurs et vêtue de noir. Des pénitents anonymes courbés sous le poids de la croix y participent, pieds nus, en longue robe blanche, cagoule rabattue sur le visage.

Se promener

LA CITADELLE★★

Visite : 2h. Sur son promontoire rocheux, la citadelle représente six siècles de présence génoise. Elle dresse les murailles ocre de son enceinte puissamment bastionnée au-dessus de la ville basse et du port. La vieille ville se compose de ruelles étroites, en pente ou en escaliers et bordées de maisons progressivement restaurées.

Place Christophe-Colomb

Le sculpteur Emmanuel Frémiet, neveu et élève de Rude, est l'auteur de la **Renommée** en bronze du monument aux morts de la Première Guerre mondiale.
Apposée sur la muraille, le long de la rampe d'accès, à 200 m environ de la porte, une stèle rappelle l'action du 1er bataillon de choc des Forces françaises libres pour la libération de la Corse le 3 novembre 1943.

Pénétrer dans la citadelle par son unique entrée, jadis gardée par un fossé à pont-levis avec une herse dont on voit encore l'emplacement. Au-dessus de la porte d'entrée est gravée la célèbre devise de la cité.
À l'entrée de la citadelle, salles d'exposition (art contemporain) et annexe de l'Office de tourisme : de mi-juin à mi-sept. Renseignements sur la citadelle et visites guidées : ☎ 04 95 65 36 74/16 67.

Monter par la rampe pavée et suivre le chemin de ronde qui fait le tour des remparts et réserve de belles **vues★** sur le large. On se trouve au cœur du dispositif défensif de la baie de Calvi d'où l'on peut surveiller une très large portion de mer et toute la plaine, jusqu'aux derniers contreforts du massif du Cinto et du mont Padro.

Les fortifications★

Édifiés sur des assises de granit, les remparts envahis de figuiers de Barbarie enserrent la haute ville dans un quadrilatère dont trois côtés donnent sur la mer. Ils ont été élevés par Gênes à la fin du 15e s. mais ont été modifiés lors des sièges. Trois bastions furent initialement édifiés sur les côtés Sud et Est. À l'angle Sud-Ouest, le **Spinchone** écrase de toute sa masse la marine et le port ; le **Malfetano** relie les côtés Sud et Est ; le **Teghiale** termine au Nord la défense Est. Le côté Ouest qui présentait un front de rochers abrupts s'est longtemps contenté de murs droits. Du bastion Ouest, on découvre la ville basse, la presqu'île St-François, le golfe et la pointe de la Revellata.

Ancien palais des gouverneurs génois

Actuellement caserne Sampiero. Ne se visite pas. C'est une construction massive du 13e s. flanquée d'un donjon, édifiée par Giovanninello et agrandie en 1554 par l'Office de Saint-Georges. Elle comprend un ensemble de vastes salles, de citernes souterraines et des oubliettes.

Église St-Jean-Baptiste

Dominant la place d'Armes, elle s'élève au sommet du rocher. Ramassé sous une grande coupole surmontée d'un lanternon, cet édifice présente une façade austère. Fondée au 13e s., gravement endommagée en 1567 à la suite de l'explosion du magasin de poudre de l'ancien château, l'église fut reconstruite en 1570 et érigée en cathédrale six ans après.
En forme de croix grecque, l'**intérieur★** est éclairé par des petites fenêtres hautes et le lanternon. À droite de la nef en entrant, un beau bénitier en albâtre (1443) est orné de têtes d'anges. Dans le pan coupé gauche, derrière une grille, on remarque des **fonts baptismaux★** de style Renaissance, décorés à la vasque de gracieuses têtes d'anges et au piédestal de sirènes, offerts en 1569 par le riche négociant calvais Vincentello.
Jadis, pour ne pas être mêlées au peuple, les femmes des notables assistaient aux offices dans les loges grillagées situées dans les pans coupés sous la coupole octogonale.
Adossée à un pilier de droite, une belle **chaire★** en chêne sculpté présente un décor plein de grâce et de fantaisie : saint Jean-Baptiste orne le panneau central, tandis que les symboles des évangélistes décorent les angles. Une inscription peinte sur trois cartouches rappelle que la chaire a été offerte en 1757 par les Calvais.
Sur un autel latéral à droite du chœur, on remarque un **Christ en ébène**, du 15e s., vêtu d'un pagne d'argent. Selon la tradition, il fut promené dans la ville par les habitants durant le siège de 1553 par les Turcs. La levée inopinée du siège en a fait un objet de grande vénération ; on l'appelle désormais le **Christ des miracles**. À gauche du chœur, observez une belle statue en bois très vénérée : la **Vierge du rosaire** qui aurait été rapportée d'Espagne au 15e s.
Le chœur s'orne d'un imposant **maître-autel** du 17e s. en mosaïque de marbres polychromes avec de fines appliques de bronze. Dans l'abside se trouve un grand **triptyque★** sur bois (1458), du peintre génois **Barbagelata**, élève de Giovanni

Église St-Jean-Baptiste.

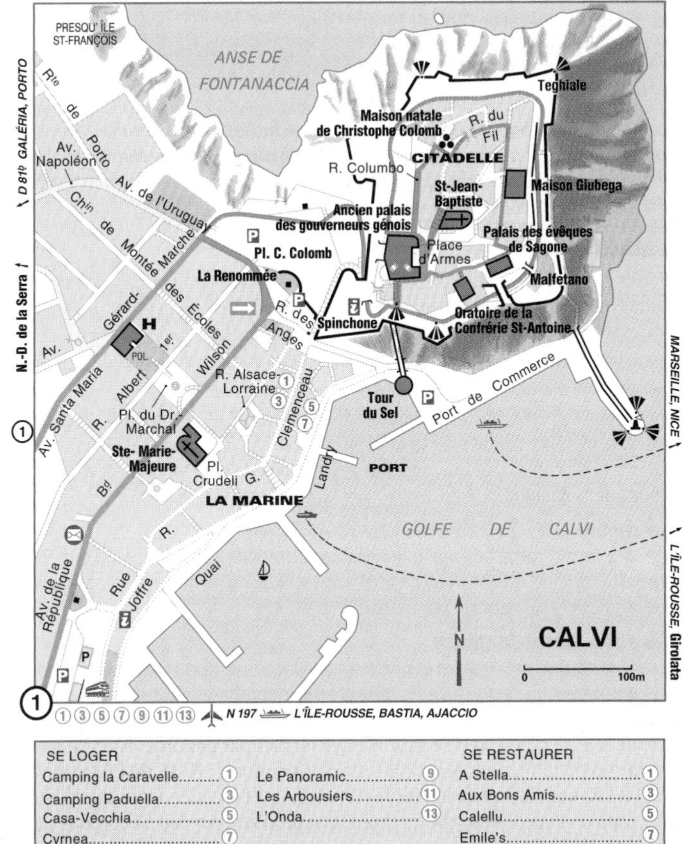

SE LOGER				SE RESTAURER	
Camping la Caravelle	1	Le Panoramic	9	A Stella	1
Camping Paduella	3	Les Arbousiers	11	Aux Bons Amis	3
Casa-Vecchia	5	L'Onda	13	Calellu	5
Cyrnea	7			Emile's	7

Mazone. Cette très belle œuvre, à laquelle manque le panneau central, représente l'Annonciation entourée des saints patrons de la ville, ainsi que des scènes de la vie de la Vierge et de l'enfance du Christ.

Redescendre sur la place d'Armes (Piazza d'Arme) et prendre la ruelle qui s'ouvre à gauche face à la caserne Sampiero. À 200 m s'élève sur la droite l'oratoire de la confrérie St-Antoine.

Oratoire de la confrérie St-Antoine

10h-18h -possibilité de visite guidée (1h30 à 2h) sur demande préalable à l'Office de tourisme - ✆ 04 95 65 16 67.

C'est un édifice de la fin du 15e s. dont le linteau de la porte d'entrée, sculpté dans l'ardoise noire, représente saint Antoine abbé et son petit cochon entre saint Jean-Baptiste et saint François. Il continue d'abriter les exercices de piété de la confrérie St-Antoine (croix, lanternes, chasubles).

L'intérieur présente une grande nef centrale avec deux colonnades délimitant deux petites nefs latérales. Au fond, les fenêtres donnent sur la baie de Calvi. Sur le mur gauche, deux fresques représentent la Crucifixion : la plus ancienne, de la fin du 15e s., est très effacée, l'autre, du 16e s., bien conservée, figure le Christ entre saint Antoine abbé, la Vierge, saint Sébastien et saint Roch.

Poursuivre le long de la rue.

Palais des évêques de Sagone

Ne se visite pas. Cette construction haute et massive, datant du 15e s., servait jadis de résidence d'été aux évêques de Sagone *(voir golfe de Sagone)*. Sur la porte, côté rue, une inscription délavée, à la peinture, rappelle le mythique Tao qui occupa les lieux.

Prendre la ruelle qui fait face au palais, et la suivre jusqu'à Carrughju Agnese.

Maison Giubega

En contrebas du chevet de l'église St-Jean-Baptiste, une plaque apposée sur la maison rappelle le séjour qu'y fit, en mai-juin 1793, Napoléon. Fuyant les anglo-paolistes qui l'avaient contraint à abandonner Ajaccio, il vint s'abriter ici, en compagnie de sa famille, auprès de son parrain, Laurent Giubega.

Par la rue du Fil au bout de la rue Giubega à gauche (les inconditionnels de la geste colombine pourront méditer devant quelques ruines censées être celles de la maison natale du découvreur des Amériques), puis la rue Columbo à gauche, regagner la place Christophe-Colomb et descendre vers le port.

LA MARINE★

Avec ses cafés et ses restaurants, ses quais plantés de palmiers, ses yachts et ses barques de pêche, la ville basse offre un contraste saisissant avec les vieilles rues silencieuses de la citadelle. La rue Clemenceau est l'artère principale ; pavée de grosses pierres, elle est bordée de boutiques et de maisons aux couleurs pastel.

Le port

Bien protégé des vents d'Ouest par la citadelle, offrant un mouillage sûr et facilement accessible, c'est le port de plaisance le plus recherché de Corse. C'est aussi un port de pêche et de commerce qui accueille des bateaux de gros tonnage et exporte les produits de la Balagne.

Tour du Sel

Cette tour ronde, rattachée aux murailles de la citadelle par un arceau, était probablement, à l'origine, un embryon de fortification et un poste de guet ; elle servit aussi de dépôt pour le sel apporté par bateaux.

Église Ste-Marie-Majeure

Elle s'élève sur une petite place et présente une façade ocre et rose vif. Elle remplaça une église paléochrétienne du 4e s., détruite par les barbares au 5e s., reconstruite au 13e s. et à nouveau détruite au 16e s. par les Sarrasins. Un beau buffet d'orgue de facture italienne (18e s.) donne lieu en saison à des récitals par des organistes de renom. Dans le chœur, remarquer deux intéressantes peintures : **N.-D. de l'Assomption** (16e s.) et l'**Annonciation de la Vierge** (18e s.), œuvre florentine, legs de la collection Fesch. Dans la chapelle à gauche du chœur, une **peinture sur cuir** de Cordoue (15e s.) représente N.-D.-de-la-Serra et provient du sanctuaire du même nom.

Hôtel de ville

R. Albert-1er - ☏ 04 95 65 82 00 - Tlj sf w.-end et j. fériés 8h30-12h, 14h-16h - gratuit.
On y accède depuis la rue Albert-Ier par un joli jardin en escalier, orné de palmiers, de mimosas et de lauriers-roses. Au 1er étage dans la salle des Fêtes, sont exposées quelques toiles provenant de la collection du cardinal Fesch, données à la ville en 1842 par le comte de Survilliers.

Vue sur la citadelle★

En montant l'avenue Gérard-Marche, on parvient à la caserne et au cimetière qui dominent la mer. De là, vue sur la citadelle d'où émerge le dôme de l'église St-Jean-Baptiste, sur la ville basse, la baie et la plage.

La pinède

Elle s'étend sur près de 4 km, depuis la marine jusqu'à l'embouchure de la Figarella. Créée à la fin du 19e s. pour assurer le maintien des dunes et l'assainissement des marais, elle compte essentiellement des pins maritimes, mais aussi des mûriers et des eucalyptus. La voie ferrée Calvi-Ponte-Leccia la longe sur sa totalité.

La plage

Séparée de la pinède par la voie ferrée, elle offre de belles vues sur la ville et la citadelle. Pour se baigner, privilégier la partie plus proche de la ville, mieux équipée et légèrement plus profonde.

Aux alentours

Scandola et Girolata★★★

Accessible en bateau depuis Calvi. *Voir ces noms.*

Notre-Dame-de-la-Serra★

6 km à l'Ouest par la D 81B direction Galéria par la côte – 30mn. À la sortie de Calvi, sur la droite, une plate-forme, marquée d'une croix, offre une vue d'ensemble sur la citadelle, le golfe de Calvi et la pointe de la Revellata.

Amaury de Valroger / MICHELIN

La marine de Calvi.

À 4 km, prendre à gauche la petite route qui monte à travers le maquis dans un environnement assez dégradé. Elle procure de beaux **coups d'œil★** sur la presqu'île de la Revellata, puis passe à droite d'un chaos de rochers granitiques, érodés et creusés de *taffoni (voir les Calanche de Piana).*

Entourée d'un mur d'enceinte, la chapelle surgit du maquis. Un large escalier mène à la terrasse qui domine la baie de Calvi, offrant une **vue★★★** admirable sur le rivage, les montagnes et la citadelle. La chapelle a été édifiée au 19e s. sur les ruines d'un sanctuaire du 15e s. détruit au cours du siège de Calvi en 1794. Du haut de son rocher, la **statue de Notre-Dame-de-la-Serra** regarde la baie.

Plusieurs sentiers permettent d'agréables promenades alentour.

Domaine de la punta de Revellata

6 km. Sortir de Calvi par la route de Porto, puis juste après l'embranchement de la route de N.-D.-de-la-Serra, laisser la voiture sur le parking à droite. Se conformer à la réglementation affichée. 2 km à pied. ✆ 04 95 65 06 18 - se renseigner pour les inscriptions aux stages de plongée du centre océanographique Stareso de la Revellata.

De la route, une piste se détache et serpente en contrebas vers le rivage de la presqu'île de la Revellata. Tout au long de la descente, des **vues★** splendides se révèlent sur les anfractuosités de la côte. L'extrémité du promontoire *(propriété privée)* est occupée par le laboratoire de biologie marine d'une université belge. En saison, des stages de plongée sont organisés.

Randonnée

Capu di a Veta

2h30 aller depuis N.-D.-de-la-Serra. Laisser la voiture sur le terre-plein devant la chapelle et prendre le sentier bien tracé plein Sud, balisé blanc et rouge. La montée raide s'effectue à vue au travers du maquis jusqu'à la croix qui se dresse à proximité du sommet du Capu di a Veta (alt. 703 m). Du sommet, superbe **vue★★** sur l'ensemble du golfe de Calvi, avec l'avancée de la presqu'île de la Revellata, et à droite les contreforts de la Balagne ponctuée de villages.

Calvi pratique

Adresse utile

Office de tourisme – Port de Plaisance - ✆ 04 95 65 16 67 - www.tourisme.fr/calvi - Pour les horaires d'ouverture - se renseigner - ✆ 04 95 65 16 67.

Transports

Tête de pont des liaisons maritimes et aériennes avec les régions niçoise et marseillaise, la capitale de la Balagne est, en haute saison, une des stations corses présentant la plus forte densité de fréquentation passagère.

Aéroport – En dir. de L'Île-Rousse, puis à droite la D 81 - 20260 Calvi - ✆ 04 95 65 88 88. Seuls les taxis desservent l'aéroport, ✆ 04 95 65 03 10. Trajet aéroport-Calvi environ 13 € (17 € la nuit les dim. et j. fériés).

Location de voiture – Plusieurs compagnies de location de véhicules sont représentées à l'aéroport. **Avis** - ✆ 04 95 65 88 38. **Budget** - ✆ 04 95 65 88 34. **Hertz** - ✆ 04 95 65 02 96.

Gare ferroviaire – À côté de l'Office de tourisme, ✆ 04 95 65 00 61. Le « train des plages » fonctionne de déb. avr. à fin oct. 2 trains/j. pour Bastia et Ajaccio.

Visite

Visite guidée de la ville – Visite audioguidée (2h) organisée par l'Office de tourisme. Location d'un baladeur : 7 €.

Se loger

⊖ **Les Arbousiers** – *Rte de Pietramaggiore - à l'entrée de Calvi, rte à gauche - ✆ 04 95 65 04 47 - fermé de fin sept. à déb. mai - P - 40 ch. 36/54 € - ☕ 6 €.* Une adresse pour budgets serrés, bien placée pour se rendre facilement sur la plage ou au centre-ville. Bâtiment tout en longueur qui a conservé, à l'extérieur comme à l'intérieur, un style très « années 70 ». Chambres simples et propres.

⊖ **Casa-Vecchia** – *Rte de Santore - ✆ 04 95 65 09 33 - www.hotel-casa-vecchia.com - P - 12 ch., 4 studios et 7 appart. 50/112 € - ☕ 6 €.* Cette résidence regroupe autour d'un jardin méditerranéen plusieurs bâtiments abritant chambres, studios et appartements, tous sans prétention mais parfaitement entretenus. Depuis ces derniers, aménagés au dernier étage, vous profiterez d'une vue sensationnelle sur le golfe de Calvi.

⊖ **Cyrnea** – *Rte de Bastia - ✆ 04 95 65 03 35 - www.hotelcyrnea.com - fermé nov.-mars - P - 41 ch. 50/72 € ☕.* Côté mer comme côté terre, toutes les chambres de cet hôtel bénéficient d'un balcon. Jolie décoration de frises au pochoir réalisée par la maîtresse de maison, mobilier fonctionnel et tenue impeccable. Piscine et plage toute proche. Un bon rapport qualité-prix.

⊖ **Camping Paduella** – *2 km au SE de Calvi par N 197 puis rte de L'Île-Rousse - ✆ 04 95 65 06 16 - ouv. 10 mai-15 oct. - ⛺ - 130 empl. 22,10 €.* Situé sur un agréable terrain très boisé de pins, eucalyptus et chênes, ce camping bénéficie d'emplacements vraiment bien ombragés.

⊖⊖ **La Caravelle** – *À la plage - 500 m au S de Calvi par N 197 - ✆ 04 95 65 95 50 - hotel-la-caravelle-calvi@wanadoo.fr - fermé 29 oct.-7 avr. - P - 34 ch. 75/150 € - ☕ 10 € - rest. 22,50/30 €.* En bordure d'une plage de sable fin, à l'entrée de la ville, un joli jardin vous accueille… et vous êtes déjà sous le charme. De votre chambre avec terrasse, admirez la vue panoramique sur la mer et la citadelle.

⊖⊖ **L'Onda** – *Av. Christophe-Colomb - ✆ 04 95 65 35 00 - hotelonda@yahoo.fr - fermé 5 nov.-16 avr. - P - 24 ch. 90/125 € - ☕ 7 €.* Petit immeuble des années 1980 situé entre la plage et la pinède plantée au 19e s. pour assurer la protection des dunes. Les chambres, avant tout pratiques, sont dotées d'une loggia ; les plus agréables offrent bien sûr la vue sur la mer.

Se restaurer

⊖ **A'Stalla** – *13 r. Clemenceau - ✆ 04 95 65 21 48 - fermé nov.-mars sf j. fériés - 14 €.* À ce cabaret bien connu pour ses concerts de chants corses (voir Sorties), on a ajouté un restaurant. Sous les voûtes en croix et les pierres apparentes d'une ancienne étable, on savoure des spécialités corses et méditerranéennes dans une atmosphère conviviale. Sympathique terrasse.

⊖⊖ **Aux Bons Amis** – *R. Clemenceau - ✆ 04 95 65 05 01 - fermé 16 oct.-31 mars, jeu. hors sais. et dim. midi en sais. - 18/75 €.* Ici, on travaille en famille… Le père de la patronne fournit le poisson qui entre dans la composition des bouillabaisses, paellas et autres spécialités de la mer servies dans ce sympathique petit restaurant. Le décor, comme il se doit, rend hommage à l'univers de la pêche (filets, ustensiles, bibelots, etc.).

⊖⊖ **Emile's** – *Quai Landry - ✆ 04 95 65 09 60 - info@restaurant-emiles.com - fermé 1er-20 fév., 1er-15 nov., lun. et mar. hors sais. - 30 € déj. - 50/70 €.* Pour déjeuner ou dîner sur le port, ne vous fiez pas à son entrée à peine visible ! C'est au premier étage que ça se passe : terrasse panoramique abritée de grands parasols, belles tables soigneusement dressées et cuisine de la mer vous y attendent…

⊖⊖ **Calellu** – *Quai Landry - ✆ 04 95 65 22 18 - calellu@wanadoo.fr - fermé nov.-fév. et lun. hors sais. - 20 € déj. - 35/50 €.* Une envie de poisson vous titille en longeant le port ? Installez-vous à la terrasse de ce petit restaurant tout simple, vous ne serez pas déçu : sa cuisine du jour, plutôt bien tournée, met à l'honneur les produits de la mer. Saveurs méditerranéennes et accueil sympathique.

Faire une pause

Salon de thé Ascola – *27 Haute-Ville - ✆ 04 95 65 07 09 - 10h-20h - fermé de déb. nov. à fin mars.* Juste en face de l'entrée de la cathédrale St-Jean-Baptiste, c'est à la fois un salon de thé (offrant aux gourmets une grande variété de cafés et de thés, ainsi que des tartes sucrées ou salées) et une boutique proposant des broderies et de la vaisselle ancienne, de l'artisanat, du mobilier… La fenêtre surplombant la mer ne fait que donner un charme supplémentaire à ce lieu à la fois raffiné et chaleureux.

En soirée

Le Tire Bouchon – *15 r. Clemenceau - ✆ 04 95 65 25 41 - 12h-14h, 19h30-23h - fermé nov.-mars, merc. sf le midi de juin à sept. et dim. midi.* Les jeunes propriétaires de ce bar à vin n'espéraient pas un tel

succès. Mais comment ne pas tomber sous le charme de ce petit bistrot et de sa terrasse dominant la rue piétonne ?
35 vins de qualité et des produits frais à déguster avec délectation.

Que rapporter

Marché couvert – *R. Alsace-Lorraine.* Le marché couvert (produits de Balagne) s'anime tous les matins, le port de plaisance également, en milieu de matinée lors de l'arrivée des pêcheurs (vente directe de poisson). Les 1er et 3e jeudis du mois se tient un marché aux vêtements (parking face à Super 4).

A Casetta – *16 r. Clemenceau - ✆ 04 95 65 32 15 - juin-juil. : 9h-21h ; août : 9h-0h ; avr.-mai, sept.-oct. et déc. : 9h-12h30, 15h-20h - fermé janv., fév. et nov.* En passant sous les jambons suspendus à la potence au-dessus de l'entrée de cette jolie boutique, vous trouverez une belle sélection de produits artisanaux : fromages, huiles, alcools, herbes du maquis…

Aux Gâteaux Corses – *9 bd Wilson - ✆ 04 95 65 01 07 - tlj sf dim. 8h30-12h, 15h-19h - fermé janv.-mars et j. fériés.* Si Jean-Baptiste Guidoni représente la troisième génération dans le métier, rien n'a changé dans sa façon de faire les biscuits de son grand-père. Les gestes, les matières premières et la liste des douceurs sont restés exactement les mêmes. Cette authenticité garantit le succès de ses gâteaux et de ses beignets.

Sports & Loisirs

A Cavallu – 👪 - *1d Valle al Legno N 197 - en face de l'embranchement avec l'aéroport - ✆ 04 95 65 22 22 - www.a-cavallu.com - tlj 10h-12h, 14h-16h ; été : 8h-12h, 15h-20h.* Outre les randonnées dans la montagne et les baignades des chevaux montés à cru, ce centre propose de nombreuses activités pour les tout petits, comme la balade à poney dans le maquis ou la visite de la ferme pédagogique.

Club de plongée Castille – *Port de Calvi BP 54 - port de Plaisance de Calvi - ✆ 04 95 65 14 05 - www.plongeecastille.com - sorties sur RV ; été : 8h30, 10h30, 14h30 et 16h30 ; hiver : 9h, 11h et 15h.* Évelyne et Gérard tiennent le plus ancien club de plongée de Calvi. Particularité de leur prestation : aucun transport ni manipulation de matériel lourd grâce au navire océanographique qui leur sert de base (accueil, vestiaire, théorie, stockage de matériel, etc.)

Calvi Nautique Club – *Base Nautique - port de Plaisance - ✆ 04 95 65 10 65 - www.calvinc.org - juil.-août : 9h-18h ; sept. : 9h-12h, 14h-18h ; oct.-mai : tlj sf dim. 9h-12h, 14h-18h ; juin : 9h-12h, 14h-18h - fermé vac. de Noël.* Ce club très actif propose des locations de planches à voile, kayaks, fun boards et *hobie cats*, mais également de multiples stages et randonnées en mer dans une ambiance familiale et décontractée.

Colombo Line - Croisières en mer – *2 quai Landry - ✆ 04 95 65 32 10 - www.colombo-line.com - départ de Calvi : 9h15 et 14h30 ; Ajaccio : 9h.* Des navires nouvelle génération, alliant vitesse et confort, permettent désormais de visiter dans la même journée la réserve naturelle de Scandola et Ajaccio, en longeant les sites protégés des Calanche de Piana, du Capo Rosso et des îles Sanguinaires.
L'aquavision, qui ménage une vue imprenable sur la vie sous-marine, séduira petits et grands. Départ de Calvi.

Tra Mare e Monti Locations – *Port de plaisance - ✆ 04 95 65 21 26 - www.tramare-monti.com - avr.-oct. : 9h-20h.* Promenades en voilier, location de bateaux (avec ou sans permis) au départ de Calvi, Galéria et Sant'Ambroggio, en dir. de la réserve naturelle de Scandola ou des plages de Saleccia. Également, location de scooters, motos et randonnées en quads.

Port de plaisance – Capitainerie (située sous l'Office de tourisme) - *✆ 04 95 65 10 60.*

Stéphane Sauvignier / MICHELIN

La marine.

Événements

La ville organise chaque année des manifestations de renommée :

Calvi Jazz Festival – Festival de jazz (3e sem. de juin) - ✆ 04 95 65 00 50 - www.calvi-jazz-festival.com

Rencontres de chants polyphoniques – Rencontres polyphoniques (mi-sept.) - ✆ 04 95 65 23 57.

Festival du vent (Festiventu) – Festiventu (fin oct.-déb. nov.) : le vent sous toutes ses formes - ✆ 01 53 20 93 00 - www.lefestivalduvent.com

La Canonica★

CARTE GÉNÉRALE C3 – CARTE MICHELIN LOCAL 345 F4 - HAUTE-CORSE (2B)

Dans la plaine bastiaise qui s'étend au Sud de l'étang de Biguglia, à environ 3 km en amont de l'embouchure du Golo, l'église-cathédrale de Mariana dresse son élégante silhouette quasiment en plein champ. Cette église romane, appelée localement la Canonica, séduit par la pureté de ses volumes et par l'harmonie de ses polychromies naturelles.

Se repérer – De Bastia, prendre la N 193 vers le Sud (17 km) ; au niveau de l'aéroport, prendre à gauche la D 107 *(voir également le circuit Étang de Biguglia à Bastia)*. Le site est occupé par les ruines paléochrétiennes de la ville de Mariana et par l'église de la Canonica.

À ne pas manquer – Les décors naïfs des claveaux de la porte occidentale sont un remarquable exemple de sculpture romane.

Organiser son temps – Si vous souhaitez visiter le champ de fouilles de Mariana, pensez avant de vous y rendre à prendre rendez-vous avec la mairie de Luciana.

Pour poursuivre la visite – Voir aussi Bastia, La Casinca.

Le saviez-vous ?

La Canonica vient de *canonicus* signifiant « chanoine ». En effet, les fouilles entreprises autour de la cathédrale ont permis de repérer l'emplacement d'une résidence médiévale qui abritait l'évêque et des chanoines.

En 93 av. J.-C., **Marius** (157-86 av. J.-C.), consul romain, fonda et donna son nom à la colonie de Mariana, composée de vétérans issus de ses campagnes contre les pirates. L'empereur **Auguste** (27 av. J.-C.-14 apr. J.-C.) y créa un port et Mariana devint alors une tête de pont importante de l'expansion romaine dans le Nord de l'île.

Visiter

Champ de fouilles de Mariana

04 95 30 14 30 - s'adresser à la mairie de Lucciana pour obtenir les clés - tlj sf w.-end 8h30-12h, 13h30-17h - gratuit.

Les fouilles du site paléochrétien de Mariana, au Sud de la cathédrale romane, sont les plus complètes qui aient été réalisées jusqu'ici en Corse.

Les fouilles ont mis au jour les bases d'une **basilique** paléochrétienne du 4e s. à trois nefs, à une vingtaine de mètres seulement de l'église de la Canonica ; à proximité se trouve un **baptistère**, également du 4e s. Le décor de **mosaïques** et de colonnes de granit laisse deviner la splendeur originelle des lieux.

Amaury de Valroger / MICHELIN

L'église-cathédrale de Mariana.

L'étude des couches archéologiques a mis en évidence plusieurs incursions barbares, et au moins une destruction violente du sanctuaire (due aux Lombards, au 6e s., sans doute), puis une reconstruction au 7e s. Le site paraît avoir été abandonné après le 8e s., jusqu'à ce que la sécurité nouvelle de la côte, assurée par les Pisans à la fin du 11e s., permette de construire la cathédrale romane qui demeure aujourd'hui.

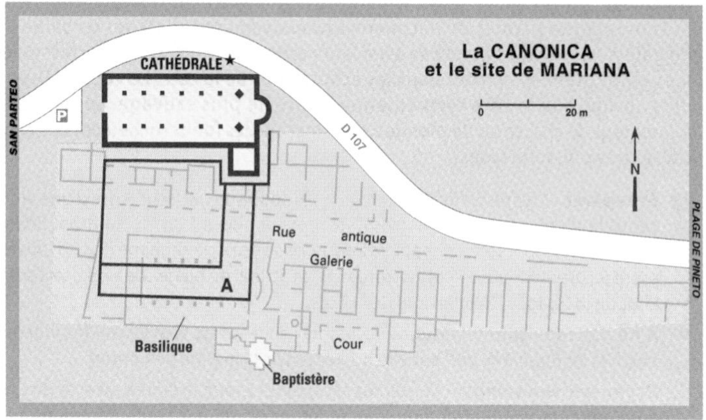

Cathédrale romane★

Intérieur en cours de restauration. ✆ 04 95 30 14 30 - juil.-sept. : 8h-12h, 14h-18h.

L'édifice actuel fut solennellement consacré en 1119, sous le vocable de Santa Maria Assunta, par l'archevêque de Pise, légat pontifical. Cette église, de dimensions relativement modestes avec ses 33 m d'Est en Ouest, est de plan basilical, avec une nef centrale plus large et plus haute que les nefs latérales et une parfaite abside semi-circulaire couverte d'une voûte en cul-de-four.

Remarquez la netteté et la pureté des volumes et des élévations. La beauté de l'édifice vient aussi de la subtile polychromie de la pierre, allant du gris-jaune au vert pâle, en passant par les nuances bleu et orange. Il s'agit d'un calschiste, sorte de marbre, provenant des carrières de Sisco et Brando, dans le Cap Corse

Les dalles sont disposées en placage de part et d'autre d'un noyau de maçonnerie fait de galets pris dans un mortier de chaux. La porte de la façade occidentale est pourvue d'un décor d'entrelacs pour le linteau monolithe et pour l'archivolte coiffant le tympan nu ; celle-ci est surmontée de six claveaux sculptés d'animaux. Sur ces claveaux, on distingue vraisemblablement *(de gauche à droite)* un lion, deux griffons ailés affrontés, un agneau portant la croix (symbole de la victoire sur le Mal), un loup, un cerf poursuivi par un chien.

Église San Parteo

À 300 m à l'Ouest de la cathédrale de la Canonica, par la D 107, puis prendre le chemin de terre à gauche. Fermé.

Les champs qui entourent aujourd'hui l'église San Parteo recouvrent un cimetière, païen à l'origine, puis paléochrétien et médiéval. On a dégagé, lors de fouilles aujourd'hui comblées, les fondations d'une chapelle paléochrétienne qui avait dû être élevée au 5e s. et contenait le tombeau de saint Parteo.

L'église actuelle de San Parteo, d'inspiration toscane, a été réalisée en deux campagnes : l'abside au 11e s., la nef au début du 12e s. Cette église non voûtée, comme la Canonica, était à l'origine recouverte de *teghie* posées sur une simple charpente. Le linteau en bâtière de la porte latérale Sud est sculpté de deux lions plus décoratifs que farouches, couchés à l'ombre d'un palmier.

Cap Corse★★★

U Capicorsu

CARTE GÉNÉRALE C1 – CARTE MICHELIN LOCAL 345 F2/3 – HAUTE-CORSE (2B)

La longue échine montagneuse du Cap Corse prolonge, sur près de 40 km, la dorsale de la Corse schisteuse. Une route admirablement tracée entre la mer et la montagne permet de découvrir successivement les plages de sable ou de galets, les villages escarpés avec leurs anciennes cultures en terrasses, et les petites marines blotties dans les échancrures de la côte. Le versant Ouest, plus abrupt que la côte tyrrhénienne, est resté plus sauvage. Le cap offre à l'amateur de chasse ou de plongée sous-marine des fonds rocheux et des eaux claires très poissonneuses.

- **Se repérer** – La presqu'île du Cap Corse s'ordonne de part et d'autre d'une arête centrale de plus de 1 000 m d'altitude, qui culmine à 1 307 m au mont Stello. Cette chaîne montagneuse s'abaisse au Sud vers le col de Teghime (536 m) ouvert entre Bastia et St-Florent, et au Nord vers un littoral de plages de sable, veillé par l'îlot de la Giraglia, ultime vigie de la Corse.
- **À ne pas manquer** – Le sentier douanier au Nord du Cap Corse, les villages perchés de Rogliano, de Cannelle ou de Nonza, la marine de Centuri…
- **Organiser son temps** – Consacrez si possible 2 jours à la découverte du Cap en faisant étape à Macinaggio, Barcaggio, Centuri ou Nonza. Prévoyez 1 jour supplémentaire pour l'ascension du mont Stello. La route en corniche a été élargie sur la côte Ouest, mais requiert une conduite attentive et une allure modérée.
- **Avec les enfants** – Des haltes sur les plages de Macinaggio et de Barcaggio ponctuent votre tour du Cap Corse d'agréables baignades.
- **Pour poursuivre la visite** – Voir aussi Bastia, Patrimonio, Saint-Florent.

Comprendre

Deux versants dissemblables – Le Cap ne présente pas la même physionomie à l'Ouest et à l'Est. La côte occidentale, très découpée, est dominée par la haute chaîne dorsale dont les pentes plongent brutalement dans la mer. Elle offre des sites impressionnants et des villages hardiment perchés. La côte orientale est moins élevée, plus rectiligne, régularisée par les alluvions arrachées à la montagne par les torrents.

Les cultures et les vents – Balayé par des vents contraires, le Cap Corse et la côte tyrrhénienne sont soumis l'hiver à l'influence des vents du Sud-Est et du Nord-Est, le *sciroccu* (sirocco), chaud, et le *gregale*, sec et froid. Les vallées plus préservées favorisent naturellement les cultures et les prairies. Sur le versant occidental, consacré au 17e s. à la monoculture de la vigne, seuls quelques îlots de cultures en terrasses où s'épanouissent vignes et vergers subsistent. Il faut les protéger des vents du Sud-Ouest, le *libecciu*, et du Nord, la *tramuntana* (tramontane). Nombre de moulins à vent en ont profité par le passé en se juchant au sommet de collines à la pointe du Cap Corse. Aujourd'hui, des éoliennes ont pris le relais.

Un territoire découpé – Les ramifications vers l'Ouest et vers l'Est de l'arête centrale isolent de courtes vallées creusées par les torrents côtiers et séparent les territoires des communes. Ceux-ci s'étendent de la montagne à la mer, occupant chacun un petit bassin fluvial. Chaque commune, dont le nom ne correspond généralement à aucun des hameaux dispersés sur les hauteurs qui la composent, possède sa « marine ».

Rivalité entre Pise et Gênes – Le Cap connut dès le 9e s. l'influence de Pise qui en confia la seigneurie aux marquis toscans de Massa. Les nombreux édifices romans semés sur les versants du Cap sont les témoins architecturaux d'une présence qui ne fut pas seulement militaire. Très naturellement, des contacts commerciaux s'établirent entre les marines du Cap Corse et Pise, qui monopolisa le négoce des produits agricoles de Balagne et du Cap. Le vin cap-corsin, très prisé des Toscans, constituait la principale exportation de la péninsule. Au 12e s., les relations commerciales firent l'objet d'une lutte acharnée entre Gênes et Pise, puissances rivales vivant toutes deux du négoce.

La mouvance génoise – Des rapports privilégiés s'établirent entre le Cap Corse et la Superbe, située à 150 km de l'extrémité du cap. Le Génois Ido est à l'origine des grandes familles cap-corsines : Peverelli, Turca et Avogari. Lorsque les Peverelli, chassés par les Avogari, se réfugièrent à Gênes, ils vendirent leur fief, en 1198, à un amiral génois, Ansaldo da Mare. Ces familles, auxquelles s'ajoutèrent les Gentile de Brando et de Nonza, maintinrent l'alliance génoise. Sous cette protection, les habitants du Cap Corse se livraient sans risque à une activité commerciale très développée.

La configuration géographique et la prospérité du Cap Corse conjuguée au déclin de Gênes au milieu du 16e s. l'exposait aux incursions **barbaresques**. De la fin du 16e s. au milieu du 17e s., cette étroite bande de terre fut donc une cible de choix.

Une région en marge – Lié à Gênes par tant d'intérêts économiques, le Cap Corse fut longtemps un foyer de résistance à la révolution corse du 18e s. **Paoli** se heurta, dans ses efforts pour armer une flotte nationale, au manque de motivation des marins cap-corsins, guère tentés d'abandonner les profits du commerce pour les risques de la course contre Gênes. Il fit construire et arma cependant une douzaine de navires corsaires qui ébranlèrent la puissance génoise *(voir Macinaggio)*.

Un renouveau des activités – Au début du 19e s., le Cap, durement frappé dans ses activités maritimes, se reconvertit de façon particulièrement dynamique et courageuse dans l'agriculture. Les Cap-Corsins aménagèrent en terrasses maintes pentes abruptes de la péninsule. L'entreprise fut couronnée de succès et le Cap s'affirma comme une région agricole pendant plus de cinquante ans. Tout le paysage demeure façonné par ce travail de fourmis.

Stéphane Sauvignier / MICHELIN

Tour de Losse.

Un pays de navigateurs et d'immigrants – Les Cap-Corsins furent à l'origine des premiers comptoirs français créés au 19e s. en Afrique du Nord et un grand nombre d'entre eux émigrèrent dès le milieu du 18e s. aux États-Unis, en Amérique du Sud et aux Antilles. L'émigration cap-corsine vers l'Amérique du Sud très importante jusqu'au début du 20e s. a influencé l'architecture de la région. Les immigrés ayant fait fortune notamment à Porto Rico et au Venezuela (un président vénézuélien était d'ailleurs d'origine corse) firent bâtir dans leur village d'origine de somptueuses demeures à l'allure de palazzi Renaissance italienne ou de style colonial sud-américain. À la sortie d'un hameau ou au détour d'un vallon, le visiteur peut apercevoir ces « demeures d'Américains », témoignages de la réussite des immigrés. La plupart restent des propriétés privées. Les plus remarquables se situent à Sisco, Cannelle, Metino, Morsiglia (hameau de Pecorile, palais Ghjelfucci) et également à Rogliano.

Dialecte – Les contacts fréquents avec la Toscane ont fortement influencé la langue et le tempérament des Cap-Corsins. Ceux-ci parlent, en effet, un dialecte italien riche en particularismes toscans. Aussi le philologue François-Dominique Falcucci (1835-1902), de Rogliano, auteur du *Vocabolario dei dialetti corsi*, a-t-il pu dire que le dialecte cap-corsin était « le plus pur des idiomes italiens ».

Aujourd'hui – L'hémorragie démographique amorcée à la fin du 19e s. (due à l'émigration) a freiné l'activité de la péninsule, qui conserve cependant sa réputation de terre viticole de qualité. La production est très variée : vins blancs moelleux de muscat et malvoisie à Macinaggio et Tomino (clos Nicrosi) ; vins rouges, blancs et rosés fruités à Patrimonio. Le tourisme est devenu l'activité principale.

Circuit de découverte

TOUR DU CAP CORSE★★

Circuit au départ de Bastia (voir ce nom) – 179 km – 2 j. Quitter Bastia par le Nord. Après avoir longé la plage de Toga, la route en corniche suit le littoral.

Miomo *(voir les alentours de Bastia)*

Lavasina

Ce hameau, agréablement situé en bordure d'une plage de galets, est célèbre par son sanctuaire (église N.-D.-des-Grâces) : la tradition locale veut que le tableau représentant la Vierge et l'Enfant (16e s.) soit miraculeux. De nombreux pèlerinages s'échelonnent durant tout le mois de septembre et en particulier le 8 : la veille, une procession aux flambeaux parcourt la plage. Une foule considérable, venue de toute l'île, participe à cette veillée qui s'achève par une messe de minuit.

Mont Stello★★

À l'entrée Sud de Lavasina, quitter la D 80 et emprunter la D 54 sur 5,5 km jusqu'à Pozzo. La route s'élève sur un vaste versant dominant la mer, où sont établis les villages de Poretto et Pozzo. Le campanile du couvent des capucins se dresse au sommet de la pente parmi les pins centenaires. Au couvent, prendre à gauche la route en montée vers le centre du village jusqu'à la piazza Santa Catalina *(laisser la voiture sur le parking en terre battue à droite).*

Randonnée au sommet★★★ – *6h AR depuis le centre du village, sans compter les haltes (1 000 m de dénivelé).*

La randonnée ne présente pas de difficulté majeure, mais il faut s'assurer auparavant de la persistance du beau temps. Ce secteur est en effet sujet à de brusques arrivées de brouillard rendant le retour très risqué. Pendant les journées de grande chaleur estivale, l'excursion est peu recommandée à cause des brumes limitant la visibilité.

L'itinéraire emprunte les ruelles indiquées par un balisage orange intermittent, puis utilise un sentier bien tracé qui s'élève rapidement au-dessus du village. Lorsque la pente s'adoucit, le chemin longe les gorges du torrent Arega, puis grimpe jusqu'aux **bergeries de Prunelli** (abri aménagé et source). Le sentier s'achemine ensuite vers une brèche (Bocca di Sta Maria) et aborde le versant Ouest du massif. On aperçoit alors la pyramide du mont Stello dont on gagne l'arête faîtière par le Nord. Après avoir contourné par l'Ouest la pyramide sommitale, on débouche au sommet (1 307 m). Par temps très clair, le **panorama★★★** est saisissant. La vue embrasse l'ensemble du Cap, à sa base le golfe de St-Florent et l'arrière-pays ondulé des Agriates, la Balagne et les contreforts étagés des massifs centraux. À l'Est, l'archipel toscan ponctue l'horizon.

Castello *(voir Erbalunga)*

Erbalunga★ *(voir ce nom)*

Au Nord d'Erbalunga, le paysage devient plus sauvage et les pentes se couvrent de maquis. La route est taillée en corniche ou court au niveau du rivage, longeant de jolies anses où se développent de petites marines.

À 5,5 km au Nord d'Erbalunga, prendre à gauche la D 32.

Tours génoises

Construites à l'instigation de la puissance tutélaire, Gênes, les tours assuraient essentiellement une fonction d'observation et d'alerte de la population pour lui permettre de se réfugier dans des zones sûres de l'arrière-pays. Jusqu'au 18e s., des règles très strictes, établies par les Génois, régissaient la garde des tours de guet ourlant le littoral corse. Voici quelques extraits des obligations des veilleurs, les *torregiani* :
– Monter chaque soir après le coucher de soleil pour vérifier l'absence d'approche barbaresque, et ensuite selon le cas communiquer avec les tours avoisinantes par les feux conventionnels ;
– Interdiction de s'absenter plus de deux jours, et pour un guetteur à la fois. Défense est faite aux gardiens de payer des remplaçants ;
– Obligation de renseigner tous les navigateurs qui interrogent les guetteurs sur l'état de sécurité de la route empruntée.
Des fonctions de préleveurs de taxes sur les bateaux de passage étaient également échues aux guetteurs.
Actuellement, il subsiste une soixantaine de tours en Corse ; elles font l'objet de programmes de restauration.

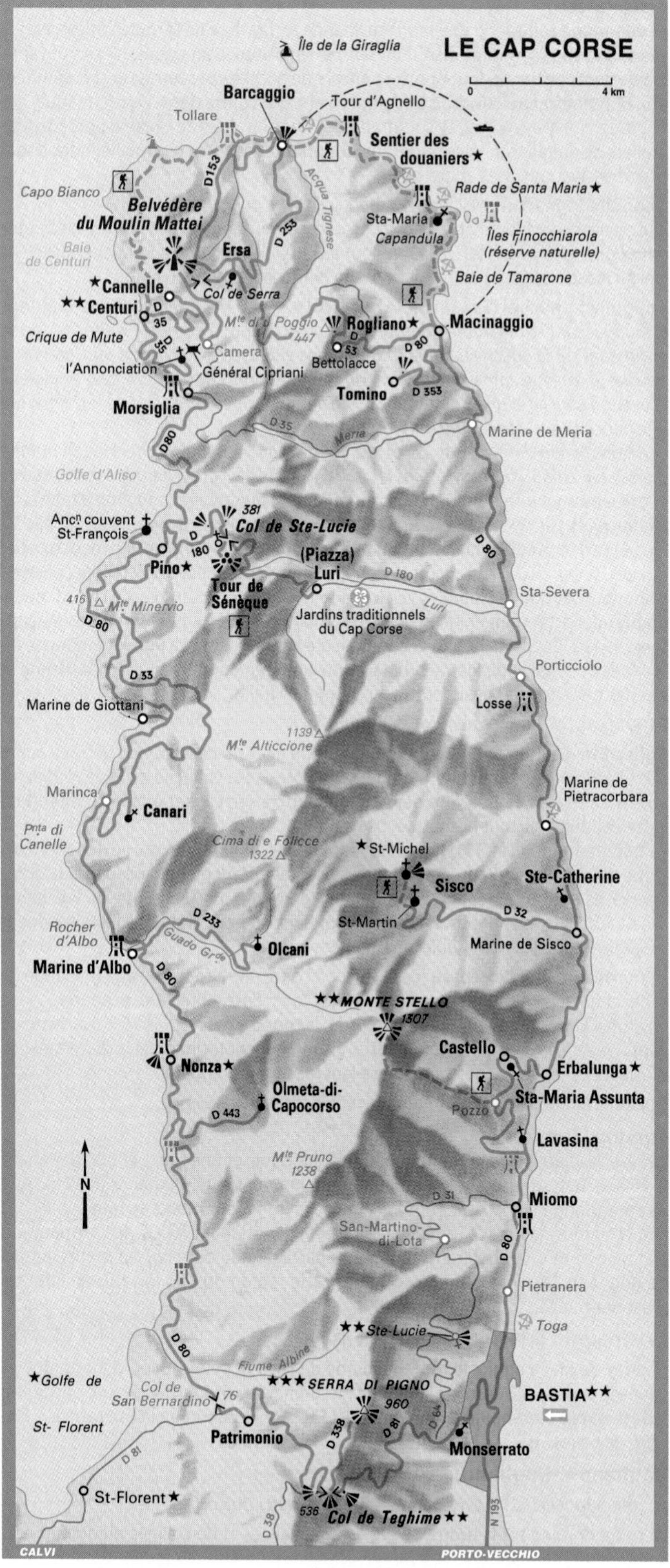
LE CAP CORSE
0
4 km
Île de la Giraglia
Barcaggio
Tour d'Agnello
Tollare
Sentier des douaniers ★
Rade de Santa Maria ★
Capo Bianco
Belvédère du Moulin Mattei
Sta-Maria Capandula
Îles Finocchiarola (réserve naturelle)
Baie de Centuri
Ersa
Acqua Tignese
Baie de Tamarone
★ Cannelle
Col de Serra
★★ Centuri
Crique de Mute
Rogliano ★
Macinaggio
Mte di Poggio 447
l'Annonciation
Camera
Général Cipriani
Bettolacce
Tomino
Morsiglia
Meria
Marine de Meria
Golfe d'Aliso
Ancn couvent St-François
381 Col de Ste-Lucie
Pino ★
(Piazza) Luri
Tour de Sénèque
Sta-Severa
416 Mte Minervio
Jardins traditionnels du Cap Corse
Luri
Porticciolo
Losse
Marine de Giottani
1139 Mte Alticcione
Marine de Pietracorbara
Marinca
Canari
Pnta di Canelle
Cima di e Folicce 1322
★ St-Michel
Sisco
Ste-Catherine
St-Martin
Rocher d'Albo
Guado Grde
Olcani
Marine de Sisco
Marine d'Albo
★★ MONTE STELLO 1307
Castello
Erbalunga ★
Nonza ★
Olmeta-di-Capocorso
Sta-Maria Assunta
Pozzo
Lavasina
Mte Pruno 1238
N
Miomo
San-Martino-di-Lota
Pietranera
Toga
★★ Ste-Lucie
Fiume Albino
★ Golfe de St- Florent
Col de San Bernardino 76
★★★ SERRA DI PIGNO 960
BASTIA ★★
Patrimonio
Monserrato
St-Florent ★
536 Col de Teghime ★★
CALVI
PORTO-VECCHIO
D 153
D 253
D 35
D 53
D 80
D 353
D 180
D 33
D 32
D 233
D 443
D 31
D 81
D 338
D 64
D 38
N 193

Sisco (Siscu)

La commune comprend une modeste marine en bordure de la route côtière, et plusieurs hameaux d'altitude disséminés de part et d'autre d'une vallée très verdoyante. Les versants en pente douce portent encore de nombreuses terrasses abandonnées aux herbages et aux asphodèles printaniers, qui contrastent avec le maquis des hauteurs. Au Moyen Âge, Sisco fut une des rares localités de Corse à posséder des ateliers de métallurgie. Des forgerons, armuriers et orfèvres fabriquaient des armes blanches, des cuirasses et des bijoux.

Chapelle St-Martin – *À 7 km de la marine de Sisco par la D 32.*
Elle est aisément identifiable au clocher accolé à son flanc Sud et à la place ombragée de six gros chênes verts. De là, on peut apercevoir la chapelle St-Michel située au Nord-Ouest, à 900 m à vol d'oiseau, sur la pente assez raide du maquis.

Chapelle St-Michel (San Michele de Siscu)★ – *1h AR depuis l'église St-Martin. S'engager sur l'étroite route goudronnée qui part à droite derrière l'église St-Martin, en laissant sur la gauche la route de Barrigione et Bussette. 700 m plus loin, prendre à gauche un chemin empierré. Le suivre sur 600 m environ en comptant deux épingles à cheveux à gauche et une à droite. Lorsqu'on arrive sur une petite place où le chemin fait une fourche, laisser la voiture sous les châtaigniers.*
Suivre le chemin de droite sur 250 m jusqu'à la première épingle à cheveux. Emprunter alors le sentier qui commence dans le virage, à droite d'un gros châtaignier. Au bout de 100 m environ, traverser un ruisselet (parfois à sec), puis monter tout droit à travers les châtaigniers, sur 100 m (éviter les premiers sentiers de chèvres, à droite). La chapelle St-Michel, ravissant édifice bien proportionné, apparaît comme une version montagnarde de San Parteo de Mariana *(voir la Canonica)*. Son abside est discrètement mise en valeur par des bandes murales verticales reliées par des arcatures. Ce chef-d'œuvre du premier art roman en Corse montre la maîtrise acquise par les maîtres maçons toscans au 11e s. St-Michel-de-Sisco aurait été bâtie en 1030. La **vue★★** embrasse les marines de Sisco et de Pietracorbara, et un large secteur de la mer Tyrrhénienne et des îles toscanes. Par beau temps, on distingue l'Italie.

Revenir à la D 80 et la reprendre vers le Nord.

Église Ste-Catherine – *Propriété privée. 2 km au Nord de la marine de Sisco par la D 80.* Bâtie sur un promontoire dominant la côte, cette chapelle de style roman fut en fait édifiée au 15e s. Ayant perdu beaucoup de son cachet originel, l'intérêt de cette église est surtout historique.
La tradition veut qu'au 13e s. des marins en danger aient fait le vœu de déposer dans la première église qu'ils apercevraient les reliques en leur possession. Le beau temps revenu, ils oublièrent leur serment ; mais la tempête sut le leur rappeler. Vivement, ils jetèrent l'ancre et déposèrent leur trésor dans un petit oratoire à l'emplacement de l'église actuelle. Alors seulement la mer s'apaisa.

La **marine de Pietracorbara** (Petra Curbara) offre une agréable plage (mélange de sable et de galets) de plus d'un kilomètre de long. Possibilité de se restaurer.
Environ 4 km plus loin, s'élève sur la gauche la **tour de Losse**, puis à 7 km au Nord de Santa-Severa, la tour génoise de **Meria**. Entre Sisco et Macinaggio, la route traverse plusieurs zones de chênes verts. Peu avant Macinaggio apparaît la vigne.

Quitter la D 80 avant Macinaggio et prendre à gauche la D 353.

Tomino (Tuminu)

L'église, la chapelle de la confrérie, de style baroque, et une tour génoise dominent le village, bâti sur un éperon rocheux fréquemment venté. Du parvis de l'église, la **vue★★** plonge sur la baie et le port de Macinaggio et s'étend au loin sur les îles Finocchiarola et Capraia. Tomino aurait été un des premiers foyers du christianisme en Corse au 6e s. Les habitants de Tomino partagent aujourd'hui avec leurs voisins de Rogliano l'exploitation du vignoble. Cette région du Cap produit en effet un muscat apprécié.

Macinaggio (Macinaghju) *(voir ce nom)*

À partir de Macinaggio, la route s'éloigne de la côte, s'élève dans la montagne et coupe le Cap vers l'Ouest. À 2 km du village, prendre sur la gauche la route qui monte à **Bettolacce** (commune de Rogliano) *(D 53)*, dite « chemin de l'Impératrice ». Elle offre de belles vues sur les hameaux de cette commune.

Rogliano★ (Ruglianu) *(voir ce nom)*

En continuant la D 53, on rejoint la D 80 que l'on suit jusqu'à Ersa.

La route domine sur la droite un paysage de vallées et de collines plongeant vers la mer.

Ersa

La commune accueille un important parc d'éoliennes au Nord du Cap Corse.
Au hameau de Botticella, dans l'**église Ste-Marie**, un beau tabernacle baroque en bois sculpté orne l'autel. *☏ 04 95 35 64 32 - possibilité de visite guidée sur demande préalable auprès de Mme Murzilli.*

Quitter la D 80 à Ersa en prenant sur la droite la D 153, puis D 253.

Après une course sinueuse *(7 km)* à travers le maquis et les oliviers, on découvre **l'îlot de la Giraglia** à l'extrême Nord du Cap Corse qu'il protège de son phare. L'extrémité du Cap Corse, entre la pointe du Becco (Punta di Corno di Beccu) et les îles Finocchiarola, contraste par son aspect sauvage avec le reste de la péninsule. Les eaux turquoise de la côte et l'immensité de la mer moutonnée offre un superbe panorama.

Barcaggio (Barcaghju)

Paisible petit port situé au fond d'une baie, face à la Giraglia. Du côté Est s'étend une longue et belle plage de sable fin et de galets. Pour y accéder, laisser la voiture au parking et marcher environ 200 m.

Reprendre la D 253 et tourner à gauche dans la D 153 ramenant à Ersa. De là suivre la D 80 jusqu'au col de Serra qui, à 365 m d'altitude, échancre la ligne de crêtes du Cap Corse.

Emmanuelle Souty / MICHELIN

Vaches sur la plage de Barcaggio.

Belvédère du moulin Mattei

30mn à pied AR. Du col (parking), suivre le chemin sur la droite qui monte au vieux moulin émergeant du maquis à 404 m d'altitude. Une première fois restauré au lendemain de la Première Guerre mondiale par **Mattei**, célèbre fabricant de spiritueux corses, cet ancien moulin à vent a été récemment rénové par le Conservatoire du Littoral et accueille une petite exposition en saison. Il offre un **panorama★★** très étendu se développant de l'île de la Giraglia au Nord à l'anse de Centuri et à la côte rocheuse de l'Ouest. On aperçoit très bien les alignements d'éoliennes de la commune d'Ersa.

Regagner la D 80 que l'on suit jusqu'à Camera, hameau de la commune de Centuri. Là, prendre à droite la D 35 en direction de Centuri, mais abandonner cette route 1 km plus loin pour atteindre Cannelle.

Cannelle★

Accès par la D 35 au niveau d'Orche, ou par un sentier au départ de Centuri *(voir ce nom)*. La route se termine à l'entrée de ce hameau accroché à la colline. Des venelles étroites, fleuries de géraniums, de gueules-de-loup et de passiflores, pavées de dalles de schistes, de marches taillées dans le roc, abritées de longs passages sous voûte font pénétrer dans un monde à l'écart de toute circulation motorisée.
Au-delà de la dernière maison, une petite place cernée par des rochers à pic offre une source sous un portique blanc orné d'une statuette, encadré d'un abreuvoir et d'un lavoir. Le regard plonge au-delà des pins et des aloès vers les monts qui dévalent jusqu'à la baie de Centuri.

Regagner la D 35 vers Centuri.

Centuri★★ *(voir ce nom)*

Prendre la D 35 vers le Sud.

La route dévoile le golfe de St-Florent, le Nebbio qui ferme l'horizon, et en arrière-plan les sommets enneigés du mont Cinto et du mont Padro. À 2,8 km de Centuri, on trouve sur la gauche la route qui conduit à l'ancien **couvent de l'Annonciation**, dédié à N.-D.-des-Sept-Douleurs. Il aurait été fondé par les servites de Marie à la fin du 16e s. L'église du couvent passe pour être la plus grande du Cap Corse. L'association universitaire Strasbourg-Morsiglia y entretient depuis 1926 son centre de séjour *(ne se visite pas).*

Morsiglia (Mursiglia)

Cette commune s'étage jusqu'à la mer. Son hameau principal, ceint de hautes falaises, est gardé par de grosses tours carrées.

La route devient plus étroite et domine de façon spectaculaire les indentations de la côte. Les pentes forment un moutonnement vert où dominent houx et cistes blancs.

Peu avant le hameau de Ciocce (commune de Pino), prendre à gauche la D 180 qui s'enfonce dans les terres.

Juste après la chapelle Ste-Lucie, emprunter la route étroite montant en lacet parmi les pins.

Stéphane Sauvignier / MICHELIN

Littoral et végétation du Cap Corse.

Col de Ste-Lucie

Alt. 381 m. Dans un joli bois de pins maritimes s'élève la chapelle Ste-Lucie (1815). **Vue★** sur la mer et le golfe d'Aliso.

Tour de Sénèque

Dans un **site★** sauvage, sur un pic du mont Rottu (alt. 564 m) se dresse une tour de guet à demi ruinée, datant du Moyen Âge, connue sous le nom de tour de Sénèque.

Stationner si possible au col de Ste-Lucie car la route qui s'amorce près de la chapelle est étroite et très dégradée. 1h30 à pied AR. Au bout de la route (bâtiments abandonnés), emprunter un sentier raide à l'extrémité Sud-Ouest du terre-plein.

Le sentier bien tracé grimpe parmi les buissons de cistes et les chênes. À la sortie du sous-bois, on aborde un amas rocheux où s'amorce un petit escalier naturel qui conduit à la base de la tour *(attention, glissant par temps de pluie).* Des pans de mur, un réservoir rappellent l'existence de la **tour** des Motti qui protégeait le château des Motti, 150 m plus bas. La **vue★** par temps clair s'étend jusqu'aux îles d'Elbe et de Capraia et à la côte italienne.

En fait, il est fort probable que Sénèque ait séjourné sur la côte orientale dans les colonies d'Aléria ou de Mariana où « on rencontre plus d'étrangers que de citoyens ». Pendant huit ans, de 41 à 49, il eut le temps de se consacrer à son *Traité de la consolation.*

Luri

5,5 km depuis le col de Ste-Lucie par la D 180. Cette commune s'éparpille en plusieurs hameaux dans une vallée verdoyante ouverte sur la côte orientale. L'activité viticole y est importante comme en témoignent sa célèbre foire anuelle du vin (juillet) et son petit musée.

Dans le hameau de **Piazza**, l'**église St-Pierre** du 17e s. abrite derrière l'autel une peinture sur bois de la fin du 16e s. illustrant la vie de saint Pierre. Le paysage en arrière-plan représenterait les châteaux forts du Cap Corse au 15e s., en particulier ceux des seigneurs da Mare ; à droite, le château présumé de San Colombano à Rogliano, rasé au 16e s. *(voir Rogliano)* ; à gauche, haut perchée, la tour des Motti dont les ruines servirent à édifier l'actuelle tour de Sénèque et, à ses pieds, le château des Motti qui fit place à un couvent, au 16e s. *☏ 04 95 35 00 15 - demander les clés à la mairie en sem. (horaires bureau).*

Environ 1 km à l'Est, sur la D 180 (dir. Santa Severa), les **Jardins traditionnels du Cap Corse** offrent un halte agréable et didactique. *☏ 04 95 35 05 07.*

Faire demi-tour pour rejoindre la D 80.

La mer apparaît alors brusquement, toute proche. La descente du col offre de belles **vues★** sur le golfe d'Aliso et les hameaux de Pino.

Pino★ (Pinu)

Les maisons de ce charmant village, les tours génoises, l'église et les nombreuses chapelles funéraires s'étagent à flanc de montagne au milieu d'une riche végétation.

L'**église Ste-Marie**, restaurée aux 18e et 19e s., présente, face à la mer, une belle façade de style baroque.

Sénèque

Sénèque fut exilé en Corse à 39 ans, pour avoir séduit la nièce de l'empereur Claude. La légende a situé, en cet endroit retiré, l'exil que le futur précepteur de Néron a décrit :
« Où trouver un lieu plus désolé, plus inaccessible de toutes parts, que ce rocher, plus dépourvu de ressources, hérissé d'aspérités plus menaçantes et sous un ciel plus funeste ? »

Prendre la petite route qui descend en forte pente jusqu'à la minuscule marine de Pino et sa plage de galets.

Côte à côte s'élèvent une vieille tour génoise et l'**ancien couvent St-François**.

La D 33 franchit le col de la Montagne Minervio.

Les villages s'agrippent à flanc de colline avec leurs anciennes cultures en terrasses cernées de murets de pierres sèches. Des torrents dévalent les pentes. Les oliviers et les vignes font place au maquis. Des trouées dans la verdure laissent deviner les abrupts et la route inférieure. Une **vue★** superbe sur le cap Minervio et la marine de Giottani apparaît, avant de prendre à gauche la route vers Canari.

Canari

Sur l'étroite autant que spectaculaire route de corniche qui domine la D 80, s'étage à flanc de montagne ce petit village qui possède deux églises intéressantes. La commune abrite un gisement d'**amiante** qui fut exploité de 1926 à 1965 pour l'industrie du fibrociment, et fut considéré comme le plus important d'Europe. Outre les dégâts sanitaires, l'importante masse des stériles a modifié le paysage : roc dénudé, luisant et tailladé surplombant l'ancienne usine en ruine (peu avant la marine d'Albo), galets des plages issus des déblais…

Arrivé au village, prendre immédiatement sur la droite et laisser la voiture sur la place du Clocher.

Superbes vues depuis la place, vaste esplanade disposée en belvédère autour du clocher isolé qui, carré et blanc, entouré de palmiers, prend des faux airs de minaret.

Église Santa-Maria-Assunta – Cet édifice roman pisan de la fin du 12e s. se caractérise par une décoration très sobre et l'assemblage soigné de ses belles dalles de schiste vert pâle. Sur la façade, percée au 18e s. d'une large fenêtre, on remarque la fine décoration de feuillages et crochets du linteau et des modillons qui le supportent. La corniche qui fait le tour de l'église est décorée de curieux masques, têtes d'animaux ou figures humaines stylisées, disposés au centre des arcs ou sur les modillons.

Église du couvent St-François – *✆ 04 95 37 20 61 - visite guidée sur demande auprès de Mme Perrier.* Dominant une esplanade, contre le cimetière, cette église décorée dans le style baroque, abrite des **peintures sur bois** (dont un *Saint Michel terrassant le dragon*) et, devant le chœur à gauche, la dalle funéraire en marbre blanc de Vittoria de Gentile, morte en 1590 au couvent de Canari. L'épouse d'Horatio Santelli Cenci, seigneur de Canari, porte sa fille emmaillotée sur le bras gauche et tient, dans sa main droite, une reproduction du château de Canari. Les armoiries des Cenci et des Gentile sont placées à la droite et à la gauche de la gisante. Dans l'allée centrale, à l'entrée du chœur, une plaque de marbre carrée, datée du 19 octobre 1754 en l'honneur de la fête de saint Pierre d'Alcantara, porte l'**emblème des franciscains** dont il avait réformé l'ordre : deux bras croisés sur une croix. Dans la sacristie, meuble sculpté.

Conservatoire du Costume corse – *Mai-sept. : 10h-12h, 17h-19h ; reste de l'année : sur demande à la mairie de Canari, ✆ 04 95 37 80 17 (lun., merc. et vend. 9h-12h) - fermé lun. - gratuit.* En plus des chambres d'hôte *(voir l'encadré pratique)*, les bâtiments restaurés du couvent accueillent un intéressant mais tout petit musée sur le costume corse au 19e s. On y apprend notamment que contrairement aux idées reçues, les tenues traditionnelles de la femme corse peuvent être très colorées.

Revenir à la D 33 et descendre sur Marinca, pour retrouver la D 80.

La D 80, de meilleure viabilité, domine de plus près la côte. Au-delà de Pino, la route contourne par l'Ouest la pyramide du mont Minervio plongeant dans la mer ; des murets retiennent la terre en terrasse. La **marine de Giottani** apparaît nichée au

Marine d'Albo.

fond d'une anse profonde. La couleur ocre des roches fait place à un blanc schisteux, le maquis s'éclaire de touffes de genêts parmi les éboulis. La route longe les bâtiments de l'ancienne mine d'amiante de Canari, puis le rocher d'Albo avant de descendre au fond de la baie du Guado Grande.

Marine d'Albo (Marina di Albu)

Ce hameau de pêcheurs installé sous la protection d'une tour de guet se blottit au fond d'une petite baie couverte de galets. En 1588, une importante flotte barbaresque (92 navires) mouilla à la marine d'Albo pour se livrer à une razzia spectaculaire dans l'intérieur : le hameau d'Ogliastro fut détruit et 40 habitants enlevés.

Chapelle préromane d'Olcani

15mn par la D 233, en direction d'Ogliastro que l'on laisse sur la gauche.

Après 6,5 km d'une route très étroite qui s'enfonce dans la montagne, 500 m avant Olcani, on aperçoit sur la droite, à 200 m sur la hauteur, les murs et le chevet circulaire à arcatures aveugles d'un édifice à l'abandon et sans toiture. Le cul-de-four porte des traces de polychromie. L'autel médiéval est encore en place sous les ronces. Cette chapelle, placée sous le vocable de San Quilico, fut élevée au 10ᵉ s.

Nonza★ *(voir ce nom)*

Olmeta-di-Capo-Corso

3 km après Nonza, prendre la D 433 vers le hameau principal. 10 m en dessous de l'embranchement avec la D 433 un panneau donne des informations sur le Cap Corse.

À l'amorce du village, se dresse l'**église**. Elle renferme de beaux objets sacerdotaux et quelques tableaux du 18ᵉ s. provenant de l'ancien couvent de Nonza.

Revenir sur le littoral et poursuivre sur la D 80.

Peu avant Patrimonio, la transition très marquée d'un univers sauvage à un autre plus verdoyant et souriant indique que l'on atteint les portes du Nebbio.

Patrimonio *(voir ce nom)*

Serra di Pigno

4 km par la D 338 qui s'embranche peu avant le col de Teghime en montant de Bastia. À 960 m d'altitude, le sommet de la Serra di Pigno porte un relais de télévision. Le **panorama**★★★ y est remarquablement étendu sur les deux versants du Cap Corse et sur toute la racine de cette grande presqu'île.

Col de Teghime★★

À 536 m d'altitude, le col marque la fin de la grande arête dorsale qui partage les versants Est et Ouest du Cap Corse. Il est le point de contact entre cette région géographique et la région du Nebbio

Libération

Au **col de Teghime**, un monument commémore un épisode déterminant de la libération de la Corse en 1943. Les 1er et 2 octobre les goumiers marocains, envoyés d'Alger pour renforcer les résistants, parviennent à prendre le col aux Allemands et dès lors font peser une menace décisive sur le port de Bastia et les mouvements des navires ennemis.

(voir ce nom). Le *libecciu* soufflant de l'Ouest s'y engouffre parfois avec violence. Du col, le **panorama★★** se développe sur le golfe de St-Florent, le Nebbio, Bastia et la plaine orientale.
Sur le versant oriental du col, la route, sinueuse, descend sur Bastia.

Oratoire de Monserrato *(voir Bastia)*

Cap Corse pratique

Adresses utiles

Office de tourisme – Communauté de communes du Cap Corse - Maison du Cap Corse - 20200 Ville di Pietrabugno - ✆ 04 95 31 02 32 - www.destination-cap-corse.com

Distributeurs de billets – On en trouve aux bureaux de poste d'Erbalunga, de Macinaggio, de St-Florent (également sur la place) et de Ville di Pietrabugno.

Stations service – À Lavasina : tlj ; à Santa-Severa (Marina di Luri) : tlj ; à Morsiglia : tlj ; à Pino : tlj sf dim. apr.-midi.

Visite

Association Contact – Organise des visites accompagnées dans les villages du Cap Corse - ✆ 06 86 78 02 38.

L'Amichi di U Rughjone – ✆ 04 95 35 01 43. Découvertes du patrimoine sur des circuits de randonnées thématiques.

Se loger

Voir aussi les carnets pratiques de Bastia, Saint-Florent.

Chambre d'hôte Mme Micheli – *Santa-Sévéra - 20228 Luri - À la sortie du bourg, dir. Bastia - ✆ 04 95 35 01 27 - fermé de fin oct. à déb. avr. - 30/54 €*. Vue sur la mer ou sur la montagne ? Dans chacune des chambres, d'un confort minimal mais d'une propreté irréprochable, vous disposerez d'un balcon pour contempler le paysage choisi. La maîtresse des lieux vous accueille comme à la maison et vous fait profiter de son jardin verdoyant, planté de grenadiers.

Chambre d'hôte Relais du Cap – *Plage de la Marine de Negru - 20217 Olmeta-di-Capocorso - ✆ 04 95 37 86 52 - www.relaisducap.com - fermé nov.-mars - - 4 ch. et 1 appart. 32/65 € - 6 €*. Cette maison, la toute dernière du hameau, n'a que la mer pour vis-à-vis. Depuis ses chambres aux murs blanchis, d'un confort assez élémentaire, vous jouirez d'une vue sublime sur la grande bleue. N'hésitez pas à solliciter les charmants propriétaires, ils se feront un plaisir de vous conseiller dans toutes vos sorties.

Chambre d'hôte Li Fundali – *Spergane - 20228 Luri - ✆ 04 95 35 06 15 - fermé nov.-mars - - 5 ch. 35/45 € - restauration (soir seult) 14 €*. Vous aimerez le calme de cette charmante maison au fond (fundali) de la vallée luxuriante de Luri. Après une balade dans les environs, vous retrouverez avec plaisir votre chambrette confortable, une cuisine familiale et la convivialité de la table d'hôte. Deux gîtes.

Résidence I Fioretti – *Au Couvent St-François - 20217 Canari - ✆ 04 95 37 13 90 - www.ifioretti.com - - 6 ch. 55/70 €*. L'ancien couvent St-François, qui date du 16e s., a été rénové et propose des chambres d'hôte, aménagées dans les ex-cellules de moines. Bel escalier, voûtes en pierre, meubles réalisés par un artisan du village, costumes exposés dans l'ancien réfectoire : le lieu a du cachet. Également, trois gîtes ruraux.

Camping La Pietra – *20233 Pietracorbara - ✆ 04 95 35 27 49 - ouv. avr.-15 oct. - réserv. conseillée - 70 empl. 25,60 €*. Les emplacements sont beaux, bien délimités et ombragés dans un décor d'arbres et surtout de lauriers roses… Corse oblige !

Camping Isulottu – *Mutte - 20238 Morsiglia - sortie Bastia, dir. N par la RD 80 puis D 35, dir. Centuri - ✆ 04 95 35 62 81 - isulottu@wanadoo.fr - fermé 22 déc.-20 janv. - 150 empl. 22,50 € - restauration.* Ici le repos est privilégié, détendez-vous… C'est donc à l'ombre d'une agréable chênaie que vous ferez la sieste. Ou sous le soleil, sur la plage toute proche.

Marinella – *Marine de Giottani - 20228 Barrettali - ✆ 04 95 35 12 15 - pal@mail.club-internet.fr - fermé de mi-oct. à fin avr. - P - 9 ch. 80/105 € - rest. pour résidents 24/49 €*. Une crique avec sa plage de galets et un port de plaisance encadrent ce petit hôtel-restaurant où l'on vous accueillera avec le sourire. Les chambres n'ont rien d'exceptionnel, en revanche vous pourrez déguster des produits de la mer tout frais, dans la salle à manger rustique ou sur la terrasse. Demi-pension obligatoire.

Se restaurer

A Casaïola – *Marine de Sisco - 20233 Sisco - ✆ 04 95 35 21 50 - fermé oct.-avr. - 10/19 €*. Cuisine traditionnelle au feu de bois, poisson du jour et spécialités de la mer, à déguster dans une coquette salle à manger ou sur la terrasse ombragée, les pieds dans l'eau, face aux îles d'Elbe et de Capraia. Que demander de plus ?

Les Chasseurs – *20233 Marine-de-Pietracorbara - ✆ 04 95 35 21 54 - www.hotel-les-chasseurs.com - hôtel fermé de déb. déc. à mi-mars ; rest. ouv. tte l'année, oct.-déc. uniquement le midi - 13/20 €*. Il règne une ambiance décontractée en ce sympathique restaurant familial situé à deux pas de la plage. Aux beaux jours, les spécialités locales et les plats du jour sont servis sous la tonnelle. Après le repas, laissez-vous tenter par une partie de pétanque… Chambres simples et calmes.

U Capezzu – *Santa Severa - Marine de Luri, au port - 20228 Luri - 04 95 35 03 23 - hotel.lamarine@wanadoo.fr - fermé fin oct.-1er avr. - 13/20 €.* Ce restaurant sans prétention et sa terrasse occupent une place de choix sur le port. À l'intérieur, décor simple avec mobilier en bois et carreaux rouges au sol. Spécialités du terroir et arrivages journaliers de poissons.

Ostéria di u Portu – *20248 Maccinaggio - 04 95 35 40 49 - fermé oct.-mars sf le w.-end - 14,50/22 €.* Un lieu fort agréable que ce restaurant joliment décoré d'objets de la ferme et de photographies de chasseurs corses, et sa terrasse située face au port. Dans l'assiette, plats traditionnels et un menu de la mer.

Ferme-auberge U Licettu – *Lieu-dit Bruschietta - 20233 Pietracorbara - 04 95 35 25 98 ou 06 10 05 97 00 - www.ulicettu.fr.st - fermé nov.-mars - réserv. obligatoire - 16/25 €.* Dans un cadre à la fois champêtre et pittoresque, ce restaurant décline les spécialités culinaires corses, au gré des saisons : veau, sanglier, grillades et terrines. On vous propose aussi un hébergement en chambres de plain-pied ou un camping à la ferme, sous les chênes. Départ de randonnées à dos d'âne.

A Luna – *20228 Santa-Severa - 04 95 35 03 17 - fermé d'oct. au 25 mai et lun. en sept. - 15 € déj. - 20/45 €.* Vous apprécierez l'ambiance décontractée de ce modeste bar-restaurant situé sur la marine de Luri-Santa-Severa. Intérieur refait, agréable terrasse semi-couverte, carte simple faisant la part belle aux produits de la mer et petits prix - au déjeuner comme au dîner - ajoutent au plaisir de fréquenter l'adresse.

U Scogliu – *Marine de Canelle - 20217 Canari - 4 km au S de Canari par D 33 - 04 95 37 80 06 - fermé de déb. oct. à Pâques - réserv. conseillée - 22/60 €.* Ce « rocher sur les flots » (scogliu), protégé par Neptune, est le temple d'une cuisine réputée. On y vient, de terre comme de mer, sacrifier au culte du loup ou de la dorade en croûte de sel, des seiches farcies aux fruits de mer et de la fameuse langouste grillée… Quel régal !

Le Guaïtella – *10 hameau de Guaïtella - 20200 Ville-di-Pietrabugno - 04 95 34 20 51 - leguaitella@wanadoo.fr - fermé le midi - 24 €.* Juché sur les hauteurs de Bastia, le Guaïtella offre une vue spectaculaire sur la ville et le port. Dans l'assiette, les plats simples et bien maîtrisés - filet de bœuf avec tranche de foie gras à la châtaigne, pavé d'espadon aux câpres, etc. - sont composés de produits bien choisis. Ambiance jeune et conviviale.

La Corniche – *Castagneto - 20200 San-Martino-di-Lota - 04 95 31 40 98 - info@hotel-lacorniche.com - fermé 1er janv.-15 fév., mar. midi et lun. - 26/45 €.* Comme les Bastiais, n'hésitez pas à « grimper » jusqu'à cet établissement pour prendre place sous les vieux platanes de sa terrasse. Vous vous régalerez de savoureux petits plats traditionnels devant un panorama inoubliable : celui du pittoresque village de San Martino et des reliefs environnants qui plongent dans la mer.

Que rapporter

Domaine Pieretti – *Santa-Severa - croisement de la D 80 et de la D 180 - 20228 Luri - 04 95 35 01 03 - juin-sept. : 10h-13h, 16h30-20h30 ; hors sais. : sur demande préalable.* La cinquième génération de Pieretti entretient aujourd'hui les 9 ha de vignes (niellucciu, vermentiu) du domaine familial, situé au bord de la mer. Vous y dégusterez de délicieux crus comme les fameux muscats ou ceux de l'appellation corse-côteaux du Cap Corse.

Carcheto★

Carchetu

18 HABITANTS.
CARTE GÉNÉRALE C3 – CARTE MICHELIN LOCAL 345 F5 – HAUTE-CORSE (2B)
SCHÉMA P. 233

Connu pour son église aux décorations vives et naïves réalisées par des artistes locaux, ce village de Castagniccia abrite sur son territoire une carrière d'exploitation de vert d'Orezza. Cette roche ornementale qui servit à la chapelle Médicis de Florence est une variété très dure d'ophiolite d'une exceptionnelle beauté. On la trouve uniquement en Corse, dans un périmètre bien défini à l'intérieur du canton d'Orezza-Alesani.

Se repérer – Ce petit village, établi en plein cœur de la Castagniccia, est accessible par la D 71 ; il se trouve sur l'axe Ouest-Est allant de Ponte-Leccia à Moriani-Plage. De la D 71, une petite route descend à la place de l'église.

À ne pas manquer – Les peintures du chemin de croix de l'église.

Pour poursuivre la visite – Voir aussi La Castigniccia, Valle-d'Alesani.

Visiter

Église★

04 95 35 84 08 - mai-nov. : 9h-18h - en cas de fermeture, demander les clés à la mairie.

L'église de Carcheto est peut-être l'un des monuments religieux les plus émouvants de la Corse des 17e et 18e s. Elle s'orne d'un monumental clocher ajouré. Sur sa façade principale, corniches, pilastres, colonnes engagées et niches composent un ensemble harmonieux. La chaude couleur de la pierre contraste avec les taches noires des trous de boulin.

Les peintures du chemin de croix sont de 1790. Le maître-autel, au pied duquel sainte Marguerite a été représentée allongée, est surmonté d'un monumental tabernacle en bois polychrome. Derrière le maître-autel, remarquez le mobilier de sacristie.

Les chapelles latérales à la nef, comme les bras du transept, ont reçu un décor mélangeant stucs, trompe-l'œil et couleurs vives autour d'un autel-tombeau. Les orgues proviennent du couvent d'Orezza *(voir Castagniccia).*

Peinture du chemin de Croix de l'église de Carcheto.

Randonnées

Cascade – *30mn AR.* De la place de l'église, un chemin descend vers la rivière qui se lance ici dans une belle cascade ; les lieux sont très appréciés à la belle saison et offrent une halte rafraîchissante aux petits et aux grands.

Sentier de découverte – *Boucle de 3h, balisage orange. Fléché au départ de la D 71.* En Castagniccia comme souvent en Corse, les sentiers de découverte sont d'excellents moyens de découvrir les trésors de la région. Le sentier traverse une châtaigneraie avant de découvrir les ruines de la chapelle romane San Martino (11e- 13e s.). Les châtaigniers laissent très provisoirement leur place à un bois de chênes qui protège le gisement de vert d'Orezza, fameuse roche qui a été exploitée jusqu'à il y a une vingtaine d'années. Après avoir longé une châtaigneraie en rénovation, gagnez la D 71 qu'il faut prendre à gauche en direction de Piedipartino. Le village ne manque pas d'attraits, notamment le portail de l'église baroque San Bernardino et l'imposante maison forte (16e s.) qui lui fait face. Le sentier revient vers Carcheto en passant par l'agréable cascade citée ci-dessus.

Cargèse★

Carghjese

982 CARGÉSIENS
CARTE GÉNÉRALE A4 – CARTE MICHELIN LOCAL 345 A7 – CORSE-DU-SUD (2A)
SCHÉMA P. 332

Sur le promontoire qui ferme au Nord le golfe de Sagone, Cargèse, surnommée la ville grecque, est empreinte de douceur et de tranquillité. Les activités touristiques, l'agriculture et la pêche lui apportent l'essentiel de ses ressources aujourd'hui. Les eaux transparentes de la baie, aux reflets mêlés de saphir et d'émeraude, l'étincelant ruban de sable de la plage de Ménasina et l'amphithéâtre de falaises rouges auxquelles s'agrippe le village composent un site★★ splendide, qu'il faut contempler depuis le belvédère de la pointe Molendino.

- **Se repérer** – Cargèse se dresse à l'extrémité Nord du golfe de Sagone, entre Ajaccio au Sud (51 km) et Porto au Nord (31 km). Prendre la direction du port et laisser la voiture derrière l'église grecque (rue du Père-Chappet).
- **À ne pas manquer** – Contrastant avec les ors de l'iconostase de l'église grecque, les petites icônes du 16e s. sont particulièrement émouvantes.
- **Organiser son temps** – Vous pourrez aisément prolonger cette visite sur l'une des quatre plages situées à proximité.
- **Pour poursuivre la visite** – Voir aussi les Calanche, Porto et le golfe de Porto, Vico, le golfe de Sagone.

Comprendre

Une colonie grecque – Pour fuir l'occupation turque de 1670 dans le Magne (au Sud du Péloponnèse), des Grecs originaires de Vitylo demandent asile à la république de Gênes. Après plusieurs années de négociations, ils obtiennent en 1675 la concession en Corse de territoires inhabités dont celui de Paomia dans l'arrière-pays de Sagone. La Superbe (Gênes) s'engage à pourvoir à leur établissement en échange de leur fidélité. En janvier 1676, environ 800 Grecs arrivent à Gênes et, en mars, s'établissent sur leurs terres, construisent le village de **Paomia**, défrichent, plantent des vignes, des oliviers et des arbres fruitiers. L'installation des Grecs est cependant mal accueillie par les populations locales qui voient en eux des alliés de Gênes. Leur prospérité excite bientôt la jalousie des montagnards de Vico qui attaquent la colonie en 1715, puis en 1729 (début de la guerre d'Indépendance) avec les Niolins. En 1732, ils doivent se réfugier à Ajaccio où Gênes leur offre des terrains. Ils y demeurent pendant quarante-trois ans et y aménagent la chapelle des Grecs *(voir golfe d'Ajaccio).*

Le saviez-vous ?

Certains habitants ont conservé un nom évoquant leurs racines grecques, comme on peut le constater sur le monument aux morts érigé dans l'église latine.

Une église grecque face à une église latine, un même aumônier… la situation de Cargèse est assez inédite pour attirer la curiosité des visiteurs.

L'édification de Cargèse – La Corse devenue française, les Grecs reçoivent en 1769 le territoire de Cargèse en compensation de la perte de Paomia ; Marbeuf leur fait édifier les 120 maisons du village actuel et l'église de rite oriental.

Une cinquantaine de familles grecques seulement s'y établissent en 1774. L'administration de la colonie est confiée à Marbeuf qui reçoit le titre de marquis de Cargèse en 1778.

Pendant la Révolution, des attaques corses au cours desquelles le village est incendié, obligent à nouveau les Grecs à se replier sur Ajaccio (1793). Quatre ans plus tard, sous le Directoire, seuls les deux tiers d'entre eux consentent à revenir.

Deux siècles durant, les Cargésiens formèrent une communauté jalouse de sa langue, de sa religion et de ses usages. Par la suite, les alliances avec les Corses, moins rares, permirent au village de vivre en paix. Aujourd'hui parfaitement intégrée, la population d'origine grecque ne se distingue guère que par quelques éléments lexicaux et par les fêtes liturgiques grecques qui continuent à être célébrées avec ferveur, en particulier la Saint-Spiridon.

Se promener

Église grecque★

Ce sanctuaire catholique de rite oriental a été élevé de 1852 à 1870 à l'emplacement de l'église primitive devenue trop petite. Le sanctuaire y est séparé de la nef par une **iconostase** (1886), cloison de bois décorée d'images saintes sur fond d'or. Parmi les **icônes** apportées par les premiers colons, noter, à gauche de l'iconostase, un saint Jean-Baptiste ailé du 16e s. ; à droite, les trois « Hiérarques » pères de l'Église grecque, Basile, Grégoire et Jean Chrysostome ; sous la tribune de l'entrée, l'*Epitaphios*, peinture sur bois découpé du 13e s. représentant l'ensevelissement du Christ. Derrière l'iconostase, sur le côté droit du maître-autel, se trouve une icône du 16e s. représentant la Sainte Vierge au ciel avec l'Enfant Jésus, entourée d'anges et de deux saints qui la contemplent : saint Nicolas de Myre et saint Spiridon, le saint patron de l'église. Quant aux fresques, en particulier la grande au-dessus de la tribune, elles ont été réalisées entre 1987 et 2001 par l'atelier G. Drobot.

De la terrasse, bordée de micocouliers, une belle **vue★** s'étend sur le golfe de Sagone.

Stéphane Sauvignier / MICHELIN

Fresque dans l'église grecque.

Église latine

Placée elle aussi sur une terrasse, elle fait face à l'église grecque, au-delà d'un petit vallon occupé par des jardins. Ce petit édifice au clocher quadrangulaire fut construit au 19e s. pour répondre aux besoins de la population catholique de rite latin. Il présente un intérieur baroque très chargé utilisant la technique du trompe-l'œil (fausse chapelle du monument aux morts).

Le port

Surplombé par le cimetière, bordé de petits restaurants, ce petit port de plaisance, avec ses quais de terre battue est tout à fait charmant. À droite de la route, dans le dernier lacet, le chemin du Pittiglione permet d'accéder aux ruines de la tour génoise.

Séjourner

LES PLAGES★

Plage de Pero

1 km au Nord. Elle s'étend au fond du golfe de Pero fermé par les pointes de Cargèse et d'Omigna couronnées d'une tour génoise. Location de planches à voile.

Plage de Chiuni★

6 km au Nord. Gardé par une tour génoise, le golfe de Chiuni, très profond, offre une grande plage de sable bordée de buissons de lentisques, où s'est établi un village de vacances. Le lieu est magnifique.

Plus au Nord, dans la baie de Topiti, débarquèrent, dans la nuit du 13 au 14 décembre 1942, les émissaires du sous-marin *Casabianca* *(voir Solenzara et la Côte des Nacres)* qui établit la première liaison entre Alger et les patriotes corses (plaque commémorative sur la D 81 au pont de Chiuni).

Plage de Ménasina

2,5 km au Sud. Elle occupe une baie protégée par les pointes de Cargèse et de Molendino.

Plage de Stagnoli

7,5 km au Sud. Belle plage de sable fin, équipée pour la voile et la planche à voile.

Cargèse pratique

Adresse utile

Office de tourisme – R. du Dr-Dragacci - ✆ 04 95 26 41 31 - www.cargese.net et www.ot-cargese.fr - juin-sept. : 9h-19h ; reste de l'année : tlj sf dim. 9h-12h30, 14h30-18h.

Transports

Bus – ✆ 04 95 21 02 07 ou 04 95 22 41 99 - la ligne Ota-Porto-Piana-Cargèse-Sagone-Tiuccia-Ajaccio fonctionne tte l'année : 2 AR/j - tlj sf dim. et j. fériés (de mi-sept. à fin juin) - la ligne Ota-Porto-Calvi fonctionne de mi-mai à mi-oct. : 1 AR/j - tlj sf dim. et j. fériés (de mi-mai à fin juin et de déb. sept. à mi-oct.).

Se loger

Voir également le carnet pratique de Porto.

Camping Torraccia – *4 km au N de Cargèse - ✆ 04 95 26 42 39 - www.camping-torraccia.com - fermé de fin sept. au 1er Mai – 66 empl. 14,50 € – restauration.* À vingt minutes à pied de la plage de Chiuni, ce camping bien ombragé tout en terrasses offre des emplacements dont la plupart bénéficient d'une jolie vue sur la vallée, la montagne et la côte. Tennis et petite épicerie.

Les Lentisques – *Plage du Péro – 1 km au N de Cargèse - ✆ 04 95 26 42 34 - www.leslentisques.com - fermé de fin sept. au 1er Mai - P - 17 ch. 65/79 € - 7 €.* Si vous recherchez le calme, cet hôtel est pour vous. Les chambres sont sobres et dotées d'une loggia ; celles du 1er étage jouissent d'une vue sur la mer. Le restaurant ouvre ses portes en été et la demi-pension est alors obligatoire. Piscine et plage accessible par un chemin privé.

Hôtel Thalassa – *Plage du Pero - 1,5 km au N de Cargèse - ✆ 04 95 26 40 08 - fermé d'oct. au 1er Mai - P - 22 ch. 80/90 € - 5 €.* Pour un bon bain matinal, avant le petit-déjeuner, la plage de Pero est à vos pieds. Les chambres sont calmes qu'elles soient sur la mer ou sur le jardin. Repas en demi-pension uniquement dans la salle à manger ou en terrasse face à la mer.

Se restaurer

A Volta – *Pl. de l'Église-Latine – ✆ 04 95 26 41 96 - fermé fin sept.-avr. - 15/23 €.* La terrasse-balcon face à la mer fait le charme incontestable de ce petit restaurant. La vue, sublime, porte jusqu'aux îles Sanguinaires. Pour vous mettre en appétit, les petits plats simples sont inscrits sur l'ardoise.

Le Cabanon de Charlotte – *Port de plaisance - ✆ 06 81 23 66 93 - fermé nov.-mars - - à partir de 15 €.* Un engageant couvert vous attend sous les canisses et les parasols de ce restaurant qui, outre d'alléchantes salades, pâtes, viandes et pizzas, sert des poissons grillés et crustacés selon l'arrivage du jour.

Sports & Loisirs

Port de plaisance – *Capitainerie - ✆ 04 95 26 47 24.*

La Casinca★

CARTE GÉNÉRALE C3 – CARTE MICHELIN LOCAL 345 F4/5 – HAUTE-CORSE (2B).

Cette petite région de collines couvertes d'oliviers et de châtaigniers se prolonge par une plaine côtière très fertile où s'épanouissent plants de vigne, agrumes et céréales. Groupés sur des éminences, de jolis villages dominent l'étang de Biguglia, la plaine littorale, le détroit toscan et ses îles. Vescovato, bourg le plus important de la contrée, surplombe la plaine et représente un haut lieu politique et historique.

Se repérer – À une vingtaine de kilomètres au Sud de Bastia, la Casinca est en quelque sorte le rebord Nord-Est, tailladé par les torrents, de la Castagniccia.

À ne pas manquer – À Vescovato, poussez les portes de l'église San Martino pour admirer le tabernacle de bois blanc de 1441.

Pour poursuivre la visite – Voir aussi Bastia et la Castagniccia.

Circuit de découverte

DE CASAMOZZA À CASTELLARE-DI-CASINCA

40 km – environ une demi-journée.

Casamozza

Ce hameau fut le point de départ de la ligne de chemin de fer qui longeait naguère la côte orientale de la Corse. En service dès 1888 dans sa partie Nord, elle n'atteignit Porto-Vecchio qu'en 1935. La voie, endommagée pendant la dernière guerre, ne fut pas reconstruite.

Prendre au Sud la N 198 vers Aléria et, à Torra, emprunter la 1re route à droite.

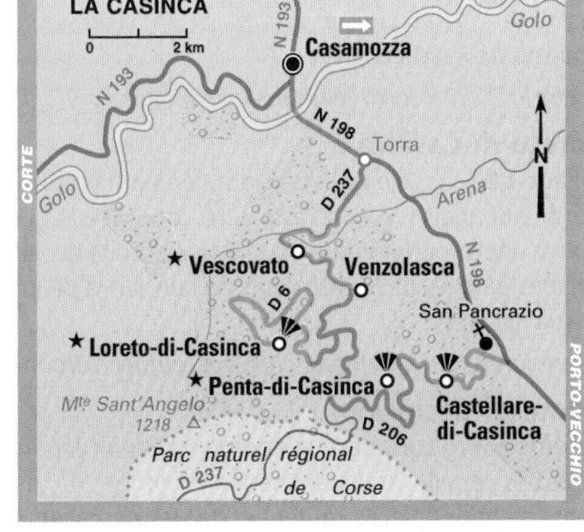

Vescovato★ (U Viscuvatu)

Cette ancienne place forte se situe au débouché d'une gorge profonde. Vescovato (« évêché » en corse) fut, après la destruction de Mariana *(voir La Canonica)*, le siège d'un évêché de 1269 jusqu'en 1570, date de son transfert à Bastia. La déclaration de Giordano Orsini, représentant du roi de France annonçant l'incorporation de la Corse à la France, a eu lieu à la Consulte de Vescovato. Le village occupe depuis une place singulière dans l'histoire de l'île. Ses hautes maisons de schiste sombre, serrées autour de la place centrale ornée d'une fontaine, et le dédale de ses vieilles ruelles en escalier donnent au bourg un air charmant.

Ancienne chapelle St-Martin, l'**église San Martino** fut agrandie au 15e s. par les évêques de Mariana. Ils ornèrent son maître-autel d'un beau tabernacle en marbre blanc, sculpté d'une Résurrection, œuvre génoise de 1441. *04 95 36 70 19 - sur demande préalable.* Un tunnel sous l'église rejoint la grande place à travers une suite d'escaliers.

Enfant célèbre

Vescovato peut s'enorgueillir de compter parmi ses fils l'officier de marine **Luc-Julien-Joseph Casabianca**, né à Vescovato en 1762. Lieutenant de vaisseau en 1786, il fut élu député de la Corse à la Convention en 1792. Capitaine de vaisseau en 1793, il fut tué le 1er août 1798 à la bataille d'Aboukir lors de l'expédition d'Égypte ; son vaisseau, *L'Orient*, fut coulé par Nelson. Depuis, la marine française honore sa mémoire en donnant régulièrement son nom à l'un de ses bâtiments. Le sous-marin *Casabianca* qui s'illustra en Corse en 1943 *(voir dans les alentours de Cargèse)* compte au nombre de ces derniers. Actuellement, ce nom est porté par un sous-marin nucléaire.

Vescovato.

Venzolasca

De hautes maisons très serrées bordent la rue étroite. Un campanile élancé, l'aspect massé du village bâti sur une croupe en belvédère confèrent à Venzolasca une silhouette très particulière.

Suivre la D 237 jusqu'à l'embranchement de la D 6 (à droite) qui monte en à Loreto.

Loreto-di-Casinca★

Village bâti sur une terrasse dominée par le mont Sant'Angelo. Une longue rue, bordée de maisons en schiste vert, conduit à l'église et au campanile. De l'église s'offre une superbe **vue★★** sur les vieux toits de lauzes, les terrasses cultivées, les villages perchés de la Casinca et, au loin, sur la plaine orientale, l'étang de Biguglia, Bastia et la mer.

Reprendre la D 6 ; à l'embranchement tourner à droite et aussitôt à gauche.

Penta-di-Casinca★

Ce gros bourg agrippé à un éperon schisteux est organisé autour d'une rue principale. Les venelles transversales sont bordées de maisons de caractère : beaucoup conservent des pièces voûtées et de vieux escaliers derrière leurs façades sobres et patinées. Les toitures anciennes, le haut fronton dépassant des toits et le fin campanile à étages de l'église baroque donnent au bourg beaucoup de personnalité. Remarquez les cultures en terrasse, au pied du village.

Castellare-di-Casinca

Ce village, le dernier du balcon sur la plaine, jouit encore d'une belle vue.
Juste avant l'intersection avec la N 198, s'élève sur la gauche la **chapelle San Pancrazio** dont l'admirable chevet à trois chapelles remonte au 10e s.

Casinca pratique

Se loger

⊖ **Chez Walter** – *N 193 - 20290 Casamozza - ☏ 04 95 36 00 09 - hotel.chez.walter@wanadoo.fr - P - 63 ch. 60/120 € - ☕ 8 € - rest. 20 €.* À 20 km de Bastia, cet hôtel un peu en retrait de la nationale propose des chambres modernes et bien équipées, dotées de balcon ou de terrasse. Vaste salle de restaurant au décor néo-rustique et belle terrasse ombragée ; cuisine traditionnelle, buffets et pizzas.

Se restaurer

⊖⊖ **Ferme-auberge U Fragnu** – *Lieu-dit U Campu - 20215 Venzolasca - ☏ 04 95 36 62 33 - ouvert jeu., vend., sam., dim. le soir uniquement ; le midi en juil.-août - réserv. obligatoire - 32/35 €.* Dans cette vieille bâtisse en pierres du pays, le temps semble s'être arrêté : vieux moulin et pressoir à huile, jambons suspendus aux poutres, fusil du grand-père sur le mur... tout a été superbement conservé. Vous dégusterez là de savoureuses recettes traditionnelles corses, élaborées avec les produits de la ferme.

La Castagniccia★★

CARTE GÉNÉRALE C3 – CARTE MICHELIN LOCAL 345 E/F/G5 – HAUTE-CORSE (2B)

Il est difficile de ne pas tomber sous le charme de cette région à la forte personnalité dont les innombrables collines et petites montagnes tapissées de profondes châtaigneraies sont parsemées de mille hameaux au profil de forteresses. Le soir, au coucher du soleil, les villages cloués sur leurs crêtes par leurs lourds toits de lauzes sont les dernières taches de lumière retenant le jour déclinant. Étapes historiques, modestes chapelles romanes ou spectaculaires églises baroques, bien des trésors vous attendent dans ce dédale de routes étroites qui semblent prendre un malin plaisir à virevolter sans fin d'une vallée à l'autre.

Se repérer – La Castagniccia est bordée au Nord par l'étroite vallée du Golo, à l'Ouest par le sillon central cortenais, à l'Est par la Costa Verde, au Sud par le Bozio *(voir ce nom)* longtemps resté presque impénétrable. Elle vient finir en balcon sur la plaine orientale. Le mont San Petrone, du haut de ses 1 767 m souvent nimbés d'une légère brume, affirme le caractère montagnard de la région.

À ne pas manquer – Les ruines romantiques du couvent d'Orezza ou le site sauvage du couvent d'Alesani charmeront les historiens comme les amoureux des paysages. Le parfait équilibre et la pureté de la chapelle Santa Maria de Corsoli ou les fresques de la chapelle San Quilico de Cambia devraient séduire les amateurs d'art.

Organiser son temps – Reportez-vous au temps indiqué pour chacun des circuits de découverte proposés. Nous proposons une traversée de la Castagniccia, mais il vaut mieux prévoir plusieurs jours pour profiter des nombreuses randonnées proposées. Comptez une journée supplémentaire pour l'ascension du mont San Petrone.

Avec les enfants – Proposez-leur de reproduire les fresques touchantes que l'on découvre dans les chapelles et églises de la région. Prévoyez une halte, toujours impressionnante, au barrage de l'Alesani.

Pour poursuivre la visite – Voir aussi Carcheto, La Porta, Morosaglia, Valle-d'Alesani pour la Castagniccia ; dans les abords immédiats voir la Casinca, Cervione, Corte, Ponte Nuovo.

Comprendre

LA TERRE DU CHÂTAIGNIER

L'œuvre des Génois – La palynologie (étude des pollens) a montré que le châtaignier était présent en Corse dès l'époque néolithique.

Mais les grandes plantations ne commencèrent qu'au 15e s., sous la domination génoise, principalement en Castagniccia, et se développèrent aux siècles suivants.

Cet arbre majestueux atteint une vingtaine de mètres de hauteur et son tronc vigoureux, revêtu d'une écorce gris argenté et fendillée, dépasse souvent 2 m de diamètre. Ses branches largement étagées procurent un ombrage apprécié pendant les chaudes journées d'été. Il fleurit en mai et en juin.

Les Génois, qui avaient découvert les bienfaits de « l'arbre à pain » dans l'Apennin, voulurent développer la castanéiculture en Corse. Il leur fallut pour cela modifier l'ensemble du système agricole, les montagnards de l'île étant avant tout des éleveurs et des céréaliers. En 1584, le gouverneur génois signa une première ordonnance obligeant tous les propriétaires et fermiers à planter chaque année quatre arbres fruitiers, sous peine d'amende par arbre non planté.

Stéphane Sauvignier / MICHELIN

Châtaignes.

Les espèces recommandées étaient le mûrier, le figuier, l'olivier et le châtaignier. C'est dans la future Castagniccia, où la densité de population était forte, que les ordonnances génoises obtinrent un réel succès.

Le triomphe de « l'arbre à pain » – Vers 1770, le châtaignier occupait en Castagniccia plus de 70 % des surfaces cultivées. De cette époque date toute une littérature due à des « technocrates » français aux préjugés tenaces établissant un lien entre la culture du châtaignier et une paresse présumée des Corses : le châtaignier serait « immoral » car il fournirait des fruits presque sans travail. Un tel amalgame témoigne d'une profonde ignorance des réalités insulaires. On ne voit pas, par exemple, comment les habitants d'une commune telle que Piedicroce, qui s'entassaient à 141 habitants au km² en 1786 et qui cultivaient 98,8 % du territoire, auraient pu survivre sans le châtaignier.
Dans les terres relativement pauvres de la Castagniccia, une châtaigneraie bien entretenue représente une capacité nutritive trois fois supérieure en calories à celle de la même terre ensemencée en céréales. On estime que 100 g de châtaignes fraîches apportent 200 calories, tandis que 100 g de pain complet en apporte 230.
En 1880, la châtaigneraie couvrait 33 000 ha et produisait plus de 3 000 t de châtaignes.

Le saviez-vous ?

Castagniccia signifie en corse « région plantée de châtaigniers » ; ce nom évocateur paraît s'être imposé vers le milieu du 17e s. Comme souvent, la fin du mot ne se prononce pas ; dire « Castagnitche ».
Haut lieu du patriotisme, la Castagniccia a joué au 18e s. un rôle important lors de la guerre d'Indépendance : elle fut l'un des principaux foyers de révolte de l'île. Les patriotes se réunirent souvent en Consulte dans ses couvents :
– à Orezza, le clergé déclara la guerre de libération contre Gênes ;
– à Alesani, le baron Théodore de Neuhoff fut proclamé roi de Corse ;
– à Rostino **Pascal Paoli**, enfant de Morosaglia, se fit élire général de la Nation.
La région compte également parmi les patriotes, **Louis Giafferi** né à Talasani, et de Saliceto, le député du tiers état, **Saliceti**.

La vie de l'« arbre à pain » – Il faut environ quinze ans pour obtenir une première récolte après avoir soigné, greffé et protégé le jeune arbre. Le ramassage débute à l'automne ; jusqu'à fin novembre, des familles entières passent leur journée courbées à saisir les bogues et les châtaignes nues avec une petite fourche de bois *(la ruspula)*. La récolte est alors transportée au séchoir *(siccatoghju)* pour y être étalée sur des claies au-dessus du *fucone* durant près de trois semaines. Ensuite a lieu l'opération de battage : on place les châtaignes décortiquées dans des sacs en peau de porc d'une contenance de 5 kg pour les jeter à la force du bras sur un billot de bois. Au terme de cette opération, répétée au moins une trentaine de fois, la peau extérieure de la châtaigne est retirée et la récolte est mise à sécher dans un four tiède qui permettra d'enlever la deuxième peau fine. Les châtaignes sont alors expédiées au moulin.

On distingue en Corse plusieurs catégories de châtaignes : celle de qualité et de belle taille, « l'insitina » ; la « tricciuta » qui se ramasse en bouquets de bogues ; la « pitrina » (ou tuile) de forme plate et la « villana », rustique destinée à la consommation animale. Les deux premières fournissent en mélange la farine la plus appréciée.

Une économie originale – La culture presque exclusive du châtaignier fut à l'origine d'une économie particulière en Castagniccia. Une partie des châtaignes récoltées était commercialisée : soit troquée contre d'autres denrées, soit vendue pour fournir les ressources monétaires indispensables au paiement des impôts. De nombreux élevages de porcs en semi-liberté, nourris aussi de châtaignes, fournissaient une charcuterie remarquable.
L'artisanat était florissant : serrurerie, coutellerie, cordonnerie, confection de chaises et de paniers, fabrication à Orezza de meubles et de pipes en souche de bruyère.
La maison traditionnelle, couverte d'un toit de lauzes, comprend un rez-de-chaussée à demi enterré, réservé aux animaux et aux provisions. Au 1er étage, on brûle des bûches pour sécher des châtaignes placées dans le grenier sur un plancher à claire-voie sous lequel sont suspendus les jambons et *figatelli*.

Circuits de découverte

DE PONTE-LECCIA À PRUNETE 1

82 km – compter une journée.

Cet itinéraire empruntant la D 71, puis la D 330 traverse les anciennes *pièves* de Rostino, d'Ampugnani, d'Orezza et d'Alesani. Il offre une excellente vue d'ensemble sur ce pays aux villages joliment situés sur les versants exposés au soleil.

Ponte-Leccia

Cette bourgade est un important nœud de communications routier et ferroviaire de l'île, point de jonction de deux nationales et des lignes de Bastia, Calvi et Ajaccio.

De Ponte-Leccia, suivre la D 71 en direction de Cervione.

La route offre de jolies **vues** à droite sur le massif du Rotondo, en arrière sur les aiguilles rouges de Popolasca et les montagnes de l'Asco. Elle s'élève à travers les châtaigneraies dominant sur la droite la vallée verdoyante de la Casaluna, affluent du Golo.

Santa Maria et San Giovanni de Valle-di-Rostino

5 km au départ du Bocca a Serna par la D 15B à gauche. Au niveau du village, prendre à gauche la D 615 et continuer la route sur 500 m environ. Laisser la voiture au niveau du centre équestre et suivre la piste à pied (15mn). Au sommet de la montée, ne pas manquer le petit chemin à droite (fléché) qui descend à la chapelle. Cet ensemble ruiné perdu dans la campagne réunit les vestiges d'une ancienne **église piévane**, Santa Maria (10e s.), et de son **baptistère**, San Giovanni (12e s.). Bâtie sur un ancien site romain l'église de la piève *(voir p. 70)* de Rostino a été abandonnée au 19e s. Remarquer le chevet construit en pierres minces taillées dans des schistes bruns, gris ou verts, orné de pilastres et d'élégantes arcatures.

La différence de construction est flagrante avec le baptistère. De plan octogonal, cet étrange édifice d'environ 11 m de diamètre était couvert d'une charpente et surmonté d'une sorte de flèche. La piscine et la plupart des éléments de décor ont disparu mais on peut encore voir un tympan semi-circulaire représentant Adam et Ève tentés par le serpent.

Amaury de Valroger / MICHELIN

Fresque de St-Thomas de Pastoreccia.

St-Thomas de Pastoreccia

Reprendre la D 15B vers le Nord jusqu'à Pastoreccia. Au carrefour à la sortie du village après la plaque indicatrice, emprunter la route à gauche. À 500 m, un sentier se détache à droite vers la chapelle et le cimetière. En cas de fermeture, s'adresser à la mairie - ✆ 04 95 38 70 34 ou à M. Girolami (✆ 04 95 38 75 16).

Élevée sur un promontoire au-dessus de la vallée du Golo, cette chapelle romane en schiste gris a été mutilée lors d'une restauration malheureuse en 1930, qui démolit la moitié de l'église et détacha une partie de ses fresques.

Entrer par l'étroite porte latérale Sud. Les **fresques★** datent de la fin du 15e s. Cette période correspond à un renouveau du décor peint qui touche particulièrement la Castagniccia, avec des compositions comme celles de San Quilico de Cambia *(voir ci-après, circuit 2).*

Reprendre la D 15B, en sens inverse, jusqu'à la D 71, et l'emprunter sur la gauche en direction de Morosaglia.

Morosaglia *(voir ce nom)*

La D 71 monte à travers les châtaigniers.

Col de Prato (Bocca di u Pratu)

Le col (alt. 985 m) est le point de départ le plus aisé pour l'ascension au **mont San Petrone★★** *(voir p. 236)*. Peu après le col se dégage une belle **vue★** sur une grande partie de la Castagniccia, la mer Tyrrhénienne et l'archipel toscan.

Chapelle ruinée San Petruculo d'Accia

30mn à pied AR. Au col du Prato, prendre sur la droite, à la cabine téléphonique, le chemin carrossable qui part en direction du San Petrone. Au bout de 100 m, virage à droite à 90°. Laisser la voiture. 20 m plus loin, prendre à gauche une vague piste qui monte en direction du Sud. Laisser sur sa gauche le mamelon rocheux couronné de chênes verts. Continuer tout droit. Les ruines sont au sommet d'un petit col, entourées des restes d'un mur de pierre.

De cette ancienne **église** isolée au flanc du San Petrone subsistent l'élévation du chœur avec son abside et les bases d'une nef de plan basilical. Ces ruines dateraient du 6e s., époque où le pape **Grégoire le Grand** (590-604) s'employa à créer dans une Corse spirituellement appauvrie de nouveaux foyers religieux, et à relever les sanctuaires détruits par les Barbares. On a connaissance de deux missives du pape à l'évêque d'Aléria, faisant état de la fondation d'une basilique et d'un baptistère, sur le « Mont Nigeuno ». D'après les résultats des fouilles archéologiques, les ruines

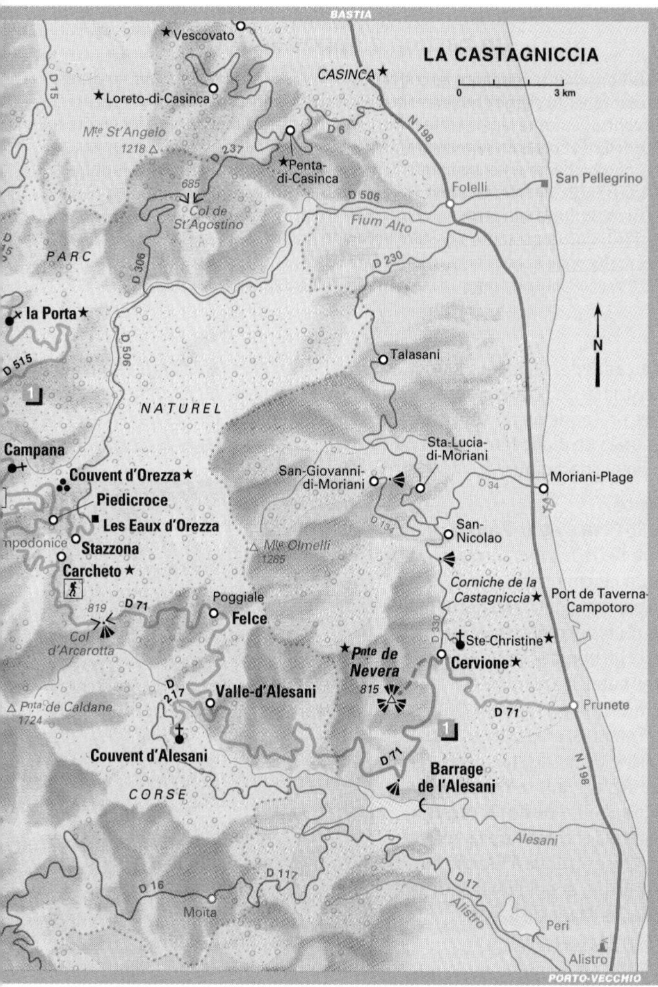

de San Petruculo correspondraient à celles de la basilique. On n'a pas, à ce jour, trouvé trace du baptistère. Chaque 1er août, ce site paisible redevient un lieu de pèlerinage.

De retour au col de Prato, reprendre la D 71 vers le Sud-Est sur 500 m, et prendre à gauche la route étroite qui va à Stoppia-Novia, puis à La Porta.

La Porta★ *(voir ce nom)*

Par la D 515, regagner la D 71.

La route en corniche domine alors la vallée du Fium'Alto.

Campana

Laisser la voiture sous les châtaigniers le long de la D 71 et gagner par des ruelles en escalier le haut du village qui s'adosse au mont San Petrone.

L'**église paroissiale St-André** abrite une belle toile, *L'Adoration des bergers*, attribuée au peintre espagnol Francisco de Zurbarán (1598-1664) ou à un de ses élèves ; par sa technique picturale et par les visages de type andalou, ce tableau se rattache à l'école de Séville du 17e s. *En cas de fermeture, s'adresser à Mme Antoinette Campana.*

1 km avant Piedicroce s'élèvent, sur la gauche, d'imposantes ruines d'un couvent franciscain.

Couvent d'Orezza★

Fondé au 18e s., le couvent fut, pendant la guerre d'Indépendance, un bastion de l'opposition à la Superbe (Gênes).

Désaffecté à la Révolution française, il n'est plus aujourd'hui qu'une ruine envahie par le lierre *(ne pas trop s'approcher)*. L'église à ciel ouvert offre des restes de polychromie

Un bastion d'opposition

Plusieurs Consultes se réunirent au couvent d'Orezza. Le 20 avril 1731, une vingtaine de représentants du clergé étudièrent la question qui préoccupait les consciences : la révolte contre l'autorité légale était-elle compatible avec la morale chrétienne ? Une majorité délia les Corses du serment de fidélité à la république de Gênes. Les termes de cette résolution demeuraient cependant modérés et n'entraînaient pas la rupture.
En 1744, le franciscain saint Léonard de Port-Maurice (1677-1751) vint ici pour prêcher une mission contre la vendetta.
En juin 1751, une importante Consulte vota une nouvelle Constitution : le pouvoir exécutif était confié à Jean-Pierre Gaffori *(voir Corte)*.
En 1790, Pascal Paoli rencontra en ces lieux Napoléon Bonaparte.

sous les arcades des chapelles baroques. Dans l'une d'elles se distingue l'emblème des franciscains : deux bras croisés sur une croix. Le couvent laisse voir par des trous béants les profondeurs de ses caves et de ses souterrains. Par les ouvertures des fenêtres, une vue plongeante sur la vallée d'Orezza rappelle que ce lieu saint était aussi un point stratégique.

Piedicroce

L'**église St-Pierre et St-Paul★** présente une belle façade baroque du 18e s. et un clocher carré. L'intérieur surprend par l'abondance du **décor** qui mêle des motifs géométriques peints, des stucs et un trompe-l'œil. Au-dessus du maître-autel, la peinture sur toile d'un primitif italien représente une Vierge à l'Enfant. La chaire (18e s.) séduit par son riche décor de stuc peint. Ne manquez pas de vous retourner pour admirer le superbe **buffet d'orgue★** polychrome qui enchâsse le plus ancien orgue de Corse attribué à Giorgio Spinola (1617-1619), et qui provient de la cathédrale Ste-Marie de Bastia.

Gilles Magnin / MICHELIN

Église St-Pierre et St-Paul à Piedicroce.

Prendre la D 506 vers Folelli.

La route descend en lacet à travers une belle châtaigneraie.

Stazzona

Ce hameau reçoit les curistes venus prendre les eaux d'Orezza. Jolie vue sur Carcheto et son clocher baroque, de l'autre côté de la vallée.

Suivre la D 506 pendant 1,5 km.

Les Eaux d'Orezza (L'Acque d'Orezza)

Cette ancienne station thermale est joliment située au fond d'un vallon couvert de superbes châtaigniers que domine le village de Piedicroce.
Les eaux d'Orezza, froides, ferrugineuses, bicarbonatées et gazeuses étaient déjà connues dans l'Antiquité. Elles soignaient au 19e s. les cas d'anémie, les troubles du système nerveux ainsi que le paludisme et les affections du foie et des reins ; les coloniaux étaient nombreux à venir là se refaire une santé.
De l'établissement thermal subsiste, sous le kiosque au centre du parc, une fontaine où l'on peut goûter l'eau ; on n'en ferait pas des folies, il vaut vraiment mieux attendre l'étape suivante dans l'atelier *(ne se visite pas)* qui pratique la mise en bouteilles après un traitement qui ôte à l'eau sa saveur quelque peu désagréable.

Revenir à Piedicroce pour continuer la D 71 sur la gauche.

Carcheto★ *(voir ce nom)*

La route s'élève offrant de belles échappées, en arrière, sur le vallon d'Orezza dominé par le mont San Petrone.

Felce

Le hameau possède une modeste **église** à toiture de schiste, surmontée d'un clocher à quatre étages. À l'**intérieur★**, vous trouverez des fresques naïves d'une grande

fraîcheur : à gauche en entrant, Baptême du Christ ; sur un pendentif de la voûte, l'auteur inspiré flotte sur les nuages ; le chevet plat s'orne d'une Annonciation dans des arcades en trompe-l'œil. Le tabernacle du maître-autel a été sculpté au couteau par un bandit corse.
Dans le hameau voisin, **Poggiale**, se trouve la maison natale de l'historien corse **Pietro Cirneo** (1445-1503), auteur du *De rebus corsicis*.

Valle-d'Alesani *(voir ce nom)*

La route en corniche domine la vallée étroite et sinueuse de l'Alesani, puis son lac de barrage avec, en arrière-plan, la plaine orientale où l'on distingue le barrage de Péri et le phare d'Alistro.

Barrage de l'Alesani

Il retient 11 millions de m³ d'eau destinée à l'irrigation de 4 200 ha de la plaine orientale entre Moriani-Plage et Bravone.

Les châtaigniers cèdent désormais la place au maquis. Quelques kilomètres avant Cervione, la route oblique vers le Nord pour longer en corniche la plaine littorale.

Cervione★ *(voir ce nom)*

Possibilité de rejoindre la côte à Prunete par la D 71, ou à Moriani Plage en passant par la **corniche de Castagniccia★** *(voir circuit de la Costa Verde p. 244)*.

DE PONTE-LECCIA À CORTE PAR LA CASTAGNICCIA 2

73 km – environ 4h.

À l'écart des routes touristiques habituelles, cet itinéraire permet de découvrir les contrées sauvages et reculées de la Castagniccia méridionale et du Bozio *(voir ce nom)*.

Quitter Ponte-Leccia par la N 193 en direction de Corte ; à 5 km, prendre à gauche la D 39 vers Gavignano.

La route bien revêtue serpente dans la forêt de Pineto à travers les chênes verts, puis les pins, les oliviers et les fruitiers.

Prendre à gauche au bout de 6 km la route de Gavignano *(D 139)*. 5 km plus loin, peu avant le village, sur la gauche de la route, un chemin conduit à une belle chapelle romane *(2mn de marche)* entourée de quelques tombes éparpillées dans le maquis.

Chapelle de San Pantaleone

De construction élémentaire, elle est agrémentée d'un clocheton tardif qui coiffe sa façade. Les **fresques★**, de la fin du 15ᵉ s., recouvrent l'abside et l'arc triomphal. Malgré leur dégradation, elles sont remarquables par la combinaison des couleurs et des nuances. Parmi les personnages subsistant, remarquer saint Barthélemy, étonnant avec sa peau sur le dos et la profondeur de son regard, et saint Pantaléon, coiffé d'un bonnet rouge, qui arbore un instrument de chirurgie (il fut médecin d'un empereur romain).

Continuer vers Saliceto.

Saliceto (Salicetu)

Occupant un site en belvédère au fond d'un cirque montagneux, ce village, patrie du conventionnel Christophe Saliceti, offre une succession de panoramas remarquables que l'on découvre au hasard des ruelles (voûtées) en escalier débouchant sur des terrasses. Les toits de lauze étincellent sous le soleil. L'église, surmontée d'un gracieux campanile, enjambe le torrent. En quittant le cirque montagneux de Saliceto pour changer de vallée, la D 639 amorce une descente jusqu'à San Lorenzo (San Lurenzu) où l'on retrouve le cours de la Casaluna, ménageant au passage de beaux panoramas.

Au carrefour (à la sortie de San Lorenzo), prendre à gauche la D 39 en direction de Cambia. Au bout de 3 km, laisser la voiture sur l'espace de stationnement aménagé (panneau explicatif) à droite de la route, au carrefour du chemin communal conduisant à Corsoli, et emprunter à pied le chemin qui s'amorce en face.

Chapelle Santa Maria de Corsoli

15mn de marche sur chemin balisé (négliger le chemin partant sur la gauche et portant l'indication « Menhir de Petra Frisgiata », qui se perd dans le maquis).
Ce petit édifice, admirable dans les proportions et le travail de la pierre, ressemble à la chapelle San Quilico, toute proche. Il s'en distingue cependant par l'absence totale de décoration et par ses dimensions plus modestes. Ce style roman pisan très pur paraît d'exécution tardive, sans doute du 13ᵉ s. L'intérieur conserve l'autel roman d'origine.

Sur l'aire ombragée de chênes verts, devant la chapelle, a été installé le menhir de Petra Frisgiata, trouvé à proximité.

Poursuivre sur la D 39 vers Cambia. À 1 km environ, prendre à gauche la petite route communale vers le hameau de San Quilico. Au bout de 1,5 km, laisser la voiture sur le parking aménagé à l'entrée du hameau.

Chapelle San Quilico (San Quilicu) de Cambia★

Demander la clé à la dernière maison du hameau, et descendre vers la chapelle par un sentier empierré, en lacet et en forte pente.

Isolée dans un enclos arboré sur le flanc Sud-Ouest du mont San Petrone, cette chapelle pourrait être d'origine seigneuriale. On ignore tout de sa fondation. Survivance romane, cet édifice paraît avoir été élevé au 13e s. dans un style et sur des canons déjà bien établis dans l'art roman pisan du 12e s. De belles dalles de schiste ocré composent les murs.

La porte latérale est surmontée d'un tympan sculpté d'une scène très vivante : la tentation d'Ève. La porte Sud est ornée d'un tympan très expressif : sans doute faut-il voir dans le personnage en robe en train de dominer un serpent, l'image du chrétien qui terrasse le Mal en se ceignant du vêtement de la Foi.

Accès par la porte latérale. Ouvrir de l'intérieur la porte principale de façon à faire pénétrer la lumière du jour dans l'édifice.

Le chœur est décoré de fresques naïves et pleines de vie (16e s.). Sur le cul-de-four, le Père éternel et le Christ en croix avec au-dessus d'eux la lune, le soleil et une colombe ; quatre anges adorateurs et les quatre évangélistes les entourent. Dans une partition horizontale, à la base de la composition, Vierge à l'Enfant et les douze apôtres. Saint Barnabé, l'apôtre élu pour remplacer Judas, est rajouté à l'extrême droite.

Le vocable San Quilico – semble-t-il appellation corse de saint Cyr – est assez fréquent en Corse. Saint Cyr est un petit martyr de 7 ans qui se serait joint volontairement au martyre de sa mère, sainte Judith, en affirmant son baptême et sa foi.

Regagner la D 39 qui poursuit la montée jusqu'à Carticasi.

Carticasi

Construit en balcon sur un éperon rocheux dominant la vallée de la Casaluna, ce typique bourg corse est particulièrement animé en période de chasse.

Ses vieilles maisons, couvertes pour la plupart de grosses lauzes, semblent monter la garde vers le Sud où moutonne le relief plus désolé du Bozio.

Au-delà de Carticasi, la route, très étroite, franchit **le col St-Antoine** pour s'enfoncer dans le **Bozio**.

Poursuivre sur la D 39.

Bustanico *(voir à Bozio)*

Dans le village, prendre à droite la D 441.

Sermano *(voir à Bozio)*

Revenir sur ses pas jusqu'à la D 41 que l'on suit en direction de Santa-Lucia-di-Mercurio et Tralonca.

Tralonca *(voir à Bozio)*

La route descend jusqu'au col de San Quilico où l'on retrouve la N 193 à 6 km au Nord de Corte.

Randonnées

MONT SAN PETRONE★★ 3

Ascension assez facile, mais il faut être bien chaussé et faire attention aux orages.

Au départ du col de Prato

6h AR depuis le col de Prato (985 m). La pente est plus douce (et plus ombragée le matin) que ne l'est l'autre itinéraire partant du hameau de Campodonico.

Point culminant de la chaîne orientale, cette haute montagne boisée, au centre de la Castagniccia, domine toute la Corse orientale. Prendre au col la piste forestière qui s'infléchit au bout de 100 m en direction du Sud-Ouest. La suivre sur 2,5 km jusqu'à un col (alt. 1 151 m.). Au-delà, un sentier plus étroit, parfois balisé de cairns (monticules de pierres), monte en forêt en direction du Sud-Est. L'itinéraire traverse ensuite une magnifique hêtraie avant d'atteindre un grand replat déboisé sur l'arête *(2h de marche depuis le col de Prato).*

Profiter de cette pause pour admirer la face Nord du mont San Petrone. À l'extrémité de ce replat, on rejoint le sentier venant de Campodonico, qui s'embranche sur la droite. Appuyer à gauche pour contourner la face Ouest, et atteindre le sommet du San Petrone par la face Sud. Il offre un **panorama★★★** très étendu et lointain sur la plaine orientale, l'archipel toscan, le Cap Corse, le Nebbio, la Balagne et la chaîne centrale du mont Cinto à l'Incudine.
Sur la plate-forme du San Petrone s'élevait jadis la cathédrale de l'évêché d'Accia : **San Pietro d'Accia**, édifiée au 11e s. pour remplacer la chapelle San Petruculo d'Accia.

Au départ du hameau de Campodonico (Campudonicu)

6h AR. Quitter Piedicroce par la D 71 en direction de Campana. Passé les ruines du couvent d'Orezza, emprunter à gauche la route qui monte au hameau de Campodonico. Le sentier du San Petrone se détache à droite à l'entrée du village.
Le sentier s'élève sur la crête qui sépare les pièves d'Orezza et de Vallerustie. Quittant la forêt, il serpente à travers de maigres pâturages, avant d'atteindre le sommet.

La Castagniccia pratique

Adresse utile

Site Internet sur la région : www.castagniccia.net

Se loger

Voir aussi le carnet pratique de Cervione.

Le Stuart Hôtel – *20218 Ponte-Leccia - au rd-pt de l'hypermarché Hyper-U - 04 95 47 61 11 - fermé de fin oct. à mars -* - 18 ch. 37/60 € - 5,35 €. Cet hôtel établi à l'entrée de Ponte-Leccia sort d'une cure de rajeunissement. Choisissez de préférence les chambres de l'annexe qui viennent d'être refaites et qui offrent un cadre simple mais confortable. À la belle saison, le petit-déjeuner est servi dans la cour intérieure, à l'ombre du mûrier-platane.

Le Refuge – *20229 Piedicroce - 04 95 35 82 65 - hotel.lerefuge@wanadoo.fr - fermé nov.-mars - 20 ch. 46/49 € - 6,10 € - rest. 16/25 €.* Au cœur de la Castagniccia, ce petit hôtel porte bien son nom et vous dépannera lors de vos escapades au Monte San Petrone tout proche. Chambres simples et menu unique renouvelé tous les jours.

Se restaurer

Auberge des Deux Vallées – *Col d'Arcarotta - 20234 Piobetta - 04 95 35 91 20 - vdvincenti@aol.com - fermé 16 sept.-14 mai et lun. - 15/25 €.* Depuis la terrasse de cette auberge familiale, le panorama sur les montagnes tapissées de châtaigneraies de la Castagniccia est magnifique. Dans un cadre chaleureux et rustique, on se régale de spécialités locales. Les amateurs pourront en outre repartir avec de goûteuses charcuteries de pays.

Sant'Andria – *20229 Campana - 04 95 35 82 26 - fermé de déb. oct. à fin avr. et dim. soir - 16/20 €.* Ce village montagnard abrite un restaurant familial qui fleure bon l'authentique. Charcuteries, cannelloni au brocciu et autres spécialités s'y dégustent sur des tables massives en châtaignier. Véranda et terrasse panoramique tournées vers l'île d'Elbe.

Osteria di U Cunventu – *Lieu-dit Penteto - 20218 Morosaglia - 04 95 47 11 79 - cunventu@wanadoo.fr - fermé fév.-19 mars, 17 oct.-10 nov., mar., merc., jeu., vend. midi du 30 sept. au 1er Mai et lun. - - 22/36 €.* Petit chalet au cœur du hameau où naquit Pascal Paoli, acteur de la Corse indépendante. Salle à manger panoramique et cuisine du marché valorisant les produits corses.

Que rapporter

Domaine Vico – *Rte de Calvi - à 850 m du bourg, dir. Calvi - 20218 Ponte-Leccia - 04 95 47 61 35 - melleray.yves@wanadoo.fr - été : tlj sf dim. 9h-12h, 14h-19h ; reste de l'année : 9h-12h, 14h-18h - fermé j. fériés.* Avec ses 90 hectares de vignes, c'est le seul domaine de l'intérieur de l'île. On y produit un grand vin décliné en rouge, blanc et rosé.

La Casa di A Lana – *Rte de Saliceto - 20218 Ponte-Leccia - 04 95 48 43 79 - 9h-19h - fermé fév., dim. sf juil.-août.* Il s'agit du seul atelier qui travaille la laine de brebis corse. Le travail se fait sur les couleurs naturelles de la laine triée chez les bergers. Vente de fil à tricoter et de pulls, vestes, ponchos, etc., décorés de motifs inspirés des mosaïques, des églises romanes, des paysages et des animaux de l'île…

Sports & Loisirs

Monsieur Santucci Xavier – *20234 Perelli - 04 95 35 94 37 - sur RV.* Les randonnées pédestres de Monsieur Santucci vous permettront d'explorer les nombreux sentiers qui sillonnent la Castagniccia.

Centuri★★

CARTE GÉNÉRALE C1 – CARTE MICHELIN LOCAL 345 F2 – SCHÉMA P. 215
HAUTE-CORSE (2B)

Cette belle petite baie du Nord-Ouest du Cap Corse est connue depuis l'Antiquité : au 2e s., le géographe grec Ptolémée localisait déjà Centurinon parmi 32 villes ou ports. C'est l'un des meilleurs endroits du Cap pour faire étape (attention, le lieu est très fréquenté en juillet et août !). Au petit matin, le port offre une atmosphère délicieuse : une douce lumière teinte les maisonnettes et les casiers de bois, certains pêcheurs sont restés à terre pour réparer les filets, les klaxons des commerçants ambulants viennent éveiller le village. Au coucher du soleil, le port a également belle allure avec ses bateaux de pêche colorés. L'amateur de plongée ou de chasse sous-marines trouvera, autour et au large de Centuri, une zone de hauts fonds (14 m de profondeur en moyenne) et des eaux limpides très poissonneuses.

- **Se repérer** – Centuri-Port est blotti au Nord-Ouest du Cap Corse. La petite baie est dominée par le village perché de Cannelle et protégée au Sud-Ouest par un îlot. Le Cap Corse est très peu desservi par les transports en commun. En été, un bus relie une fois par jour Centuri à Bastia.
- **À ne pas manquer** – Patientez jusqu'au retour des pêcheurs vers 16h ou 17h pour goûter à l'ambiance animée et chaleureuse du port de pêche.
- **Organiser son temps** – Si vous souhaitez randonner sur le sentier des douaniers de Centuri à Barcaggio, prévoyez une journée supplémentaire et surtout un véhicule à votre arrivée à Barcaggio.
- **Pour poursuivre la visite** – Voir aussi le Cap Corse.

Stéphane Sauvignier / MICHELIN

Le port de Centuri.

Comprendre

Un port stratégique – La féodalité corse s'affirma de bonne heure dans la province du Cap Corse sans pour autant troubler la paix de cette région ; en effet, les interventions seigneuriales avaient toujours lieu en dehors de leur fief. Pourtant, au 13e s., les Da Mare et les Avogari, alliés de Gênes, s'unirent à Giovanninello de Nebbio, pour combattre Giudice de la Cinarca *(voir La Cinarca)*. Défaits et pourchassés par Giudice, ils se réfugièrent sur l'îlot de Centuri où, faute d'embarcation, Giudice ne put les atteindre. Profitant de la nuit, ils firent voile sur la Balagne où ils fondèrent Calvi.

Le port de Centuri employait plus de 100 marins au 17e s. Vers 1760, Pascal Paoli crée à Centuri un port de guerre et un chantier naval pour armer une flotte corse. Depuis, l'activité commerciale a beaucoup baissé, mais il reste toujours une dizaine de pêcheurs qui lancent leurs filets à l'Ouest et au Nord du Cap pour ramener 10 t de poissons et 2 t de langoustes chaque année.

Séjourner

La Marine (Centuri-Port)★★

Des maisons au crépi ocre, gris ou blanc et aux belles toitures de serpentine verte encadrent ce tranquille petit port. Au printemps, la floraison des genêts et des tamaris ajoute une touche colorée à ce pittoresque village. En automne, la coutume locale propose la dégustation de *panzarotti*, beignets fourrés de bettes et de raisins secs.

Au Sud s'ouvre la petite **crique de Mute**, abritée par l'îlot de Centuri, autrefois fortifié. Un oratoire aux murs décorés de galets se dresse le long de la plage.

Aux alentours

Château du général Cipriani

4 km à l'Est. Ne se visite pas. En rejoignant **Camera** par la D 35, on découvre au Sud du village, au hameau d'Ortinola, un château élevé au 19e s. dans le style médiéval. C'était, au siècle dernier, la demeure du général comte **Leonetto Cipriani**, né et mort à Centuri (1812-1888), dont les ancêtres avaient guerroyé aux Antilles et en Amérique du Sud aux côtés de Bolivar. Leonetto se rendit célèbre au service du grand-duc de Toscane en négociant l'union de l'Émilie et du Piémont pour le compte de Victor-Emmanuel II. Très lié aux Bonaparte, il fut aussi négociateur officieux de Napoléon III.

Randonnées

Sentier des douaniers de Centuri à Barcaggio★

4h à pied de Centuri à Tollare et 1h de Tollare à Barcaggio. Point de départ : dans le haut du village (côté Nord) juste en face de 2 garages, un sentier bordé d'un gros figuier de Barbarie part vers la mer. Prévoir un véhicule au terme de la randonnée. S'informer au préalable sur les conditions météo et les risques d'incendie et emporter un approvisionnement en eau suffisant.

Le sentier balisé offre une belle vue sur l'îlot de Capeuse. Le tracé longe la face Ouest du Cap Corse, puis s'incurve vers l'intérieur pour rejoindre par les crêtes le sémaphore de Capo Grosso.

Cannelle★

1h30 AR. Prendre le chemin de terre en haut du village, au Nord du port. Sentier balisé et bien entretenu. Description du hameau au Cap Corse.

Centuri pratique

Voir aussi l'encadré du Cap Corse.

Se loger

Hôtel La Jetée – *Au Port - 04 95 35 64 46 - www.la-jetee.net - fermé de fin sept. à déb. avr. - P - 15 ch. 46/70 € - 7 € - rest. 9/28 €.* Le point fort de cet établissement est la terrasse du restaurant qui offre une vue exceptionnelle à la fois sur le port et sur la baie. Les plats à base de poisson dominent bien évidemment la carte. Bon confort dans les huit chambres à disposition même si la touche personnelle fait défaut.

Se restaurer

U Marinaru – *Au Port - 04 95 35 62 95 - fermé oct.-avr. - 15/21 €.* L'hôtel, avec ses chambres classiques en partie rénovées, ne vous laissera sûrement pas un souvenir impérissable. En revanche, la cuisine du restaurant, composée en majorité de poissons dont la fraîcheur n'est pas à mettre en doute, mérite le détour. Le menu se compose en fonction de la pêche du jour.

A Macciotta – *Au port - 04 95 35 64 12 - acapenza@infonie.fr - fermé de fin oct. à déb. mai - réserv. conseillée juil. et août - 16/49 €.* Les amateurs de poissons frais choisiront la marée du jour dans ce restaurant à dénicher parmi les maisonnettes du premier port de pêche du Cap Corse. Le chef propose également des poissons d'élevage et, pour les incorrigibles « appétits carnivores », des viandes cuites au feu de bois. Sobre salle à manger immaculée et charmante terrassette. Sortie en mer sur demande.

Le Vieux Moulin – *Au port - 04 95 35 60 15 - www.le-vieux-moulin.net - fermé nov.-mars – 30 € déj. - 35/65 € - 22 ch. 57/80 €.* Cette maison bourgeoise du 19e s. domine le charmant petit port de Centuri. Aux beaux jours, attablez-vous en terrasse pour profiter de ce séduisant panorama tout en dégustant une cuisine régionale axée sur les produits de la mer. Une partie des chambres fonctionnelles et climatisées donnent sur la « grande bleue ».

Cervione★

Cervioni

1 452 CERVIONAIS
CARTE GÉNÉRALE C3 – CARTE MICHELIN LOCAL 345 F6 – HAUTE-CORSE (2B)

Capitale de la Costa Verde, mais aussi de cette fameuse noisette locale qui a donné naissance à de savoureuses spécialités, cet intéressant village-belvédère domine de 326 m la plaine littorale et la mer. Il conserve en outre quelques précieux témoins de la vie quotidienne dans son musée d'ethnographie et l'une des premières églises baroques de Corse.

Se repérer – Cervione et la Costa Verde sont entourés de la Casinca au Nord, la Castagniccia à l'Ouest, et la Costa Serena au Sud. Comme les autres communes de la Costa Verde, Cervione fait partie de ces villages qui ont un visage montagnard, souvent de caractère, et une façade maritime plus récente sur le passage de la N 198. La commune de Cervione descend donc jusqu'au littoral où elle a pris le nom de Prunete.

À ne pas manquer – Les fresques de la chapelle Ste-Christine qui couvrent des absides jumelles, sont d'une grande finesse. Le clocher de San-Giovanni-di-Moriani impressionne du haut de ses 33 m.

Avec les enfants – Observer la flore et la faune, voilà une activité instructive intéressante sur le parcours botanique, assez complet, de San Giovanni ; sur la côte, les plus sportifs préfèreront l'école de voile installée sur le port de plaisance de Taverna-Campoloro.

Pour poursuivre la visite – Voir aussi la Casinca, la Castagniccia, Aléria.

Emmanuelle Souty / MICHELIN

Village perché de Cervione.

Visiter

Ancienne cathédrale St-Érasme

Cet important édifice, au cœur de la vieille ville, est l'une des toutes premières églises baroques de Corse.

Le plan de l'édifice est à nef unique, couverte en berceau et bordée de chapelles latérales peu profondes. Le transept est surmonté d'une coupole à lanternon et pendentifs, élément d'architecture assez rare dans l'île. Sur les pendentifs sont représentés les quatre évangélistes. Certaines peintures ornant les chapelles sont du 18e s. mais, l'essentiel de la décoration date du début du 19e s. Remarquez le beau dallage de marbre blanc et noir et le somptueux meuble de sacristie qui ne compte pas moins de 32 portes.

Au coin de la place San Terano (Saint-Érasme), la Loghja Re Teodoru rappelle le passage en 1736 du roi Théodore à Cervione.

Musée ethnographique★

✆ 04 95 38 12 83 - de mi-juin à mi-sept : tlj sf dim. 9h-12h, 14h-19h ; reste de l'année : 9h-12h, 14h-18h - fermé j. fériés - 2 €.

Il est agréablement installé dans une aile de l'hôtel de ville, ancien séminaire construit par saint Alexandre Sauli derrière le chevet de la cathédrale, et dotée d'une agréable terrasse. Animé par l'Association pour le développement (des études archéologiques, historiques, linguistiques et naturalistes) du centre-Est de la Corse (ADECEC), il rassemble et présente par thèmes des souvenirs de la vie de Cervione et de la Castagniccia.

Rez-de-chaussée – Reconstitution d'un atelier de forge, présentation de matériel de vinification, de la pharmacie et des collections de roches de Corse.

Premier étage – Techniques de construction des maisons, nombreux outils agricoles (labour, châtaignes, vigne) ; vie rurale (reconstitution d'un *fucone*, filage et tissage).

Deuxième étage – Salle Saint-Alexandre (art religieux, objets ayant appartenu aux évêques de Cervione) ; salle Domenico Ascione (imprimerie Marinoni) ; les araires, la menuiserie et un portrait de Théodore de Neuhoff par Hector Filippi.

Saint Alexandre Sauli

Né le 15 février 1535 à Milan, **Alexandre Sauli** fut nommé évêque d'Aléria en 1570 et sacré par saint Charles Borromée, évêque de Milan, dont il était le confesseur et l'ami. Après la destruction d'Aléria, saint Alexandre Sauli transféra le siège de son diocèse à Cervione où il fit bâtir la cathédrale, le palais épiscopal *(en face de l'église)* et le séminaire (actuelle mairie et musée). Les contemporains lui prêtaient, de son vivant, le don des miracles. Il réforma son diocèse et œuvra pendant vingt ans pour l'application des décrets du concile de Trente. Son rayonnement s'étendait à toute la Corse. Il passa la dernière année de sa vie à Pavie, où il mourut en 1592. Il fut canonisé en 1904. Sa statue a été élevée sur Carrughju Santa Croce, rue montant en forte pente vers l'église.

Aux alentours

Chapelle Ste-Christine★

45mn AR. Descendre de Cervione en direction de Prunete sur 600 m. Laisser à gauche la D 330 vers San-Nicolao, puis, à 200 m, prendre à gauche la petite route « Chapelle Santa Christina – U Poru ». À 2 km environ, à gauche, chemin carrossable (signalisé) sur 700 m. La clé est accrochée sur la porte.

Ce petit édifice roman présente l'originalité de ses deux absides jumelles décorées de **fresques★** datées de 1473, remarquables par leurs coloris délicats.

La nef date du 9e s. La chapelle fut agrandie au 15e s., sans doute après une destruction partielle. Les absides jumelles s'expliquent peut-être par le double patronage de sainte Christine et saint Polita (Hippolyte). Dans l'abside de gauche, la fresque représente le Christ en majesté, entouré de la Vierge et de sainte Christine avec, à ses pieds, un moine agenouillé, peut-être le donateur. Dans celle de droite, le Christ est entouré des symboles des évangélistes.

Pointe de Nevera

Pour sportifs. Accès par un mauvais sentier (3h à pied AR) qui grimpe au Sud-Ouest. Gagner la chapelle isolée de **N.-D.-de-la-Scobiccia**, puis la pointe de Nevera (alt. 815 m) qui domine celle-ci et offre un **panorama★** étendu sur la plaine d'Aléria jusqu'à l'embouchure de la Solenzara et sur la mer.

Circuit de découverte

LA COSTA VERDE PAR LA CORNICHE★

Moriani-Plage

Station balnéaire en expansion, située en bordure de la N 198. Comme toutes les stations de la côte, elle est assez récente et n'offre pas d'intérêt patrimonial. Son pouvoir d'attraction est cependant assez fort, notamment grâce à sa grande plage de sable fréquentée par les Bastiais. Elle est également le point de départ du fameux Mare a Mare Nord qui traverse la Costa Verde avant de gagner la Castagniccia.

Au temps de Pascal Paoli, elle fut une base navale sous le nom de *Padulella*. C'est de là que Hyacinthe Paoli, le père de Pascal, et le général Giafferi s'embarquèrent pour l'exil vers l'Italie en 1739. Napoléon, évadé de l'île d'Elbe, s'y arrêta en février 1815 avant de s'embarquer pour Golfe-Juan en Provence.

Quitter Moriani-Plage au Nord par la N 198 jusqu'à la D 230 qu'il faut prendre à gauche en direction d'Isolaccio.

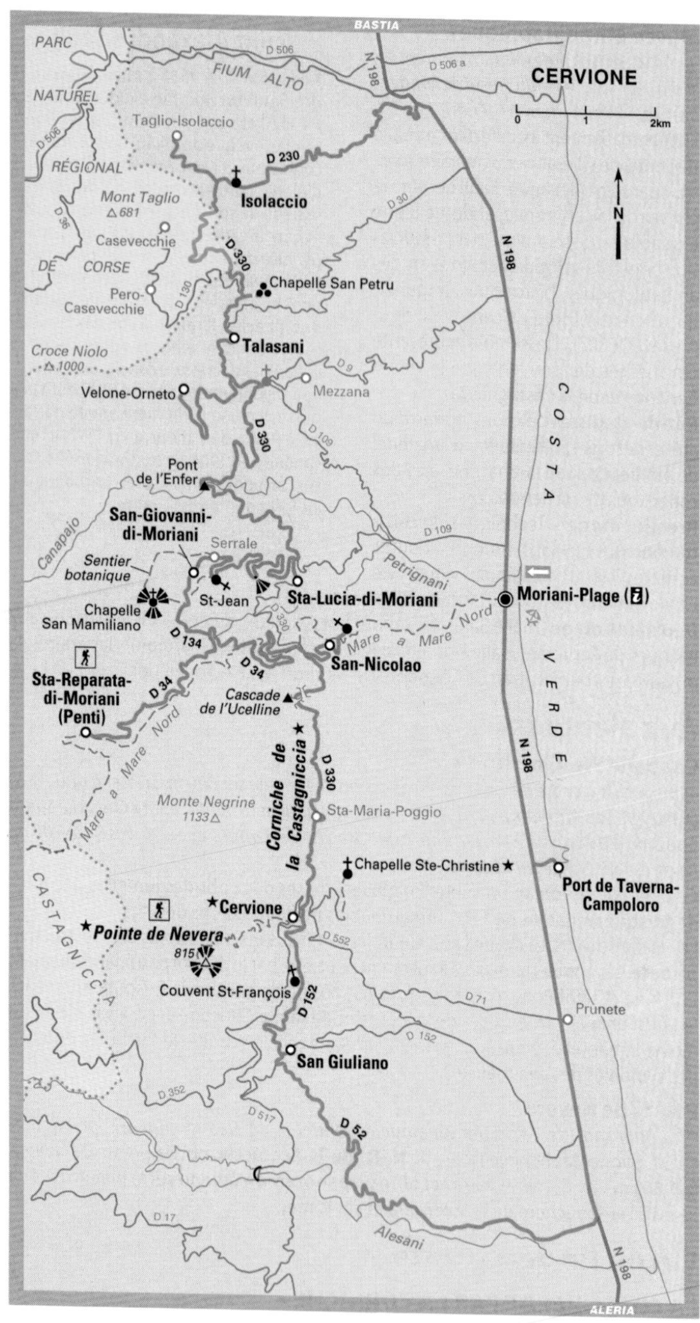

Isolaccio

Patrie du fondateur du célèbre groupe I Muvrini, le village doit une bonne part de sa réputation à une légendaire querelle de clocher. En effet, après une altercation entre mendiants, l'un d'eux, mécontent, se serait enfermé dans le clocher et aurait sonné les cloches à toute volée.

Un peu avant Talasani, au carrefour de la D 330 et de la D 130, un chemin à gauche (15mn AR) conduit aux ruines de la **chapelle romane San Petru** (7e s.).

Talasani

Ce village a donné naissance à Luigi Giafferi (1680-1745), célèbre lieutenant du roi Théodore de Neuhoff *(voir p. 370)*.

Peu après, sur la droite, une route grimpe jusqu'à **Velone-Orneto**, hameau isolé aux vieilles maisons de pierre. Un passage sous voûte dessert le petit groupe de maisons serrées près d'une petite église en attente de restauration.

Après un demi-tour à l'emplacement réservé, redescendre vers **Mezzana**. Au carrefour, l'église St-Jean-Baptiste séduit par son élégante façade.

Continuer sur la D 330 jusqu'à Sta-Lucia-di-Moriani.

Santa-Lucia-di-Moriani

Le village allonge les hautes façades de ses maisons austères le long de la crête prolongeant la corniche. La partie haute du village constitue, par temps clair, un superbe belvédère sur le littoral, la vallée du Petrignani et les collines boisées coiffées de hameaux.

Revenir légèrement en arrière et prendre à gauche la direction de San-Giovanni-di-Moriani.

San-Giovanni-di-Moriani

Ce village à l'habitat très dispersé est constitué de 6 hameaux perchés. Le hameau principal présente une belle unité architecturale avec ses hautes maisons à toit de schiste flanquées d'un escalier extérieur. À l'entrée du groupe d'habitations, une belle **vue** s'offre sur l'église de San-Nicolao et sur la plaine orientale en contrebas.

Amaury de Valroger / MICHELIN

Église St-Jean à San-Giovanni-di-Moriani.

Église St-Jean – *Juil.-août : mar. et jeu. 15h-18h.*

Excentrée avec la chapelle de confrérie Ste-Croix l'église paroissiale (17e s.) est facilement identifiable grâce à son élégant clocher de pierre haut de 33 m. C'est un intéressant édifice baroque.

Sentier botanique – *Compter 3h, dénivelé environ 300 m. Récupérer la fiche descriptive à l'Office du tourisme de Moriani ou dans les lieux touristiques.*

Du terre-plein de l'église part un sentier botanique qui rejoint le hameau de Cioti avant de grimper à travers les châtaigniers jusqu'à la **chapelle San Mamiliano**, de style roman, reconnaissable à sa toiture de lauze. Lieu de pèlerinage jadis très fréquenté, elle offre un **panorama★** superbe sur la côte (gîte d'étape). Revenez légèrement sur vos pas pour reprendre le chemin qui rejoint le hameau de Serrale avant de redescendre sur San-Giovanni.

Passer par la route qui passe derrière l'église *(fléchage hôtel E Catarelle)* et grimper sur les hauteurs en direction de San Reparata. La route souvent étroite offre de très belles vues sur la côte. Bien suivre le fléchage.

Santa-Reparata-di-Moriani

C'est une sorte de bout du monde, et une étape sur le sentier Mare a Mare Nord. Un peu à l'écart, l'église est juchée sur une bute au-dessus de la route d'accès, tandis qu'au creux de la vallée, une source ferrugineuse attire les curieux ; la dégustation n'est pas vraiment convaincante ! La route se termine peu après le gîte d'étape qui est un point de départ pour de superbes randonnées.

Redescendre par la D 34 en direction de San Nicolao.

San Nicolao

Isolée, l'**église** baroque de ce village-terrasse se dresse en contrebas sur un mamelon à 2 km sur la route de Moriani-Plage dans un joli site verdoyant. Dans l'ancienne *piève* de Moriani, les chapelles isolées communiquaient jadis, en cas d'alerte, avec les villages par de grands feux allumés à côté de l'abside. Le décor naïf de l'**intérieur★** de l'église, peint de couleurs vives, présente de nombreuses parties en relief qui rehaussent les trompe-l'œil. L'antependium du maître-autel est décoré d'un haut-relief représentant trois enfants dans un baquet (légende de saint Nicolas). La chaire polychrome est datée de 1740. *✆ 04 95 38 58 74 - 15h-19h - en cas de fermeture, demander les clés à la mairie.*

Prendre la D 330 en direction de Cervione.

Très étroite, taillée à flanc de coteaux, c'est un véritable belvédère de 5 km, enjambant plusieurs ponts et traversant quelques tunnels. Ce parcours constitue la **corniche de la Castagniccia★** dominant la plaine orientale et la mer.
À environ 1 km de San Nicolao, au niveau des premiers tunnels *(parking juste après)*, la **Cascade de l'Ucelline** fait une chute remarquée, qui peut être spectaculaire après de fortes pluies et a même provoqué d'impressionnants éboulements.

Par Sta-Maria-Poggio rejoindre Cervione *(voir plus haut)* et prendre la D 152 en direction de San Giuliano. La route passe devant l'ancien **couvent St-François** (16e s.) dont les imposants bâtiments au crépi jaune s'élèvent à droite au-dessus de la route.

San Giuliano

Cette commune accueille une station de recherche agronomique de l'INRA spécialisée dans la culture des agrumes.
Sur la D 52 en direction de la côte, se dressent les ruines d'une tour du 16e s.

Prendre la N 198 à gauche vers Prunete, puis Moriani-Plage.

Port de Taverna (Campoloro)

Fléché sur la droite environ 2 km après Prunete. À l'abri derrière ses puissantes digues, c'est, avec Macinaggio au Cap Corse, le plus important port de plaisance de la côte orientale. Il manque par contre d'animation hors saison.

Cervione pratique

Adresse utile

Office de tourisme de la Costa Verde – N 198 - ✆ 04 95 38 41 73 - juil.-août : 9h-20h ; reste de l'année : tlj sf w.-end 9h-12h, 14h-18h.

Se loger

⊖ **A Casa Corsa** – *Acqua Nera Prunette - 5,5 km au S de Cervione par D 71, près N 198, lieu-dit Prunette - ✆ 04 95 38 01 40 - - 4 ch. 55/62 €* . La côte Est du Cap Corse s'offre à vous depuis cette petite adresse très conviviale. Les chambres confortables - certaines portent de doux noms comme « Rêve bleu » ou « Rayon de soleil » - sont dotées de terrasses individuelles avec vue sur les montagnes. Petit-déjeuner agrémenté de confitures maison.

⊖ **E Catarelle** – *20230 San-Giovanni-di-Moriani - ✆ 04 95 38 51 64 - www.corsica-catarelle.com - fermé nov.-mars - réserv. - demi-pension obligatoire mi-juin à mi-sept. - 10 ch. 50/95 € - 7 € - rest. 20/25 €.* Ce charmant petit hôtel perché dans la montagne domine la Costa Verde. Vous y serez accueilli par Maddy, une motarde dynamique qui n'a pas sa pareille pour faire partager les trésors touristiques et gastronomiques de la région. Les chambres au décor chaleureux sont confortables, et le restaurant bénéficie d'une terrasse avec vue sur la mer.

⊖ **Camping Merendella** – *Bord de plage, Moriani-Plage - 20230 San-Nicolao - ✆ 04 95 38 53 47 - merendel@club-internet.fr - ouv. 15 mai-sept. - réserv. conseillée - 196 empl. 20,25 €.* Détendez-vous… ici, le repos est privilégié. C'est donc à l'ombre d'une agréable chênaie que vous ferez la sieste. Ou, sous le soleil, sur la plage de sable fin. Charmants chalets.

Se restaurer

⊖ **Aux 3 Fourchettes** – *Pl. de l'Église - ✆ 04 95 38 14 86 - auxtroisfourchettes@wanadoo.fr - 15 €.* Ce charmant petit restaurant familial occupe une vieille bâtisse proche de l'ancienne cathédrale. Dans une ambiance conviviale et sans chichis, vous vous régalerez de légumes du potager, de charcuteries artisanales, du vin maison et des spécialités mitonnées par la patronne.

Que rapporter

Le Moulin de Prunete – *Prunete - sur la N 198 à côté du croisement de Cervione - ✆ 04 95 38 01 84 - 9h-20h - fermé oct.-mars, dim. et j. fériés.* Depuis 1982, Joseph Rioli presse les huiles de plusieurs récoltants de la région dans son moulin familial. Son propre verger, dont il tire deux sortes d'huiles, une douce et une fruitée, lui a valu une médaille d'or au Concours général agricole.

Sports & Loisirs

Randonnées – L'office de tourisme édite un topoguide proposant un intéressant choix de boucles pour tous les niveaux.

Sports nautiques – Le petit port de Taverna n'est pas très actif hors saison mais accueille un **centre de plongée** (✆ 04 95 38 00 50) et une **école de voile** (✆ 04 95 38 01 68).

La Cinarca★

CARTE GÉNÉRALE B4 – CARTE MICHELIN LOCAL 345 B7 – SCHÉMA P. 332
CORSE-DU-SUD (2A)

Ouverte sur le golfe de Sagone, cette petite région fertile étage ses hameaux dans l'amphithéâtre de la vallée de la Liscia. La partie orientale, le Cruzini, enclavée entre des reliefs abrupts, conserve essentiellement une activité d'élevage. Dans le maquis, piètre héritier de l'ancienne forêt de pins et de chênes verts, elle compose une espèce d'oasis bien exposée où les villages occupent des terrasses plantées d'oliviers, de noyers, d'amandiers, de figuiers ou de cédratiers.

Se repérer – Située au Nord-Est d'Ajaccio et à l'Est du golfe de Sagone, la Cinarca est limitée par les versants élevés du Sud du Liamone et du Nord de la Gravona.

À ne pas manquer – Il ne faut pas hésiter à prendre son temps pour découvrir la Cinarca qui recèle d'agréables surprises. Ainsi, si vous allez à Sari-d'Orcino, n'omettez pas un petit détour vers la chapelle St-Jean. Le parcours est de toute beauté.

Pour poursuivre la visite – Voir aussi Sagone et le golfe de Sagone.

Comprendre

Un bastion de résistance – Occupée dès l'Antiquité par les **Tarrabenioi**, l'un des douze peuples « habitant en villages » localisés en Corse par le géographe Ptolémée au 2e s., la Cinarca se distingua au Moyen Âge par sa résistance aux Génois.

Les **comtes de la Cinarca** furent, du 13e au 16e s., les plus sévères ennemis des Génois qui tentaient de s'implanter en Corse après en avoir évincé Pise. Au 13e s., les comtes cinarcais étaient puissants, contrôlant la majeure partie de l'Au-Delà-des-Monts, jusqu'au bastion génois de Bonifacio. Ils opposèrent à la république de Gênes une résistance qui aurait pu être redoutable si leurs divisions ne les avaient engagés dans des luttes fratricides pour le pouvoir.

La première grande figure des comtes cinarcais fut **Sinucello della Rocca**, connu sous le nom de Giudice de la Cinarca, né à Olmeto en 1221. Tenant de la cause pisane, Sinucello se distingua par ses exploits dans l'armée de cette république qui lui donna le titre de Giudice (« juge », terme désignant celui qui représente l'autorité publique), et la mission de soumettre l'île. De retour en Corse, il se heurta à l'opposition des partisans des Génois et à celle des seigneurs cinarcais, menacés dans leurs ambitions. Il se retira alors dans la montagne, à Quenza, et devint l'arbitre des litiges et des vendettas. En 1250, il était maître du Sud de l'île, mais la défaite de Pise à la Meloria en 1284 sonna le glas des heures de gloire de Giudice. Trahi par son propre fils et livré aux Génois, il finit ses jours dans les geôles de la République.

Le saviez-vous ?

La Cinarca fut le fief de l'un des derniers bandits corses, le célèbre **Spada** qui résidait à Lopigna : le **« tigre de la Cinarca »** avait prit le maquis après avoir tué deux gendarmes à Sari-d'Orcino en 1922. Il finit guillotiné à Bastia en 1935.

Au 14e s., ses descendants s'inféodèrent au roi d'Aragon à qui le pape avait cédé ses droits sur la Corse : **Arrigo della Rocca**, son arrière-petit-fils, le plus bouillant des seigneurs, s'illustra par son long combat contre Gênes ; **Vincentello d'Istria**, neveu d'Arrigo, fut nommé vice-roi de Corse par le roi d'Aragon qui lui délégua l'administration de l'île.

Une fois son autorité assise *(voir Corte)*, Vincentello se comporta en despote. Il s'aliéna le peuple corse et les seigneurs du Sud, ses propres parents qui, appuyés par Gênes, le renversèrent.

Le 15e s. marqua l'écrasement définitif des seigneurs cinarcais par Gênes, dans une répression sanglante. Avec eux disparut le dernier bastion de la féodalité corse. Deux grands fiefs illustrèrent les dernières résistances : les della Rocca et les Leca. En avril 1456, 23 membres de la famille Leca furent mis à mort le même jour. D'après la légende, les « paladins cinarcais » finirent dans le sang : conviés à un festin de réconciliation par le gouverneur génois Spinola, ils auraient été décapités au dessert.

Circuit de découverte

AU DÉPART DE TIUCCIA

51 km – environ 2h.

Tiuccia *(voir golfe de Sagone)*

Prendre la D 81 en direction de Sagone. Après la tour de Capigliolo, prendre à droite la D 25.

Casaglione

Le village est construit dans un paysage de châtaigniers, d'oliviers, de chênes verts et de pâturages. Son **église** abrite un intéressant tableau de 1505 représentant la Crucifixion. Au pied de la croix, le donateur reçoit de saint François la cordelière de l'ordre. *℘ 04 95 52 22 80 - demander la clé au secrétariat de la mairie (horaires bureau).*

Sari-d'Orcino

Les deux hameaux de ce petit chef-lieu de canton s'étagent au-dessus du golfe de Sagone et du bassin de la Liscia. On y cultive en terrasses les oliviers, les orangers, la vigne et les citronniers. Les cédratiers, qui entre les deux guerres contribuèrent à la richesse du pays, sont presque tous retournés à l'état sauvage. De l'extrémité de la terrasse où s'élève l'église, **vue★** sur le golfe de Sagone. Devant l'église, la D 601 s'échappe à droite sur 4 km jusqu'à la **chapelle ruinée St-Jean**, offrant un parcours splendide.

Retourner à Sari-d'Orcino et rejoindre la D 101 au Sud.

Calcatoggio

Ce gros hameau agrémenté de jardins fruitiers est construit en balcon sur le golfe de Sagone et son arrière-pays. Belle **vue★**.

Arrivé sur la D 81, descendre à droite vers le golfe de la Liscia.

Golfe de la Liscia *(voir golfe de Sagone)*

Cinarca pratique

Se loger

⊖ L'Ogliastru – *20133 Ucciani - 4 km par N 193, rte d'Ajaccio et chemin à gauche - ℘ 04 95 52 97 47 ou 06 24 91 61 35 - www.ogliastru.com - ⊭ - 6 ch. 55/65 € ☕ - repas 23 €.* Maison récente posée près d'une rivière, dans la vallée de la Gravona aux belles collines ondoyantes. Salle à manger décorée d'outils et ustensiles traditionnels de la ferme. Chambres modernes et fonctionnelles. Les propriétaires avisés sauront vous conseiller de belles balades.

Se restaurer

⊖⊖ Auberge « Chez Lolo » – *20151 Sari-d'Orcino - ℘ 04 95 27 23 82 - ⊭ - 19 €.* Cette maison de 1892 s'est réveillée sous l'impulsion d'une jeune femme qui revendique fièrement son identité corse. Le menu n'est pas affiché, elle vous annonce ce qui mijote sur le fourneau... Atmosphère conviviale et simple avec les gens du cru.

⊖⊖ U Celavu – *N 193, Suaricchio - 20133 Véro - ℘ 04 95 52 80 64 - fermé 4 oct.-31 mars et le midi - ⊭ - réserv. conseillée - 23 € - 19 ch. 49/99 € ☕.* Une ferme-auberge typique, tapissée de vigne vierge, où l'on élève ovins, bovins et porcins. Les produits servis au restaurant sont donc garantis maison, du brocciu, qui accompagne l'omelette, jusqu'aux charcuteries en passant par les légumes du potager. Repas servis dans un cadre rustique et convivial.

Que rapporter

Clos d'Alzeto – *20151 Sari-d'Orcino - ℘ 04 95 52 24 67 - juil.-oct. : 8h-12h, 14h30-19h30 ; nov.-juin : tlj sf dim. 8h-12h, 14h-18h.* Situé sur les flancs de la vallée de la Cinarca, le Clos d'Alzeto, dans la famille Albertini depuis 1820, produit des vins de qualité sur 43 ha. Blanc de blancs, rosé et surtout vin rouge obtiennent régulièrement des récompenses au Concours général agricole. Dégustation, vente au domaine.

Corbara

Curbara

706 HABITANTS
CARTE GÉNÉRALE B2 – CARTE MICHELIN LOCAL 345 C4 – SCHÉMA P. 145
HAUTE-CORSE (2B)

Corbara, étagé en amphithéâtre sur un versant bien exposé, fut autrefois la capitale de la Balagne. Ses figuiers de Barbarie, ses ruelles pavées et ses passages couverts confèrent une physionomie méditerranéenne attrayante à ce village que dominent les ruines de deux châteaux.

Se repérer – Ce village de Balagne est à 5 km au Sud de L'Île-Rousse. On y accède par la N 197 vers Calvi puis, sur la gauche, la D 151.

À ne pas manquer – L'ascension sans difficulté du mont Sant'Angelo s'achève sur une vue surprenante des régions environnantes.

Organiser son temps – Si vous voyagez hors saison, pensez à réserver par téléphone votre visite à l'église de l'Annonciation et au couvent de Corbara.

Pour poursuivre la visite – Voir aussi la Balagne et L'Île-Rousse.

Stéphane Sauvignier / MICHELIN

Le site de N.-D. des Sept-Douleurs.

Visiter

Église de l'Annonciation

✆ 04 95 63 06 50 - visite guidée de mi-juin à fin sept. : 9h-12h, 14h-18h ; reste de l'année : dim. à l'heure des offices - tarif non communiqué.

Cette grande église baroque, posée sur une place dominant la mer, a été élevée à partir de 1685 à la place d'un édifice plus ancien dont elle a recueilli quelques éléments, notamment le baptistère du 15e s. conservé dans la sacristie. Le spectaculaire **autel★** du chœur et sa clôture à balustres, en **marbre** de Carrare, furent réalisés par un Toscan au milieu du 18e s. Les stalles datent de 1753.

Musée d'histoire et d'art ancien

Suivre fléchage - ✆ 04 95 60 06 65 - été : 15h-18h ; hiver : sur demande préalable à M. Savelli - gratuit.

Guy Savelli, ancien boulanger de Corbara, rassemble depuis une vingtaine d'années des objets anciens, pour la plupart corses : cartes postales, boîtes à musique, piano, pièces de monnaie romaines, phonographes, stylets, etc. Ce petit musée est installé dans la maison du collectionneur, à 100 m de la place de l'église.

Castel de Corbara

Corbara est dominé par les ruines de ses deux châteaux. L'un, du 14e s., fut démantelé par les Génois au 16e s. L'autre fut rebâti sur des souches du 9e s. par les Savelli de Guido, descendants des seigneurs de Balagne.

Le saviez-vous ?

Corbara pourrait venir du mot latin *corbaria* qui signifie « lieu fréquenté par les corbeaux ».

Une sultane corse : survenu à la fin du 18e s., l'enlèvement de **Marthe Franceschini lia brièvement la Corse et le Maroc.** Ses parents, saisis en mer par les Barbaresques et la fillette, née esclave à Tunis, sont capturés lors de leur libération par des Marocains. Huit ans plus tard le sultan autorise le retour de la famille à Corbara, mais garde Marthe dans son sérail... et l'épouse. Cette Balagnaise, sultane du Maroc sous le nom de **Davia**, fut emportée par la peste à Larache en 1799.

Les vestiges de ce dernier et une petite chapelle, restaurée au 18e s., se dressent sur un rocher dominant la mer. C'est dans ce château que Paoli aurait annoncé aux représentants de Gênes, qui lui refusaient l'accès au port d'Algajola, la création de L'Île-Rousse.

Depuis la **chapelle**, le point de vue permet de faire un tour d'horizon complet sur la Balagne. Cet humble édifice dédié à N.-D. des Sept-Douleurs est orné, à l'intérieur, d'une huile sur toile représentant une pietà, enchâssée dans un fronton semi-circulaire dominant l'autel.

Aux alentours

Couvent de Corbara

2,5 km au Sud, par la D 151 en direction de Pigna. À 2 km prendre la petite route à gauche (statue de saint Dominique). L'entrée du couvent se situe au centre de la façade principale. ✆ 04 95 60 06 73 - cloître et église, juil.-août : visite guidée 15h, 16h et 17h ; reste de l'année : possibilité de visite guidée 15h sur demande - l'église seule peut également se visiter librement, en dehors des offices religieux.

Ancien orphelinat fondé en 1430 au pied du Mont Sant'Angelo par Mgr Nicolas Savelli, transformé en couvent en 1456, l'établissement, ruiné sous la Révolution, a été reconstruit et agrandi par les dominicains à partir de 1857.

Le **père Didon** (1840-1900), célèbre prédicateur dominicain, fut, en raison de ses idées libérales, envoyé en retraite dans ce monastère en 1880-1881. Le couvent de Corbara est un « ritiro » ; à ce titre, il sert encore de lieu de retraite ou de reprise spirituelle.

L'**église conventuelle**, construite en 1735, domine le bassin d'Algajola, la basse Balagne et le village de Pigna. À l'intérieur, on remarque une belle chaire du 18e s., une pietà et un crucifix rustiques en bois d'olivier (œuvre d'un dominicain), un autel et une clôture de chœur en marbre polychrome et des dalles funéraires.

Randonnée

Mont Sant'Angelo

1h30 AR au départ du couvent par un chemin muletier. Alt. 562 m. Excellent belvédère offrant une **vue★★** très étendue sur une partie de la Balagne, le désert des Agriates et la côte occidentale du Cap Corse.

Corbara pratique

Voir également l'encadré pratique de la Balagne

Se loger

Le Patio – *Hameau de Borgu - ✆ 04 95 47 35 31 - www.location-corbara.com - 7 ch. 51/64 € - rest. 13/22,50 €.* Vous dénicherez ce charmant hôtel à quelques pas de la chapelle Notre-Dame-des-Sept-Douleurs, au cœur du village. Les vastes chambres marient rusticité et confort moderne (climatisation). La terrasse, ouvrant sur un paysage splendide, est parfaite pour le petit-déjeuner. Bon rapport qualité-prix.

Se restaurer

Bar du Passage – *✆ 04 95 60 28 00 - fermé 30 sept.-10 juin et le midi - - réserv. obligatoire - 25/40 €.* Ne vous y trompez pas, la maison est surtout un restaurant. La soupe d'araignée et le chapon au four sont les deux spécialités d'ici. La pêche du jour est aussi très prisée. À déguster dans une petite salle jaune ou sous la tonnelle en terrasse...

Corte★

Corti

6 329 CORTENAIS
CARTE GÉNÉRALE B4 – CARTE MICHELIN LOCAL 345 D6 – SCHÉMA P. 191
HAUTE-CORSE (2B)

Capitale de la « nation corse » de Pascal Paoli entre 1755 et 1769, Corte joua un rôle historique fondamental et reste aujourd'hui la capitale de cœur des Corses. On aime s'attarder dans la vieille ville aux ruelles escarpées, pavées de galets et dominées par la citadelle, de cet agréable lieu de séjour, point de départ de nombreuses excursions. Celles-ci offrent une palette représentative des paysages de l'île : silhouettes déchiquetées des aiguilles de porphyre rouge de Popolasca, gorges et ravins de la haute vallée de la Restonica, moutonnement des croupes du Bozio noyées sous une mer de châtaigniers, beauté sereine des nombreux lacs du mont Rotondo…

Se repérer – On dit que Corte est au centre de la Corse. Géographiquement cela n'est pas exact mais on peut dire que la ville se situe presque à mi-chemin entre Bastia et Ajaccio. Le sillon cortenais au paysage de hauts plateaux (altitude moyenne de 600 m) constitue le couloir central de l'île qui court de Ponte-Leccia à Venaco, et sépare le massif ancien granitique à l'Ouest, de la Corse alpine schisteuse à l'Est. Corte occupe une position stratégique au carrefour des vallées ; elle est accessible par la N 193.

Se garer – Une fois parvenu en ville, il suffit de suivre le fléchage pour aboutir au parking central (payant en haute saison), en contrebas du cours Paoli. Il y a également un parking sur les hauteurs, devant l'entrée de la citadelle ; ce dernier est idéal pour visiter le musée ou partir en randonnée dans les gorges du Tavignano.

À ne pas manquer – Si vous êtes curieux de connaître la vie quotidienne de la Corse traditionnelle et actuelle, le musée d'Anthropologie vous en donnera toutes les clés. Si vous préférez flâner en ville, ne manquez pas la chapelle Ste-Croix dont vous pourrez admirer le retable baroque.

Organiser son temps – L'altière citadelle n'est accessible qu'aux heures d'ouverture du musée de la Corse. Pour les circuits, reportez-vous au temps indiqué pour chacun d'entre eux.

Avec les enfants – Il sera difficile de passer devant les vitrines alléchantes sans résister aux supplications des gourmands. Pour les sportifs, le centre équestre L'Albadu propose des sorties accessibles aux familles.

Pour poursuivre la visite – Voir aussi les gorges de la Restonica, le Bozio, Venaco.

Amaury de Valroger / MICHELIN

Le site de Corte.

Comprendre

LE CŒUR DE LA CORSE

Corte, juchée sur son piton, à l'abri de ses gorges et de ses montagnes, est au cœur géographique de la Corse. C'était déjà un verrou fortifié au 11e s. Vincentello d'Istria, aventurier corse qui s'était mis au service du roi d'Aragon et servait les visées de ce dernier sur l'île *(voir La Cinarca)*, fortifia le « nid d'aigle » de Corte (partie haute de la citadelle actuelle) en 1419. Il mourut décapité à Gênes en 1439.

Dès 1459, Gênes régna à nouveau sur Corte qui n'était encore qu'une grosse bourgade. Quelque cent ans plus tard, en 1553, les Cortenais, ralliés à la cause française, remirent d'eux-mêmes les clés de leur cité à Sampiero Corso. Mais, en 1559, le traité de Cateau-Cambrésis restituait l'île à Gênes qui en resta maîtresse près de deux cents ans, jusqu'à ce qu'en 1746, un des enfants de Corte, Gaffori, parvienne à soustraire sa ville natale à la mainmise génoise.

Le général Gaffori – Né en 1704, le médecin Ghjuvan Pietru (Jean-Pierre) Gaffori fit partie, en 1745, du triumvirat des « protecteurs de la nation » élus par les Corses qui reprirent les armes contre Gênes.

Nommé « général de la nation » en juin 1751 à la Consulte d'Orezza, il se vit alors confier le pouvoir exécutif. Un véritable gouvernement révolutionnaire contrôla bientôt la plus grande partie de l'île. Mais le 3 octobre 1753, Gaffori, trahi par son propre frère, mourut dans une embuscade sur le chemin de Corte.

La capitale éphémère de l'île – Corte connut avec le successeur de Gaffori, **Pascal Paoli**, un destin unique. Celui dont la personnalité a séduit tant de contemporains, étonné les philosophes des Lumières et suscité l'admiration de Napoléon, choisit Corte pour capitale de son **« gouvernement de la nation corse »**. De 1755, année où **Paoli** fut élu « général de la nation corse », à son départ en exil en 1769, Corte devint le cœur politique de l'île. Paoli y fit rédiger une constitution fondée sur les théories de Montesquieu, établissant la séparation des pouvoirs et la souveraineté du peuple. Le nouveau gouvernement siégeait à Corte et la Consulte s'y tenait une fois l'an.

Le saviez-vous ?

On raconte que Corte devrait son nom à une cour de justice fondée en 1419 par **Vincentello d'Istria**, vice-roi de Corse pour le compte du roi d'Aragon *(voir La Cinarca)*. Cependant, des écrits mentionnent déjà le nom de Corte bien avant cette époque !

Corte est la seule ville universitaire de l'île. Environ 3 600 étudiants fréquentent la faculté qui a ouvert ses portes en 1981, plus de deux siècles après la création de la première université de Corse par Paoli.

L'**université**, qui ouvrit en janvier 1765, demeure l'œuvre la plus étonnante de ce gouvernement : son but, très pratique, était de former parmi les 300 étudiants inscrits les futurs cadres dont l'île avait besoin, dans le domaine juridique, en médecine ou en théologie. Les études étaient gratuites et le corps enseignant formé de religieux, franciscains principalement. L'université fermera ses portes de 1769 à… 1981.

Saint Théophile de Corte – Blaise de Signori, en religion frère Théophile, est né à Corte le 30 octobre 1676. À 17 ans, il entra chez les capucins au couvent de Corte. À la demande de sa famille, il quitta son couvent et entra chez les franciscains. Destiné à être professeur de philosophie et de théologie, il fit ses études à Rome, puis au couvent Santa Maria Nova de Naples. Au moment de présenter ses thèses, un accident l'obligea à une période de réflexion. Il se consacra alors, avec le bienheureux Thomas de Cori, à la restauration de la stricte observance franciscaine, au sein des couvents dits de « ritiro ». Pour étendre cette œuvre en Corse, il se rendit dans son pays natal de 1730 à 1735. Il fonda notamment un « ritiro » à Zuani et un à Campoloro, et réforma le couvent de Cervione.

Pendant cette période se situa son **intervention de conciliation** auprès du prince de Wurtemberg chargé par Gênes d'une mission punitive. Cette médiation fut couronnée de succès car le prince, accédant à la requête du saint, se retira. Un tableau, offert par le Vatican et conservé dans l'église de l'Annonciation, commémore cet événement. Théophile revint finir ses jours comme « gardien » du « ritiro » de Fiecchio : il mourut le 9 mai 1740. Il fut canonisé par Pie XI, le 29 juin 1930. La grille de son oratoire, œuvre cortenaise, illustre certains épisodes de sa vie.

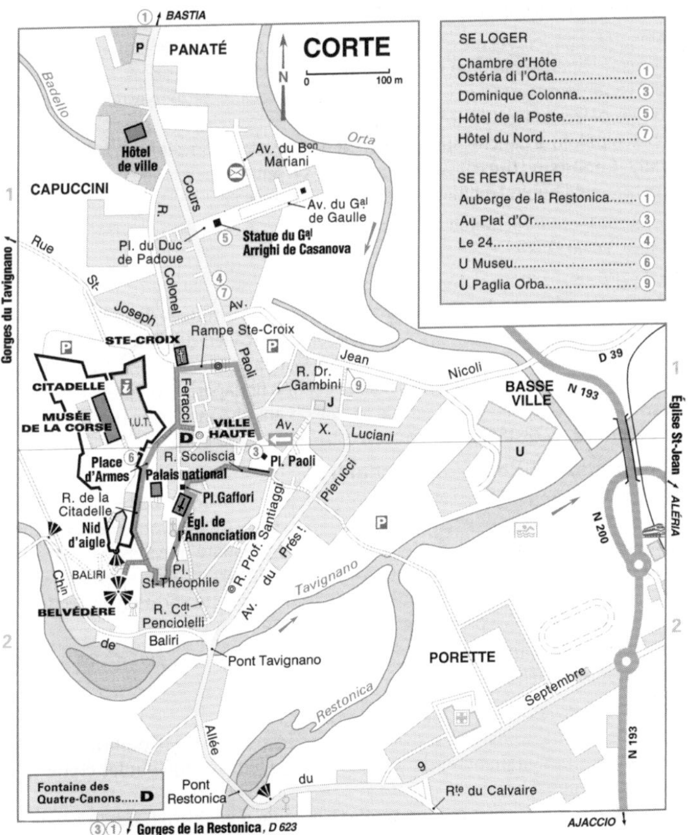

Se promener

LA VILLE HAUTE★

Visite : 2h.

Place Paoli (2)

Reliant la très ancienne ville haute aux quartiers plus récents de la ville basse, la place Paoli commande la principale artère de la cité contemporaine : le **cours Paoli**. La statue en bronze de Pascal Paoli, œuvre de Victor Huguenin, fut érigée en 1864.

Suivre le cours Paoli sur 100 m et tourner à gauche direction « chapelle Ste-Croix-Citadelle ».

Une fontaine et un large escalier en marbre de la Restonica marquent le début de la rampe Ste-Croix, qui grimpe vers la citadelle.

Chapelle Ste-Croix★ (1)

En haut de la rampe, sur la droite. Le rapport que le délégué apostolique du pape Sixte V rédigea à la suite de sa visite du diocèse d'Aléria en 1589 la mentionne déjà.

Derrière la sobre façade de cette chapelle de confrérie se cache un intérieur raffiné, traité dans l'esprit des riches oratoires St-Roch et de l'Immaculée-Conception de Bastia. Le sol est dallé de marbre gris de la Restonica. Sa nef unique est voûtée d'un berceau à lunettes peint de nombreux trompe-l'œil. La forte expressivité du Christ en croix en haut-relief et la polychromie naïve du **retable** baroque font aujourd'hui encore forte impression. Le petit **orgue** à l'italienne et sa tribune en arbalète portent de beaux panneaux peints sur son garde-corps. Un grand **médaillon** en relief domine l'autel : la Vierge de l'Apocalypse, couronnée d'étoiles, abrite dans les pans de son manteau deux papes et deux pénitents blancs en cagoule.

C'est à la chapelle Ste-Croix qu'avait lieu, chaque année, le 5 décembre, l'élection du podestat et des « padri del commune », chargés de l'administration communale. Le soir du Jeudi saint, de la chapelle Ste-Croix part la **« granitula »**, célèbre procession des pénitents.

Remonter la rue du Col.-Feracci.

Longeant la citadelle, la rue monte en pente douce, bordée de vieilles maisons sur la gauche. On aperçoit au bout le clocher de l'église de l'Annonciation.
Au n° 11, remarquer un très ancien immeuble. Sa façade patinée est élevée dans le goût des palais italiens du 16e s.
Un peu plus loin, à gauche, sur une place légèrement en contrebas, la **fontaine des Quatre-Canons** (D 1) fut construite sous Louis XVI pour approvisionner en eau potable la garnison et l'hôpital militaire. La population de la ville fut autorisée à l'utiliser.

À ce niveau, prendre la rampe qui monte en escalier à la citadelle. On arrive sur la place d'Armes (ou du Poilu).

Place d'Armes (Place du Poilu) (2)

Cette place fait face à l'entrée de la **citadelle** qui abrite le **musée de la Corse** *(voir ci-après le chapitre « Découvrir »)*. Au n° 1 – au coin des escaliers descendant vers la place Gaffori – s'élève la maison où naquit, en 1768, Joseph Bonaparte, frère aîné de Napoléon et futur roi d'Espagne. Charles Marie et Letizia Bonaparte y vécurent environ un an. C'est dans cette même maison que naquit, dix ans plus tard, Jean-Thomas **Arrighi de Casanova** (1778-1853), compagnon d'armes de Napoléon et duc de Padoue.

Palais national (Palazzu naziunale) (2)

Massif et unique vestige de l'architecture civile génoise à Corte, cette ancienne résidence du représentant de la Superbe devint le siège du gouvernement de Corse institué par Paoli. Ces murs abritèrent en 1765 la première université de Corse qui accueillait 300 étudiants, mais ne survécut pas au départ en exil de Paoli. Le palais, rattaché à l'université corse, renoue depuis 1981 avec cette vocation en accueillant le Centre de recherche corse en sciences humaines.

Passer derrière le Palais national, remonter vers la gauche la rue de la Citadelle et suivre la signalisation « Belvédère ».

Belvédère★ (2)

À plus de 100 m au-dessus du Tavignano, on découvre un vaste **panorama★★** sur le confluent du Tavignano et de la Restonica ; au loin se profilent les crêtes de la chaîne centrale.
Du belvédère, un escalier puis un sentier très raide mènent au bord du Tavignano (déconseillé par temps de pluie). La passerelle offre une vue « en contre-plongée » sur la vieille forteresse soutenue par trois grandes arcades, à l'extrémité du rocher. C'est pourtant de ce côté que se sont quelquefois évadés des prisonniers, entre autres les Gaffori et leurs partisans.

Redescendre vers la place Saint-Théophile.

L'oratoire de plein air a été bâti à l'emplacement de la maison natale de saint Théophile de Corte.

Poursuivre en direction de la place Gaffori.

Place Gaffori (2)

Derrière la statue du général Gaffori, s'élève sa maison dont la façade porte encore les impacts des mitrailles génoises, tirées lors du siège de Corte en 1750.

Église de l'Annonciation (2) – *L'entrée se fait par la façade principale, place Gaffori.* Remontant à 1450, cet édifice fut agrandi par saint Alexandre Sauli *(voir Cervione)* qui fit construire la nef de droite à la place d'anciennes écuries. Le fin et haut campanile de l'église domine toute la vieille ville. La façade est repeinte en crème avec des pilastres gris. À l'intérieur, on note une belle **chaire** en bois sculpté provenant de l'ancien couvent franciscain. On peut aussi admirer un très beau **crucifix** en bois d'école espagnole, du 17e s.
Dans la chapelle placée sous son vocable, saint Théophile apparaît sur son lit de mort (effigie en cire du musée Grévin – 1979). La partie instrumentale de l'orgue, par Johann Conrad Werle, date de la fin du 18e s.

Redescendre vers la place Paoli par la rue Scoliscia (Mgr Sauveur-Casanova), entrecoupée de marches et bordée de nombreux restaurants.

Une héroïne digne de Corneille

Sur le socle de la statue de Gaffori, deux bas-reliefs évoquent le courage de son épouse Faustina. L'un retrace la prise en otage de leur fils lors du siège de 1746 par les troupes de Gaffori. Les Génois, réfugiés dans la citadelle, exposent l'enfant aux balles des patriotes ; Faustina Gaffori, se précipitant au milieu des assiégeants, crie : « Tirez ! Ne pensez pas à mon fils, pensez à la patrie ! » La fusillade reprend, la citadelle capitule ; l'enfant est retrouvé sain et sauf.

LA VILLE BASSE

Hôtel de ville (1)

✆ 04 95 45 23 00 - tlj sf w.-end 9h-12h, 14h-18h - gratuit.
Cette ancienne demeure entourée d'un parc agréable a été cédée à la ville par le duc de Camaran. Des fresques de Jose Fabri-Canti, dans la **salle des mariages**, évoquent la destinée de Pascal Paoli et la vie cortenaise. Le parc abrite une baignoire romaine aménagée en fontaine *(adossée à un mur)*.

Statue du général Arrighi de Casanova, duc de Padoue (1)

Place du Duc-de-Padoue. Cette statue en bronze est due au sculpteur Bartholdi, l'auteur de la statue de la *Liberté éclairant le monde* à New York.

Découvrir

LA CITADELLE★ (1-2)

Ne se visite qu'avec le musée de la Corse.
Elle s'étage sur deux niveaux. À l'intérieur d'une enceinte bastionnée du 19e s., un premier plateau, le plus étendu, a été aménagé sous Louis XVI, puis sous Louis-Philippe. Il fit démolir les habitations et la chapelle comprises dans ces limites.
Le niveau supérieur occupe toute la pointe Sud et présente l'aspect d'un véritable nid d'aigle sur son éperon rocheux. Cette partie, dénommée le château, fut édifiée en 1420 par **Vincentello d'Istria**, vice-roi de Corse pour le compte du roi d'Aragon. On visite les anciennes casernes, les prisons et la tour (ancien donjon) du **nid d'aigle**. De ce belvédère, la **vue★** embrasse la vieille ville, le départ des vallées du Tavignano et de la Restonica et les nombreux villages accrochés au flanc de la montagne.
Occupée jusqu'en 1983 par la Légion étrangère, la citadelle abrite actuellement l'Office de tourisme et le musée de la Corse.

L'escalier

On accédait au nid d'aigle par un curieux escalier de 166 marches en marbre vert de la Restonica, couvert d'une voûte et aménagé en monte-charge pour les canons grâce aux rampes de roulement postées de part et d'autre des marches *(on peut l'apercevoir, à travers une grille, sur le chemin d'accès au nid d'aigle)*.

Musée de la Corse (Musée régional d'Anthropologie)★★

Citadelle de Corte - ✆ 04 95 45 25 45 - www.info@musee-corse.fr - ♿ - du 22 juin au 20 sept. : 10h-19h45 ; de déb. avr. au 21 juin et du 21 sept. à fin oct. : tlj sf lun. 10h-17h45 ; nov.-mars : tlj sf dim., lun. et j. fériés 10h-16h45 - possibilité de visite guidée juil.-août : tlj sf dim. et j. fériés 11h et 15h30. - fermé 1er-15 janv., 1er Mai, 1er nov., 25 déc. - 5,30 €.
Ce passionnant musée, inauguré en 1997, a été aménagé dans l'ancienne caserne Serrurier rénovée par l'architecte italien Andrea Bruno. Il s'articule autour de deux espaces complémentaires : la galerie Doazan et la galerie du « Musée en train de se faire ». Ici, point de nostalgie passéiste, mais la volonté de présenter la vie traditionnelle corse en l'inscrivant dans son temps.
Le 1er niveau présente une exceptionnelle **collection★★** d'objets, patiemment rassemblés par l'abbé Doazan entre 1951 et 1978. C'est la Corse traditionnelle, agricole

Nid d'aigle à Corte.

et pastorale, qui revit à travers ses outils, ses objets de la vie quotidienne et ses traditions. Les objets provenant de la bergerie Milisaria d'Amago, qui furent utilisés jusqu'en 1978, restituent l'espace du berger : voir notamment la superbe **pastorale** (canne de berger) ainsi qu'une **zucca** (gourde).

Le « **Musée en train de se faire** » analyse les interactions, parfois conflictuelles, entre cette vie traditionnelle et la modernité : on découvre les débuts de l'industrialisation (avec les exploitations d'amiante), une grande entreprise corse (les établissements Mattei, célèbres pour leurs vins et spiritueux comme le fameux « Cap Corse », apéritif « national »), la coexistence de techniques modernes et archaïques (une « pistaghjola mecanica », machine à décortiquer les châtaignes, tandis que, non loin, le battage continuait à se faire manuellement), la naissance du tourisme appelé à profondément transformer la Corse décrit à travers une collection d'affiches Ollandini, mais aussi le retour actuel de la jeunesse vers certaines formes de traditions, comme les confréries religieuses, dans une démarche plus identitaire que spirituelle.

Le **nid d'aigle**, ou **castellu**, abrite l'auditorium de la phonothèque (archives sonores sur la musique corse) et « A Sala », un espace d'expositions temporaires thématiques *(accessibles en saison)*.

Aux alentours

Église et baptistère St-Jean

3 km au Sud-Est de Corte. Quitter Corte par la N 200 en direction d'Aléria. Continuer sur 1 km après le pont du chemin de fer ; 150 m après le panneau de fin d'agglomération, dépasser l'enseigne commerciale « Catena » et prendre à droite une route empierrée en très mauvais état. La suivre pendant 900 m environ à travers un bois de chênes-lièges et de chênes verts, jusqu'à la voie ferrée : l'église et le baptistère sont à 200 m en face. Possibilité de se garer au chevet de l'église.

C'était jadis l'**église**★ de la *piève* de Venaco qui, dans cette partie du diocèse d'Aléria, servait de cathédrale annexe.

Cet édifice remonte au 9e s. ; il ne subsiste plus que l'abside et les fondations des trois nefs. Les bases de mur visibles au milieu de la nef correspondent au chancel, à l'ambon et au banc de la *schola cantorum* (fouilles de 1956). Un escalier et un terre-plein faisaient communiquer la nef du Sud avec le baptistère.

L'élégant chevet semi-circulaire, en schiste, est décoré de bandes lombardes et d'arcades aveugles soulignées par un lit de briques romaines réutilisées. Il est fort probable que St-Jean ait été bâtie sur le site de l'ancienne bourgade romaine de **Venicium**.

Situé à quelques mètres au Sud-Est du chevet de l'église, le **baptistère St-Jean** est très bien conservé. Il est construit sur un plan tréflé comportant trois absidioles semi-circulaires voûtées en cul-de-four s'ouvrant sur un carré central où se trouve la cuve baptismale.

Col de Bellagranajo

9 km au Sud par la N 193 et un chemin carrossable derrière le calvaire qui se dresse à gauche de la route.

Du promontoire, à 500 m de la route, parmi les cistes et les framboisiers se révèle un **panorama**★★ sur Venaco accroché aux premières pentes du mont Cardo, à gauche sur le hameau de Poggio, en face sur la vallée du Vecchio et, au loin, sur les montagnes et les villages perchés de la rive gauche du Tavignano.

Venaco

11 km au Sud par la N 193.

Adossé au mont Cardo dans un paysage où prédomine le châtaignier, ce bourg au cœur de la Corse est une agréable station climatique d'été (alt. 600 m). De la terrasse de son église baroque, la vue s'étend sur la vallée du Tavignano et sur les monts du Bozio. Dans les environs, on pratique la chasse et la pêche à la truite.

Circuits de découverte

CIRCUIT DU CORTENAIS★

66 km. Quitter Corte par la D 18 puis, à 4,5 km, au col d'Ominanda, prendre le 1er chemin à droite non revêtu.

Mont Cecu

Du sommet (alt. 754 m) où est installé un relais de télévision, on découvre un **panorama**★★ sur Corte et la vallée de Tavignano, le mont Rotondo au Sud et les aiguilles rouges de Popolasca au Nord.

Regagner le col d'Ominanda et poursuivre la D 18.

La route, tracée en corniche, traverse les montagnes du Cortenais.

Castirla

1 km après le village, un chemin s'amorce sur la droite (15mn à pied AR). La **chapelle St-Michel**, préromane, est entourée d'un cimetière. L'intérieur présente une abside ornée de **fresques★** du 15e s. : le Christ en majesté, entouré des attributs des évangélistes, domine les apôtres ; de chaque côté de l'arc souligné de losanges apparaissent l'ange de l'Annonciation et la Vierge, une Vierge à l'Enfant et saint Michel.

À Pont de Castirla, prendre à gauche la D 84, puis aussitôt après avoir franchi le Golo, à droite la D 18 que l'on suit sur 6 km. Prendre alors la D 118 à gauche.

Castiglione★

Laisser la voiture à l'entrée du village. Perché au-dessus de la vallée du Golo, ce village montagnard aux vieilles maisons et aux ruelles étroites, groupé autour de son église, est dominé par les aiguilles rouges de Popolasca.

Regagner la D 18 pour prendre un peu plus loin la D 918 (à gauche).

Popolasca

Ce village, également dominé par les curieuses aiguilles du même nom, se groupe sur un éperon rocheux au milieu de châtaigniers.

Reprendre la D 18 jusqu'à la N 193 que l'on prend à droite. 8,5 km plus loin, prendre à gauche une route étroite qui monte à Omessa.

Omessa★

Omessa signifie « le caché ». Le village gardait jadis les défilés calcaires de la Petraccia (mauvaise pierre), ainsi nommés parce qu'ils étaient des lieux d'embuscades.

On laissera la voiture sur la piazza commune, ombragée, de ce village perché au-dessus de la vallée du Golo. Là se dresse la **chapelle de l'Annonciade** *(fermée pour travaux de rénovation)* qui renferme une jolie statue en marbre de la **Vierge à l'Enfant** traitée dans le style florentin de la Renaissance.

On pénètre dans le **Rione**, « quartier » dont les hautes maisons, serrées autour de l'église, composent un ensemble de ruelles communiquant par des passages voûtés.

Église St-André – Flanquée d'un haut **campanile★** baroque, elle abrite quelques toiles italiennes intéressantes : une Vierge à l'Enfant, une Descente de Croix et une Cène, ainsi qu'une charmante peinture naïve sur la tribune. Sur le flanc gauche, une inscription honore la mémoire de trois évêques Colonna, originaires d'Omessa, inhumés dans l'église.

Revenir à la N 193 qui ramène à Corte.

GORGES DE LA RESTONICA★★

15 km – environ 2h30 – voir ce nom.

VALLÉE DU TAVIGNANO★ *(voir ce nom)*

Randonnées

Corte est un des principaux points de départ de randonnées pédestres. *Nous ne pouvons citer toutes les randonnées passionnantes que l'on peut faire autour de Corte. Nous vous conseillons en priorité les gorges de la Restonica, avec les lacs de Mélo et Capitello, le lac de Nino (voir Le Niolo), l'arche de Corte (ci-dessous). Les dénivelés sont importants et nécessitent un bon entraînement. Pour ceux qui restent longtemps dans la région, il est conseillé d'acheter un topoguide.*

La plupart de ces balades s'effectuent en moyenne montagne. Les dénivelés sont importants et nécessitent un bon entraînement ainsi qu'un équipement adapté (chaussures notamment). Le temps change très vite en montagne (orages, neige possible, même en été). Renseignez-vous avant de partir.

Les gorges du Tavignano.

GORGES DU TAVIGNANO★★

Vasques du Tavignano★

Départ du sentier balisé au Nord de la citadelle – environ 5h AR – dénivelé 1 050 m – sans difficulté majeure mais destiné à des marcheurs confirmés. Éviter les heures chaudes car le sentier est très peu ombragé. Possibilité de prolonger jusqu'aux bergeries de Padule (en prévision de cette variante, se munir de ravitaillement suffisant et d'un topoguide).

Le sentier s'élève sur la rive gauche du torrent. Environ 1h après le départ, une ancienne bergerie et une fontaine sont un point de rafraîchissement très apprécié. La deuxième partie est un peu plus ardue et semble parfois s'approcher de la rivière mais reste toujours à distance. L'objectif de cette randonnée est le pont qui traverse la rivière. Juste en-dessous, une grande vasque accueille les baigneurs.

Arche de Corte★ (ou de Padule)

Alt. 1 500 m. S'engager sur le sentier du Tavignano, puis à l'embranchement prendre le chemin à droite qui longe un muret. Dépasser un petit abri de terre et de pierre (non représenté sur les cartes au 1/25 000) et atteindre une crête. On pénètre dans une châtaigneraie. Poursuivre sur ce sentier (ignorer celui de droite qui rejoint des rochers) jusqu'à un col. L'itinéraire, mieux tracé ensuite, file plein Nord en montée régulière en traversant une majestueuse forêt de pins laricio. Environ 40 m avant d'atteindre le but de cette randonnée, on aperçoit, se détachant du relief environnant, la silhouette caractéristique de l'arche. Revenir par le même itinéraire.

Corte pratique

Adresse utile

Office de tourisme – Citadelle de Corte - ✆ 04 95 46 26 70 - www.corte-tourisme.com - tlj sf w.-end et j. fériés 9h-12h, 14h-18h.

Transports

Gare ferroviaire – ✆ 04 95 46 00 97. 4 trains/j vers Ajaccio, 2 trains vers L'Île-Rousse et Calvi et 5 trains vers Bastia. L'été, AR Corte-Vizzavona et Ajaccio-Vizzavona.

Corte Location Service – ✆ 04 95 46 07 13.

Se loger

Hôtel de la Poste – *2 pl. Padoue - ✆ 04 95 46 01 37 -* *- P - 11 ch. 40/45 € - 5,50 €.* Cet immeuble du début du 20e s., bien situé en centre-ville, a conservé son charme d'origine : grand hall d'entrée, escalier en granit et fenêtres à persiennes. Les propriétaires des lieux assurent un accueil convivial, dans un confort simple mais chaleureux.

Hôtel du Nord – *22 cours Paoli - ✆ 04 95 46 00 68 - www.hoteldunord-corte.com - P - 16 ch. 51/85 € - 7 €.* Le plus vieil hôtel de la ville (1820), situé dans la rue principale, a été rénové et ses chambres contemporaines portent aujourd'hui les couleurs de la Méditerranée. Ne vous fiez pas à l'état des persiennes que l'on peut apercevoir de la rue : elles cachent des doubles vitrages efficaces ainsi que tout le confort nécessaire.

Chambre d'hôte Ostéria di l'Orta – *Pont de l'Orta - sortie N par D 18, à droite apr. le pont - ✆ 04 95 61 06 41 - www.osteria-di-l-orta.com - - réserv. obligatoire - 4 ch. + 1 suite 75/100 € - repas 20/35 €.* Cette grande bâtisse entièrement rénovée abrite de belles chambres contemporaines dont les noms ont été choisis dans l'arbre généalogique de la famille des propriétaires. Bel escalier en marbre de Corte et, au grenier, vaste salon avec canapés, télévision et bibliothèque. Les spécialités locales se dégustent sous la véranda.

Dominique Colonna – *Rte des gorges de la Restonica (voir p. 328).*

Se restaurer

U Museu – *Rampe Ribanelle (ville haute) - ✆ 04 95 61 08 36 - fermé janv.-mars et dim. d'avr. à mai - 13/15 €.* Aux beaux jours, installez-vous au pied de la citadelle, sur l'une des terrasses à l'ombre des frênes. La véranda avec vue sur Corte et la salle voûtée rencontrent aussi un vif succès. Aux spécialités cortenaises s'ajoutent salades, pâtes et pizzas.

U Paglia Orba – *1 av. Xavier-Luciani - ✆ 04 95 61 07 89 - fermé 1er-8 avr., 30 août-5 sept., vac. de Noël et dim. - 14/25 €.* La carte de ce petit restaurant cultive l'éclectisme avec des salades, pizzas, pâtes, mais surtout des plats du terroir à la châtaigne et brocciu. Vous avez le choix entre la salle voûtée au sobre décor ou la terrasse surplombant l'avenue.

Restaurant le 24 – *24 cours Paoli - ✆ 04 95 46 02 90 - kimle24@hotmail.fr - fermé fév., fêtes de Noël, sam. midi et dim. - 15/25 €.* Les gens du pays se bousculent dans ce restaurant élégamment rénové. Pierres apparentes et arcades d'origine lui apportent une touche d'authenticité corse que l'on retrouve dans les assiettes : gigot d'agneau rôti truffé de châtaignes aux arômes de myrte ou magret de canard caramélisé à l'hydromel de Balagne.

⊖ **Au Plat d'Or** – *1 pl. Paoli - ✆ 04 95 46 27 16 - fermé vac. de fév. et dim. - 15/19 €.* Après avoir parcouru les ruelles de la ville haute, arrêtez-vous dans ce restaurant. Sa façade colorée et sa petite terrasse précèdent deux salles aux tons pastel. Cuisine traditionnelle doucement épicée, plat du jour et un menu à prix sage.

⊖⊖ **Auberge de la Restonica** – *Vallée de la Restonica - à 2 km de Corte - ✆ 04 95 46 09 58 - aubergerestonica@hotmail.com - 15 mars-3 nov. - 20/30 €.* Cette auberge familiale installée au bord de l'eau, avec terrasse ouverte sur la nature et la piscine, propose justement une appétissante cuisine du terroir mettant les poissons de la rivière à l'honneur. Le service s'effectue avec le sourire.

En soirée

Le Grand Café du Cours – *22 cours Paoli - ✆ 04 95 46 00 33 - cafeducours@wanadoo.fr - 7h-2h - fermé dim. hors sais.* Cet ancien relais de diligence est certes le plus vieux café de Corte, mais il dispose d'un espace Internet tout à fait à la page et d'une salle climatisée. Grande terrasse d'été et sympathique accueil familial.

Que rapporter

Bon à savoir – Au cours de la découverte de la ville à pied, on pourra apprécier les pâtisseries falculelle (brocciu servi sur une feuille de châtaignier) et picciole (brioche) en vente dans les boulangeries, sans oublier les spécialités corses (brocciu : fromage frais de chèvre ou brebis).

Marché – Un marché régional se tient le vendredi matin sur le parking municipal face à la gare routière.

Casanova – *6 cours Paoli - ✆ 04 95 46 00 79 - lun.-sam. 7h15-19h30, dim. 7h15-12h - fermé 2 sem. fév.* Depuis 1887, la famille Casanova réjouit les papilles des Cortenais. Ses multiples créations plusieurs fois primées viennent de s'enrichir du Paoli, une mousse de brocciu à la farine de châtaigne et aux marrons glacés.

U Granaghju – *Pl. Paoli - ✆ 04 95 46 20 28 - www.lesboutiqueurs.com - juil.-août : 9h-21h ; le reste de l'année : 9h-19h - fermé nov.-mars.* Des eaux-de-vie de cédrat aux charcuteries, tout ce que vous trouverez dans cette boutique est exclusivement corse et artisanal. Les produits de luxe sont réunis dans une petite boutique voisine élégamment agencée.

Confiserie St-Sylvestre – *Au village - dir. Bas-Soveria, 8 km au N de Corte par N 193 - 20250 Soveria - ✆ 04 95 47 42 27 - conf-stsylvestre@wanadoo.fr - tlj sf w.-end 8h-12h, 14h30-19h - fermé de mi-fév. à fin fév. et j. fériés.* Ce n'est pas un hasard si Lenôtre fait appel au talent de M. Santini pour composer le fourrage de certains chocolats. La rigueur et l'exigence de ce confiseur artisanal émanent en effet de tous ses produits, du cédrat confit au nougat à la châtaigne.

A Chiostra – *4 r. Chiostra - ✆ 04 95 46 19 53 - mai-oct. : 9h-21h ; hiver : tlj sf w.-end.* Dans la vieille ville de Corte, ce couple d'artisans travaille depuis plus de 20 ans la faïence tournée et émaillée, donnant naissance à des formes originales et variées.

Librairie de Flore – *5 cours Paoli - ✆ 04 95 46 06 85 - été : 8h30-12h30, 13h30-21h (hiver : 19h30) - fermé 1er janv., Pâques, 25 déc. et dim. mat. sf en été.* Cette librairie propose une intéressante sélection d'ouvrages sur la région et le tourisme corse.

Sports & Loisirs

L'Albadu – *Ancienne rte d'Ajaccio (N 2193) - ✆ 04 95 46 24 55.* Des journées baignade aux randonnées d'une semaine à travers le désert des Agriates ou jusqu'au golfe de Porto, les balades organisées par cette ferme équestre se déroulent dans une ambiance décontractée et familiale.

Événements

Procession du Christ mort : des processions de pénitents en cagoules se déroulent dans les rues illuminées de la ville (Jeu. et Vend. saints).

Chaque année a lieu la **Foire du cheval** (Fiera Cavalina) le 2e w.-end de juin. Au programme : spectacles équestres, nombreux artisans et producteurs agricoles - ✆ 04 95 46 13 77.

Sites de Cucuruzzu et Capula★★

CARTE GÉNÉRALE B6 – CARTE MICHELIN LOCAL 345 F6 – SCHÉMA P. 132
BASSE-CORSE (2A)

Dans un paysage de maquis, rompu par des bois de châtaigniers et de chênes verts, le pianu de Levie fut l'un des sites majeurs de la Corse préhistorique. Le castel de Cucuruzzu date de l'âge de bronze tandis que le site de Capula, posté sur une éminence, regroupe différentes époques dont les vestiges d'une forteresse du Moyen âge.

Se repérer – Les sites sont nichés entre les vallées du Rizzanèse et du Fiumicoli. Les deux sites sont accessibles par la route fléchée qui part de la D 268 entre Ste-Lucie-de-Tallano et Levie (4,3 km à partir de la D 268).

Se garer – Laisser sa voiture au parking sauf si vous voulez marcher depuis Levie.

Organiser son temps – Si vous avez un peu de temps, rejoignez le site à pied en partant de Levie (1h). Le départ du sentier se trouve en face de la fontaine (balisage orange).

Avec les enfants – Prolongez cette initiation exemplaire par la visite du musée de l'Alta Rocca à Lévie, plus didactique.

Pour poursuivre la visite – Voir aussi l'Alta Rocca, Sainte-Lucie-de-Tallano, Zonza.

Castellu de Cucuruzzu.

Visiter

Castellu de Cucuruzzu★

Ce site est un complexe monumental, daté de l'âge du bronze (milieu du 2e millénaire av. J.-C.), définitivement abandonné à la fin du 3e s. av. J.-C. Les archéologues y ont distingué : une forteresse, dont la technique de construction combine avec adresse les éléments naturels (gros blocs de roche granitique) et les murs édifiés de main d'homme ; un monument supérieur de base circulaire, tourné vers l'Est, à la destination énigmatique ; un village limité par un mur en gros appareil.

Monter les marches taillées dans la roche. À gauche s'élève un haut mur d'enceinte cyclopéen dans lequel sont aménagés des abris pourvus d'ouvertures destinées à l'éclairage et à l'évacuation des fumées. À droite, des diverticules (cavités) à usage de réserves. Un chemin conduit, du côté opposé, à une plate-forme donnant au Nord (vue sur les aiguilles de Bavella).

Celle-ci précède un monument circulaire orienté au levant, en blocs cyclopéens prenant appui sur un chaos de blocs de granit. Un couloir en arc aigu, s'ouvrant sur deux niches, mène à une chambre intérieure couverte d'une voûte en encorbellement.

Le sentier balisé descend vers un petit vallon avant d'entamer la montée vers l'éminence de Capula. Le parcours révèle de spectaculaires taffoni.

Capula

Les **ruines médiévales** de Capula, dressées sur une butte circulaire, reposent sur trois niveaux successifs de construction ; le site a en effet été habité dès l'âge du bronze (1800 av. J.-C.), puis à l'âge du fer (700 av. J.-C.), enfin au Bas-Empire, avant de devenir au Moyen Âge un important site défensif. Il fut démantelé en 1259, au cours de luttes fratricides, par Giudice de la Cinarca *(voir La Cinarca)*.

Au pied du mur d'enceinte encastré dans le roc, une statue-menhir, **Capula I**, témoigne d'une occupation du site dès l'âge du bronze. Sur la gauche, un sentier se faufile entre les volumineux rochers pour aboutir à l'**abri n° 1**, aménagé sous une immense dalle granitique horizontale.

Revenir vers le centre de la butte et monter vers la plate-forme supérieure, jadis occupée par la demeure des comtes de Bianco ; d'anciennes salles médiévales sont en cours de fouilles. Un raidillon conduit au point le plus élevé où apparaît la base d'un donjon ou d'une citerne. De cet endroit, on bénéficie d'une **vue★** magnifique sur le plateau très sauvage dominant la vallée boisée du Rizzanèse, jusqu'aux aiguilles de Bavella que l'on distingue au loin.

En se dirigeant vers la sortie, on longe les ruines de l'ancienne chapelle romane dont les bases datent du 13e s., puis la chapelle St-Laurent, bâtie au début du 20e s. avec les pierres de la précédente chapelle. Elle doit sa patine ancienne au réemploi de matériau médiéval. Chaque année, le 9 août, un pèlerinage vient demander la protection de saint Laurent.

Le chemin de retour vers le parking permet d'admirer un beau dallage médiéval dénommé « **chiappi di San Lorenzu** ».

Cucuruzzu et Capula

Visite

La visite des 2 sites est groupée.
✆ 04 95 78 48 21 - juil.-août : 9h30-20h ; juin et sept. : 9h30-19h ; avr.-mai et oct. : 9h30-18h - dernière entrée 2h av. fermeture - 5,50 € (enf. 3 €).

Le **circuit audioguidé** emprunte le sentier balisé et numéroté de points de halte qui conduit d'abord à Cucuruzzu, puis à Capula. Les commentaires de la visite alternent avec des chants polyphoniques corses.

Par ce sentier bien aménagé et ombragé de chênes, pins et châtaigniers, on descend vers le fond d'un vallon au rythme des étapes proposées par le guidage. Rapidement le site apparaît ; il occupe un éperon de 2 hectares. La **vue★** s'étend sur les pentes vallonnées, la forêt de chênes verts, les aiguilles de Bavella et le massif du Coscione.

Erbalunga★

CARTE GÉNÉRALE C2 – CARTE MICHELIN LOCAL 345 F3 – SCHÉMA P. 215
HAUTE-CORSE (2B)

Cette petite marine de la commune de Brando aligne ses vieilles maisons à fleur d'eau sur une pointe de schiste vert surmontée d'une ancienne tour génoise à demi ruinée. Goûtez le plaisir de la flânerie autour du port dans les ruelles en escalier, ombragées de platanes, de lauriers et de palmiers, et sur les places fleuries.

- **Se repérer** – À 10 km au Nord de Bastia par la D 80.
- **Se garer** – Laisser son véhicule au parking derrière la mairie (le long de la route principale). L'accès au port est interdit aux voitures.
- **À ne pas manquer** – Les fresques de la chapelle Notre-Dame des Neiges seraient les plus anciennes de l'île.
- **Pour poursuivre la visite** – Voir aussi le Cap Corse et Bastia.

Se promener

Erbalunga est le berceau de la branche paternelle de l'écrivain **Paul Valéry** (1871-1945). Mais la plus grande célébrité de la commune est son charmant petit **port**, encadré de rochers et d'habitations, qui abrite quelques bateaux de pêche et de plaisance aux couleurs vives, attira le regard des peintres dans les années 1930. Un petit ponton de bois au-dessus de l'eau longe les maisons anciennes et mène à la tour génoise. Une plaque, apposée sur la face Nord de la tour, mentionne la date de 1561, probablement celle de sa construction.

L'**église St-Érasme**, qui s'élève sur une terrasse à l'entrée du village en venant de Bastia, abrite les croix portées par les pénitents de la Semaine sainte. Saint Érasme, le patron des marins, est fêté le 2 juin, avec procession et bénédiction de la mer.

Stéphane Sauvignier / MICHELIN

Le site d'Erbalunga.

Aux alentours

Castello

3 km à l'Ouest. Dans Erbalunga, prendre à la hauteur du bureau de poste la D 54 vers Castello et Silgaggia.

La route monte rapidement, ménageant de larges vues sur la mer, Erbalunga et, à mi-pente, sur l'imposant monastère des bénédictines. Castello doit sans doute son nom au château médiéval dont les ruines subsistent sous la forme d'un donjon massif qui domine le village. Édifié au 13ᵉ s. et remanié au 15ᵉ s., il fut la demeure d'une puissante famille cap-corsine, les seigneurs Gentile. Ce gros hameau de la commune de Brando verrouille un amphithéâtre de schiste vert tourné vers le large, sur la pente Est du mont Stello.

Chapelle N.-D.-des-Neiges★ – *300 m avant Castello, prendre à gauche, à la fourche, la route en montée qui conduit à Silgaggia. ✆ 04 95 33 20 84 - visite guidée sur demande à la mairie - tarif non communiqué.*
Ce sanctuaire du 11e s. occupa, en dépit de sa taille modeste, le rang d'église piévane *(voir p. 77)* de la seigneurie de Brando. Son abside en cul de four et sa toiture de *teghie* (lauzes) lui confèrent une belle harmonie. La chapelle possède les plus anciennes **fresques** connues dans l'île, datées de 1386 et réalisées par un artiste italien. Les fragments subsistants couvrent le mur Sud et figurent des personnages d'une étonnante naïveté : la commanditaire, représentée, a été identifiée par une inscription.
Mitoyenne de la chapelle, l'église paroissiale **Santa Maria Assunta**, beaucoup plus vaste, présente une façade du 19e s., agrémentée en haut de son fronton des armes pontificales.
À proximité, une petite chapelle abrite en saison des expositions sur la restauration du patrimoine local.
Au-dessus, le cimetière, ombragé d'ifs et d'oliviers vénérables, domine la mer et l'île de Capraia.

Erbalunga pratique

Se loger

A Stalla Sischese – *Marine de Sisco - 20233 Sisco - 6 km au N d'Erbalunga par D 80, rte de Centuri - ✆ 04 95 35 26 34 - www.a-stalla-sischese.com - fermé 10 j. en janv. et merc. hors sais. - P - 10 ch. 45/90 € - 8 € - rest. 18,50/35 €.* Cet hôtel, tenu par une famille dans le métier depuis plusieurs générations, a été construit tout récemment. Rien de luxueux mais un bon niveau de confort et une décoration soignée, dans une palette de couleurs chaudes. Balcon à toutes les chambres et piscine à l'arrière.

U San Martinu – *Marina de Sisco - 20233 Sisco - 6 km au N d'Erbalunga par D 80, rte de Centuri - ✆ 04 95 35 25 78 - usanmartinu@wanadoo.fr - fermé de fin oct. à déb. avr. - - 4 ch. et 3 gîtes 36/60 € - repas 20 €.* Dans cette ferme récente aménagée en chambres d'hôte, la famille Moneglia, dans le métier depuis plusieurs générations, a su apporter la touche de rusticité nécessaire pour rendre l'atmosphère un peu plus authentique. Une cuisine corse généreuse, souvent composée de produits maison, est servie au bord de la piscine.

Se restaurer

Le Pirate – *Au port - ✆ 04 95 33 24 20 - jeanpierrericci@aol.com - fermé 3 nov. -6 avr. et lun. sf le soir en juil.-août - 35 € déj. - 55/75 €.* L'accès au port étant interdit aux voitures, c'est à pied que vous rejoindrez cette jolie maison en pierre inscrite dans un véritable paysage de carte postale. Belle ambiance méditerranéenne dans les deux salles à manger et sur l'agréable terrasse. Dans l'assiette, produits de la mer.

Événements

La Cerca – Le soir du Jeudi saint, une procession gagne le monastère de bénédictines qui domine le village. Les hommes, revêtus d'une aube blanche, portent une croix de 40 kg, tandis que les femmes, la tête couverte d'un tablier bleu *(la faldette)*, participent à la cérémonie en supportant une croix de 20 kg. Le Vendredi saint, la procession quitte l'église d'Erbalunga vers 7h du matin, pour un circuit à pied de 7 km comportant des haltes à toutes les églises et chapelles de la commune de Brando : c'est la **« Cerca »** (« recherche »), à laquelle prennent part d'autres villages de la commune. Le soir, à la lumière des torches, la procession des pénitents réalise des figures traditionnelles, devenues célèbres, comme celle de la *Granitola*, en forme de spirale, et celle de la croix.

Golfe de **Figari**

CARTE GÉNÉRALE B7 – CARTE MICHELIN LOCAL 345 D11 – CORSE-DU-SUD (2A)

La côte qui s'étend de Roccapina à Bonifacio, inhabitée et éloignée des grands axes routiers, a conservé sa beauté sauvage. Adossée à la montagne de Cagna et tapissée d'un maquis dense, elle offre de petites plages et des mouillages sûrs. De minuscules calanques pénètrent profondément dans les embouchures de ses fleuves côtiers. C'est un paradis très fréquenté pour la plongée sous-marine.

- **Se repérer** – Au Nord de Bonifacio. Pianottoli-Caldarello, seul bourg important du golfe, est accessible par la N 196, puis la D 122.
- **À ne pas manquer** – Le chaos de rochers de Calderello présente des formes insolites qui ne manqueront pas de solliciter votre imagination.
- **Avec les enfants** – Pause baignade dans les petites criques ou promenade à cheval : un programme séduisant.
- **Pour poursuivre la visite** – Voir aussi Bonifacio.

Comprendre

Un habitat saisonnier – Jusqu'au début du 20e s. il n'existait à Caldarello que quelques maisons servant à un habitat saisonnier, car cette zone basse (appelée *piaghja* en corse) était particulièrement insalubre en été. La population passait la plus grande partie de l'année en moyenne montagne, à **Zérubia**, près de Serra-di-Scopamène. On descendait à la *piaghja* afin de pourvoir à l'alimentation de base : vigne, oliviers, orge, etc. Avec les premières chaleurs de juin, les récoltes achevées, tout le monde remontait à Zérubia jusqu'aux vendanges.
Aujourd'hui, Zérubia se meurt alors que Pianottoli se développe grâce à la production d'un vin réputé (le vin de Figari) et à la proximité de l'aéroport. La marine de Caldarello est une belle station balnéaire.

Se promener

Caldarello

Composante de **Pianottoli-Caldarello**, seule agglomération d'importance entre Sartène et Bonifacio, ce charmant port de pêche se dresse dans un étonnant **chaos de rochers★**. Caldarello signifie en corse « là où il fait très chaud ».
Aménagés dans les chaos de Caldarello, des abris troglodytiques appelés « ori », fréquents dans toute la montagne de Cagna, étaient utilisés comme habitations principales jusqu'au 17e s. Ils servent aujourd'hui de granges, d'étables et, en montagne, de demeures pour les bergers.
Du haut du chaos rocheux à la sortie Sud de Caldarello, une **vue★** s'offre sur le golfe profond.

À la bifurcation, prendre à gauche vers l'embarcadère.

Stéphane Sauvignier / MICHELIN

Chaos de Caldarello.

Dominée par une tour génoise et bordée par un maquis dense d'où émergent des toitures de résidences, une petite plage de sable s'étend à gauche de l'embarcadère.

Les plages

Pour accéder aux plages, s'engager à droite vers St-Jean (D 122). En raison de l'étroitesse de la route et de la difficulté à trouver ensuite un stationnement, laisser le véhicule sur le parking libre situé après le tennis. Continuer environ 2 à 3 km à pied pour atteindre les **petites criques de sable fin** de la baie de Figari. Ne pas poursuivre la route lorsqu'elle s'incurve vers l'intérieur des terres, car elle dessert uniquement des résidences privées.

Golfe de Figari pratique

Transports

Aéroport de Figari – ✆ 04 95 71 10 10 - liaisons régulières avec Paris-Orly, Lyon, Nice et Marseille - la plupart des agences de location de voitures sont représentées : Ada (✆ 04 95 71 05 05), Avis (✆ 04 95 71 00 01), Budget (✆ 04 95 71 04 18), Citer (✆ 04 95 71 02 00), Europcar (✆ 04 95 71 01 41) et Hertz (✆ 04 95 71 04 16).

Se loger

Chambre d'hôte Felicita – *Au bourg - 20131 Pianottoli-Caldarello - ✆ 04 95 71 82 80 - ⊭ - 4 ch. et 1 suite 58/70 €* ☕. Madame Tomasi vous accueille dans sa charmante maison carrée, construite en granit comme toutes les maisons du village. Les chambres rénovées, au confort simple, s'agrémentent de meubles de famille ou chinés.

Camping Kévano Plage – *20131 Pianottoli-Caldarello - 3 km au SE de Pianottoli-Caldarello - ✆ 04 95 71 83 22 - ouv. mai-sept. - réserv. conseillée - 100 empl. 29,50 € - restauration.* À 500 m de la plage, sur une colline de rochers et d'arbres, ce terrain fleuri vous propose nature et espace. Emplacements bien délimités à l'ombre des rochers, terrasses aménagées dans le souci à la fois d'offrir pour tous la meilleure vue et de respecter l'environnement.

U Libecciu – *Rte du Port - 20131 Pianottoli-Caldarello - ✆ 04 95 71 87 93 - www.hotellibecciu.com - fermé de mi-oct. à mars - P - 80 ch. 82/184 € ☕ - rest. 20 €.* Très belle situation en bord de mer pour cet hôtel de conception moderne. Ses chambres, spacieuses et meublées en rotin, sont toutes climatisées. Côté détente, vous aurez l'embarras du choix : plage privée, piscine ludique, locations de VTT, canoë, petits voiliers, tennis, pétanque, etc.

Se restaurer

Le Florida – *RN 196 - 20131 Pianottoli-Caldarello - ✆ 04 95 71 09 38 - fermé oct.-mai - 12 € déj. - 19/25 €.* Cette petite adresse, en plein centre du bourg, ne paie pas de mine mais vous rendra bien service. Si la salle à manger n'a rien d'exceptionnel, l'accueil est souriant et les assiettes du chef assez copieuses pour un prix plus que raisonnable. Recettes de poissons à l'honneur.

Pozzo di Mastri – *20114 Figari - 2 km au N de Figari par D 859 - ✆ 04 95 71 02 65 - fermé nov.-avr. - ⊭ - réserv. conseillée - 22 € déj. - 38 € - 4 ch. 50/70 €.* Avec son air de bergerie sophistiquée, ses murs ornés de tableaux offerts par des clients artistes, son étonnante reproduction miniature d'un village corse et ses tables en pin laricio, la maison séduit. Cuisine de saison et beaux gigots d'agneau rôtis dans la cheminée.

Que rapporter

Domaine de Tanella – *Rte de Bonifacio - 20114 Figari - ✆ 04 95 70 46 23 - tanella@wanadoo.fr - juil.-août : 9h-20h ; juin, sept. : tlj sf dim. 9h-12h30, 15h-19h30 ; oct.-mai : tlj sf dim. 9h-12h, 15h-18h30, sam. 9h-12h.* Appartenant à la famille de Peretti Della Rocca, une des plus anciennes de Corse (depuis l'an 816), ce domaine de 57 ha produit d'excellents vins (rouge, rosé, blanc) issus de vieux cépages corses. La cuvée Alexandra, élevée en fût de chêne, a obtenu de nombreux prix.

Filitosa★★

CARTE GÉNÉRALE B6 – CARTE MICHELIN LOCAL 345 C9 – SCHÉMA P. 365
CORSE-DU-SUD (2A)

Le site archéologique de Filitosa offre, à travers ses précieux vestiges, une synthèse des origines de l'histoire en Corse : périodes néolithique (6000-2000 av. J.-C.), mégalithique (3500-1000), torréenne (1600-800), puis romaine. Le site a été découvert en 1946 par le propriétaire du terrain ; l'archéologue Roger Grosjean y a ensuite consacré son activité de chercheur.

- **Se repérer** – Le site se trouve à 17 km au Nord-Ouest de Propriano. Accès depuis le golfe de Valinco par la D 157 et la D 57 ou, depuis la N 196, par la D 302 vers Sollacaro et la D 57.
- **Organiser son temps** – Le site est parfaitement éclairé en milieu de journée, ce qui permet de voir les détails des sculptures.
- **Pour poursuivre la visite** – Voir aussi Propriano et le golfe de Valinco.

Stéphane Sauvignier / MICHELIN

Le site de Filitosa.

Comprendre

L'économie néolithique – En Corse, les premiers foyers néolithiques remontent à 6000 av. J.-C. Les hommes sont alors des agriculteurs et des pasteurs qui pratiquent aussi la chasse, la pêche et la cueillette. Pacifiques, ils demeurent dans des abris-sous-roche. Devenus sédentaires, ils édifient des cabanes au sommet d'éminences. Ils pratiquent la transhumance vers les plaines côtières en hiver, vers la haute montagne en été. Ils connaissent le tissage et la poterie et enterrent leurs morts dans des grottes naturelles.

La civilisation mégalithique – Cette civilisation se répand dans le Sud-Ouest de l'île vers 3500 av. J.-C. Le mode de vie n'a pas changé depuis l'époque néolithique, mais les morts sont enterrés dans des caveaux, d'abord plus ou moins enfoncés dans le sol (coffres), puis en surface, sous des dolmens constitués de grandes dalles façonnées. À proximité des sépultures sont élevés des monolithes (menhirs), hauts de 2 à 4 m.
Vers 2000 av. J.-C. apparaissent les premiers alignements. Ce peuple pacifique savait alors confectionner des armes de chasse dans le granit façonné avec un outillage d'obsidienne importée de Sardaigne, et tailler des pointes de flèches dans l'obsidienne même. Deux siècles plus tard une évolution sensible se manifeste : le menhir encore dépourvu de toute trace de sculpture ou de gravure acquiert cependant une silhouette humaine. C'est le **menhir anthropomorphe** (à forme humaine), déjà plus qu'une stèle mais pas encore une statue : la tête est ébauchée et distinguée du corps, les épaules sont esquissées. Sa hauteur est celle de l'homme. Son évolution vers la statue-pilier marque une étape artistique importante : le visage est désormais nettement modelé avec les yeux, le nez et la bouche.
Deux siècles plus tard (vers 1600 av. J.-C.), les **statues-menhirs** manifestent une nouvelle évolution : l'anatomie se précise (colonne vertébrale et omoplates) et apparais-

sent des armes sculptées en relief (épées et poignards). Dans le Nord de l'île, les Mégalithiques élevèrent des statues non armées qui se caractérisent par des épaules marquées, des oreilles proéminentes et souvent un collier sculpté.

La civilisation torréenne – De 1600 à 800 av. J.-C., la Corse du Sud reçoit l'empreinte d'une nouvelle civilisation qui a laissé de nombreuses traces dans le golfe de Porto-Vecchio et à l'Ouest dans les vallées de l'Ortolo, du Fiumicicoli, du Rizzanèse et du Taravo. Les principaux vestiges, situés sur les hauteurs, sont des forteresses circulaires en appareil cyclopéen hautes de 6 à 8 m, auxquelles fut donné le nom de *torre (voir chapitre Histoire)*, analogue aux *nuraghi* de Sardaigne.

Le saviez-vous ?

Filitosa signifie « endroit où pousse la fougère (*a filetta*, en corse) ».

Les 70 statues-menhirs retrouvées sur le site ont reçu le nom de Filitosa I, II, etc. Filitosa V est la mieux armée de toutes les statues-menhirs de Corse. Elle porte une longue épée et un poignard oblique dans son fourreau ; de dos, apparaissent des détails anatomiques ou vestimentaires. Le haut de la tête semble avoir été sectionné.

Le mythe des Torréens – Une hypothèse, aujourd'hui remise en cause par les préhistoriens, soutenait qu'entre 1400 et 1200 av. J.-C., la Corse aurait été envahie par les **Shardanes**, un des mythiques « peuples de la mer », farouches et barbares, qui auraient progressivement repoussé les Mégalithiques vers le Nord de l'île.
Ceux-ci auraient construit des *castelli* et des *torre* pour se défendre. Ils auraient aussi pratiqué l'envoûtement : leurs statues-menhirs, désormais armées, auraient représenté leurs ennemis morts au combat. Mais les Shardanes, finalement vainqueurs, devenus les Torréens en Corse et les Nuragiques en Sardaigne, auraient abattu les statues et les auraient récupérées pour la construction de leurs temples. Selon une autre hypothèse, les Corses d'alors auraient tout simplement abandonné leurs pratiques religieuses anciennes pour de nouvelles qui leur auraient fait édifier des monuments circulaires, les *torre*... Une (grande) part de mystère demeure donc, et ce n'est pas le moindre des charmes du lieu.

Visiter

Site archéologique★★

Visite 1h. ✆ 04 95 74 00 91 - de déb. avr. à mi-oct. : de 8h au coucher du soleil - de préférence en milieu de journée : bon éclairage pour l'examen des sculptures et des gravures - bornes sonores en 4 langues - 5 €.

Près de l'entrée s'élève le **musée** que l'on visitera au retour.

À 75 m, sur le chemin conduisant au site, à droite, a été placée la statue-menhir **Filitosa V**.

Une muraille cyclopéenne marque l'entrée de l'**oppidum** fortifié, installé sur un escarpement rocheux. Différents ensembles y retiennent l'attention et témoignent

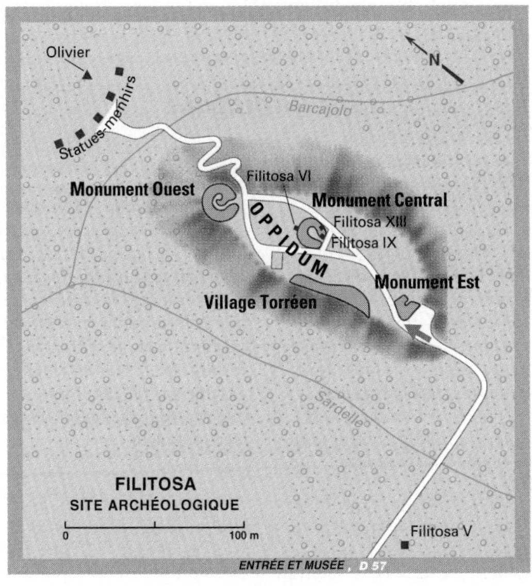

de l'occupation successive du site par les Mégalithiques, puis par les Torréens. On y accède par la **plate-forme de surveillance Est**, monument comblé par les Torréens. Il s'agit d'un tumulus, extérieurement appareillé et disposé dans un puissant ensemble rocheux. Une rampe monte à son sommet.
Sur la gauche, l'**abri-sous-roche** témoigne de la première occupation des lieux au néolithique ancien, il y a quelque 8 000 ans.

En savoir plus

D'autres sites préhistoriques et mégalithiques en Corse méritent une visite : **Alo Bisucce**, les alignements et le dolmen de **Cauria**, le menhir de **Nativu** à Patrimonio, les sites torréens de **Cucuruzzu, Ceccia, Tappa et Araghju**. Deux musées leur sont consacrés : à Sartène et à Levie.
Pour plus de détails sur Filitosa, lire : Filitosa, *par J.-D. Cesari et L. Acquaviva (en vente sur place).*

Monument central – Le monument central, de plan circulaire, était peut-être à vocation religieuse. Dans ses murs, les Torréens avaient encastré 32 statues-menhirs débitées, puis disposées le visage contre terre. Plusieurs statues qui avaient été retirées du parement encadrent l'entrée du monument. Celles de **Filitosa IX** et de **Filitosa XIII** sont les sommets de l'art mégalithique en Corse. **Filitosa VI** montre pour sa part un visage presque intact.

Monument Ouest – Il prend appui sur des aménagements mégalithiques antérieurs. Il s'agirait d'un édifice religieux torréen ayant occasionnellement servi à la défense collective. Sa partie centrale comporte deux chambres auxquelles on accède par des couloirs.
Une descente (un peu raide) conduit dans le vallon verdoyant où **cinq statues-menhirs** redressées, disposées autour d'un vénérable olivier, marquent la fin de l'époque mégalithique dans cette région. Bucolique, le lieu est empreint d'une étrange sérénité.
Un peu plus loin, on accède à la **carrière**, d'où ont été extraites les pierres ayant servi à la réalisation des statues-menhirs ; un rocher a été baptisé « dinosaure », en raison de sa forme étrange.

Village torréen – Sur le chemin du retour, en longeant sur la gauche l'oppidum, on aperçoit le village torréen qui conserve les assises de cabanes réoccupées après le départ des Mégalithiques. Dans ses strates profondes furent trouvés des vestiges de la plus ancienne occupation du site : de la céramique néolithique (5850 av. J.-C.).

Musée – Installé dans le Centre de documentation archéologique, il présente les objets découverts au cours des fouilles, accompagnés de notices explicatives. Observer en particulier trois fragments de statues-menhirs restaurées : à gauche, en entrant, la partie supérieure de **Scalsa-Murta** (1400-1350 av. J.-C.) portant, de face, une épée verticale et, de dos, une cuirasse en chevron et un casque sur lequel apparaissent deux cavités ; on pensait autrefois que des cornes de bovidés étaient fixées dessus : cette hypothèse est aujourd'hui contestée. Plus loin, **Filitosa XII**, débitée longitudinalement, où le bras et la main gauche sont représentés ; au fond, la tête de style archaïque de **Tappa II**.

Filitosa pratique

Se restaurer

⊖⊖ Auberge du Domaine Comte Abbatucci – *Au pont de Calzola - 20140 Casalabriva - 7 km au NE de Filitosa par D 457 - ✆ 04 95 24 36 30 - www.domaine-comte-abbatucci.com - fermé de fin oct. à déb. mars - 25 €.* Cette ferme-auberge est à dénicher au bout du chemin qui traverse les vignes du domaine. Sur la table de ce lieu dépaysant, vous découvrirez une cuisine préparée avec les produits maison : légumes du jardin, agneau, veau, huile d'olive et vins de la propriété. Terrasse d'été.

Que rapporter

Huile d'olive Soliu – Moulin de Sardelle – *Filitosa - 20140 Sollacaro - ✆ 04 95 74 03 83- À 1 km au SE du site de Filitosa en remontant vers Sollacaro, par une petite rte à droite de la D 57.* Vous ne manquerez pas d'admirer les champs d'oliviers ornés des caractéristiques filets orangés ; tendus sous les arbres, ils attendent de recevoir ces fameuses petites olives qui, ramassées à pleine maturité, libèrent une saveur douce et fruitée.

Golfe de Galéria★

CARTE GÉNÉRALE A3 – CARTE MICHELIN LOCAL 345 A5 – HAUTE-CORSE (2B)

Le golfe dessine une large baie sauvage à l'embouchure du Fango et à proximité de la réserve naturelle de Scandola. À l'écart de l'agitation de la côte de Balagne, dans un très beau secteur protégé, Galéria est une halte stratégique dotée d'un petit port, surveillée par une tour génoise et bordée par une plage de petits galets. Les fonds sous-marins remarquables attirent les amateurs de plongées. Les marcheurs pourront y effectuer de nombreuses randonnées.

Se repérer – Le golfe de Galéria est délimité par la Punta Stollo au Sud et la Punta Ciuttone au Nord. La **vallée du Fango** occupe l'arrière-pays jusqu'à Paglia-Orba.

À ne pas manquer – Marchez quelques instants sur le sentier qui longe le golfe vers la Punta Stollo, il vous réserve une vue magnifique sur l'ensemble de la baie.

Organiser son temps – La région se prête à la promenade, en particulier dans la forêt du Fango. Prévoyez un après-midi pour le circuit de découverte.

Pour poursuivre la visite – Voir aussi le golfe de Porto et Calvi.

Amaury de Valroger / MICHELIN

Golfe de Galéria.

Comprendre

Réserve de biosphère de la vallée du Fango – Depuis 1977, la vallée du Fango est l'objet d'une protection comme réserve de biosphère. Le territoire concerné s'étend sur 23 400 ha. L'élément le plus remarquable et certainement le plus fragile est son embouchure, certains disent son delta, dans le golfe de Galéria. Cette zone humide, arrosée par quatre bras dont trois abandonnés de la rivière, abrite de nombreux oiseaux, amphibiens et même des tortues cistudes.

L'autre centre d'intérêt majeur de la réserve est la « yeuseraie » du Fango. Il s'agit d'une très grande forêt de chênes verts, sans doute l'une des plus importantes de Corse.

Séjourner

Galéria

Au débouché de la vallée du Fango, ce village, isolé dans un maquis clairsemé au pied du Capo Tondo (alt. 839 m) se prolonge par une grande plage de galets et un mouillage pour les plaisanciers. Son site sauvage est le paradis des plongeurs.
Avant l'arrivée au village, arrêtez-vous au site protégé de **Ricinìccia**, sur la droite de la route. On peut y voir les vestiges de la **tour génoise** (16e s.) détruite peu après, et surtout le magasin construit plus tard. La couleur de la roche et la **vue★** sur le golfe sont superbes.
Pour avoir une **vue d'ensemble sur le golfe**, suivre à pied le sentier qui s'ouvre à gauche au bout de la D 351. Bien tracé dans le maquis, il longe le golfe vers la Punta Stollo.

Circuit de découverte

VALLÉE DU FANGO (Fangu)★

24 km de Galéria au pont de la Rocce – environ 1h30.

Avec ses vallées adjacentes, elle forme le **Filosorma** (ou Falasorma), petite contrée peu habitée de la Balagne déserte.
La vallée constitue une importante voie de transit dans la Balagne déserte. Les troupeaux du Niolo quittent avant l'hiver leurs hauts pâturages de montagne pour gagner la plaine, par les cols de Guagnerola et de Capronale, puis remonter en sens inverse à la fin du printemps. Leur passage a fini par déboiser la région : pâturages et maquis se substituent aux forêts.
Quitter Galéria par la D 351 qui remonte le cours du Fango, à travers une région couverte de maquis.

Tuarelli

Emprunter le chemin sur la gauche *(15mn à pied AR)*. Il conduit au pont sur le Fango : jolie vue en enfilade sur le torrent aux eaux claires courant dans le granit rose, et sur les sommets qui ferment la vallée : Punta Minuta et Paglia Orba.

Forêt domaniale du Fango

1,5 km au départ de la D 351 par le chemin qui s'ouvre sur la droite à la sortie du pont enjambant un petit affluent du Fango. La route forestière *(interdite aux voitures en période estivale)* pénètre dans la forêt domaniale du Fango *(plan de la forêt à la bifurcation)*, constituée de pins, de chênes verts et d'arbousiers. Elle conduit au laboratoire d'écologie, puis à la **maison forestière de Pirio** *(chemin privé)*.

La D 351 longe la forêt du Fango. Prendre la route à gauche qui monte au village de Manso.

Manso (Mansu)

Village étagé à flanc de montagne et formé de quatre hameaux dispersés.
De la plate-forme située en bordure de la route, à l'entrée du village, s'offre une belle **vue★** en enfilade sur la vallée plantée d'oliviers et la barrière montagneuse où l'on reconnaît la Paglia Orba et le Capo Tafonato *(voir col de Vergio)*.

Regagner la D 351.

La route, en mauvais état, serpente à travers les châtaigniers. Les coteaux exposés au soleil portent quelques vignes et des arbres fruitiers.

Bardiana

Ce hameau est situé non loin du confluent du Fango et de la Taïta qui descend de la Mufrella à travers la forêt solitaire du Filosorma, malheureusement ravagée par les incendies. Du village se profile la grande chaîne montagneuse qui sépare le Filosorma du Niolo. De gauche à droite, on distingue : la Punta Minuta (alt. 2 556 m), la Paglia Orba (alt. 2 525 m) et le Capo Tafonato (alt. 2 343 m).

À Bardiana, prendre la piste forestière qui part, face au cimetière, en bas de l'église.

Estuaire du Fango.

Pont de la Rocce

Bonne **vue** sur le Capo Tafonato.

Au-delà du pont, le chemin pénètre dans la réserve de chasse du Filosorma (protection des mouflons).

Golfe de Galéria pratique

Adresse utile

Office de tourisme – ✆ 04 95 62 02 27 - juil.-août : 9h30-12h, 14h30-19h ; avr.-juin et sept. : 9h-12h, 15h-18h - fermé dim. et j. fériés.

Se loger et se restaurer

⊖ **Auberge de Ferayola** – *20260 Ferayola - 13 km au N de Galéria par D 351 puis D 81b (rte côtière de Calvi) - ✆ 04 95 65 25 25 - ferayola@aol.com - fermé oct.-avr. - P - 10 ch. 50/65 € - ☕ 7 € - rest. 18/21 €.* Cette auberge est isolée sur les hauteurs, au cœur d'une nature sauvage, mais est seulement séparée de la mer par la route littorale. Chambres simples et rustiques, toutes dotées d'un balcon ou d'une terrasse. Cuisine sans prétention. Agréable piscine.

⊖ **A Martinella** – *Rte du Port - 20245 Galéria - ✆ 04 95 62 00 44 - fermé nov.-fév. - ⊭ - 5 ch. 49 € - ☕ 5,40 €.* Cette gentille adresse vaut par sa situation à 150 m d'une grande plage de galets et tout près de la réserve naturelle de la Scandola. Les chambres, plutôt simples, possèdent toutes une terrasse privée. La tranquillité du jardin est toujours appréciée.

Que rapporter

Bergerie de Mustelle – *Rte de Prezzuna - 20245 Galéria - ✆ 04 95 65 07 77 - sur RV (mat. de préférence).* Avec leur troupeau de 250 bêtes, Joseph et Dominique Acquaviva sont les derniers bergers de Mustelle. Leurs fromages de chèvre, doux et crémeux, sont affinés pendant plus de deux mois. Vous les trouverez notamment à l'épicerie de Galéria

Sports & Loisirs

L'Incantu – *Ld Cala - 20245 Galéria - ✆ 04 95 62 03 65 – infos. incantu@wanadoo.fr - tlj 8h30-18h30 - fermé nov.-mars.* Ce centre de plongée qui propose aussi des locations de canoës et de catamarans a su conserver une atmosphère familiale et un accueil de qualité. Les sites s'éparpillent entre Capo di a Morsetta au Nord et la limite Sud de la réserve de Scandola. Une à deux fois par semaine le centre organise une « Journée Scandola », avec visite de la réserve, plongée à la limite Sud de celle-ci (plonger sur le territoire de la réserve est interdit) et arrêt de quelques heures dans le magnifique golfe de Girolata. L'Incantu possède une résidence hôtelière dans les hauteurs du bourg.

Amaury de Valroger / MICHELIN

Port de Galéria.

Tra Mare e Monti – *Port de Pêche - 20245 Galéria - ✆ 04 95 65 21 26 - www.tramare-monti.com.* Promenades en voilier, location de bateaux (avec ou sans permis) en direction de la réserve naturelle de Scandola ou des plages de Saleccia. Également, location de scooters, motos et randonnées en quads.

Promenade en kayak – *☎ 06 22 01 71 89. 5 €/h par pers.* Comptez une heure pour découvrir les 4 bras, dont trois morts, du Fango dont la vallée est classée réserve naturelle. Un petit briefing donne toutes les indications pour respecter au mieux cet écosystème fragile tout en profitant des nénuphars et petites tortues cistudes qui vous attendent sur le parcours.

Randonnée

Galéria est sur le passage du sentier **Mare e Monti Nord**. On peut rejoindre la jolie petite baie de Girolata en 6h de marche environ.

Ghisonaccia

3 168 GHISONACCIAIS
CARTE GÉNÉRALE C4 – CARTE MICHELIN LOCAL 345 F7 – HAUTE-CORSE (2B)

Aux confins du Fiumorbo et de la Costa Serena, Ghisonaccia manque de charme mais profite de sa situation de carrefour touristique entre mer et montagne. La ville est le point de départ du Mare à Mare centre.

- **Se repérer** – Ghisonaccia se situe à moins de 5 km de la côte, entre Aléria et Solenzara.
- **À ne pas manquer** – Arrêtez-vous au village belvédère de Prunelli-di-Fiumorbo pour admirer la plaine et les étangs d'Aléria.
- **Pour poursuivre la visite** – Voir aussi Ghisoni et Aléria.

Comprendre

LE FIUMORBO

Une terre longtemps enclavée – Le Fium'Orbo (qui signifie « fleuve aux eaux troubles ») rassemble les eaux des torrents nés sur le versant oriental du mont Renoso. Il contourne par le Nord une petite région à laquelle il a donné son nom : le Fiumorbo (sans l'apostrophe). Contrée longtemps enclavée, elle fut un terrain de résistance et un repaire de bandits. D'Ouest en Est, le Fiumorbo présente une zone d'altitude où règne le châtaignier, puis un ensemble de collines. À l'extrême Sud s'étend la grande plaine d'Aléria. Les villages fixés sur leur promontoire embrassent l'horizon jusqu'à la plaine orientale et la mer. Aujourd'hui encore, seul le long parcours sinueux de la D 344, puis de la D 69, relie la région à l'intérieur de l'île par le col de Verde (alt. 1 289 m). Les villages sont maintenant accessibles par des routes, mais la plupart de celles-ci s'achèvent en cul-de-sac.

Amaury de Valroger / MICHELIN

Fresque de l'église de Ghisonaccia.

Une terre de résistance – L'isolement géographique a fait de la région un foyer de résistance. Au 18e s., des bergers fiumorbais refusaient les astreintes de la loi française. En 1815, le commandant Poli, qui avait mission de trouver une retraite pour Napoléon au cas où l'évasion de l'île d'Elbe échouerait, débarqua au Sud de Solenzara. Il gagna le Fiumorbo à la cause de l'Empereur, si bien qu'après les Cent-Jours l'armée du marquis de Rivière ne parvint pas à réduire le pays. Rivière muté, Poli s'exila lorsque le général Villot accorda l'amnistie générale.
À la fin du 19e s., le Fiumorbo devint un repaire de bandits, vivant ostensiblement leur condition et mettant la région en coupe réglée.
En septembre 1944, la région de Vezzani, le défilé de l'Inzecca et Ghisoni furent des théâtres de la résistance victorieuse à l'armée d'occupation allemande.

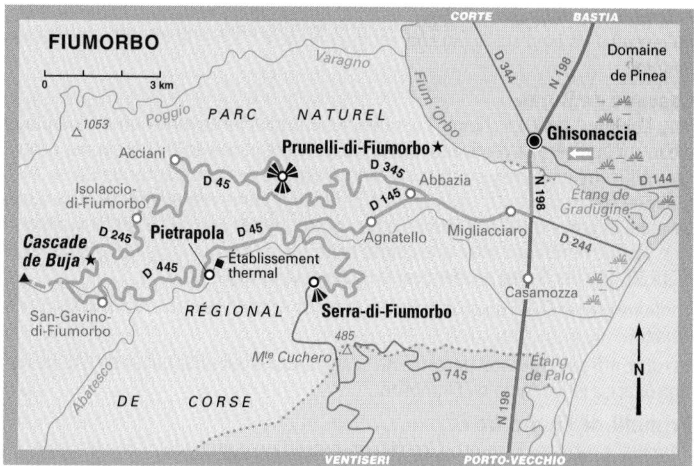

Séjourner

Ghisonaccia

Située à 4,5 km de la mer et adossée aux collines du Fiumorbo, Ghisonaccia est devenue, grâce à l'essor agricole de la plaine orientale, une petite ville moderne et dynamique, centre de la Costa Serena.

Ne cherchez donc pas de patrimoine ancien, mais si vous avez un peu de temps, passez faire un tour à l'**église** entièrement décorée de **fresques néobyzantines**. Elles ont été réalisées entre 1980 et 1985 par le peintre grec Nikos Giannakakis.

Porte du Fiumorbo, Ghisonaccia attire beaucoup pour son littoral. À 4,5 km du bourg, la **plage de Vignale** séduit les amateurs de farniente.

Domaine préservé de Pinia

Il occupe 400 ha au Sud de l'étang d'Urbino et longe 4 km de plage de sable fin. La belle pinède de Pinia, qui faisait la renommée du domaine, a brûlé en 1993. Elle fut le dernier refuge naturel du cerf de Corse avant sa disparition à la fin des années 1960.

Étang d'Urbino

Ce vaste étang est, comme celui de Diane, spécialisé dans l'élevage des moules et des huîtres depuis l'Antiquité.

Circuit de découverte

VALLÉE DE L'ABATESCO

Circuit de 56 km au départ de Ghisonaccia – environ 2h30.

Ghisonaccia *(voir ci-dessus)*

Au Sud-Est, la D 144 mène au littoral. Vers le Nord, la plage de sable fin semble s'étirer à l'infini.

De Ghisonaccia, suivre la route de Bonifacio jusqu'à Migliacciaro (1,5 km). Là, emprunter à droite la D 244 puis, 3 km plus loin, à gauche la D 145. Après Agnatello, prendre à gauche la D 45 qui s'élève en lacet dans le maquis et les chênes-lièges.

Serra-di-Fiumorbo

Accroché à flanc de montagne, ce village domine de 450 m la plaine orientale. De la terrasse de l'église, le regard embrasse à la fois la plaine d'Aléria avec l'étang de Palo et la vallée de l'Abatesco.

Regagner la D 145 et poursuivre la D 45 à gauche.

Pietrapola

Pietrapola est connue depuis l'époque romaine pour les bienfaits de ses eaux chaudes sulfurées sodiques sur les affections rhumatismales et osseuses. L'établissement thermal moderne, situé sur la rive gauche de l'Abatesco, reçoit plusieurs centaines de curistes par an. Devant l'église s'élèvent de typiques maisons en granit.

Continuer vers San-Gavino-di-Fiumorbo.

La D 445 s'élève au-dessus de la vallée de l'Abatesco dans les châtaigniers et les chênes-lièges.

À San-Gavino, emprunter, à droite, la D 245 en direction d'Isolaccio. À environ 2 km, au niveau d'un pont sur la gauche, est discrètement fléchée la cascade de Buja (ou Bughja).

Cascade de Buja★

Compter 1h AR. Le chemin commence sur la gauche en direction d'un captage d'eau sur la rivière. À ce niveau, traversez la rivière et suivez le chemin qui s'élève sans difficulté majeure jusqu'à la cascade. C'est une des plus hautes de Corse, avec quelque 100 m de chute, mais ce n'est pas la plus impressionnante car il n'y a pas de recul et parce qu'elle se laisse un peu glisser plutôt que de se lancer vraiment. Une vasque ombragée offre une courte halte à la rivière qui s'engage ensuite dans d'étroits goulets. Soyez prudent car la roche peut être glissante.

Continuez sur la D 245 jusqu'à Isolaccio et, après Acciani, poursuivre par la D 45 vers Prunelli.

La route offre sur tout son parcours de beaux coups d'œil sur la vallée de l'Abatesco, Ghisonaccia et la région du Fiumorbo.

Prunelli-di-Fiumorbo★

Principal centre du Fiumorbo, ce village-belvédère domine la plaine littorale. La terrasse de l'église fortifiée, bâtie en haut du village, offre un **panorama★** très étendu sur la plaine orientale et ses étangs jusqu'à Aléria, sur la vallée de l'Abatesco et sur l'ensemble du Fiumorbo.

Le retour à Ghisonaccia s'effectue par la D 345, puis la D 145 jusqu'à Migliacciaro et la N 198 à gauche.

Ghisonaccia pratique

Adresse utile

Pôle touristique Costa Serena – RN 198 - 20240 Ghisonaccia - ✆ 04 95 56 12 38 - www.corsica-costaserena.com - lun.-sam. 9h-12h30, 14h30-20h, dim. 9h-12h.

Se loger

Bon à savoir – Dans les environs de Ghisonaccia, le bord de mer réserve des surprises agréables aux vacanciers exigeants. Confortables et bien aménagés, les pieds dans l'eau, les campings ouvrent leurs portes de mai à septembre. Les villages clubs la « Marina d'Oru » et la « Perla de Mare » constituent une autre solution idéale avec leurs équipements complets et animations.

Franceschini – *Av. du 9-Septembre - RN, au centre du bourg - ✆ 04 95 56 06 39 - hotel.franceschini@wanadoo.fr - rest. fermé dim. - P - 10 ch. 58/77 € - rest. 17/30 €.* Hôtel facile à trouver car placé directement au bord de la nationale traversant le village. Derrière une façade quelque peu défraîchie, il abrite un bar et une salle de restaurant rénovés, joliment décorés d'un mobilier en fer forgé. Les chambres, fonctionnelles, sont bien équipées et climatisées.

Camping Marina d'Erba Rossa – *4 km à l'E de Ghisonaccia par D 144 (bord de plage) - ✆ 04 95 56 25 14 - erbarossa@wanadoo.fr - ouv. mai-15 sept. - réserv. conseillée - 160 empl. 31,90 € - restauration.* Pelouses d'agrément ou de jeux, massifs de lauriers roses, palmiers, bananiers, parc animalier, clapotis de la mer, douces plongées dans la piscine, rêveries sur le sable fin ; ici, la nature est reine pour votre plaisir. Activités sportives à volonté !

Camping Arinella-Bianca – *Rte de la Mer - 3,5 km à l'E de Ghisonaccia par D 144 puis 700 m par chemin à droite - ✆ 04 95 56 04 78 - arinella@arinellabianca.com - ouv. 3 avr.-sept. - réserv. conseillée - 416 empl. 36,50 €.* Un véritable village de vacances en bordure de plage, proposant un espace camping traditionnel ainsi que la location de bungalows et mobile homes. Équipement commercial et de loisirs très complet. Club pour les enfants.

Se restaurer

Les Deux Magots – *Plage de Vignale - ✆ 04 95 56 15 61 - fermé 20 oct.-20 mars - réserv. le soir - 17/25 €.* Face à la plage de sable fin, les pieds dans l'eau... On ne peut rêver d'une meilleure situation pour se restaurer simplement et en toute quiétude. On propose ici une cuisine aux saveurs méditerranéennes ainsi que des grillades et des pizzas.

Sports & Loisirs

Ranch U Cavallu – *Rte de la Mer - ✆ 04 95 57 37 13 - activités sur RV.* Ce ranch propose des balades en calèche, des promenades à cheval ou à poney et initie les plus jeunes aux joies de l'équitation lors de mini-stages. Uniquement sur rendez-vous.

Ghisoni

267 HABITANTS
CARTE GÉNÉRALE B4 – CARTE MICHELIN LOCAL 345 E7 – HAUTE-CORSE (2B)

Ce village tranquille est situé à 658 m d'altitude. C'est l'un des rares bourgs en Corse établi dans une cuvette, au pied du mont Renoso. Au Sud-Est de Ghisoni deux hauts rochers veillent sur les lieux : le Kyrie Eleïson (1 525 m) et le Christe Eleïson (1 260 m). Prenez le temps de découvrir cet espace naturel préservé en privilégiant les balades au cœur des belles forêts de pins, la découverte des bergeries, les baignades dans l'eau fraîche des lacs et, pour les bons marcheurs, l'ascension du mont Renoso.

Se repérer – À une vingtaine de kilomètres au Sud-Est de Vivario, Ghisoni est enserré par les forêts de Sorba et de Ghisoni.

Organiser son temps – Compter environ 1h de marche (aller) pour la source de Pizzolo, 2h pour le lac de Bastiani, 3h environ pour le sommet du Renoso.

Avec les enfants – En été, les enfants découvriront aux bergeries de Capannelle d'importants troupeaux s'égayant dans l'alpage.

Pour poursuivre la visite – Voir aussi la forêt de Vizzavona, Vivario, Ghisonaccia, Aléria.

Terrible supplique

Au 14e s., plusieurs membres de la confrérie des Giovannali *(voir L'Alta Rocca)*, réfugiés à Ghisoni et taxés d'hérétiques, furent brûlés sur les flancs de la montagne. La légende raconte qu'au moment où le prêtre chanta le « Kyrie » de l'office des morts, une colombe s'échappa des fumées âcres du bûcher, tournoya sur le lieu du supplice et se perdit dans la campagne pendant que l'écho répétait : « Kyrie... Christe Eleïson... ».

Circuits de découverte

BERGERIES DE CAPANNELLE 1

18 km. Quitter Ghisoni au Sud par la D 69. À 6,5 km, après le pont de Casso, prendre à droite la D 169 qui s'arrête non loin des bergeries de Capannelle.

Construite pour faciliter l'exploitation de la **forêt de Ghisoni**, cette route permet d'admirer les peuplements de pins laricio et maritimes, ou de hêtres, auxquels se mêlent le bouleau, l'aulne et l'alisier blanc. Certains pins laricio, hauts de 40 m, sont vieux de 3 siècles.

Bergeries de Capannelle (refuge du Parc régional)

Alt. 1 640 m, 500 m à l'Ouest de l'extrémité de la route. Elles se groupent dans le vallon de Tomba. Avec celles de Tragette et de Scarpaccedie, elles abritent en été 2 500 ovins. Un vaste domaine skiable, le « stade de neige de Ghisoni », s'étend entre 1 600 m et 2 100 m d'altitude, limité par la crête de Chufidu au Nord et celle de Pietra Niella au Sud.

Le mont Renoso (Monte Renusu)★★★

4h30 pour AR direct, 9h pour la grande boucle réservée aux bons marcheurs – dénivelé de 700 m. Partir de très bonne heure pour atteindre le sommet avant que ne se lève la brume qui, en été, voile le panorama dès le milieu de la matinée. L'escalade des pentes caillouteuses du Renoso ne présente guère de difficultés pour de bons marcheurs bien équipés. L'itinéraire est balisé de cairns.

Des **bergeries de Capannelle**, une piste jalonnée de cairns s'engage vers le Sud-Ouest en direction du mont Renoso ; elle atteint *(1h)* la source de Pizzolo sur un plateau herbeux, puis *(2h)* le **lac de Bastiani** (alt. 2 089 m), grande nappe d'eau grise, aleviné en truitelles et en saumons de fontaine, qui s'étend sur 4,7 ha. Ses rives sont souvent recouvertes par les névés, même en été.

Longer la moraine qui borde le lac pour atteindre l'arête faîtière que l'on suit jusqu'au sommet du Renoso (à 1h de marche du lac).

Point culminant de la longue arête qui joint les cols de Vizzavona et de Verde, le **mont Renoso★★★** (alt. 2 352 m.) apparaît comme un dôme massif couvert de blocs et d'éboulis. Du sommet, le **panorama★★★** englobe tout le Sud de l'île, de la côte orientale aux golfes de Valinco et d'Ajaccio, ainsi que la Sardaigne.

Variante de retour pour marcheurs expérimentés – Un passage très étroit sur l'arête faîtière qui joint le sommet à la Punta Orlandino requiert une certaine pru-

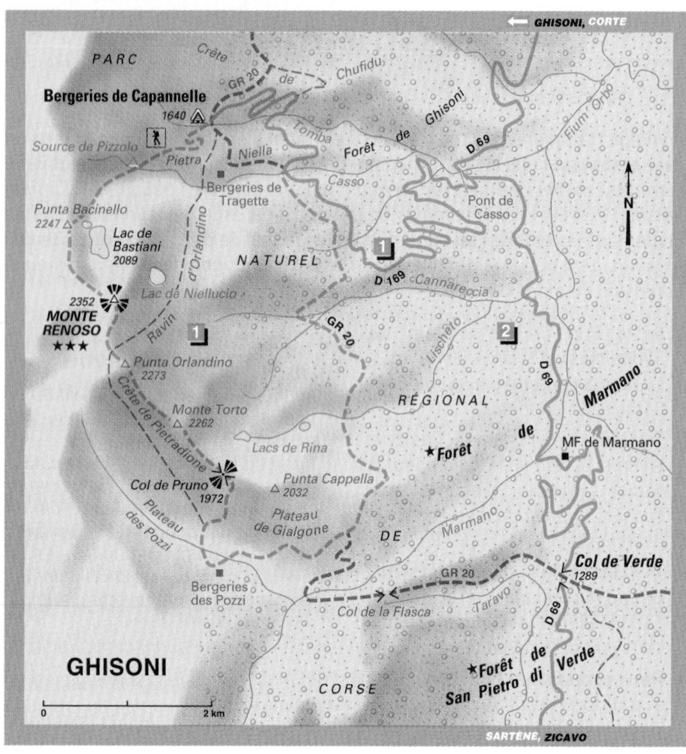

dence. Poursuivre par la crête de Pietradione. Gagner alors le **col de Pruno** d'où l'on domine les petits lacs de Rina et le plateau herbeux des Pozzi. De là, un chemin descend aux bergeries des Pozzi ; puis emprunter à l'Est le plateau de Gialgone. À l'embranchement, après le plateau, prendre à gauche le chemin forestier (GR 20) qui contourne le Renoso sur son versant Est et ramène *(en 3h)* à la route forestière du départ, par laquelle on regagne la voiture.

COL DE VERDE PAR LA FORÊT DE MARMANO★ 2

39 km au Sud par la D 69 jusqu'à Zicavo.

La route s'élève dans la forêt de Ghisoni, exposant dans le bas les séquelles des incendies. On aperçoit sur la droite le mont Renoso et, en contrebas sur la gauche, le Christe et le Kyrie Eleïson.

Forêt de Marmano★

Couvrant le bassin supérieur du Fium'Orbo, la forêt s'accroche à des versants abrupts et présente de beaux pins laricio et maritimes, des hêtres, des sapins et des bouleaux.

Col de Verde

S'ouvrant à 1 289 m d'altitude au milieu des hêtraies, il fait communiquer la vallée du Fium'Orbo et la forêt de Marmano au Nord avec la vallée du Taravo et la forêt de San Pietro di Verde au Sud.

Forêt de San Pietro di Verde★

Après le col, la route descend à travers le peuplement de pins laricio de la forêt de San Pietro di Verde, puis longe la forêt de St-Antoine jusqu'à Zicavo.

Zicavo *(voir ce nom)*

Poursuivre sur 7 km à l'Ouest de Zicavo par la D 757A.

Bains-de-Guitera *(voir à Zicavo)*

Mont Incudine★★★ *(voir p. 383)*

Ghisoni pratique

Se restaurer

⊖⊖ **Ferme-auberge L'Inzecca** – *À 15 km de Ghisonaccia - ☏ 04 95 56 62 62 - fermé oct.-30 avr. - 25/30 €.* À l'entrée du défilé de l'Inzecca, c'est une ancienne bergerie restaurée. Tout est fait maison : charcuterie, tripettes, veau et cochon… Seule la truite est d'élevage. Ambiance familiale dans la salle de pierre ou en terrasse avec vue sur les montagnes et la forêt.

Guagno-les-Bains

I Bagni

CARTE GÉNÉRALE B4 – CARTE MICHELIN LOCAL 345 C6 – CORSE-DU-SUD (2A)

Cette minuscule station nichée dans la verdure au fond de la vallée du Fiume Grosso était naguère à l'abandon. L'établissement thermal construit sur la rive gauche du torrent témoigne de l'effort accompli pour relancer le thermalisme en Corse. On y vient pour se soigner ou pour se promener en forêt.

- **Se repérer** – Guagno-les-Bains est établie à 12 km à l'Est de Vico par la D 23.
- **À ne pas manquer** – Le village d'Orto se niche dans un site spectaculaire.
- **Avec les enfants** – La randonnée du lac de Creno, qui les fera peut être râler un peu à l'aller, ne manquera certainement pas de les séduire.
- **Pour poursuivre la visite** – Voir aussi Vico, Évisa, la forêt d'Aïtone et le golfe de Sagone.

Séjourner

La station

Les eaux de Guagno étaient déjà utilisées au 16e s., mais leurs propriétés ne furent réellement reconnues qu'au 18e s. D'illustres baigneurs ont fréquenté les eaux de Guagno : Pascal Paoli, les Abbatucci, les Ornano y venaient presque chaque année. Letizia Bonaparte y rétablit sa santé compromise après la guerre d'Indépendance. Napoléon, y vint avec son frère Joseph.

Les sources de l'**Occhiu** (37 °C), situées sur la D 323, à l'Ouest du village, traitaient autrefois les maladies des yeux, de la gorge et du larynx. La **source Venturini** (52 °C) soigne les rhumatismes, maladies de peau, arthroses, sciatiques, l'obésité...

Arborant fièrement leur date de construction (1808), les **thermes** (actuellement fermés) s'enorgueillissent d'avoir eu comme patients Napoléon III et Eugénie de Montijo.

Aux alentours

Orto (Ortu)★

6 km au Nord-Est par la D 223. Dominé par les aiguilles déchiquetées du **Mont Sant'Eliseo**, ce village « du bout du monde » occupe un **site★** impressionnant au-dessus de la vallée du Fiume Grosso.

Guagno (Guagnu)

6 km à l'Est par la D 23. Ce village s'étage dans une clairière ouverte dans la forêt de châtaigniers sur une hauteur (720 m) dominant les vallées de l'Albelli et de Fiume Grosso. On honore encore la mémoire de **Dominique Leca** dit **Circinellu**, prêtre à Guagno en 1768, intraitable défenseur de l'indépendance de l'île qui refusa la défaite de Ponte-Nuovo. Il demeure toujours une figure très populaire auprès de la jeunesse ; son opiniâtreté inspira nombre de poèmes.

Stéphane Sauvignier / MICHELIN

Le site de Soccia.

Soccia★

6,5 km au Nord-Est par la D 323 et la D 123.
Bâti en amphithéâtre sur un éperon, le village offre une vue étendue sur la vallée du Fiume Grosso et le bassin de Guagno. C'est le point de départ de l'excursion au lac de Creno *(voir ci-dessous)*. De la route de terre, on jouit à la lumière du soir d'une très belle **vue★** sur la mosaïque des toits du village, camaïeu de rouges se découpant dans un paysage de montagnes boisées aux silhouettes majestueuses.

Guagno pratique

Se loger

U Paese – *20125 Soccia - 04 95 28 31 92 - hotel.u.paese@wanadoo.fr - P - 30 ch. 38/58 € - 6 €.* Grande bâtisse des années 1970 dans un ravissant village perché surplombant la vallée du Fiume Grosso. Le confort est simple, comme s'il s'avérait superflu devant le sublime spectacle de la nature.

Randonnées

Lac de Creno★

2h AR. Au départ de Soccia. Une route carrossable débute par une rampe bétonnée, à l'Est de Soccia, juste après un lavoir. Elle rejoint en 2,8 km l'itinéraire pédestre, à la grande croix métallique (stationnement).
À 1 310 m d'altitude, le lac de Creno est le moins élevé des lacs glaciaires de Corse. Peu profond, ce modeste lac de 1,8 ha, au charme mystérieux, est entouré de beaux pins laricio dont les fûts rectilignes se reflètent dans ses eaux calmes. Selon la légende, le diable aurait créé le lac de Creno afin de s'y cacher. Mais un jour, les intenses prières d'un berger et d'un vieillard vidèrent complètement l'étendue d'eau, ce qui obligea le démon à s'enfuir.
Prendre le sentier pour Creno qui part à travers le maquis, environ 30 m à droite et au-dessus du trop-plein (en ciment) de la conduite forcée.
Le chemin court à flanc de coteau dans un maquis qui exhale une forte odeur de thym. En face se dressent les rochers de l'Arbariccia.
Le sentier devient plus raide et plus étroit. On rejoint *(1h de Soccia)*, au pied des pentes du Mont Sant'Eliseu, celui qui descend à Orto. À environ 500 m de ce croisement, se détache à droite le sentier d'accès à la chapelle Sant'Eliseu (alt. 1 511 m). *Continuer tout droit, puis sur la droite en direction du bois de pins.* On pénètre bientôt dans le bois de pins laricio où se situe le **lac de Creno** que l'on atteint en 15mn.
Une fois au lac, on suit le chemin de crête qui laisse à gauche le mont Sant'Eliseu, puis on parvient à une croix au pied de laquelle s'offre une vue étendue sur Orto et Guagno.
On peut aussi choisir de faire le tour du lac.
Du lac, on peut rejoindre en 2h environ Bocca d'Acqua Ciarnente, où passe le GR 20 et où est établi le refuge de Manganu.

Cascade de Piscia a l'Onda

2h aller. Au départ de Guagno-les-Bains ; descendre vers le Fiume Grosso et, après l'avoir franchi, emprunter le sentier longeant la rive droite.
Au confluent avec le Liamone, franchir ce dernier et prendre, au-delà du pont, le chemin de Letia, puis un sentier remontant, vers le Nord, la rive droite du Liamone jusqu'à la cascade formée par les eaux du torrent. Belle **vue★** sur la vallée en redescendant.

Forêt de Libio (Furesta di Libiu)

À l'Est de Guagno-les-Bains. Composée de pins maritimes et laricio, elle s'étend en amphithéâtre en-dessous des principales cimes : le mont Tretorre et ses trois dômes (alt. 1 502 m, très belle randonnée de 5h30 AR) et le mont Cervello (alt. 1 624 m).

L'Île-Rousse★

L'Isula Rossa

2 774 ÎLE-ROUSSIENS
CARTE GÉNÉRALE B2 – CARTE MICHELIN LOCAL 345 C4 – SCHÉMA P. 145
HAUTE-CORSE (2B)

L'Île-Rousse est une cité moderne et prospère avec des rues disposées en damier, des squares fleuris et de nombreux commerces. Son port animé, débouché de la Balagne, en exporte les produits. La douceur de son climat et la plage de sable fin qui borde sa baie en font une station de villégiature très fréquentée dès le printemps.

Se repérer – LÎle-Rousse se trouve sur la côte de Balagne, à 24 km à l'Est de Calvi.

Se garer – En arrivant dans la ville, prendre l'avenue Picciani et laisser son véhicule au parking de la place Paoli. Autour de cette place se concentrent la vieille ville et le quartier commerçant.

Organiser son temps – Ne manquez pas de prendre un verre à l'ombre des platanes de la place Paoli, le cœur de la ville et de vous approvisionner le matin en produit du terroir sur le marché couvert.

Avec les enfants – Les enfants les plus âgés pourront s'initier à la plongée ou à la navigation.

Pour poursuivre la visite – Voir aussi Calvi et la Balagne.

Le saviez-vous ?

Les granits rouges de l'île de la Pietra ont donné son nom à L'Île-Rousse, un temps baptisée **Paolina** en l'honneur de son fondateur.

Au 18e s. n'existaient en ce point de la côte que de vagues vestiges d'une cité romaine et une tour génoise. Le port d'Isula Rossa fut fondé par **Paoli** en 1758 pour concurrencer le trafic d'Algajola et de Calvi et contrecarrer ainsi l'activité génoise dans l'île.

Se promener

Place Paoli

Cette belle place rectangulaire, ombragée de grands platanes et bordée de cafés, est le lieu le plus animé de la ville où les joueurs de pétanque aiment à se retrouver. Au centre, quatre hauts palmiers encadrent une fontaine surmontée du buste de Pascal Paoli. Côté port, groupe sculpté de A. Volti intitulé *Rêverie*.

Marché couvert

Place du Marché *(en retrait de la place Paoli)*, il présente une belle **architecture★** à colonnades antiques. On y trouve chaque matin les bons produits de Balagne et des poissons frais.

Gilles Magnin / MICHELIN

Vue générale de L'Île-Rousse.

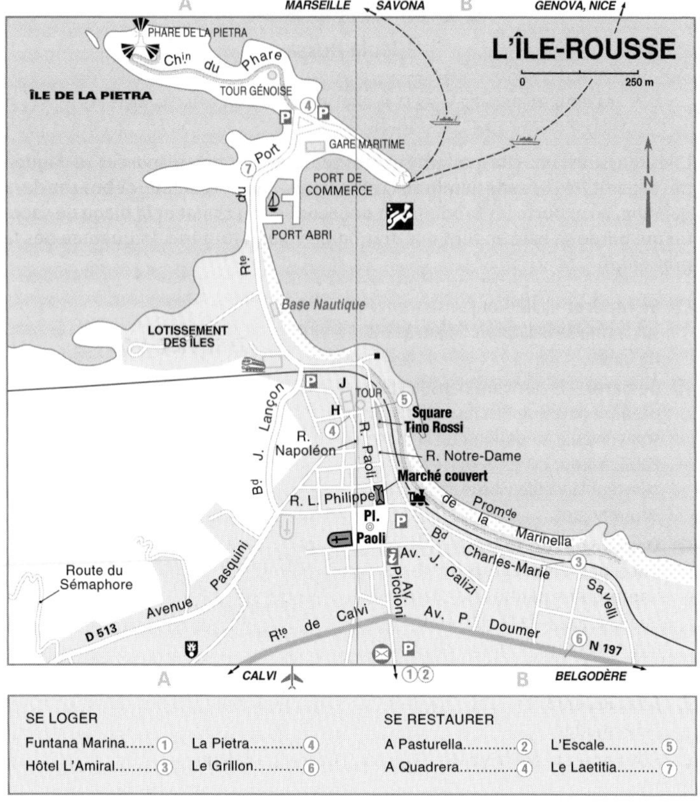

Église paroissiale

Donnant sur la place Paoli, le fronton classique de l'église domine une triple rangée de palmiers. L'intérieur est d'une grande simplicité avec une coupole nue au-dessus du transept.

Vieille ville

Sans être ancien, ce quartier ne manque pas d'allure avec son beau marché couvert entouré de boutiques d'alimentation, l'architecture soignée de ses maisons, et ses ruelles dallées descendant vers la mer.

Au bout de la rue Notre-Dame, face au **square Tino-Rossi**, une tour à demi ruinée, proche de l'hôtel de ville, porte une inscription rappelant la fondation de L'Île-Rousse. Derrière le square, une esplanade avec un monument aux morts sculpté par Volti s'ouvre sur la baie face à l'**île de la Pietra**.

Île de la Pietra★

Cette île n'en n'est pas vraiment une car elle est reliée à la ville par une jetée qui protège le port. Emblématique de la ville, elle est formée de rochers ocre rouge creusés d'alvéoles. Ce petit univers très minéral peut être l'objet d'une petite promenade pour découvrir l'ancienne **tour génoise** (exposition) et le **phare**.

Circuit de découverte

LA CORNICHE PAOLI★ 3

20 km – environ 1h. Quitter L'Île-Rousse au Sud-Est par la D 63.

Monticello

Perché au-dessus de L'Île-Rousse, ce village entouré d'oliviers et de figuiers de Barbarie a conservé un cachet authentiquement méditerranéen avec sa grande place bordée de vieilles maisons.

Suivre la D 263 en direction de Santa-Reparata.

À la sortie de Monticello, la route étroite, taillée en corniche au-dessus de la plaine littorale, offre des **vues★** étendues sur L'Île-Rousse et les rochers de la Pietra, la basse Balagne et les petits villages perchés.

Santa-Reparata-di-Balagna

Étagé au-dessus du littoral, ce village offre de la terrasse de son église une **vue★** sur L'Île-Rousse au Nord, la vallée du Regino au Nord-Est, la chaîne du mont Grosso au Sud.

L'**église**, de style baroque, vient curieusement se greffer sur une chapelle pisane dont on a conservé l'essentiel de la nef et de l'abside du 12e s.

Corbara *(voir ce nom)*

Le retour sur L'Île-Rousse s'effectue par les D 151 et N 197.

De la terrasse de la petite chapelle située dans un lacet, 500 m après Corbara, on bénéficie d'une large vue sur la baie d'Algajola et la marine de Davia.

L'Île-Rousse pratique

Adresse utile

Office de tourisme – 7 pl. Paoli - ✆ 04 95 60 04 35 - www.ot-ile-rousse.fr - de mi-juin à mi-sept. : 9h-19h, dim. et j. fériés 10h-13h, 17h-19h ; nov.-avr. : tlj sf w.-end 9h-12h, 14h-17h ; de déb. mai à mi-juin et de mi-sept. à fin oct. : tlj sf dim. 9h-12h, 14h-18h.

Transports

Hertz – ✆ 04 95 60 01 32 - agence de L'Île-Rousse - hôtel Isula Rossa - rte du Port - 20220 L'Île-Rousse.

Capitainerie – Été : 7h-12h ; hiver : 8h-12h, 14h-17h. ☎ 04 95 60 26 51.

Gare maritime – Liaisons avec Nice et Marseille : CMN(✆ 0 801 201 320) et SNCM (✆3260) - liaisons avec Nice et Savone : Corsica Ferries (✆ 0 825 095 095).

Aéroport de Calvi – À 24 km du centre-ville. 20260 Calvi - ✆ 04 95 65 88 88.

Gare ferroviaire – ✆ 04 95 60 00 50 - 2 trains/j. sur la ligne de Bastia ainsi que sur celle d'Ajaccio - de mi-avr. à mi-oct., le tramway de Balagne relie L'Île-Rousse à Calvi (une dizaine d'arrêts le long du littoral).

Se loger

⊖ **Le Grillon** – *Av. Paul-Doumer - ✆ 04 95 60 00 49 - hr-le-grillon@wanadoo.fr - fermé nov.-fév. - 16 ch. 50/54 € - ☕ 5,40 € - rest. 13/16 €.* Cet hôtel familial proche de la plage dispose de chambres très modestes mais convenables. Restauration simple à prix doux et accueil attentionné.

⊖ **La Pietra** – *Chemin du Phare - ✆ 04 95 63 02 30 - www.hotel-la-pietra.com - fermé 15 nov.-15 janv. - P - 42 ch. 58/105 € - ☕ 9 € - rest. 18 €.* Face au port et avec vue sur la mer, agréable hôtel récemment rénové dont les chambres, climatisées, donnent d'un côté sur la tour génoise, de l'autre sur les bateaux au mouillage. Vous y passerez des nuits tranquilles, bercé par le clapotis des vagues qui s'échouent sur les rochers.

⊖⊖ **Funtana Marina** – *1 km par rte Monticello et rte secondaire - ✆ 04 95 60 16 12 - hotel-funtana-marina@wanadoo.fr - fermé fév. - P - 29 ch. 84/90 € - ☕ 8,40 €.* La petite route de montagne qui grimpe jusqu'à cette bâtisse récente immergée dans une végétation luxuriante mérite qu'on l'emprunte, ne serait-ce que pour la magnifique vue sur la mer et le port de L'Île-Rousse. Chambres confortables, assorties de belles salles de bains. Piscine panoramique et accueil exemplaire.

⊖⊖ **Hôtel L'Amiral** – *Bd Ch.-Marie-Savelli - ✆ 04 95 60 28 05 - info@hotel-amiral.com - fermé oct.-mars - P - 25 ch. 90 € - ☕ 8,50 €.* Ce petit hôtel de deux étages plutôt discret est en bordure de plage, à 25 m de l'eau. Les chambres, simples et fonctionnelles, sont tranquilles et très bien tenues.

Se restaurer

⊖ **L'Escale** – *R. Notre-Dame - ✆ 04 95 60 10 53 - charles.ferrandini@wanadoo.fr - 14/23 € - 4 ch. 48/100 €.* Cette maison familiale fondée par le grand-père en 1903 s'ouvre sur une rue animée d'un côté, et sur la mer, de l'autre. Petite restauration sans chichis, mais soignée et à prix abordables : moules, assiettes de la mer et glaces artisanales.

⊖⊖ **A Quadrera** – *R. Napoléon - ✆ 04 95 60 44 52 - fermé fév. et dim. midi - 17,30/25 €.* Les Île-Roussiens apprécient cette adresse sans prétention qui propose un seul menu à prix fixe ainsi que quelques plats régionaux ou plus traditionnels, toujours bien maîtrisés. C'est dans une ambiance conviviale que l'on déguste la poêlée du pêcheur ou la soupe du jour.

⊖⊖ **A Pasturella** – *20220 Monticello - 4,5 km au SE de L'Île-Rousse par D 63 - ✆ 04 95 60 05 65 - fermé 2 nov.-1er déc. et dim. soir de mi-déc. à fin mars - 24/45 € - 14 ch. 46/76 € - ☕ 10 €.* Le patron de cette sympathique adresse perchée dans la montagne au-dessus de L'Île-Rousse se lève régulièrement aux aurores pour aller choisir le poisson que vous pourrez déguster dans la coquette salle à manger ou sur la belle terrasse panoramique. Demandez de préférence les chambres rénovées.

Le Laetitia – *Port de L'Île-Rousse - ✆ 04 95 60 01 90 - fermé 20 déc.-30 janv. et lun. sf juil.-août - 28/40 €.* Tout près du port d'embarquement des ferries, ce restaurant propose un beau choix de poissons grillés, mais aussi de la bouillabaisse et une paella. Belle vue sur L'Île-Rousse.

En soirée

L'Escale – *R. Notre-Dame - ✆ 04 95 60 10 53 - charles.ferrandini@wanadoo.fr - 6h45-2h.* On s'y arrête à cause de la terrasse panoramique dominant la mer, on s'y attarde parce que les glaces artisanales sont étonnantes et pour finir, on s'y attable pour déguster tout simplement un plat de moules ou de poisson.

Cinéma en plein air – *Col de Fogata - ✆ 04 95 60 00 93.* Une projection tous les soirs en juillet et août.

Amaury de Valroger / MICHELIN

Base nautique.

Que rapporter

Marché couvert – Il a lieu tous les matins. La colonnade en impose, et pourtant ces halles couvertes (1850) n'abritent qu'un tout petit marché qui ne manque toutefois pas de bons produits locaux. Six tables émaillées composent la partie « poisson » avec en exergue les oursins, les araignées de mer et la pêche du jour. Deux ou trois étals présentent de la charcuterie. Confitures, miels, fruits et légumes complètent l'éventail des spécialités. Une véritable ode aux saveurs corses, au cœur du bourg, sur la charmante place plantée de platanes.

A Casa Corsa – *22 pl. Paoli - ✆ 04 95 60 23 63 - 9h-12h, 15h-19h, sais. 8h30-20h30 - fermé nov.-fév.* Toute l'île de Beauté dans une coquille de noix ! Depuis 18 ans, Madame Giansily sélectionne pour sa boutique des produits du terroir de premier choix. Du salé au sucré, rien n'est oublié, ni la charcuterie de montagne, ni le miel et l'huile d'olive, ni les vins et encore moins la fameuse bière de Furiani.

Au Bon Vin Corse – *Pl. Delanney - ✆ 04 95 60 15 14 - été : lun.-dim. mat. 8h-22h, reste de l'année : lun.-dim. mat. 8h-13h, 15h-20h.* Cette cave et bar à vin bénéficie d'une très agréable terrasse ouvrant sur une petite place calme et ombragée. Vous y trouverez des vins de toute la Corse et quelques alcools traditionnels ainsi que de nombreux autres produits locaux (pâtés, confitures, miel, huile d'olive…).

Sports & Loisirs

Club Nautique de L'Île-Rousse – *Rte du port (plage de la gare) - ✆ 04 95 60 22 55 - www.cnir.org - mai-oct. : 10h-18h ; nov.-avr. : merc., sam. et dim. apr.-midi - fermé déc. et janv.* Stages et location de catamarans (pour enfants et adultes), planches à voile, optimists, funboards. Randonnées en goélette ou en kayak. Une bonne façon de découvrir la baie.

École de plongée de L'Île-Rousse – *Au port - ✆ 04 95 60 36 85 - www.plongee-ilerousse.com - sur RV, deux sorties : 9h et 15h - fermé 11 nov.-28 fév. et dim.* Ce centre propose baptêmes, explorations et stages pour tous niveaux, ainsi que des cours destinés aux enfants (à partir de 8 ans). Les plus aguerris peuvent même se former au monitorat. Autres activités : permis bateau et loisirs nautiques liés à la plongée sous-marine.

Capitainerie – *✆ 04 95 60 26 51 - été : 7h-12h ; hiver : 8h-12h, 14h-17h.*

Îles Lavezzi★★

CARTE GÉNÉRALE C7 – CARTE MICHELIN LOCAL 345 E11 – SCHÉMA P. 182
CORSE-DU-SUD (2A)

L'archipel des Lavezzi, extrémité la plus méridionale de la France métropolitaine, est constitué d'une centaine d'îlots et d'écueils. Seule une île, dite l'île Lavezzi, est accessible au public. Ce petit paradis d'eau cristalline et de criques tapissées de sable présente un paysage presque lunaire. Les formes des chaos de granit grisâtre érodés en boules et sculptés évoquent un bestiaire fabuleux.

Se repérer – L'archipel émerge à près de 4 km de la pointe de Sperone, au Sud-Est de Bonifacio, et à environ 12 km de la Sardaigne.

Organiser son temps – La durée minimale de la visite en bateau est de 3 heures. Effectuez l'excursion les jours de beau temps. Emportez masque et tuba, des boissons et un en-cas car on ne trouve aucun ravitaillement sur l'île.

Avec les enfants – Les plages ne sont pas difficiles à trouver, elles se trouvent toutes sur la côte Est de l'île.

Pour poursuivre la visite – Voir aussi Bonifacio.

Comprendre

Le naufrage de « La Sémillante » – Le 14 février 1855, la frégate *La Sémillante* avait quitté Toulon avec 750 hommes à bord pour le front de Crimée où le siège de Sébastopol réclamait de constants renforts. Le 15, alors que la tempête faisait rage et qu'un brouillard empêchait toute visibilité, le navire s'engagea dans les bouches de Bonifacio. Mutilé par les vagues, son gouvernail vraisemblablement arraché, il s'écrasa sur les îlots rocheux. Le berger de l'île Lavezzi fut le seul témoin de la catastrophe. Aucun des marins et soldats ne survécut : 158 ne furent jamais retrouvés ; sur 592 cadavres rejetés sur les récifs, 572 furent inhumés sur place, les plus nombreux (560) dans l'île Lavezzi (deux cimetières), les autres sur les îles voisines, la côte Sud de la Corse ou la côte Nord de la Sardaigne. Alphonse Daudet consacra à ce drame une des *Lettres de mon moulin (voir extrait ci-après).*

La réserve naturelle – La partie française de l'archipel est constituée en réserve naturelle destinée à préserver et étudier la plupart des espèces animales insulaires dans leur biotope d'origine. L'accès public est réglementé ; il est interdit de cueillir les fleurs et les végétaux, et il vaut mieux éviter de sortir des sentiers tracés.
Les îles Lavezzi, Piana, Ratino, Poraggia et Perduto bénéficient d'une protection particulière. Le **Parc marin international** sous administration franco-italienne, englobe l'ensemble des îles et îlots des bouches de Bonifacio, excepté l'île Cavallo abandonnée aux caprices de milliardaires italiens. Depuis février 1993, après la grave pollution provoquée par l'échouage d'un pétrolier, le détroit n'est plus accessible aux navires-citernes transportant des substances dangereuses.

Crique de rêve sur l'île Lavezzi.

Les dernières heures de « La Sémillante »

« Tout ce que nous savons c'est que *La Sémillante*, chargée de troupes pour la Crimée, était partie la veille au soir de Toulon avec le mauvais temps. La nuit ça se gâte encore. J'ai idée que *La Sémillante* a dû perdre son gouvernail dans la matinée, car il n'y a pas de brume qui tienne, sans une avarie, jamais le capitaine ne serait venu s'aplatir ici contre. C'était un rude marin qui avait commandé la station en Corse et savait sa côte aussi bien que moi…

– Et à quelle heure pense-t-on que *La Sémillante* a péri ?

– Ce doit être à midi ; oui monsieur, en plein midi… Mais dame ! avec la brume de mer, ce plein midi-là ne valait guère mieux qu'une nuit noire comme la gueule d'un loup… Un douanier de la côte m'a raconté que ce jour-là, vers onze heures et demie, étant sorti de sa maisonnette pour rattacher ses volets, il avait eu la casquette emportée d'un coup de vent, et qu'au risque d'être enlevé lui-même par la lame, il s'était mis à courir après, le long du rivage, à quatre pattes. [...] Or il paraîtrait qu'à un moment, notre homme, en relevant la tête, aurait aperçu dans la brume un gros navire à sec de voiles qui fuyait sous le vent, du côté des îles Lavezzi. Ce navire allait si vite qu'il n'eut guère le temps de bien le voir. Tout fait croire cependant que c'était *La Sémillante* puisqu'une demi-heure après, le berger des îles a entendu sur ces roches… [...] un craquement effroyable.

Le lendemain, en ouvrant sa porte, il avait vu le rivage encombré de débris et de cadavres laissés là par la mer. »

(*L'Agonie de la « Sémillante » – Lettres de mon moulin*, Alphonse Daudet.)

Découvrir

EN BATEAU

Durée minimale 3h. -Mai-sept. : plusieurs dép. du port de Bonifacio - Possibilité de passer 1 j. ou ½ j. sur l'île (prévoir en-cas et boissons) - Renseignements au port auprès des compagnies assurant les promenades en mer.

L'excursion « île Lavezzi » diffère peu selon les prestataires *(se renseigner à la marine de Bonifacio)*. Après avoir franchi le Goulet aux eaux tumultueuses, l'embarcation longe les falaises calcaires au pied rongé puis prend le large après le phare de Pertusato. Le bateau aborde l'île Lavezzi (66 ha) dans une anse abritée, au Nord-Est.

La flore de l'île compte des espèces rares comme la malodorante « oreille de porc », dont la floraison au mois de mai parsème de grosses langues sanglantes la base des chaos.

Cimetière de Furcone

Situé sur le plateau herbeux qui sépare l'anse d'ancrage de la plage de Furcone, ce premier cimetière est entouré d'un mur cantonné de pyramides. Une modeste chapelle funéraire, N.-D.-du-Mont-Carmel, protège l'enclos où s'alignent des tombes anonymes et celle de l'aumônier de la frégate (on le reconnut à ses bas de filoselle noire). Une plaque a été élevée en 1895 à la mémoire du lieutenant A. de Maisonneuve.

Cimetière de l'Achiarino

Situé au-delà de la cale du Lion, dominé par deux cabanes de berger, et à l'extrémité de la cale suivante, ce deuxième cimetière abrite la dépouille du commandant Jugan, retrouvé sanglé dans son uniforme.

Une plage splendide de sable fin s'étend à côté du cimetière de l'Achiarino. *Un petit équipement de plongée en apnée est vivement conseillé pour apprécier l'extraordinaire richesse de la faune.*

Pyramide

Elle est accessible à la nage ou en embarcation depuis l'île principale. Dressée à la pointe d'Achiarina, elle rappelle le naufrage de *La Sémillante* ; son ascension procure un joli point de vue.

En rentrant à Bonifacio, le bateau approche l'île Cavallo, île de milliardaires entièrement occupée par des résidences privées, l'îlot San Baïzo où a été retrouvée une carrière d'époque romaine (la colonne romaine érigée en monument aux morts à Bonifacio en provient) et les îlots Ratino et Piana.

Macinaggio

Macinaghju

CARTE GÉNÉRALE C1 – CARTE MICHELIN LOCAL 345 F2 – SCHÉMA P. 215
HAUTE-CORSE (2B)

Fréquenté dès l'Antiquité, le mouillage de Macinaggio est toujours apprécié des navigateurs. Cette petite station balnéaire, dominée par les hameaux de Rogliano, peut abriter 600 bateaux dans son port moderne. Un splendide sentier des douaniers jalonné de tours génoises part de la plage de Macinaggio et épouse le littoral protégé.

Se repérer – Au Nord-Est du Cap Corse, à 37 km de Bastia.

Se garer – Vous pouvez laisser votre véhicule sur le parking du port.

Organiser son temps – La réserve naturelle des îles Finocchiarola ne vous sera pas accessible en été. Mais il est aussi plus agréable de randonner sur le sentier des douaniers au printemps ou en automne…

Avec les enfants – Les tours génoises qui jalonnent le sentier seront des étapes appréciables.

Pour poursuivre la visite – Voir aussi Rogliano et le Cap Corse.

Gilles Magnin / MICHELIN

Macinaggio.

Comprendre

L'épopée de Capraja – Par tradition et en raison de sa situation géographique, le Cap Corse demeurait, encore au 18e s., sous la dépendance de Gênes qui y entretenait plusieurs garnisons. La France, absorbée par la guerre de Sept Ans (1756-1763), n'occupait alors que les citadelles de Bastia et de St-Florent. **Pascal Paoli** entreprit donc de conquérir le Cap.

Pour commencer, il voulut porter un coup à Gênes par la conquête de l'île de Capraja (Capraia). Il créa à Centuri un chantier naval pour armer une flotte. En 1757, il assiégea le port de Macinaggio qui ne capitula qu'en 1761. À partir de ce moment-là, Paoli disposait d'une base pour ses opérations navales.

À mi-chemin entre la Corse et la côte ligure, l'île de Capraja, jadis propriété des seigneurs da Mare, appartenait à Gênes depuis 1507. Dès qu'il eut connaissance de la faiblesse de la garnison de Capraja, Paoli hâta les préparatifs. Le 16 février 1767, un corps expéditionnaire de 200 hommes, commandé par Achille Murati, débarquait sur l'île et investissait la citadelle. Le 31 mai suivant, l'île capitulait. Cette défaite sonna pour Gênes le glas de son occupation de la Corse.

Vingt-huit ans plus tard, le 14 juillet 1790, Paoli, de retour de son exil en Angleterre, arriva à Macinaggio ; bouleversé d'émotion, il tomba à genoux. La joie populaire fut à son comble et un cortège l'accompagna à Bastia.

Séjourner

Le quai

Sur le quai bordé de vieilles maisons, diverses plaques commémorent le passage à Macinaggio de Pascal Paoli (1790), de Napoléon Bonaparte, alors bambin, le 10 mai 1773, de l'impératrice Eugénie le 2 décembre 1869 *(voir Rogliano)*, et les exploits des Cap-Corsins qui, sous les ordres d'Ambroise de Negroni, s'illustrèrent à Lépante en 1571.

> **Le saviez-vous ?**
>
> Macinaggio doit certainement son nom à ses nombreux anciens moulins à vent. En effet, en corse, *macinu* signifie « moulin » et *macinare*, « moudre ».
>
> Le 2 décembre 1869, de retour de l'inauguration du canal de Suez, l'impératrice Eugénie fit escale à Macinaggio.

Plage de Tamarone

Environ 2,5 km au Nord du port. Prendre la direction du camping « U Stazzu » et suivre la route de terre jusqu'au bout. Une belle plage de sable fin vous attend. Parking, rafraîchissements et restauration.

Réserve naturelle des îles Finocchiarola

Accès interdit du 1er mars au 31 août. Se conformer à la réglementation en vigueur dans les réserves naturelles.

Cet ensemble de quatre îlots dominés par une tour génoise est un précieux refuge où nidifie le **goéland d'Audouin**. Cet oiseau marin, propre à la Méditerranée et identifiable à son bec rouge et noir, est plus petit que le goéland commun également présent dans ce secteur.

Plus au Nord, l'île de la Giraglia abrite des colonies de goélands communs et de cormorans huppés. Ces derniers sont reconnaissables à leur plumage noir, leur long cou et leur vol au ras de l'eau.

Stéphane Sauvignier / MICHELIN

Le port de Macinaggio.

Randonnée

Sentier des douaniers★

3h à pied environ de Macinaggio à Barcaggio – 45mn jusqu'à la chapelle Santa Maria. Randonnée sans difficulté particulière.

L'itinéraire est praticable toute l'année mais est plus agréable au printemps et à l'automne. S'informer au préalable des conditions météo, ✆ 08 92 68 02 20. Être bien chaussé et emporter de l'eau.

Le sentier débute à l'extrémité Nord de la longue plage de Macinaggio recouverte d'une épaisse banquette de feuilles de posidonie. L'itinéraire, balisé en jaune, épouse les anfractuosités du littoral ponctué de deux tours génoises.

Après avoir contourné le premier promontoire, on atteint la belle plage de sable blottie au fond de la **baie de Tamarone**. Le sentier contourne ensuite par l'Est le Mont di a Guardia et redescend en vue de la première tour génoise. Il pénètre dans la **zone protégée de Capandula** *(voir le panneau explicatif sur la plage de Tamarone)*. Le promeneur traverse des prés d'asphodèles piquetés de buissons de lentisques tordues par les vents. En face, on distingue **les îles Finocchiarola**.

Dans un site désert, la **chapelle de Santa Maria**, bâtie au 12e s. sur les vestiges d'un édifice paléochrétien du 6e s., présente une curieuse abside jumelée. En fait, à l'origine, deux chapelles furent élevées côte à côte, puis réunies au 19e s. En reprenant le sentier, on atteint **l'anse de Santa Maria**. Posée dans l'eau d'un bleu profond, se dresse la tour génoise ruinée de **Santa Maria di a Chjapela**. En poursuivant le long de la côte, on rejoint la cala Francese.

Le Mont Bughju, qui ferme au Nord cette anse, conserve des vestiges intéressants de la présence romaine dans cette zone stratégique, dont un oppidum du 2e s. av. J.-C. Le maquis bas, maintes fois éprouvé par le feu, n'abrite plus de chênes verts. Il épouse un relief aux formes arrondies, où les pentes douces mènent à un cirque de crêtes qui barre l'horizon vers le Nord-Ouest. Le sentier se poursuit vers la **tour d'Agnello** qui marque une des pointes septentrionales du Cap Corse. Au bout de ce cap, soumis à des vents perpétuels, le ciel et la mer balayés et agités sans cesse prennent des couleurs d'une grande pureté. Au Nord, l'**île de la Giraglia** dominée par son phare puissant constitue un repère rassurant, à l'Est, plus loin sur l'horizon, s'impose l'île toscane de Capraia. Par temps clair parfois, la masse sombre de l'île Gorgona fait une apparition. En atteignant les dunes de la plage de Cala, le sentier longe la zone marécageuse qui borde le petit port de **Barcaggio**.

Macinaggio pratique

Adresse utile

Office de tourisme – Port de Plaisance - 04 95 35 40 34 - www.ot-rogliano-macinaggio.com - à la capitainerie - de déb. juil. à mi-sept. : 7h-21h ; juin : 8h-12h, 14h-20h ; de mi avr. à fin mai : 8h-12h, 14h-19h30 ; reste de l'année : 8h30-12h, 14h-17h30.

Transports

Bus – 04 95 35 64 02 - un bus fait le tour du Cap depuis Bastia - juil.-août : mar., jeu. et sam.

Capitainerie – 04 95 35 42 57. Juil.-août : 7h-21h ; reste de l'année : tlj sf dim. 8h30-11h30, 14h-17h.

Se loger et se restaurer

Chez Raphaël – *Au port - 04 95 35 40 49 - 4 ch. 30/65 € - 5 € - repas 21 €.* Cette énorme bâtisse en pierre, initialement destinée à servir de gare, abrite des chambres sympathiques, habillées de couleurs chaudes et bénéficiant toutes d'une terrasse privative. Petit-déjeuner au restaurant « Ostéria di u Portu », sur le port, où vous pourrez aussi goûter des spécialités corses.

U Libecciu – *04 95 35 43 22 - info@u-libecciu.com - fermé oct.-mars - P - 30 ch. 76/95 € - 6 € - rest. 17/25 €.* Un petit chemin vous conduit à la plage et au port de plaisance, à 100 m de cette auberge aux tuiles romaines. Préférez les chambres avec balcon. Repas dans la salle à manger au plafond lambrissé de bois, avec vue sur le littoral.

Sports & Loisirs

Base Nautique – *Res. Da Mare - 06 86 72 58 40 - zamur@wanadoo.fr - juil.-août : 8h30-19h30 - fermé oct.-juin.* Cette base propose des locations de catamarans, lasers, optimists, planches à voiles, de nombreux stages et des promenades en mer (voile et kayak) accessibles à tous les niveaux.

Cap Évasion – *Sur le port - 04 95 35 47 90 ou 06 81 70 38 48 - tlj 8h-19h30 - fermé d'oct. à mi-juin.* Location d'Open et de Zodiac (avec ou sans permis). Une bonne occasion de découvrir les superbes criques et plages de la pointe du Cap, inaccessibles en voiture.

Capitainerie – *04 95 35 42 57 - juil.-août : 7h-21h ; reste de l'année : tlj sf dim. 8h30-11h30, 14h-17h.*

Morosaglia

Merusaglia

1 008 HABITANTS
CARTE GÉNÉRALE C3 – CARTE MICHELIN LOCAL 345 E5 – SCHÉMA P. 232
HAUTE-CORSE (2B)

Sobre et singulièrement élégante en dépit de sa rusticité, l'architecture des hameaux de ce paisible village de la Castagniccia incarne une certaine idée de la Corse rurale et « typique ». Si bien que la maison que l'on aperçoit sur une croupe, à droite en entrant dans le village, est devenue l'un des sujets les plus photographiés. Morosaglia, berceau du héros national de la Corse indépendante, Pascal Paoli, est donc tout un symbole.

Se repérer – De Ponte-Leccia, prendre la D 71 sur 14,5 km en suivant la signalisation « Musée départemental Pascal Paoli ». En assez bon état, la route, s'élevant parmi les chênes-lièges conduit au village qui, dominé par le mont San Petrone, se compose de plusieurs hameaux.

À ne pas manquer – Vous comprendrez mieux la nature indépendante des Corses en découvrant Pascal Paoli au musée départemental.

Pour poursuivre la visite – Voir aussi la Castagniccia et Corte.

Comprendre

Le Père de la patrie (« U Babbu ») – Né le 6 avril 1725 à Morosaglia, **Pasquale Paoli** est le plus jeune fils de Hyacinthe (Giacinto) Paoli (1690-1756), l'un des chefs de l'insurrection contre Gênes (1734), condamné à l'exil en 1739 par les Français.

Amaury de Valroger / MICHELIN

Buste de Pascal Paoli.

Pascal Paoli, qui a suivi son père à Naples, y reçoit une instruction très soignée, fréquente l'université, s'initie aux doctrines du « despotisme éclairé ». Il parle et écrit couramment le latin, l'italien, le français et l'anglais, lit Plutarque et Montesquieu. Sous-lieutenant au régiment de cavalerie du Royal-Farnèse, il suit avec attention les affaires de Corse dont il est instruit par son frère aîné Clément, resté dans l'île. L'assassinat du général Gaffori *(voir à Corte)* le décide à se porter candidat à la magistrature suprême. Il débarque en Corse le 16 avril 1755 et met trois mois à évincer son principal rival Emmanuele Matra. Le 13 juillet 1755, à la Consulte (assemblée) de St-Antoine de Casabianca, Paoli est proclamé « général de la nation » pour une guerre « décisive » contre Gênes.

Un laboratoire en Europe – Quatorze ans durant, sous le regard attentif de l'Europe informée par J.-J. Rousseau et l'écrivain écossais **James Boswell** *(voir Sollacaro)*, Paoli, parfait représentant de « l'esprit des lumières », dirige une Corse indépendante dont la capitale est installée à Corte. Pendant ces années, il fait frapper monnaie, fonde L'Île-Rousse, réforme la justice, uniformise les poids et mesures, crée une armée et un embryon de marine, stimule le commerce et l'industrie, encourage l'agriculture, fait assécher des marais, organise l'enseignement primaire et fonde une université à Corte (1765).

En 1764 il contrôle la plus grande partie de l'île. Toutefois, Gênes se maintient dans les places fortes du littoral ; mais, lassée et ruinée, devant le refus de Paoli de traiter avec elle, elle se tourne vers la France. Choiseul, alors ministre de Louis XV, feint de jouer les arbitres. Il oblige en fait les Génois à vendre à la France leurs droits sur l'île (1768). Après la défaite de Ponte-Nuovo *(voir ce nom)* Paoli doit s'exiler : le 13 juin 1769, il s'embarque de Porto-Vecchio sur un vaisseau anglais à destination de Livourne. Il séjourne en Italie, traverse l'Autriche où il rencontre l'empereur Joseph II, les États allemands et la Hollande.

Invité par le roi d'Angleterre, il arrive à Londres le 19 septembre 1769. Le jeune George III, la Cour, son ami James Boswell entourent le héros dont la renommée gagne l'Amérique.

Vers une Corse anglaise ? – À la fin de 1789, Paoli exulte en apprenant le vote de l'Assemblée constituante, proclamant la Corse « partie intégrante de l'empire français », et l'amnistie. Reçu triomphalement à Paris le 3 avril 1790, Paoli regagne son île après vingt et un ans d'exil. Il débarque à Macinaggio, embrasse le sol et s'écrie : « Ô ma patrie, je t'ai quittée esclave, je te retrouve libre ! ».

Élu président du Conseil départemental, puis chef de la Garde nationale, il est nommé en 1792 commandant de la 23e division militaire avec mission d'organiser une expédition en Sardaigne (janvier et février 1793). Mais son idéal d'une Corse indépendante, rattachée à la France par la personne du roi s'effondre avec l'exécution de Louis XVI et les excès centralisateurs de la Révolution.

À Paris, il est désormais suspect et après la conclusion malheureuse de l'affaire de Sardaigne pour laquelle il n'avait rassemblé que 2 000 hommes, il est dénoncé comme contre-révolutionnaire, traduit par Lucien Bonaparte devant la Convention qui le déchoit de son commandement. En riposte, le 27 avril 1793, une Consulte de Corte le proclame généralissime ; il arme les villes et les villages, fait occuper Bonifacio. Victorieux dans l'ensemble de l'île, il rédige un acte d'accusation contre la Convention.

Déclaré « traître à la République », mis hors la loi par le Comité de salut public, Pascal Paoli fait appel à l'amiral anglais qui bloque la rade de Toulon. En janvier 1794, l'escadre de Nelson attaque et enlève St-Florent, Bastia et Calvi.

Le 15 juin 1794, la Consulte de Corte approuve la constitution d'un **royaume anglo-corse**. Ce royaume de circonstance ne dure que deux ans : l'île est unie à l'Angleterre par la personne du souverain et **Sir Gilbert Elliot** en devient vice-roi. Cruelle déception pour Paoli qui escomptait la reconnaissance anglaise.

Des troubles éclatent de nouveau en Castagniccia et l'insurrection prend une telle ampleur qu'à la demande d'Elliot, George III rappelle Paoli à Londres.

Le 14 octobre 1795, le « Père de la patrie » prend une nouvelle fois le chemin de l'exil, en embarquant à St-Florent sur une frégate anglaise. Il ne reverra jamais son île natale. Il meurt à Londres le 5 février 1807. Il est inhumé au cimetière de St-Pancras. En 1889, ses cendres furent ramenées à Morosaglia.

Visiter

Musée départemental Pascal-Paoli

Situé dans la maison natale de Paoli au hameau de Stretta (suivre la signalisation). Stationner le long de la route. On accède à la maison par une rampe entrecoupée de marches à gauche de la route. ✆ 04 95 61 04 97 - visite guidée (30mn) avr.-sept. : 9h-12h, 14h30-19h30 ; oct.-mars : 9h-12h, 13h-17h - Fermé mar., fév., 1er janv. et 25 déc. - 2 €.
Cette bâtisse cossue regroupe sur deux niveaux des objets personnels et des documents qui éclairent la personnalité et l'œuvre du héros de la nation corse. La visite débute par une intéressante projection vidéo et s'achève dans la chapelle familiale, abritant les cendres du « Père de la patrie ».

Église Santa Reparata

✆ 04 95 61 11 40 - s'adresser à la mairie. Cette ancienne église paroissiale, où Pascal Paoli fut baptisé, domine le village. Remanié à plusieurs reprises, cet édifice roman conserve dans son appareil quelques pierres sculptées du Haut Moyen Âge. Le tympan de la porte occidentale s'orne de deux serpents entrelacés du 12e s. À l'intérieur, le chemin de croix aux détails naïfs est une œuvre populaire du 18e s.

Ancien couvent de Rostino

En bas du village, à gauche en direction de Ponte Leccia. C'est dans ce bâtiment qui abritait jadis les Consultes nationales de Corse qu'une école communale a été créée par Paoli. Dans l'église, remarquer la belle chaire (1730).

Le Niolo★★

U Niólu

CARTE GÉNÉRALE B3 – CARTE MICHELIN LOCAL 345 D5 – HAUTE-CORSE (2B)

Le Niolo est la cuvette formée par le bassin supérieur du Golo, le plus long fleuve de l'île. Ses terres sauvages longtemps enclavées où les traditions perdurent font de cette région un authentique « pays » de la Corse intérieure. Il est dominé par le mont Cinto (2 706 m), point culminant de l'île, d'où le regard embrasse toute la région. Dans cette contrée propice aux balades, on peut découvrir le lac de Nino, tapissé de pelouses vert tendre (les pozzines), la forêt de Valdu-Niellu et ses superbes pins laricio, ainsi que des bergeries de pierres sèches établies dans des sites grandioses.

Se repérer – Située entre le col de Vergio et la Scala di Santa Regina, la cuvette du Niolo est occupée par la retenue de Calacuccia (790 m d'altitude). Elle est cernée par des montagnes hautes de quelque 1 500 m : arêtes du Cinto au Nord, de la Paglia Orba à l'Ouest, de la Punta Artica au Sud. Au Nord-Est, elle est fermée par la zone confuse, presque impénétrable, des granits de la Santa Regina.

À ne pas manquer – Si vous suivez le circuit du bassin de Calacuccia, vous serez surpris par la dimension irréelle du paysage dans lequel se niche le village de Calasima. Les marcheurs pourront gagner le lac étrange et magnifique de Nino, où les pelouses aquatiques dessinent de fascinants entrelacs.

Organiser son temps – Reportez-vous aux circuits de découverte proposés ; ils se réalisent pour certaines parties en voiture tandis qu'une courte promenade peut s'imposer dans d'autres cas. Les randonneurs devront eux prévoir au minimum une journée pour l'ascension du mont Cinto.

Avec les enfants – Les prés environnant les bergeries de Cesta accueillent volontiers un pique-nique ou une halte pour se dégourdir les jambes. Pensez toutefois à ne rien laisser derrière vous.

Pour poursuivre la visite – Voir aussi Calacuccia, le défilé de la Scala di Santa Regina.

Les pozzines, un élément original de la montagne corse

Les **pozzines** (du corse pozzi, « trous ») sont des pelouses tourbeuses qui entourent les lacs de montagne et constituent le dernier stade du comblement de ces lacs. Importants îlots de fraîcheur dans la montagne, ces pelouses sont le résultat de l'accumulation de végétaux non entièrement dégradés qui se recouvrent d'un tapis de gazon rendu ras par la tonte du bétail en transhumance.

La couleur est fonction du degré d'humidité : les pelouses les plus humides sont les plus sombres, colonisées par les carex. Les milieux les plus secs sont constitués de pelouses à nard.

La faible teneur en azote des **pozzines** a obligé les plantes qui y vivent à s'adapter. C'est ainsi qu'on y rencontre de rares espèces carnivores, telle la **drosera**, qui tirent l'azote nécessaire à leur croissance des insectes qui viennent se désaltérer.

Comprendre

La haute vallée du Golo – Le Golo, grand fleuve de la Corse, prend sa source à 2 000 m d'altitude au pied des éboulis près du col de Vergio. Après un cours de 84 km vers le Nord-Est, il se jette dans la Méditerranée à la Canonica.

Son cours supérieur draine un haut plateau cristallin de 1 000 m d'altitude. Il reçoit de nombreux affluents alimentés par un enneigement abondant et une forte pluviosité. Les versants aux sols ingrats s'élèvent en pente douce vers les hautes crêtes dénudées. Les villages accrochés, entre 800 et 1 100 m d'altitude, sur les contreforts du mont Cinto, sont les plus hauts de l'île. En aval de Calacuccia, le Golo quitte le Niolo par des gorges creusées dans le granit : la Scala di Santa Regina *(voir ce nom)*.

Le Niolo jouit d'un climat méditerranéen d'altitude. La pluie déjà abondante dans la cuvette croît avec la hauteur. De même, l'enneigement est particulièrement fort à partir de 1 200 m et se prolonge vers les cols jusqu'à mi-avril ; quelques névés subsistent jusqu'en août sur les flancs du mont Cinto.

La végétation varie selon l'altitude et l'ensoleillement. Dans la partie inférieure du Niolo le châtaignier, largement planté par l'homme, ombrage les villages ; plus haut s'y associent le chêne pubescent et le chêne vert. Entre 900 et 1 600 m d'altitude croît la forêt : le sapin et le hêtre d'abord, puis le pin laricio. Près du col de Vergio, le bouleau prend une place importante. À 1 200 m, on voit apparaître l'alpage, prairies naturelles envahies par les herbes courtes, les chardons, les fougères et les buissons épineux. Les trois espèces d'aulnes y sont présentes : l'aulne vert formant des fourrés impénétrables sur des sols siliceux frais et humides, l'aulne glutineux, de 1 200 à 1 500 m d'altitude au voisinage des cours d'eau, l'aulne blanc jusqu'à 1 800 m au bord des torrents et sur les moraines glaciaires.

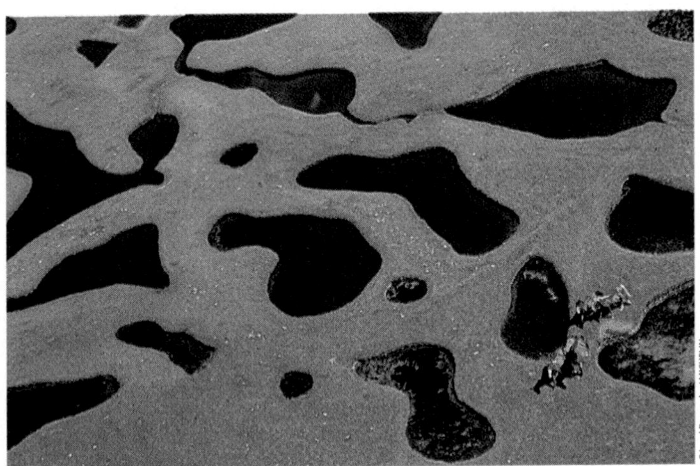

Gérard Dussoubs / MICHELIN

Pozzines et chevaux dans le Niolo.

Vie agricole et pastorale – L'enclavement de la région a contraint les Niolins à vivre repliés sur eux-mêmes pendant des siècles jusqu'à l'ouverture, à la fin du 19e s., des routes de la Scala di Santa Regina et du col de Vergio. Aussi ont-ils conservé pendant longtemps un mode de vie traditionnel fondé presque exclusivement sur l'élevage et l'agriculture. Le Niolin pratiquait surtout l'élevage transhumant. De juin à septembre (estivage), il faisait paître ses troupeaux sur les alpages. Après les fêtes du 8 septembre à Casamaccioli *(voir Calacuccia)*, bergers et troupeaux descendaient à la « plage » entre Porto et Galéria par les cols et le vieux sentier de transhumance de la vallée du Fango *(voir Galéria)*, vers la Balagne ou vers la plaine orientale par la Scala di Santa Regina. Après l'hivernage, ils reprenaient le chemin de la montagne.
Avec l'ouverture de la route, l'élevage et l'agriculture se sont modifiés. L'étendue des terres cultivées est devenue insignifiante (250 ha). Les châtaigneraies ne sont plus entretenues et s'amenuisent. L'exploitation de la forêt s'est donc organisée et la surface boisée (9 600 ha dont la belle forêt de Valdu-Niellu) est à nouveau en expansion. L'activité rurale essentielle de cette région demeure l'élevage. Le nombre des bergers a diminué, mais un important travail s'accomplit pour la remise en valeur des terrains à vocation pastorale. De jeunes éleveurs s'installent à nouveau.

Artisanat rural – Autrefois, pendant l'hiver, les femmes filaient ou tissaient le *pelone*, pèlerine en poil de chèvre qui tenait debout comme une petite tente et protégeait le berger des intempéries. De leur côté, les bergers fabriquaient des ustensiles en racine de bruyère, en buis ou en châtaignier. Ils confectionnaient aussi des moules à fromage et à *brocciu*, des claies, des corbeilles, des pipes ainsi que des ciseaux pour la tonte, des pioches, des bêches, des charrues, des herses. Certaines de ces activités artisanales se maintiennent et parfois se développent grâce à l'affluence touristique.

Randonnée et escalade – Dès le début du siècle, l'alpiniste autrichien **Félix von Cube** escalada les principaux sommets du massif du Cinto et établit, après plusieurs années d'exploration des cimes vierges, une carte détaillée du massif. Un sommet du Haut-Asco, près du GR 20, perpétue son nom (le Capo Rosso ou pic Von Cube, 2 043 m). Félix von Cube fut un précurseur car on ne compte plus aujourd'hui les randonneurs qui suivent ses traces dans le Niolo.

L'insurrection de 1774

La guerre d'Indépendance (voir le chapitre « Histoire ») achevée en 1769, la France tenta de pacifier le pays : interdiction du port d'armes à feu et de couteaux effilés, et expulsion des familles dont les chefs avaient suivi Paoli en exil. Ces mesures échauffèrent les esprits… En 1774, les troubles s'étendirent. Thomas Cervoni entraîna les Niolins, acquis aux idées de Paoli, dans une insurrection armée. Mais ni le Nebbio ni le Cap Corse ne suivirent le mouvement. Encerclés près du pont de Francardo, dans la vallée du Golo, les insurgés durent se rendre : la plupart furent incarcérés à Toulon, leurs maisons brûlées et leurs villages saccagés.

Circuits de découverte

DE CALACUCCIA AU MONT CINTO★★★ 1

Le mont Cinto (alt. 2 706 m), « toit de la Corse », point culminant de la longue crête qui sépare la vallée de l'Asco de celle du Golo, domine l'ensemble du Niolo. Le versant Sud descend vers le vallon de l'Erco par des pentes modérées, tandis que le versant Nord, où des névés subsistent jusqu'à la fin de l'été, est beaucoup plus raide.

Le sommet lui-même est formé d'un entassement de gros blocs de rhyolite. L'aigle royal, le gypaète barbu et d'autres rapaces en voie de disparition hantent encore les cimes du mont Cinto.

Gagner en voiture Lozzi, à 4,5 km de Calacuccia, par la route du col de Vergio, puis, avant le couvent de Calacuccia, une route étroite et sinueuse sur la droite.

Lozzi

Alt. 1 050 m. Le hameau se groupe au pied du mont Cinto.

Du village de Lozzi, prendre la piste PC 1040 qui monte en direction du Nord-Ouest sur environ 6 km. Elle se termine en amont des bergeries de Cesta. Laisser la voiture sur le terre-plein.

Contournant la croupe aride du Capo al Mangano, la route domine la vallée de l'Erco. Le paysage dénudé est parsemé de chaos rocheux.

Bergeries de Cesta

Alt. 1 575 m. Les cabanes en pierres sèches sont édifiées dans un site grandiose dominant le ravin de l'Erco, face au cirque glaciaire du mont Falo (alt. 2 549 m) et aux escarpements Sud du Cinto. Derrière soi se profile le massif de la Scala di Santa Regina.

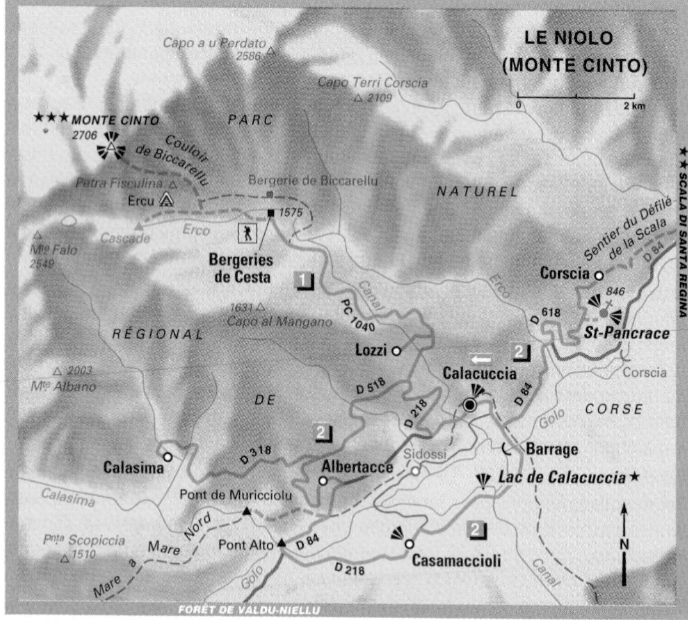

Ici, entre 1 500 et 1 900 m d'altitude, règne le « maquis des montagnes » où croissent le genévrier nain, très résistant aux intempéries, l'épine-vinette à baies rouge orangé et aux rameaux à triples épines qui la protègent contre la dent des troupeaux, et différentes espèces d'aulnes. Sur ces maigres alpages paissent des troupeaux de chèvres et de moutons. Les petits murets en pierres sèches qui quadrillent la montagne servent d'enclos pour les animaux pendant l'été.

Ascension du mont Cinto★★★

À partir des bergeries de Cesta, environ 7h AR. Réservé aux personnes très entraînées. Quitter Calacuccia au petit jour pour éviter les brumes qui, dès le milieu de la matinée en été, empanachent les hautes cimes de l'île. On rejoint en 20mn de marche le refuge de l'Erco (alt. 1 667 m).

Le sentier s'engage dans le **cirque glaciaire★★★** formé par le mont Falo et le Cinto. Il se fraye un passage parmi les énormes blocs morainiques jusqu'au bas de la paroi rocheuse du Cinto (cascade à gauche au pied du mont Falo). Le regard suit la vallée glaciaire jusqu'aux montagnes de la Scala di Santa Regina dans le lointain.

À partir de l'Erco (face Sud), les habitués du rocher peuvent atteindre le sommet en 3h.

L'ascension se fait par l'arête Sud-Est et emprunte le passage entre le couloir de Biccarellu à droite et une tête rocheuse isolée appelée **Petra Fisculina**, à gauche. Du sommet, le **panorama★★★** embrasse toute la Corse et se développe jusqu'aux Alpes-Maritimes et aux îles de la mer Tyrrhénienne.

BASSIN DE CALACUCCIA★★ 2

35 km. De Calacuccia, prendre la D 84 vers le Sud-Ouest, puis la D 218. Peu avant Lozzi, prendre à gauche la D 518, puis la D 318 vers Calasima.

Calasima

Le plus haut village corse (alt. 1 095 m), dominé par l'arête impressionnante de la Paglia Orba, occupe un **site★★** grandiose sur les pentes du mont Albano.

Revenir à la D 518 que l'on prend à droite.

Albertacce

Ce village s'orne d'une belle **fontaine** (1967) de galets dont la mosaïque représente des paysannes venant chercher de l'eau.

Musée archéologique Licninoi – *✆ 04 95 47 13 51 ou 06 23 90 01 97 - juin-sept. : tlj sf dim. et j. fériés 10h-12h30, 15h30-18h30 ; reste de l'année : sur demande - 3 €.*

Installé en bordure de la route, il a pour vocation de rassembler les vestiges archéologiques des régions montagnardes de la Corse, du néolithique ancien (6e millénaire) à l'âge du fer. Des statues-menhirs, des sépultures (dont celle de Sovezzi, reconstituée), et la belle « tête de Ponte Altu » constituent quelques éléments forts d'une visite que l'on pourra bientôt compléter par une découverte des sites eux-mêmes, grâce à des circuits archéologiques (pédestres ou en autocar).

Gagner la D 84 que l'on prend à droite ; plus loin, prendre à gauche la D 218.

Casamaccioli *(voir Calacuccia)*

Lac de barrage de Calacuccia★

La rive Sud du lac jusqu'au barrage est décrite à Calacuccia.

Rejoindre la D 84 que l'on prend à droite. Au pont de l'Erco – au débouché de la Scala di Santa Regina – prendre à gauche la D 618.

Corscia

Ce village dissémine ses huit hameaux au flanc de la montagne, au milieu des terrasses de cultures.

Chapelle St-Pancrace

Laisser la voiture dans le premier hameau et prendre à droite (30mn à pied AR) vers la chapelle du village. De la butte rocheuse sur laquelle est posée la chapelle, une **vue★** superbe s'offre sur les hameaux de Corscia et le massif dominant la Scala di Santa Regina.

DE CALACUCCIA AU COL DE VERGIO 3

24 km.

Forêt de Valdu-Niellu★★

Tracée sur le flanc Nord du bassin du Golo, la route s'élève de 647 m et traverse la superbe forêt de Valdu-Niellu. Elle couvre les pentes des cirques torrentiels qui forment le bassin de réception supérieur du Golo, dominé par une ligne de crête échancrée par quelques cols élevés dont celui de Vergio. Cette forêt, qui fait partie du Parc naturel régional, est la plus vaste (4 638 ha) et l'une des plus belles de l'île ; elle s'étage de 900 à 1 600 m d'altitude.

Les pins laricio composent 70 % de son peuplement ; dans la partie haute, ils se mêlent aux autres essences. Les hêtres au feuillage clair et les bouleaux blancs couvrent 10 % de sa surface.

Les rochers, les landes et les broussailles se partagent le reste du sol. Valdu-Niellu est la première forêt de l'île pour la qualité de son bois. Les chutes de neige sont abondantes en hiver au-dessus de 1 200 m.

Maison forestière de Popaghja

Alt. 1 076 m. À proximité s'élèvent les plus beaux pins laricio de la forêt. Certains sujets sont hauts de 38 m, présentent des troncs lisses jusqu'à 25 m et atteignent 5 m de circonférence ; ils sont âgés de 500 ans.

Station et col de Vergio *(voir ce nom)*

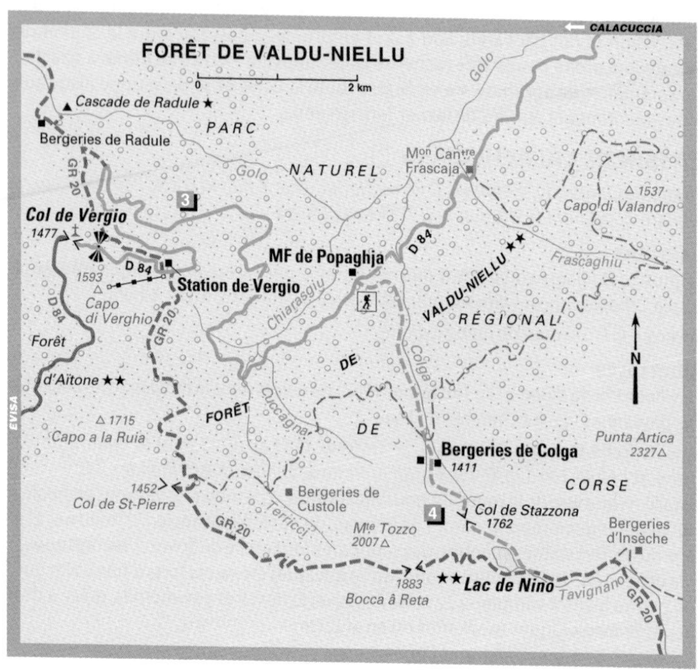

Randonnée

LAC DE NINO★★ 4

4h30 AR au départ de la maison forestière de Popaghja. Dénivelé : 700 m. De bonnes chaussures de marche sont nécessaires, surtout pour la deuxième partie du parcours.

Bergeries de Colga

45mn à partir de la maison forestière ; sentier jalonné de marques jaunes.

Le sentier s'enfonce dans la haute futaie de Valdu-Niellu (pins laricio, hêtres et quelques bouleaux) ; il longe la moraine. En 30mn, on atteint le ruisseau de Colga encombré de blocs de rochers et que l'on franchit à gué. Le sentier s'élève alors en lacet au-dessus du torrent et gagne à 1 411 m d'altitude les bergeries de Colga.

Laisser sur la droite les bergeries (ne pas franchir le torrent).

Des bergeries commence une rude montée *(1h)* vers le col de Stazzona, à travers les éboulis du cirque glaciaire. Le sentier a désormais disparu, mais l'itinéraire est jalonné de marques jaunes et de cairns. Après avoir franchi une première crête, le chemin descend dans un vallon, puis gagne, par des dalles assez raides, le seuil rocheux du **col de Stazzona** (Bocca â Stazzona, alt. 1 762 m), ouvert entre le mont Tozzo (alt. 2 007 m) et la Punta Artica (alt. 2 327 m). Ce col qui sert de passage entre le Niolo et le Campotile est marqué par de hautes pyramides de cailloux et d'énormes rochers noirs qui, d'après la légende, seraient les bœufs du diable pétrifiés par saint Martin *(voir Scala di Santa Regina)*.

La piste descend alors *(15mn)* au bord du lac.

Amaury de Valroger / MICHELIN

Lac de Nino.

Lac de Nino★★

Alt. 1 743 m. Source du Tavignano, il occupe une vaste combe gazonnée au charme bucolique. Cette nappe d'eau de 6,3 ha, aux rives plates, couvre le fond du Campotile, grande cuvette rabotée par l'érosion glaciaire, couverte de forêts et de pâturages et dominée par des montagnes aux formes peu accusées. Le lac est célèbre pour ses vastes pozzines *(voir p. 288)* sur lesquelles il faut éviter de s'aventurer ; les écosystèmes sont fragiles et ces pelouses spongieuses peuvent être dangereuses.
Le lac est souvent gardé par quelques vaches ou chevaux, mais l'activité pastorale a presque disparu comme en témoignent les nombreuses bergeries abandonnées dans les environs.

Le Niolo pratique

Voir aussi le carnet pratique de Calacuccia.

Adresse utile

Syndicat d'initiative de Calacuccia – Av. Valdoniello - ✆ 04 95 47 12 62 - Juil.-août : 9h-19h ; le reste de l'année : tlj sf w.-end 9h-12h, 14h-18h.

Sports & Loisirs

La Promenâne de la Crucichja – *36 r. Canali - 20220 Albertacce - ✆ 06 15 29 45 64.* Madame Santini vous attend à l'ombre des châtaigniers, en compagnie de ses ânes prêts à arpenter la vallée de Niolo jusqu'au ravissant lac de Nino, tapissé de pelouses vert tendre (les pozzines). Balades à la journée ou à la demi-journée.

Nonza★

67 NONZAIS
CARTE GÉNÉRALE C2 – CARTE MICHELIN LOCAL 345 F3 – SCHÉMA P. 215
HAUTE-CORSE (2B)

Littéralement agrippée à la falaise qui surplombe la mer intensément bleue, coiffée par une tour de défense de schiste vert, Nonza est une ancienne place forte médiévale, relevée par Pascal Paoli en 1758. Comment ne pas goûter le plaisir de flâner dans les ruelles et sur la place de ce village de charme du Cap Corse ?

Se repérer – Depuis Saint-Florent, une vingtaine de kilomètres suffisent pour atteindre Nonza par la route de la corniche (D 80) qui surplombe la côte Ouest du Cap Corse.

Se garer – L'attrait du village, très fréquenté l'été, rend souvent le stationnement aléatoire.

À ne pas manquer – Descendez les 160 marches qui mènent à la fontaine Ste-Julie, vous aurez ainsi un point de vue sur le village.

Avec les enfants – La plage en contrebas baigne dans une mer calme où les enfants auront plaisir à jouer.

Pour poursuivre la visite – Voir aussi le Cap Corse et St-Florent.

Visiter

Le village

Le village se groupe autour de l'église et sur le rocher qui porte la vieille tour. Une craquante petite place fleurie, quelques tables disposées autour de la fontaine à l'effigie de Pascal Paoli, c'est là que l'on peut prendre l'ambiance du village. Aux environs, arbres fruitiers et jardinets en terrasses, abrités du vent, s'étagent de la mer aux premières pentes du mont Stavo. Des figuiers de Barbarie ajoutent une touche exotique à la palette des verts.

Plage

On accède à la grande plage de galets par un sentier formé de 260 marches. Il part à gauche de l'église sur la route principale (en face du magasin d'alimentation). Compter environ 15mn pour descendre, 30mn pour remonter. La plage est aussi accessible par une route carrossable, 3 km au Nord de Nonza.

Tour génoise

Traverser le centre du village en suivant quelques ruelles en escalier bordées de maisons couvertes de lauzes. Certaines portes sont agrémentées de plaisants motifs architecturaux.

La **tour**, édifiée en 1550 pour surveiller le littoral alors pillé par de fréquents raids barbaresques, couronne un promontoire schisteux qui domine vertigineusement la mer de ses 160 m d'altitude.

Le site de Nonza.

En août 1768, la tour de schiste vert de Nonza subit victorieusement le siège des troupes françaises de Grandmaison chargées d'appliquer le traité de Versailles. De chacune de ses meurtrières, les coups partent, parfaitement coordonnés. Mieux vaut parlementer que poursuivre et l'on convient que la garnison quittera son retranchement, libre et avec les honneurs. Alors le vieux Jacques Casella sort de la tour, boiteux et solitaire, mais avec quelle fierté : il avait imaginé un système de transmission qui lui permettait de manœuvrer seul toutes ses pièces !

Stéphane Sauvignier / MICHELIN

La tour de Nonza.

Du pied de la tour, la **vue★** est fort étendue : à droite, le bleu profond de la mer contraste avec la teinte grise de l'immense plage de galets de schiste amiantifère accumulés ici depuis 1932. Les galets de la plage sont les déblais usés par le mouvement des vagues de l'ancienne usine d'amiante de Canari (fermée depuis 1965) mais ne présentent aucune toxicité, l'amiante traitée étant seule dangereuse. Au loin se profilent le golfe de St-Florent, la Balagne et le massif du Cinto. Plus près, la vue permet d'apprécier les toits du village et la perspective de l'église avec son clocher accroché au chevet.

Le saviez-vous ?

Le nom vient sans doute de la position stratégique du village sur la côte occidentale du Cap Corse, en avancée dans la mer. En effet, Nonza en corse signifie « annonciateur » : le bourg pouvait révéler, par n'importe quel temps, toute voile ennemie à l'approche dans l'immense golfe de St-Florent.

Julie une jeune fille de Nonza, qui avait refusé de participer à une fête païenne, fut crucifiée dans son village sur ordre du préfet Barbarus. Sur le lieu du martyre jaillit une source miraculeuse. Le corps de la sainte, évacué en 734 devant la menace sarrasine, se trouve aujourd'hui à Brescia en Italie, mais quelques reliques en sont conservées à l'église de Nonza *(pèlerinage le 22 mai)*. L'analogie de son supplice avec celui du Christ fait de sainte Julie la patronne de la Corse.

Église Ste-Julie

Cette église du 16ᵉ s., pourvue en façade d'un harmonieux perron, possède un autel baroque (1694) en marqueterie de marbres polychromes. Il aurait été fabriqué à Florence en l'honneur de Notre-Dame-de-Santé dont la statue domine l'autel. Il est surmonté d'un tableau représentant sainte Julie crucifiée. La partie instrumentale de l'orgue est attribuée à Pietro Saladini (1835).

Fontaine Ste-Julie

À 50 m sur la route de Pino, 160 marches descendent (même chemin que pour la plage) à cette fontaine dont les eaux sont réputées miraculeuses. Cette agréable promenade ombragée offre un coup d'œil original sur le village et sa vieille tour.

Vallée de l'Ostriconi★

CARTE GÉNÉRALE B2 – CARTE MICHELIN LOCAL 345 E/D4 – HAUTE-CORSE (2B)

Du col de Sta-Maria jusqu'à l'anse de Peraiola, la vallée de l'Ostriconi s'étire entre la Balagne, le Nebbio et les Agriates. Cette région fertile porte encore les traces de son intense exploitation oléicole passée. Les diverses promenades qu'offre la vallée sont parsemées de vestiges de moulins. Lama, chef-lieu de la région, a su restaurer avec harmonie ses quartiers anciens.

Se repérer – Les cinq villages dominant le cours de l'Ostriconi sont accessibles par des voies perpendiculaires à la N 1197 (dite « la Balanina ») ou par les deux routes parallèles à la vallée.

À ne pas manquer – Le village de Lama.

Pour poursuivre la visite – Voir aussi les Agriates, la Balagne.

Comprendre

Le grenier à huile – Si l'ensemble de cette microrégion ne compte actuellement pas plus de 600 habitants permanents, elle fut longtemps le principal grenier à huile de la Corse du Nord. À la suite de la réglementation génoise imposant la plantation, chaque année, d'une des 5 espèces nobles d'arbres (châtaignier, mûrier, figuier, vigne et olivier), les oliveraies couvrirent le fond de la vallée jusqu'à remonter à mi-versant. Au début du 20e s., la région de Lama comptait près de 80 000 pieds d'oliviers produisant 100 000 l d'huile.

Hervé Le Gac / MICHELIN

Village perché de Lama.

L'architecture porte encore l'empreinte de cette monoculture et l'on peut aisément découvrir, au cours de promenades, les moulins hydrauliques (*e fabrice*, en corse) le long du cours de l'Ostriconi et ceux, plus nombreux, à traction animale (*i franghj*, en corse).
Les saignées démographiques des deux guerres mondiales amorcèrent le déclin de la vallée. Le coup de grâce vint du terrible incendie d'août 1971 qui embrasa l'Ostriconi et une partie de la Balagne. En un après-midi, l'ensemble des oliveraies fut réduit en cendres. Aujourd'hui, l'élevage ovin a maintenu une grande partie de son activité.

Circuit de découverte

DE PIETRALBA À L'ANSE DE PERAIOLA

35 km au départ de Ponte Leccia – 2h environ.

Prendre la N 1197 (« La Balanina ») en direction de L'Île-Rousse.

Au col de Sta-Maria, la D 8, à droite, permet d'accéder au village de **Pietralba**, puis épouse les sinuosités du vallon, procurant jusqu'à Lama de belles vues sur les hauteurs environnantes et l'embouchure de l'Ostriconi.

Lama★

Ce village médiéval accroché à flanc de piton surplombe le grand axe routier de la « Balanina ». Une harmonieuse réhabilitation a permis de mettre en valeur deux styles d'architecture.
Le vieux quartier, composé de petites maisons accolées au rocher et d'une succession de passages voûtés, jouxte les grandes maisons du 18e s. construites pour les gros producteurs oléicoles. Ces derniers envoyaient leurs enfants faire leurs études en Italie, notamment en Toscane. À leur retour, ceux-ci désiraient appliquer à leur maison familiale les éléments d'architecture qui les avaient marqués pendant leur séjour. Ainsi, une demeure affiche un imposant belvédère florentin, inattendu face au clocher de l'église.
En poursuivant vers le Nord, on atteint le village d'**Urtaca** qui semble fixé aux arêtes rocheuses.

Après avoir retrouvé « la Balanina », poursuivre vers l'embouchure du fleuve, et prendre à droite la petite route en cul-de-sac conduisant à Ogliastro.

Le cours de l'Ostriconi finit en paresseux méandres où viennent s'abreuver de pacifiques bêtes à cornes ; cette zone marécageuse des Agriates porte le nom de « site de l'Ostriconi ».

Plage de l'Ostriconi

Cette belle plage sauvage occupant l'**anse de Peraiola** constitue le terme du sentier de randonnée décrit dans les Agriates.

Randonnées

AU DÉPART DE LAMA

Mont Asto★ (Astu)

6h environ AR (dont 4h aller) – dénivelé 1 000 m – randonnée sans difficulté majeure, mais attention, balisage vétuste et peu lisible. Portez de préférence un pantalon à cause des buissons d'épineux et des nombreuses plantes urticantes. Soyez bien chaussé, emportez de l'eau et une carte. Le sentier part du point le plus haut du village, à proximité d'un réservoir portant l'indication « refuge du Prunincu ». Du sommet (alt. 1 535 m), superbe **panorama★** de la Balagne jusqu'au Cap Corse.

Sentier de randonnée Lama-Urtaca

1h environ. Cette agréable promenade emprunte un sentier sans difficulté qui se situe en contrebas de la D 108, parallèle à celle-ci. L'itinéraire procure de belles vues sur l'autre versant de l'Ostriconi et sur le littoral.

Vallée de l'Ostriconi pratique

Se loger

Bon à savoir – Lama offre à ses visiteurs un grand choix de gîtes (à la semaine pendant les mois de juillet et août, au week-end hors saison) gérés en majorité par l'Office de tourisme. Pour se mettre dans l'ambiance locale, rien ne vaut une pause au café du village, situé près de la mairie, où vous pourrez aussi vous restaurer.

Chambre d'hôte Domaine d'Ostriconi – *RN 197, lieu-dit Ostriconi - 20226 Palasca - 04 95 60 53 29 - www.ostriconi.com - fermé nov.-mars - 4 ch. 50/90 €*. Aménagées dans une bâtisse du temps des Génois, quatre chambres desservies par un long couloir. Avec leur mobilier de famille et leurs tissus choisis aux couleurs sobres, elles dégagent une authenticité et un charme certains.

Se restaurer

Campu Latinu – *20218 Lama - 04 95 48 23 83 - www.campulatinu.fr - fermé oct.-avr. et lun. - - 25 € - 3 appart. + 5 gîtes.* Vous tomberez immédiatement sous le charme de ce restaurant posté sur les hauteurs du village médiéval de Lama. Terrasse sous les grands chênes ménageant une superbe vue sur la vallée de l'Ostriconi, délicieuse salle à manger aux couleurs toscanes et belle cuisine valorisant les produits du terroir… Si vous souhaitez prolonger votre séjour, des appartements indépendants, aménagés dans une vieille maison en pierres du pays, ainsi que des gîtes vous sont proposés (formules demi-pension ou pension complète).

L'Agriate – *RN 197, lieu-dit Ostriconi - 20226 Palasca - 04 95 60 53 29 - www.domaine-ostriconi.com - fermé nov.-mars et lun-mar. hors sais. - 22 € déj. - 34 €.* Restaurant aux allures de ferme rustique situé dans un immense domaine où se nichent deux grandes bâtisses génoises. Il propose une cuisine du terroir, composée de charcuterie et de poisson accompagnés des légumes et herbes de la propriété. Service rapide, efficace et très souriant.

Que rapporter

Domaine d'Ostriconi – *RN 197, lieu-dit Ostriconi - 20226 Palasca - 04 95 60 53 29 - 9h-19h30 - fermé nov.-mars.* Dès l'arrivée du printemps, Monsieur Granier, propriétaire du domaine, installe au bord de la route un stand attractif de produits du terroir : fruits, légumes, herbes, vins, huile d'olive…

Patrimonio

Patrimoniu

645 PATRIMONIAIS
CARTE GÉNÉRALE C2 – CARTE MICHELIN LOCAL 345 F3 – SCHÉMAS P. 215 ET 337
HAUTE-CORSE (2B)

Sur les premières pentes du Nebbio, Patrimonio dissémine ses maisons et sa grande église sur les versants d'une colline prospère plantée de vergers et de vignes. De longue date, le patrimonio se classe, par ses cépages et par le soin apporté à son élaboration, parmi les meilleurs crus élevés en Corse.

Se repérer – Patrimonio est perché à 5 km de St-Florent en direction du Cap Corse (D 81).

À ne pas manquer – Prenez le temps de rencontrer les viticulteurs. La région fut en 1968 la première de Corse à obtenir une appellation d'origine contrôlée (AOC). On compte une trentaine de petits producteurs viticoles dans les sept communes bénéficiant de l'appellation. Ils produisent un cru d'excellente qualité : muscat mais aussi vin rouge, blanc et rosé… Vous pourrez les découvrir en suivant la **route des Vins**.

Pour poursuivre la visite – Voir aussi le Cap Corse et St-Florent.

Le saviez-vous ?

Patrimoniu veut dire « patrimoine » en corse. Au 17e s., c'est le nom qu'on donnait à un regroupement de terres. C'est aujourd'hui le nom d'un vignoble réputé.

Comprendre

Contestataires ? – Le village a donné le jour à deux adversaires de Bonaparte : **Joseph Arena** (1771-1801), député au Conseil des Cinq-Cents en 1796 qui protesta contre le coup d'État du 18 Brumaire. Accusé d'avoir pris part à un complot contre le Premier consul, il fut guillotiné le 30 janvier 1801. Son frère **Barthélemy** (1775-1829), député à l'Assemblée législative, puis aux Cinq-Cents, s'opposa lui aussi au coup d'État mais réussit à échapper à la police consulaire et à se réfugier à Livourne où il acheva obscurément sa vie.

Visiter

Église St-Martin (San Martinu)★

Cette église, avec ses schistes qui prennent au soleil couchant une chaude tonalité blond doré, compose une des « images » touristiques les plus connues de la Corse. Édifiée à partir de 1570, elle fit l'objet d'une importante restauration entre 1801 et 1810. Le clocher et la partie supérieure de l'église datent de cette époque.

Un peu isolée, posée sur une butte dominant le village, elle apparaît comme un édifice monumental avec son haut clocher, ses robustes contreforts et son fronton à volutes ; mais reste à l'état de gros œuvre avec ses murs dépourvus de parement et laissant encore apparents les trous de boulin. ✆ *04 95 37 07 99 - fermé provisoirement.*

À l'intérieur, sur sa voûte peinte apparaît, dans un médaillon, saint Martin partageant son manteau. Une gracieuse marqueterie de marbres pare le maître-autel orné de l'emblème des franciscains, et le tabernacle mural situé à gauche.

Stéphane Sauvignier / MICHELIN

Église de Patrimonio.

Stéphane Sauvignier / MICHELIN

Vignoble de Patrimonio.

U Nativu

À côté du monument aux morts, un abri grillagé protège la **statue-menhir** en calcaire du Nativu trouvée en 1964 dans la commune de Barbaggio lors de travaux de terrassement. Cette statue mesure 2,29 m de hauteur et se caractérise par des épaules et des oreilles proéminentes, un menton accusé et une mystérieuse gravure sur le torse.

Patrimonio pratique

Se loger

Bon à savoir – De part sa taille, Patrimonio ne dispose que d'une offre limitée en matière d'hébergement. Optez plutôt pour St-Florent, le « St-Tropez corse », à 5 km de là, où vous dénicherez plus facilement un endroit pour passer la nuit.

Camping A Stella – *Lieu-dit Zapini - 20253 Farinole - ✆ 04 95 37 14 37 - ouv. 15 avr.-sept. - - 100 empl. 20,10 €.* En choisissant ce camping situé à fleur de plage, au pied d'une tour génoise, vous pourrez profiter du soleil et de la mer 24h/24 ! Emplacements ombragés un peu plus à l'écart du rivage. Location de bungalows.

Se restaurer

Osteria di San Martinu – *✆ 04 95 37 11 93 - fermé oct.-mars, merc. midi en avr., mai et sept. - 20 €.* Cette petite « osteria » est à fréquenter l'été : tout se passe alors sur la terrasse, dressée sous une pergola et animée par la présence du barbecue. Plats corses et grillades s'arrosent alors avec le patrimonio produit sur le domaine du frère du patron.

En soirée

Les Nuits de la Guitare – *✆ 04 93 37 12 15 - www.festival-guitare-patrimonio.com - mi-juil.* Il y a maintenant 16 ans que les frères Dominici, passionnés de leur instrument, ont fait le pari de transformer le village en lieu de rencontre musicale. Et c'est réussi ! De Marcel Dadi à Gilberto Gil en passant par George Benson, le programme ne cesse de s'étoffer alors que l'ambiance est toujours aussi conviviale.

Que rapporter

Bon à savoir – Trente et un viticulteurs vous accueillent sur la route des vins de Patrimonio, jalonnée des sept villages composant le domaine AOC. On vous y racontera l'histoire du « Nebbiu », la brume venue du golfe, évitant les gelées, et de la « Conca d'Oro », qui ont donné leurs noms aux terres et aux paysages exceptionnels du golfe de St-Florent. Dégustations gratuites pour découvrir la production de vins blancs, rouges, rosés et muscats. Notre coup de cœur : le Clos de Bernardi, ✆ 04 95 37 12 22.

Antoine-Arena – *Morta-Majo - à l'entrée sud du village - ✆ 04 95 37 08 27 - antoine.arena@wanadoo.fr - sur RV.* Dans son petit domaine de 11 ha, M. Arena ne travaille que pour les connaisseurs et les passionnés. Il compose pour eux des vins de très grande qualité et entièrement naturels comme le muscat du Cap Corse, le patrimonio 100 % vermentinu et 100 % nielluciu, ou le « Bianco Gentile » (cépage local qu'il a fait renaître).

Pigna★

Pìgna

95 HABITANTS
CARTE GÉNÉRALE B2 – CARTE MICHELIN LOCAL 345 C4 – SCHÉMA P. 145
HAUTE-CORSE (2B)

Voici l'un de ces villages de charme qui font le succès de la Balagne. Perché sur une butte cernée d'olivaies, dominant la baie d'Algajola, Pigna regroupe ses ruelles escarpées autour de l'église. Oubliez la voiture, c'est à pied que l'on parcourt ce petit de dédale animé où il serait difficile de se perdre mais où vous ferez certainement d'agréables rencontres. Après une période de déclin, le village revit depuis la fin des années 1960 et est devenu un symbole du renouveau des traditions artisanales et musicales.

- **Se repérer** – 8,5 km au Sud-Ouest de L'Île-Rousse. Village construit en belvédère, Pigna est desservi par la D 151.
- **Se garer** – Un parking, payant en saison, a été aménagé à l'entrée du village. Hors saison, il est possible de se garer devant l'église.
- **À ne pas manquer** – Il faut flâner dans Pigna et ne pas hésiter à aller à la rencontre des artisans qui travaillent dans ce village. Ils se feront une joie de faire partager leur passion.
- **Organiser son temps** – Le temps semble arrêté dans ce petit village qui mérite toute votre attention. Préférez les fins de journée, plus agréables, avant de profiter si c'est la saison, des fameux concerts d'Estivocce.
- **Avec les enfants** – Pour les enfants, voici une belle occasion de découvrir ici les nombreux métiers de l'artisanat corse.
- **Pour poursuivre la visite** – Voir aussi Algajola, Corbara, la Balagne.

Comprendre

Un foyer du renouveau culturel – Pigna n'a pas toujours été ce village animé qui attire comme un aimant les touristes de passage en Balagne. Comme beaucoup d'autres, il a connu cette lente mais redoutable désertification. Il a fallu toute la foi de passionnés, regroupés à l'origine dans l'association Corsicada, pour faire revivre les lieux ; et cela marche... Pigna est aujourd'hui un des principaux centres de la renaissance de l'artisanat corse et plus particulièrement dans le domaine musical. Regroupés dans l'association **« Arte di a musica »**, des facteurs d'instruments traditionnels *(voir le chapitre « L'identité insulaire »)* ont remis à l'honneur une tradition que l'on croyait perdue et qui trouve son application jusque dans les représentations théâtrales en France métropolitaine et en Sardaigne.

Se promener

Le village★

Les ruelles tortueuses, pavées ou en escaliers, bordées de maisons soigneusement rénovées et fleuries, et la place joliment dallée présentent un caractère authentique. Le village est habité par de nombreux **artisans** (potiers, graveurs, sculpteurs, etc.) et musiciens qui ont entrepris de le rénover, de redonner vie aux métiers d'antan et de sauver le patrimoine musical corse.

Amaury de Valroger / MICHELIN

Clocheton de l'église.

Église de l'Immaculée-Conception

✆ 04 95 61 77 30 - tlj sf w.-end 9h-12h, 16h-17h.

Elle se distingue par ses deux clochetons à dômes. Son chevet arrondi et la découpe en accolade de son fronton sont charmants. À l'intérieur, bel orgue du 18e s. attribué à Ferrari.

Le site de Pigna.

Piazzarella

Depuis cette petite place, on découvre une vue magnifique sur la baie d'Algajola.

Casa di l'artigiani

☏ 04 95 61 75 55 - juil.-août : 10h-13h30,14h-20h, ; avr.-juin et sept.-oct. : tlj sf dim. 10h30-12h30, 14h30-18h30.

Cette petite structure a été créée pour promouvoir les activités artisanales corses.

Pigna pratique

Voir également l'encadré pratique de la Balagne

Se loger et se restaurer

Casa Musicale – *☏ 04 95 61 77 31 - info@casa-musicale.org - fermé janv. - 7 ch. 66/93 € - ☕ 6 € - rest. 30/45 €.* Cette vieille maison pétrie de charme, accessible seulement à pied par les venelles fleuries de ce superbe village perché, dispose de chambres agrémentées de fresques et tournées vers la mer ou la montagne. Pressoir à huile d'olive converti en restaurant, idyllique terrasse et salle de concert en sus.

Chambre d'hôte A Merendella – *☏ 04 95 61 80 10 - 5 ch. 65/75 € ☕* - Au cœur du village, des chambres installées dans les murs familiaux de la descendance des Consalvo (fondateurs de Pigna). Petit-déjeuner servi dans la grande cuisine rustique ou sur la terrasse dominant les ruelles.

Que rapporter

Bon à savoir – La Balagne et ses villages perchés - en particulier ceux de Pigna et Corbara - est riche en boutiques d'artisans (poterie, coutellerie, sculpture, instruments de musique, produits du terroir, etc.) qui perpétuent des savoir-faire ancestraux. Alentour, les foires de Feliceto (foire de l'artisan en août), Lumio (foire de la pierre en juillet) et Sant'Antonino (foire de l'âne en août) rythment le calendrier estival.

Ceramica di Pigna – *Au bourg - ☏ 04 95 61 77 25.* Le royaume de la poterie, de la céramique et de la faïence, décorées selon les techniques traditionnelles. Visites de l'atelier aménagé dans un ancien pressoir.

Ponte-Nuovo

Ponte Novu

CARTE GÉNÉRALE C3 – CARTE MICHELIN LOCAL 345 E5 – HAUTE-CORSE (2B).

Il fait piètre figure aujourd'hui et son environnement n'est guère flatteur. Ce pont a pourtant une importance majeure dans l'histoire de la Corse. Le 8 mai 1769, il fut le théâtre d'un tragique affrontement entre les troupes de Pascal Paoli et l'armée française qui marqua la fin de la guerre d'Indépendance. Partiellement détruit par des bombardements allemands au cours de la Seconde Guerre mondiale, ses ruines se dressent en amont de l'ouvrage actuel.

- **Se repérer** – Ponte Nuovo se trouve sur la route nationale qui relie Corte à Bastia, à 8 km au Nord-Est de Ponte-Leccia.
- **À ne pas manquer** – Sur le circuit de la haute corniche du Golo, appréciez les vues magnifiques qui se dégagent après Costa-Roda.
- **Pour poursuivre la visite** – Voir aussi La Castagniccia.

Comprendre

La bataille du pont neuf – Sept mois avant la bataille du Ponte Nuovo, les Français avaient dû se résoudre à la retraite devant Borgo. Puissamment renforcée au printemps et placée sous les ordres du comte de Vaux, l'armée française ouvre les opérations dès le 1er Mai : elle fait mouvement vers Rapale dans le Nebbio, obligeant ainsi Paoli à abandonner Murato, à passer sur la rive droite du Golo et à se transporter en Castagniccia.

Le 8 mai, Paoli fait retraverser le Golo à ses hommes qui passent imprudemment à l'attaque. Ils sont repoussés et doivent regagner le pont. Las, celui-ci est barré par un muret de pierres sèches tenu par un contingent de mercenaires prussiens à la solde des Corses. Fausse manœuvre fatale : pris dans cette souricière, ils sont massacrés. Ce revers marque la fin de la guerre d'Indépendance et décide du rattachement de la Corse à la France. Après sa défaite, Paoli, replié sur Corte, abandonne la lutte. Le 13 juin, il s'embarque secrètement à Porto-Vecchio pour la Grande-Bretagne.

Un diorama très expressif de la bataille est présenté au musée A Bandera à Ajaccio.

Circuit de découverte

HAUTE CORNICHE DU GOLO★★

28 km de Ponte Nuovo à Ponte-Leccia – environ 1h15. Quitter Ponte Nuovo au Nord et prendre la D 5 à gauche vers Lento.

La route s'élève à flanc de montagne, offrant de beaux aperçus sur la vallée verdoyante aux éboulis chaotiques et sur les sommets aigus qui la dominent.

À l'entrée de Lento, prendre la D 105 à gauche.

Le regard plonge dans une gorge profonde ; la route s'élève en haute corniche.

Canavaggia

Le village se détache sur la ligne dentelée du mont Reghia di Pozzo. Châtaigniers, fougères et cistes bordent la route ; des cyprès rivalisent de hauteur avec le clocher d'une église isolée dans son cimetière.

Brusquement, à 1 km de Costa-Roda dans un tournant, une **vue★★** se déploie sur les chaînes neigeuses et le mont San Petrone. Les différents plans des montagnes forment des courbes harmonieuses derrière les sombres frondaisons. Après ce village, la route devient caillouteuse par endroits. Dans une descente rapide, en lacet, le Golo réapparaît. De belles **vues★** se multiplient avant d'atteindre Ponte-Leccia, que l'on rejoint par la N 197 à gauche.

La Porta★

A Porta

196 HABITANTS
CARTE GÉNÉRALE C3 – CARTE MICHELIN LOCAL 345 F5 – SCHÉMA P. 233
HAUTE-CORSE (2B)

Le voyageur est ici au cœur de la Castagniccia et surprend quelques villages, perchés sur une crête dominant un océan de verdure. À La Porta s'élève la plus célèbre des églises baroques en Corse.

- **Se repérer** – On rejoint le village par la D 71, puis par de petites routes qui décrivent d'innombrables lacets sous les ramures des châtaigniers.
- **À ne pas manquer** – Le somptueux décor baroque de l'église, qui est un des plus beaux de l'île.
- **Pour poursuivre la visite** – Voir aussi La Castagniccia.

Le saviez-vous ?

On aurait donné le nom de La Porta au village car il correspondait à la « porte d'entrée » de l'ancienne microrégion *(pieve)* appelée Ampugnani.

La Porta a vu naître **Horace Sebastiani** (1772-1851) qui devint un comte d'empire, puis un maréchal de France. D'abord officier de cavalerie, il s'illustra sur la plupart des champs de bataille d'Europe au service de Bonaparte, du Premier consul, de l'Empereur et enfin de Louis-Philippe. Plusieurs fois ministre, il occupa ensuite des postes d'ambassadeur à Naples et à Londres. Il passe aux yeux des historiens pour être à l'origine de la partition de villages de l'île en clans rivaux. Il est inhumé aux Invalides.

Visiter

Église St-Jean-Baptiste★

Ce grand édifice, élevé de 1648 à 1680 sur les plans de l'architecte milanais Domenico Baïna, marque l'affirmation du baroque religieux en Corse.

Son **campanile** (1720), dû en grande partie au dessin de Baïna, paraît à la fois solide par ses puissantes assises et léger par les volutes, pointes de diamant, niches et ouvertures qui ornent ses cinq étages. Le clocher a perdu sa patine lors d'une nécessaire restauration de l'édifice.

Amaury de Valroger / MICHELIN

Façade de l'église.

La **façade★** de l'église, construite en 1707 par Baïna, peinte en ocre et blanc, reste harmonieuse avec un décor de pinacles, volutes et coquilles encadrant une fenêtre ovale. D'élégants pilastres et des colonnes entourent le portail d'entrée. L'**intérieur** présente des peintures en trompe-l'œil. La peinture de la voûte a été réalisée en 1866 par un certain Joseph Giordani. L'orgue fut construit en 1780 au couvent de Rogliano (Cap Corse) par le moine franciscain Maracci pour le couvent St-Antoine de Casabianca. En l'an VIII, le commissaire Saliceti, chargé de détruire le couvent, laissa transporter l'orgue à La Porta dont sa femme était originaire. Remarquer aussi un Christ en bois peint, du 17e s.

Portu

CARTE GÉNÉRALE A4 – CARTE MICHELIN LOCAL 345 B6 – SCHÉMA P. 309
CORSE-DU-SUD (2A)

L'ancienne tour génoise plantée sur un rocher à l'embouchure de la rivière Porto veille aujourd'hui sur une marine qui manque de caractère et de charme. Et si Porto a tant de succès, c'est grâce à son site unique au cœur d'un des plus beaux secteurs de la côte corse, entre les rougeoyantes Calanche de Piana et la fameuse réserve de Scandola. Cette petite station balnéaire profite de sa situation stratégique pour offrir aux estivants un large choix de loisirs en mer comme en montagne.

Se repérer – La marine est séparée en deux par la rivière de Porto que l'on franchit (à pied uniquement) par une passerelle très arquée. En arrivant en voiture, on peut, soit gagner le côté Nord de la ville, où se concentrent les hôtels et les restaurants, soit rejoindre la partie Sud (port de pêche et plage) en prenant la D 81 direction Piana, puis la route communale fléchée « Porto rive gauche ».

Se garer – Pour plus de tranquillité, laissez votre véhicule au parking sur la place de l'Office de tourisme.

À ne pas manquer – Les Calanche, la réserve naturelle de Scandola.

Organiser son temps – La réserve de Scandola peut se découvrir le matin, avec une petite escale possible pour midi à Girolata. Réservez votre deuxième partie d'après-midi pour découvrir les Calanche.

Avec les enfants – Emmenez-les découvrir les espèces de « Lesseps » à l'aquarium de la Poudrière.

Pour poursuivre la visite – Voir aussi le golfe de Porto, les Calanche, la réserve naturelle de Scandola, les gorges de Spelunca.

Site de Porto avec sa tour.

Séjourner

La marine

On y descend par une route bordée d'eucalyptus centenaires. La plage de galets, en avant du bois d'eucalyptus, est séparée du hameau par le Porto que l'on franchit sur un pont de bois. Le village et la rivière qui y débouche tirent leur nom du port antique qui existait à cet emplacement.

De nombreux hôtels et restaurants sont groupés derrière le rocher délimitant la minuscule rade qui, par temps calme, abrite quelques bateaux.

Aquarium de la Poudrière

- 04 95 26 19 24 - juil.-août : 8h-22h ; juin et sept. : 8h-21h ; mai : 8h-20h ; avr. : 8h-19h ; oct.-mars : 8h-17h - 5,50 € (7-12 ans 3 €).

Au pied du rocher supportant la tour génoise, cet aquarium présente, dans une douzaine de bacs, la faune peuplant les fonds marins de la région, superficiels ou plus profonds, sablonneux ou rocheux. Vous y découvrirez le ballet des girelles colorées, les inquiétantes rascasses pustuleuses, le couple que forment le bernard-l'ermite et l'anémone de mer. Celle-ci aime à se jucher sur le dos du bernard-l'ermite : tandis que ce dernier bénéficie de la protection de sa passagère, elle peut se déplacer d'un repas à l'autre... Vous verrez encore le loup, la daurade, le grondin volant et les espèces menacées comme la murène, le mérou et le triton.

Tour génoise★

15mn AR depuis la marine. ✆ 04 95 26 10 55 - juil.-août : 9h-21h ; avr.-juin et sept.-oct. : 11h-19h - 2,50 €.

Posée sur un promontoire au-dessus de la mer, cette grosse tour carrée verrouillait la vallée de la petite rivière de Porto. Ce monument, l'un des plus connus de Corse, dans un paysage de granit rose, n'a rien perdu de son charme malgré les outrages du temps. Le bâtiment a bénéficié d'une restauration qui lui permet d'accueillir une exposition sur les tours génoises. Les abords du côté de la mer sont escarpés.

Les poissons de Lesseps

Représentant 1 % de la surface maritime du globe, la Méditerranée accueille 7 % de la faune mondiale : parmi celle-ci, des intrus : il s'agit des espèces dites « lessepsiennes » (500 aujourd'hui), originaires de la mer Rouge et arrivées par le canal de Suez.

Sentier de Castagna★

1h AR, parcours en grande partie ombragé. Facile, mais porter tout de même de bonnes chaussures car on passe au début par un petit raidillon. Emporter aussi de l'eau car on ne trouve rien au port de Castagna.

À l'arrivée, possibilité de se baigner, du moins si l'on ne craint pas de plonger depuis les rochers, car il n'y a pas de plage.

Traverser la plage de Porto jusqu'à son extrémité Sud où débute le sentier. Le parcours est d'abord aménagé à travers les gros blocs rocheux, puis grimpe rapidement à flanc de colline. On surplombe la mer. De temps en temps, la végétation se découvre, laissant apparaître une superbe vue sur les eaux claires et les roches rouges du golfe. Après 25mn de marche, on rejoint une petite route goudronnée qui descend en 5mn au petit port de Castagna.

Porto pratique

Adresse utile

Office de tourisme – Pl. de la Marine - ✆ 04 95 26 10 55 - www.porto-tourisme.com - juin-août : 9h-19h, dim 9h-13h ; avr.-mai et sept. : tlj sf dim. 9h-18h ; reste de l'année : tlj sf w.-end 9h-17h.

Transports

Bus – Ligne Ajaccio-Porto-Ota (2 fois/j.), de déb. juil. à mi-sept. ; reste de l'année : tlj sf dim. et j. fériés. Ligne Porto-Calvi, de mi-mai à mi-oct. : 1 fois/j. - ✆ 04 95 22 41 99

Ligne Corte-Calacuccia-Porto-Corte - de déb. juil. à mi-sept. : tlj sf dim. et j. fériés. ✆ 04 95 48 00 04.

Se loger

⊖ **Hôtel Les Flots Bleus** – *À la marine - ✆ 04 95 26 11 26 - www.hotel-lesflotsbleus.com - fermé 30 oct.-10 avr. - 28 ch. 60/99 € - ☕ 8 €.* Posez-vous sur le balcon de votre chambre et contemplez le coucher de soleil sur la Méditerranée et la tour génoise, le spectacle est mémorable ! Toutes orientées vers la mer, leur décor vient d'être mis au goût du jour. Petit-déjeuner en terrasse.

⊖ **Stella Marina** – *Plage de Bussaglia - 20147 Serriera (Golfe) - 6 km au N de Porto par D 81 et D 724 - ✆ 04 95 26 11 18 - www.hotel-stella-marina.com - fermé 15 oct.-15 avr. - 20 ch. 54/80 € - ☕ 10 € - rest. 20/32 €.* Ce sympathique établissement surplombe la route qui mène à la grande plage de galets de Bussaglia. Ses vastes chambres sont toutes équipées d'une loggia grande ouverte sur la mer. Plaisant restaurant en rouge et blanc et agréable piscine.

⊖ **Camping Les Oliviers** – *Pont de Porto - ✆ 04 95 26 14 49 - www.camping-oliviers-porto.com - ouv. 28 mars-5 nov. - réserv. conseillée - 216 empl. 27,50 € - restauration.* Que vous ayez choisi la tente ou le bungalow, vous apprécierez l'emplacement de ce camping, étagé en terrasses au dessus de Porto. Bel espace forme (piscine, salle de sport, sauna, hammam) et nombreuses activités sportives proposées. Pour les amateurs, accès direct à la rivière Porto, riche en truites.

⊖⊖ **Le Subrini** – *À la Marine - ✆ 04 95 26 14 94 - subrini@hotels-porto.com - fermé 1er nov.-31 mars - P - 23 ch. 90/140 € - ☕ 10 €.* Bâtisse en pierres de taille située au-delà de la route bordée par les fameux eucalyptus centenaires. Chambres donnant sur la place principale de la marine et sur la tour.

Bella Vista – *Rte de Calvi - ✆ 04 95 26 11 08 - bellavistacorse@aol.com - fermé 3 nov.-2 avr. - P - 20 ch. 90/130 € - ☕ 12 € - rest. 18/27 €.* Cet hôtel offre une « Bella Vista » sur la mer et le Capo d'Orto. Les chambres sont confortables et rénovées ; quelques-unes disposent d'une cuisinette pour les plus longs séjours. Agréable salle à manger climatisée et plaisante terrasse. Cuisine soignée ancrée dans le terroir.

Se restaurer

La Mer – *À la Marine - ✆ 04 95 26 11 27 - laora5@wanadoo.fr - fermé 16 nov.-14 mars - 18,50/29 €.* Tout au bout de la marine, cette petite maison de pierre avec ses volets bleus est charmante. Sa vue sur le port et la tour l'est tout autant. Spécialités de poissons servis en terrasse si le temps le permet.

Le Maquis – *✆ 04 95 26 12 19 - www.hotel-du-maquis.com - fermé 15 nov.-15 fév. - 20/33 € - 5 ch. 30/70 €.* L'atout incontestable de ce restaurant au décor campagnard est sa très agréable terrasse ombragée, d'où vous pourrez admirer la montagne, mais aussi apercevoir au loin la tour génoise et le bleu infini de la mer. Cuisine régionale soignée.

Chez Marie – *Bar des Chasseurs - 20150 Ota - 4,5 km à l'E de Porto par D 124 - ✆ 04 95 26 11 37 - ⊭ - 20 €.* Blotti dans les montagnes, ce bar-restaurant qui fait également gîte d'étape respire la gaieté et l'authenticité culinaire de l'île : sanglier sauce corse, soupe paysanne, cabri, cannelloni au brocciu et pâtisseries à la farine de châtaigne. Sur la terrasse, belle fresque représentant la vallée.

Sports & Loisirs

Bon à savoir – La marine, accessible par un petit pont piéton derrière les hôtels, accueille les compagnies de promenades en mer, les clubs de plongée et les loueurs de bateaux.

Génération Bleue – *Marine de Porto - rive droite - ✆ 04 95 26 24 88 ou 06 85 58 24 14 - www.generation-bleue.com - tlj 8h45-19h30 - fermé nov.-avr.* Les coraux rouges, les tombants de « Gorgones bleues », sous lesquels se cache une faune impressionnante de murènes, mérous, corbs et langoustes, sont l'étonnant spectacle que vous découvrirez en toute sécurité, guidé par des plongeurs de haut niveau.

Stéphane Sauvignier / MICHELIN

Promenade en mer (Via Mare).

Nave va – *Pl. de Porto - ✆ 04 95 26 15 16 - www.naveva.com - tlj 8h30-19h - fermé nov.-mars.* Découvrir le village perché de Bonifacio, traverser les réserves de Scandola et de Girolata, les calanche de Piana et Capo Rosso ou visiter les îles Sanguinaires sont autant de promenades en mer que vous pourrez accomplir en une journée ou une après-midi à bord de ce sympathique bateau.

Porto Sub – *Marine de Porto - rive droite - ✆ 04 95 26 19 47 - www.le-mediterranee.com - 8h-20h - fermé nov.-mars.* Bordé de réserves naturelles classées Patrimoine mondial de l'Unesco, Porto est un lieu idyllique pour la plongée. Ce club propose des baptêmes et des formations dans un joli site très coloré, tandis que pour l'exploration, 22 sites attendent les plongeurs amateurs et confirmés de la pointe de Scandola au Capo Rosso.

Mare Nostrum – *Hôtel Monte-Rosso - Marine de Porto - ✆ 04 95 26 11 50 - fermé Toussaint-Pâques - bateau 12 places, réserv. conseillée.* À l'heure où le soleil darde ses derniers rayons de feu sur les Calanche, le *Mare Nostrum*, habilement manœuvré par Jean-Baptiste Rossini, vous plonge au cœur d'un monde magique, paré de mystérieuses grottes marines et de sculptures aux formes irréelles. Autres circuits vers Girolata et Scandola.

Via Mare – *Marine de Porto, billeterie devant l'hôtel du Golfe - ✆ 06 07 28 72 72 - fermé nov.-mars.* Cette compagnie propose des découvertes commentées (1h45) des Calanche de Piana. Mais si vous avez un peu de temps, choisissez l'excursion vers Scandola (comptez environ 3h30) qui inclue également les Calanche et une halte (30mn) à Girolata.

Golfe de Porto★★★

Golfu di Portu

CARTE GÉNÉRALE A4 – CARTE MICHELIN LOCAL 345 A/B6 – CORSE-DU-SUD (2A).

Le golfe doit sa splendeur à son littoral bordé de falaises de granit rouge qui contrastent avec le bleu intense de la mer : au Sud, les Calanche de Piana, au Nord, la presqu'île de Girolata et la réserve naturelle de Scandola. Cet ensemble constitue la fenêtre maritime du Parc naturel régional de la Corse. Les lieux sont heureusement protégés et abritent une flore et une faune exceptionnelles : grande variété de plantes rares, parfois endémiques, quelques couples de balbuzards, entre autres.

Se repérer – À mi-chemin entre Ajaccio et Calvi, le golfe de Porto, amplement ouvert sur le large et profond d'environ 11 km, est séparé de celui de Girolata, plus étroit et plus fermé, par l'imposant Capo Senino.

À ne pas manquer – Pour ceux qui le peuvent, une excursion à Girolata (à pied ou en bateau) ou à la réserve de Scandola (en bateau) offre des moments inoubliables.

Organiser son temps – Il y a tant d'excursions à faire dans le golfe qu'une semaine n'est pas de trop pour satisfaire votre goût pour la baignade, les balades en bateau, la marche ou la plongée sous-marine.

Avec les enfants – Il y a un large choix de plages, toutes plus belles les unes que les autres, mais ce sont des plages de galets non surveillées. Soyez donc vigilant car on y perd rapidement pied.

Pour poursuivre la visite – Voir aussi Porto, les Calanche, la réserve naturelle de Scandola, le golfe de Galéria, Évisa et la forêt d'Aïtone.

Le saviez-vous ?

L'Unesco a inscrit le golfe de Porto sur la liste du Patrimoine naturel de l'humanité : on ne peut qu'approuver ce choix !

Le *maestrale* y souffle souvent avec violence, même en été, et la petite crique de Porto, exposée de plein fouet aux lames, n'est pas toujours un abri sûr pour les plaisanciers.

Circuits de découverte

CÔTE SUD DU GOLFE★★★ 1

31 km de Porto au Capo Rosso – environ 4h.
De Porto, suivre au Sud la D 81 vers Piana.

À 3 km, un belvédère aménagé sur la droite de la route offre une excellente **vue★★** sur Porto et le fond du golfe.

Stéphane Sauvignier / MICHELIN

Site de Piana.

Les Calanche★★★ *(voir ce nom)*

Foce d'Orto et Capo d'Orto

5h30 AR. En quittant les Calanche, 100 m avant le pont de « Mezzanu », prendre à gauche un chemin de terre. Laisser la voiture à la fourche et continuer à pied par le chemin qui s'embranche à droite (laisser à gauche celui qui mène à un terrain de sport). L'excursion au Capo d'Orto nécessite une excellente condition physique (1 000 m de dénivelé) et des chaussures adaptées au terrain montagneux et caillouteux. Par ailleurs, le maquis a une fâcheuse tendance à tout envahir et à dissimuler les repères ! Une carte ou un topoguide sont donc nécessaires.

Gagner le sommet, le Capo d'Orto (1 294 m), par une escalade facile à travers les rochers (3h). Une **vue**★★ panoramique se déploie sur Porto, les Calanche et la forêt de Piana.

Piana★

Situé à proximité des Calanche, ce bourg, très animé en été, domine le golfe de Porto, dans un cadre magnifique où se profile dans le lointain le mont Cinto encore enneigé au printemps. À l'entrée du village, plusieurs eucalyptus aux troncs démesurés témoignent de la douceur du climat marin. Les placettes aux maisons blanches, l'église du 18e s. au gracieux campanile forment un ensemble agréable.

Col de Lava

Vue★★ sur les golfes de Porto et de Girolata, le massif du Cinto, en arrière-plan à droite, et, devant soi, une partie des Calanche.

Revenir sur Piana et prendre, à l'entrée du village, à gauche la D 824 (direction Arone, route Danielle-Casanova) puis, immédiatement à droite, la route conduisant à la marine de Ficajola.

Route de Ficajola★★

Pénétrant au cœur des Calanche, cette route étroite et très escarpée descend en lacets serrés jusqu'à la **marine de Ficajola** nichée dans l'anse du même nom. Le contraste entre le bleu de la mer et le rouge des porphyres atteint ici une rare intensité. Une fois en bas (vaste emplacement pour garer la voiture), un sentier permet d'accéder *(30mn à pied AR)* à une ravissante crique.

Rejoindre la D 824 que l'on prend à droite vers la plage d'Arone.

Capo Rosso (Capu Rossu)★★

3h AR. Éviter d'entreprendre le parcours en pleine chaleur car il n'est pas ombragé. Emporter de l'eau. Au point de départ de la balade, une ancienne bergerie a été aménagée en buvette, halte bien méritée au retour de l'excursion.

À la sortie de Piana, prendre la direction d'Arone (D 824). Après 6 km, une pancarte « Capu Rossu » sur la droite indique le point de départ. Le sentier, non balisé, est tracé dans le maquis, puis, à partir d'une bergerie, une voie jalonnée de cairns monte à la tour. Une éminence de porphyre rose porte la **tour de Turghiu** (escalier permettant d'accéder sur le toit). Celle-ci domine la mer de plus de 300 m ; une vue magnifique s'étend à gauche, sur la côte jusqu'à Cargèse et, à droite, sur le golfe de Girolata.

Plage d'Arone★

À 10 km de Piana. Une superbe route en corniche offre des **vues**★ sur le golfe de Porto et le Capo Rosso. Dans la descente vers la mer, la plage de sable fin apparaît, cernée de rochers roses et de maquis sur un fond montagneux.

À proximité de la belle plage d'Arone, un **monument** rappelle que c'est en ces lieux que le 6 février 1943, le sous-marin *Casabianca* livra les premières armes à la Résistance, permettant la naissance des maquis corses.

ROUTE DES PLAGES★★ 2

30 km de Porto au col de la Croix – environ 1h30.

Sur la côte Nord, la D 81 s'accroche en corniche au-dessus du golfe, puis s'enfonce vers quelques villages haut perchés. Sur la gauche, les D 724, 324 et 424 permettent de gagner la **plage de Bussaglia**, celle de **Caspio**, puis celle de **Gratelle**. Chacune d'elles constitue un petit paradis.

Plage de Bussaglia

Grande plage de galets, prolongée vers le Sud par des criques faciles à atteindre. Taverne et location de canoës pour l'exploration des écueils.

Plage de Caspio

Plage de galets encadrée de rochers sombres. Taverne et fonds marins intéressants à observer du côté Sud de la cale.

Plage de Gratelle

Petite plage de galets inscrite dans un site splendide, face à Porto et au Capo d'Orto.

La route contourne la pyramide rouge du mont Senino (alt. 619 m) avant d'atteindre le col de la Croix. Elle passe non loin d'un ancien puits de mine, témoin d'une richesse inattendue du sous-sol : à **Osani**, en effet, affleurent quelques veines de charbon. Ce gisement était exploité avant 1914, et le charbon transporté par cabotage.

Col de la Croix

On découvre de ce col une **vue★★** qui s'étend au Sud sur le golfe de Porto et au Nord sur celui de Girolata. Buvette en saison. Un sentier conduit à la plage de **Tuara**.

Plage de Tuara

Accès à pied par le sentier muletier qui débute sur la gauche au col de la Croix, devant la buvette du parking. Compter 1h30 AR. Notez que l'on peut également atteindre cette plage depuis le col de Palmarella (11,5 km au Nord du col de la Croix).

L'aller est tout en descente, le retour est donc assez pénible. À mi-chemin, la fontaine de Spana distille un mince filet d'eau (pas de taverne sur la plage !). Mais l'effort est largement récompensé : imprégné des senteurs du maquis, le randonneur débouche sur une plage de sable épais et peut profiter d'une bonne baignade, partagée par quelques nonchalantes et inoffensives bêtes à cornes.

Vous pouvez poursuivre le **sentier muletier★** jusqu'à la magnifique petite **baie de Girolata★★**.

Girolata★

2 km à pied, environ 30mn à partir de la plage de Tuara.

Le village, une des étapes du sentier Mare e Monti, n'est accessible, par voie de terre, que par le chemin muletier au départ du col de la Croix au Sud-Est (*environ 1h45 aller*) en passant par la belle plage de Tuara *(voir ci-dessus)*, ou depuis le col de Palmarella, plus au Nord, les deux étant situés sur la route de Calvi à Porto *(D 81)*.
Dans un site reposant, Girolata, petit village isolé sur un promontoire dominé par un fortin génois à tour carrée *(chemin privé)*, vit de la pêche à la langouste et du tourisme.

Sa magnifique et paisible petite baie aux eaux translucides abrite quelques maisons de pierre rouge, deux gîtes et des restaurants. Trois pontons de bois permettent aux bateaux d'amarrer le long de la plage de petits galets.

Golfe de Porto pratique

Se loger

Bon à savoir – Pour les randonneurs, deux gîtes d'étapes ouverts d'avr. à sept. permettent de se loger sur Girolata. « Le Cormoran » ✆ 04 95 20 15 55 dispose de 20 places en dortoir et d'une table d'hôte (demi-pension obligatoire : 66 €). « La Cabane du Berger » ✆ 04 95 20 16 98 offre quant à lui 35 places, en dortoir (40 €) ou en chambre double (60 €) ; les chambres doivent être libérées avant 8h30. Restauration possible sur place.

Hôtel Continental – *20115 Piana - ✆ 04 95 27 89 00 - direction@continentalpiana.com - fermé oct.-mars - P - 16 ch. 45/67 €* . Petit hôtel tout simple situé au cœur du village, à deux pas de l'église. Les chambres sont modestes mais bien tenues ; celles logées dans l'annexe accessible en traversant un grand jardin ont bénéficié d'une cure de jouvence.

Camping Plage d'Arone – *20115 Piana - 11,5 km au SO de Piana par D 824, à 500 m de la plage - ✆ 04 95 20 64 54 - ouv. mai-sept. - - 125 empl. 22 €*. Belle situation en pleine nature et à 500 m de la plage pour ce camping où vous pourrez installer votre tente en bordure du maquis. De nombreuses plantations agrémentent le terrain. Entretien sans reproche.

Les Roches Rouges – *20115 Piana - ✆ 04 95 27 81 81 - fermé nov.-mars - 30 ch. 73/78 € - 11 € - rest. 28/68 €*. Dans cette imposante bâtisse 1900, il règne une atmosphère de grand hôtel d'autrefois. Le décor est certes un peu désuet et la façade fanée, mais la remarquable vue sur le golfe de Porto remporte tous les suffrages.

Hôtel Capo Rosso – *20115 Piana - ✆ 04 95 27 82 40 - info@caporosso.com - fermé 16 oct.-31 mars - P - 50 ch. 120/160 € - 12 € - rest. 23/60 €*. Emplacement exceptionnel offrant une vue superbe sur la « grande bleue », le golfe de Porto et les fameuses Calanche. La majorité des chambres dispose d'une loggia surplombant ce ravissant paysage. Restaurant panoramique, grande piscine et locations de vélos. Demi-pension obligatoire en été.

Se restaurer

Les Galets – *Plage de Bussaglia - 20147 Serriera (Golfe) - 7 km au N de Porto par D 81 et D 724 - ✆ 04 95 26 10 49 - www.premiumwanadoo.com/restolesgalets/ - fermé oct.-avr. - 8/22 €*. Vous ne pourrez qu'être charmé par ce restaurant posé sur l'une des plus belles plages du golfe de Porto. Rafraîchi par la légère brise marine, vous vous attablerez sous la tonnelle ou sur la terrasse en caillebotis. Plat du jour et spécialités à la carte (millefeuille de tomates au brocciu, gambas sautés au saké…).

La Voûte – *Pl. de la Fontaine - 20115 Piana - ✆ 04 95 27 80 46 - 14/16 €*. Une adresse familiale et conviviale, garantissant fraîcheur et petits plats savamment mitonnées, au cœur de la pittoresque Piana et de ses Calanche enchanteresses. Outre les plats traditionnels, on y propose une intéressante sélection de produits de la mer, issus de la pêche locale.

U Caspiu – *Plage de Caspiu - 20147 Partinello - ✆ 04 95 27 32 58 - www.leclosdesribes.com - fermé 30 sept.-1er Mai - réserv. le soir - 22/45 €*. Dans une petite crique tranquille, face à des eaux turquoise, ce petit restaurant de plage a bien du charme. Vous y dégusterez, en toute simplicité, des poissons du jour, des produits corses mais aussi des salades, arrosés d'un bon vin du terroir. Un vrai bonheur !

Que rapporter

Kevin Muzikar – *U Salognu - 6 km au SE de Piana par D 81, rte de Cargèse - 20115 Piana - ✆ 06 12 71 12 83 - tlj sur RV.* Ce jeune artisan coutelier-forgeron a tout récemment transformé cette maisonnette de pierre en boutique, dans laquelle il présente une impressionnante gamme de *curniciulu* (couteaux de berger), couteaux de chasse ou de table, fabriqués selon des techniques traditionnelles. Il est conseillé de prendre rendez-vous pour la visite.

Sports & Loisirs

Promenades en mer vers les Calanche, Girolata ou Scandola ; plongée… Se reporter à l'encadré pratique de Porto.

Porto-Vecchio★

Purti Vechju

10 326 PORTO-VECCHIAIS
CARTE GÉNÉRALE C6 – CARTE MICHELIN LOCAL 345 E10 – SCHÉMA P. 316
CORSE-DU-SUD (2A)

Dominée par sa citadelle, la troisième ville de Corse bénéficie toujours d'une position stratégique, mais pour des raisons qui ont bien changé depuis sa création. Les barbaresques et les moustiques ont disparu et ce sont les touristes, dont de très nombreux Italiens, qui débarquent par avion ou par bateau, séduits par la proximité de plages de rêves et d'une hôtellerie de luxe. La ville, autrefois fortifiée est devenue une station balnéaire très réputée dont le site s'apprécie pleinement de la mer, de la pointe de la Chiappa et du hameau de l'Ospédale.

Se repérer – Sur l'axe routier Bastia-Bonifacio. Porto-Vecchio est divisée en deux parties : la ville haute qui abrite le vieux quartier et les fortifications et, en bas, la marine avec son port de plaisance et de commerce.

Se garer – En été, laisser la voiture à la marine et emprunter le petit train touristique pour rejoindre la ville haute.

À ne pas manquer – Laissez-vous porter par l'ambiance italienne de la station. Promenade au coucher du soleil et repas tardifs et festifs !

Organiser son temps – Des liaisons par bus vous permettent de rejoindre le massif de l'Alta Rocca ou les plages mythiques de la côte.

Pour poursuivre la visite – Voir aussi le golfe de Porto-Vecchio, l'Alta Rocca.

Le saviez-vous ?

Porto-Vecchio tient probablement son nom de « vieux port » du *« portus Syracusanus »* qui existait à l'époque romaine.

La ville est un centre très dynamique. Le tourisme constitue l'activité principale soutenue par les ports de plaisance et de commerce et les nombreuses infrastructures. Les habitants tirent également leurs ressources de l'exploitation des marais salants et des chênes-lièges.

Comprendre

Des débuts difficiles – Après avoir fondé les places fortes de Bonifacio, Bastia, St-Florent, Ajaccio et Calvi, l'Office de Saint-Georges créa, en 1539, Porto-Vecchio afin de compléter le système de défense de l'île. Gênes choisit ce lieu en raison de sa situation stratégique : le port, très sûr, était en effet dominé par une arête rocheuse sur laquelle fut bâtie la citadelle que les hauteurs de la Punta di U Cerchio cachaient de la mer. Les premiers colons génois établis en 1539 furent décimés par la maladie. Gênes repeupla alors Porto-Vecchio en 1546, cette fois avec des Corses recrutés de

Stéphane Sauvignier / MICHELIN

Vue générale de Porto-Vecchio depuis la marine.

force. Nouvel échec, engendré par le paludisme, les raids barbaresques, l'hostilité des habitants spoliés de leurs terres et assignés à résidence.

Prise par Sampiero – En 1564, Sampiero Corso, ne disposant plus de l'appui de la France, se décida à passer seul à l'attaque pour délivrer son île de la tutelle génoise. Prenant position dans le village de Vescovato, il constitua une petite armée avec laquelle il échoua devant Ajaccio. Il jeta alors son dévolu sur Porto-Vecchio et s'en empara le 30 juillet 1564.
Sampiero pouvait désormais espérer une alliance avec les Barbaresques : Porto-Vecchio devint un nid de corsaires redoutable pour les Génois... Gênes prit conscience du danger et alerta son allié, le roi d'Espagne Philippe II. C'est ainsi qu'à l'automne 1564, les vaisseaux espagnols cinglèrent vers la Corse. Le 26 novembre, la cité, mal défendue, assiégée par les Espagnols commandés par le Génois Stefano Doria, capitula.

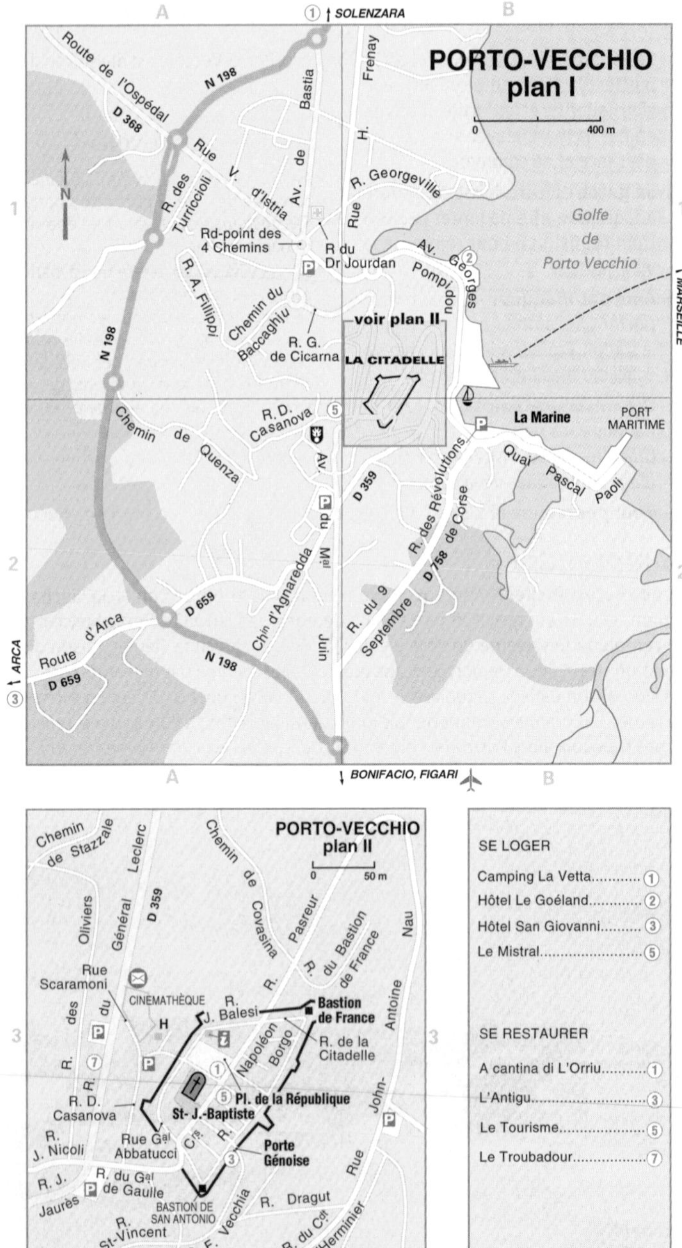

L'essor – Porto-Vecchio demeura longtemps une petite bourgade endormie, enfermée dans ses remparts. La plupart de ses habitants étaient pasteurs, commerçants en bois ou artisans. L'hiver, les bergers de Serra-di-Scopamène et de Quenza descendaient à Porto-Vecchio et logeaient dans des cabanes éparses. L'été, les habitants gagnaient la montagne. L'élevage transhumant et l'exploitation des forêts de chênes-lièges constituaient leurs principales ressources.
Au début du 20e s., l'agglomération s'étendit le long de la route Bonifacio-Bastia. La ville fut reliée à Bastia par chemin de fer en 1935. Mais ce tronçon connut une existence éphémère (huit ans) : très endommagé pendant la guerre, il fut définitivement abandonné après avoir vu sa reconstruction maintes fois différée. Quelques industries s'implantèrent à la marine (usine de préparation du liège, réparation navale…).
Mais c'est au lendemain de la Seconde Guerre mondiale que Porto-Vecchio connut un essor particulièrement rapide dû à la disparition du moustique anophèle responsable de la malaria, à l'aménagement d'un port de commerce, à la mise en valeur de la plaine orientale et surtout au développement d'un tourisme de luxe sur la côte et les rivages du golfe. La forte fréquentation italienne lui assure une activité touristique régulière.

Séjourner

La citadelle★ (Plan II)

La vieille ville est traversée par le cours Napoléon autour duquel se regroupent des ruelles, des passages voûtés et des montées en escalier. Dans le centre, la **place de la République**, ombragée, est animée par les terrasses des cafés.

Église St-Jean-Baptiste – L'élégant clocher et le chevet qui donnent sur la place de la République contrastent avec la façade classique, inachevée, de cet édifice construit du 16e au 19e s.

Les fortifications – Des anciennes fortifications génoises subsistent encore les bastions et les échauguettes dominant la marine : **bastion de France**, restes de la citadelle et vestiges des remparts. La **rue Borgo** ferme les perspectives sur le port, sauf si vous choisissez la terrasse d'un des nombreux restaurants. Heureusement, la **porte génoise** offre une vue intéressante qui s'étend sur le port, les marais salants et le golfe.

La marine (Plan I, B2)

Elle se compose d'un port de plaisance et d'un port de commerce qui exporte les bois et les lièges vers le continent. Il est le 3e port corse assurant les liaisons avec le continent. Le port de commerce est également l'escale des croisières et des lignes saisonnières avec l'Italie. À l'embouchure du Stabiacco s'étendent les salines et une belle plage de sable.

Porto-Vecchio pratique

Adresse utile

Office de tourisme – R. du Dr-Camille-de-Rocca-Serra - ✆ 04 95 70 09 58 - www.destination-sudcorse.com - mai-sept. : 9h-20h, dim. 9h-13h ; reste de l'année : tlj sf dim. 9h-12h30, 14h-18h30, sam. 9h-12h30.

Transports

Aéroport de Figari – *Voir à ce nom.*

Bus des plages – Navette pour la plage Santa Giulia - ✆ 04 95 70 10 36.

Ligne de bus Porto-Vecchio-Bastia – ✆ 04 95 70 10 36.

Ligne de bus Porto-Vecchio-Ajaccio, Bastia et Bonifacio – ✆ 04 95 71 24 64 - juil.-août : navettes Porto-Vecchio - plages (Palombaggia).

Liaison-bus avec l'Alta Rocca – ✆ 04 95 70 15 55 ou 04 95 70 12 31 - dép. du garage Balesi, rte de Bastia.

Se loger

⊖ **Le Mistral** – *5 r. Toussaint-Culioli - sur le haut de la vieille ville - ✆ 04 95 70 08 53 - fermé de déb. oct. à déb. avr. - P - 23 ch. et 5 studios 46/89 € - ☕ 7,50 €.* À côté du bâtiment principal abritant des chambres un peu exiguës, les deux annexes rénovées, aux espaces plus aérés, s'ouvrent parfois sur de plaisantes terrasses. Le matin, l'oranger, les lauriers et les figuiers du patio vous accueilleront sous leur ombrage parfumé pour votre petit-déjeuner.

⊖⊖ **Hôtel San Giovanni** – *3 km au SO de Porto-Vecchio par rte d'Arca D 659 - ✆ 04 95 70 22 25 - info@hotel-san-giovanni.com - fermé 3 nov.-26 fév. - P - 30 ch. 75/98 € - ☕ 8 €.* Le patron de cet hôtel prisé des amateurs de grand calme bichonne avec beaucoup de passion le vaste parc qui entoure le San Giovanni :

essences rares, fleurs méditerranéennes, joli bassin et belle piscine. Chambres sobrement aménagées. Cuisine traditionnelle.

Hôtel Le Goéland – *À la marine - 04 95 70 14 15 - hotel-goeland@wanadoo.fr - fermé nov.-mars -* P *- 22 ch. 120/195 € - 10 € - rest. 25/35 €.* Ce petit hôtel tout simple bénéficie d'un bel emplacement « les pieds dans l'eau » face au golfe de Porto-Vecchio, d'un miniport, d'une plage privée et d'un jardin. Chambres sans luxe, mais bien tenues. Cuisine corse et plats méditerranéens annoncés sur l'ardoise du jour.

Se restaurer

A Cantina di L'Orriu – *15 cours Napoléon - fermé 1er oct.-29 mai, le midi et dim. soir - 04 95 70 26 21 - 9/18 €.* Cette boutique de fromages, charcuteries et autres produits fermiers 100 % corses a une sacrée réputation… Sous les jambons et saucissons accrochés au plafond, les quatre petites tables et le comptoir sont pris d'assaut car l'on déguste sur place de copieuses assiettes autour d'un verre de vin. Terrasse d'été.

Le Troubadour – *13 r. du Gén.-Leclerc - 04 95 70 08 62 - fermé 15 nov.-15 fév., dim. et lun. de janv. à juin - 17/25 €.* Cure de jouvence pour ce restaurant porto-vecchiais : la salle à manger, prolongée d'une terrasse fleurie, a pris de jolies couleurs méditerranéennes. Cuisine corse.

L'Antigu – *51 r. Borgo - 04 95 70 39 33 - fermé de janv. à mi-fév., dim. sf soir de déb. avr. à la Toussaint et lun. - réserv. conseillée le soir - 17,50/40 €.* Ici, vous profiterez en même temps d'une superbe vue et d'une savoureuse assiette. Depuis le toit-terrasse, le panorama sur le golfe de Porto-Vecchio se révèle en effet magnifique et côté papilles, les plats régionaux, à la fois copieux, bien préparés et présentés avec soin, mettent le palais en joie. Que du bonheur !

Le Tourisme – *12 cours Napoléon - face à l'église - 04 95 70 06 45 - 18/28 €.* Ne vous fiez pas aux apparences : sous des allures de bistrot à touristes - impossible de rater sa grande terrasse dressée près de l'église de la ville haute -, ce restaurant surprend par ses assiettes aussi copieuses que délicieuses, justifiant des tarifs un brin plus élevés qu'ailleurs.

En soirée

Le Bastion – *14 r. de la Citadelle - 04 95 72 06 02 - tlj 9h30-19h30 ; juil.-août : 9h30-0h.* Installé dans la vieille ville, ce pub propose un très grand choix de bières et de cocktails. Jeux de fléchettes pour les amateurs et concerts en fin de semaine dans la salle en sous-sol.

La Taverne du Roi – *43 r. de la Porte-Génoise - 04 95 70 41 31 - tlj 22h-5h - fermé janv.* Cabaret des frères Marcellessi, la Taverne du Roi est un des hauts lieux de la chanson corse sur la côte orientale. Cadre rustique et proximité des musiciens créent une atmosphère particulière à cet établissement. On aime bien !

Que rapporter

Terra Rossa – *18 r. du Gén.-de-Gaulle - 04 95 70 04 35 - nov.-déc., avr.-juin, sept.-oct. : lun. apr.-midi-dim. matin 9h30-12h30, 15h-19h ; juil.-août : 10h-13h, 17h-0h.* Cette belle boutique avec son vieux moulin en pierre propose un grand choix d'huiles d'olive extra vierge ainsi que des produits dérivés (moutardes, tapenade, bois d'olivier, etc.) et vous initiera à la dégustation.

U Tavonu – *R. du Gén.-de-Gaulle - 04 95 72 14 03 - tlj sf dim. ap.-midi 9h-12h30, 15h-19h30 ; juil.-août 9h-13h, 15h-23h30 - fermé dim. janv.-juin.* Monsieur Santoni, qui ne travaille qu'avec de vrais bons éleveurs de porcs, vend des produits frais - boudins, fromages de tête - presque impossibles à trouver ailleurs. Quand la saison commence, les charcuteries descendent de la montagne et viennent s'accrocher par dizaines au plafond de cette boutique agréable qui regorge également de miels AOC, d'huiles d'olive et de fromages.

Sports & Loisirs

Corsica Forest « canyoning » – *06 16 18 00 58.* La rivière Solenzara, qui entaille l'époustouflant massif de Bavella, offre ses eaux transparentes aux fans de canyoning. Sauts, rappels et glissades en toboggan vous feront explorer cascades et torrents, au sein de paysages à la beauté sauvage.

Corsica Forest « accro-branche » – *06 16 18 00 58 - www.corsica-forest.com.* Voler de branche en branche sera désormais à votre portée : testez vos aptitudes sur le parcours du Stabacciu qui fait évoluer petits et grands dans une forêt d'eucalyptus, de 1,5 à 15 m du sol, grâce à des lianes et des passerelles : vous ferez le plein de sensations inédites !

A Dieu Vat – *04 95 70 27 58 ou 06 09 56 02 44 - de fin mai à oct. : départ 9h de Santa Giulia ; retour 18h - 65 € (enf. 40 €) repas compris.* De fin mai à octobre, mini-croisière à destination des îles Lavezzi et Cavallo à bord de la goélette *À Dieu Vat*. Départ de Santa Giulia pour la journée, repas compris dans les tarifs.

A J Voile – *Port de Plaisance - 06 83 17 37 17 - http://ajvoile.free.fr - sortie à la carte à bord d'un voilier - ½ j. : 35 €/pers.* Toute l'année, on vous propose depuis le port de plaisance des sorties à la carte en voilier, accompagnées par un moniteur. Nombreuses formules disponibles, selon vos possibilités. Centre affilié FFV.

Port de plaisance – *04 95 70 17 93 - port@porto-vecchio.fr*

Golfe de Porto-Vecchio★★

Golfu di Purti Vechju

CARTE GÉNÉRALE C6 – CARTE MICHELIN LOCAL 345 E/F10 – CORSE-DU-SUD (2A)

Très fréquenté depuis l'âge du bronze, comme en témoignent les nombreux vestiges préhistoriques, le golfe de Porto-Vecchio a toujours autant de succès. Au Nord comme au Sud, presqu'îles et petites baies accueillent de somptueuses étendues de sable fin frangées de pinèdes, telle la célèbre plage de Palombaggia. Le golfe est peu profond et quand les fleuves côtiers Oso et Stabiacco le rejoignent, ils l'ensablent et perturbent la navigation. Mais ce brassage incessant fait le bonheur des grands coquillages appelés « nacres » et des huîtres sauvages de la variété « pied-de-cheval » qui abondent.

Se repérer – Au Sud-Est de l'île. Le golfe de Porto-Vecchio s'étend sur 8,5 km dans une rade bien abritée ouverte seulement au vent du Nord-Est. Il est bordé au Sud par la belle presqu'île de Piccovagia qui s'achève à la pointe de la Chiappa, et au Nord par l'avant-golfe de San Ciprianu et la petite baie de Pinarellu.

À ne pas manquer – Les fameuses plages du Sud, les vestiges préhistoriques circulaires dits « torréens ».

Organiser son temps – Les vestiges préhistoriques vous attendent depuis bien longtemps... mais subissent la concurrence des loisirs plus immédiats de la côte. Le temps peut les départager.

Avec les enfants – Le soleil, la mer, les pâtés de sable à l'infini, voilà de quoi combler les plus trublions de vos enfants.

Pour poursuivre la visite – Voir aussi Porto-Vecchio, Bonifacio.

Comprendre

La forêt – Composée de **chênes-lièges**, la forêt de Porto-Vecchio est la plus importante de Corse. Installée sur des sols siliceux et sur des alluvions anciennes, elle couvre environ 8 000 ha de part et d'autre de la N 198. Elle présente parfois, faute d'entretien, un sous-bois dense où prédominent les cistes et les bruyères. Certains propriétaires ont cependant débarrassé leurs parcelles du maquis pour favoriser le pâturage et la glandée. Les collines avoisinantes, recouvertes de maquis et de chênes verts, portent les séquelles de multiples incendies.

L'industrie du chêne-liège – Le chêne-liège (la *suara*, en corse) exige de la chaleur et de l'humidité. Cet arbre à feuillage persistant se développe au bord de mer jusqu'à 500 m environ et s'avère particulièrement résistant au feu. Il est aisément reconnaissable à ses gros glands noirâtres et à son écorce crevassée. En Corse, les futaies exploitées présentent des sous-bois mis en pâture. Parmi leur faune typique, on note le pic épeiche, le pinson des arbres et une importante colonie de tortues d'Hermann, espèce protégée.

Amaury de Valroger / MICHELIN

Plage de Cala Rossa.

Le prélèvement de l'écorce (le démasclage) s'effectue la première fois lorsque l'arbre atteint l'âge de 25 ans, il s'agit de l'écorce mâle. Puis l'opération se répète tous les neuf à dix ans, durée nécessaire à la reconstitution d'une nouvelle assise de liège ; on retire alors l'écorce femelle, la plus prisée par l'industrie et l'artisanat.

Séjourner

LES PLAGES DU SUD

Traverser Porto-Vecchio en direction du Sud. À la sortie de la ville, après le rond-point, prendre sur la gauche la route qui fait le tour de la presqu'île.

On parcourt de très beaux paysages encore sauvages : eucalyptus, pins parasols, maquis, roches rouges et mer turquoise. Belles vues sur Porto-Vecchio au hasard de trouées dans la végétation.

Du sémaphore de la **pointe de la Chiappa★** *(au-dessus du camping nautriste)*, le regard embrasse le golfe de Porto-Vecchio et son arrière-pays montagneux, notamment la baie de Stagnolo et la pointe de San Ciprianu en face.

Plage de Palombaggia★

Parking payant en saison. Vous en avez certainement rêvé, vous l'avez trouvée ! Encadrée de rochers rouges, cette somptueuse plage de fin sable blanc s'allonge au pied des dunes ombragées de majestueux pins parasols. L'eau revêt des tonalités turquoise, bleu outremer, améthyste. La beauté des lieux attire de nombreux estivants et explique la terrible pression immobilière au-dessus de la plage ; il est désormais difficile d'en trouver les accès. Un des endroits les mieux préservés est le secteur de **Tamariccio★★**, objet de nombreuses cartes postales, et accessible par un sentier nature.

Les îles Cerbicale

Classé réserve naturelle, l'archipel, composé de cinq îlots rocheux entourés d'écueils, fait face à la plage de Palombaggia. C'est le lieu de prédilection des cormorans huppés qui y nidifient par milliers.

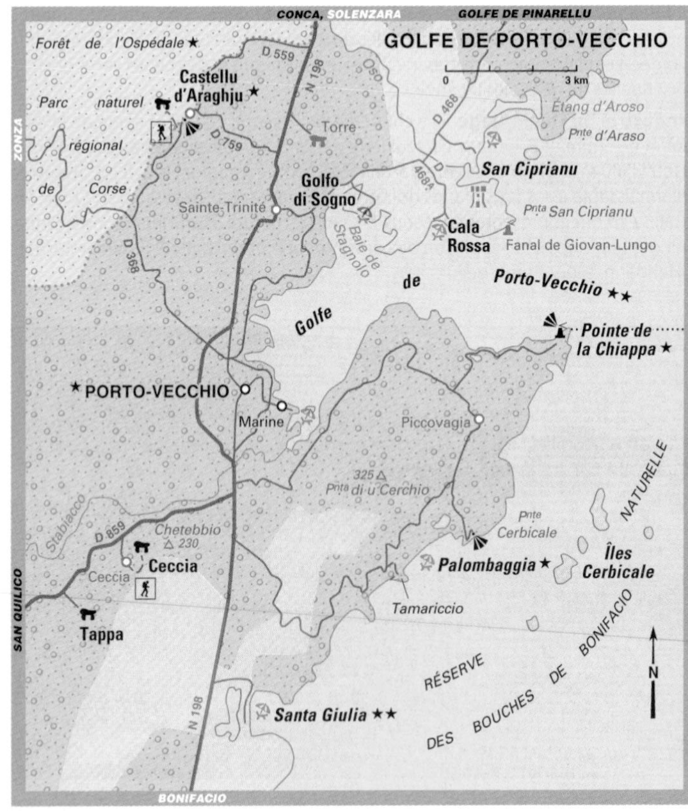

Amaury de Valroger / MICHELIN

Plage de Palombaggia.

Reprendre la N 198 vers Bonifacio, puis à gauche la petite route qui, passant sur un étroit lido entre l'étang et la mer, longe la plage de Santa Giulia.

Plage de Santa Giulia★★

Au fond du paisible golfe de Santa Giulia se développe une magnifique plage de sable blanc aux eaux cristallines. Les constructions discrètes des hôtels et des restaurants bordent la plage. Nombreuses activités sportives.

LES PLAGES DU NORD

Emprunter la N 198 vers le Nord. À la Sainte-Trinité, prendre sur la droite la D 468 qui dessert plusieurs plages.

Dans la grande baie bien abritée de Stagnolo, le **Golfo di Sognu** offre une plage de sable fin ombragée de pins, formée par le delta de l'Oso. Un peu plus loin, nichée entre la punta di Benedettu et la punta San Ciprianu, la plage de **Cala Rossa** est superbe.

Au fond d'une jolie anse, sorte d'avant-golfe délimité par les pointes de San Ciprianu et d'Araso, s'étire la grande **plage de San Ciprianu**. Rangées de pins et sable blanc constituent un long cordon littoral devant l'étang d'Araso. Vers l'intérieur se profilent les aiguilles de Bavella et le massif de l'Incudine.

En poursuivant vers le Nord, on atteint le **golfe de Pinarellu**, plus tranquille que les précédents. Il abrite un petit port et une belle plage de sable blanc protégée par un îlot surmonté d'une tour génoise.

Visiter

LES SITES PRÉHISTORIQUES

Castellu d'Araghju★

Prendre de Porto-Vecchio la D 368 en direction de l'Ospédale. Après 4 km, tourner à droite dans la D 759 en direction d'Araggio (Araghju). À l'entrée du hameau, laisser la voiture au parking aménagé sur la droite et s'équiper de chaussures de marche. Possibilité de visite à cheval (renseignements sur place). Le sentier conduisant au site s'amorce dans le hameau (fléchage).

Bâti sur un éperon rocheux, véritable vigie au-dessus du golfe de Porto-Vecchio distant de 5 km, le *castellu* (forteresse) d'Araghju est l'un des plus représentatifs des grands édifices torréens.

1h AR. Le sentier franchit un ruisselet et devient un raidillon bordé de murets tracé dans le maquis et coupé de racines d'arbres. Après un palier, la montée reprend dans le maquis et donc sans ombrage.

De la forteresse qui dominait (alt. 245 m) le village torréen il y a trois millénaires, subsiste une enceinte, haute de 4 m en moyenne et large de plus de 2 m, barrant l'éperon rocheux. Une porte monumentale dont l'entablement demeure donne accès aux ruines d'un monument à vocation certainement cultuelle. Dans l'épaisseur des murs circulaires sont aménagés des chambres et un escalier qui conduit à un chemin de ronde : la **vue★★** s'étend sur la plaine littorale et le golfe de Porto-Vecchio.

Site de Ceccia

6 km au Sud-Ouest de Porto-Vecchio. Accès par la N 198 en direction de Bonifacio. Prendre à droite la D 859. Tourner à gauche au village de Ceccia. Stationner au centre du village (niveau boîte aux lettres) et emprunter le sentier mal tracé (propriété privée) qui démarre tout de suite à gauche de la dernière maison et mène au piton rocheux dominant le village. 40mn AR. Attention, déconseillé aux enfants, le site n'est pas aménagé ni sécurisé.

Stéphane Sauvignier / MICHELIN

Site du Castellu d'Araghju.

Un énigmatique monument circulaire d'environ 12 m de diamètre datant de 1350 av. J.-C. et réaménagé à l'époque génoise se dresse parmi les arbres, à quelques pas du piton rocheux. Une petite cella (chambre) accessible par un couloir dallé occupe le centre. À la différence des sites torréens analogues, Ceccia ne présente pas de trace d'habitat autour du monument.

L'édifice aurait pu avoir une fonction culturelle en raison de la présence de la cella. Selon une autre hypothèse, il servait de poste de surveillance par sa position de vigie sur les territoires alentour. Le **panorama★** se déroule vers la plaine de Sotta et, au loin, Porto-Vecchio et son golfe.

Site de Tappa

7,5 km au Sud-Ouest de Porto-Vecchio. Accès à 1,5 km de Ceccia par la D 859 vers Figari. Stationner au niveau de la route. Après le portail, un chemin traverse d'anciens champs de vignes et conduit en 300 m vers l'éperon rocheux où se situe le monument de Tappa. Suivre la balisage, panneau avec plan du site.

Ce complexe monumental torréen a été fouillé et étudié dès 1960 par l'archéologue R. Grosjean. Le site fut principalement occupé entre 2200 et 1900 av. J.-C.

Ce vaste espace fortifié comportait des habitats (cabanes et abris-sous-roche), des passages souterrains, de petits bastions, et, en un point élevé, le monument principal, circulaire, dont la fonction demeure mal définie. Les habitants de ce hameau fortifié connaissaient la poterie (nombreux tessons retrouvés et présentés au musée de Préhistoire corse de Sartène – *voir ce nom*) et vivaient d'une petite agriculture.

Aux alentours

Chapelle San Quilico

17 km au Sud-Ouest de Porto-Vecchio. Sortir par la N 198, vers le Sud ; prendre à droite la D 859 vers Figari et la suivre sur 14 km (c'est-à-dire 1 km environ après l'embranchement de la D 59). Tourner à gauche en direction du hameau de Montilati que l'on atteint au bout de 1 km. La chapelle San Quilico est un des très rares édifices romans de l'île à être voûté : un berceau en plein cintre est maçonné comme les murs, d'un appareil assez archaïque. L'unique fenêtre de la chapelle apparaît dans la petite abside. La toiture est en *teghje* (lauzes) posées à même les voûtes.

Conca

22 km au Nord de Porto-Vecchio par la N 198, puis la D 168 à gauche, à partir de Ste-Lucie-de-Porto-Vecchio. Ce bourg disséminé dans un paysage de collines arides dominant la mer fut le théâtre d'un sérieux accrochage lors des combats de libération de la Corse. Le 22 septembre 1943, l'**aspirant Jean-Pierre Michelin**, qui avait réussi à s'embarquer clandestinement sur le sous-marin *Casabianca* transportant 109 combattants, y trouva la mort avec deux résistants corses, Jean-Baptiste Leccia et Paul Cavalloni.

Le bourg de Conca est bien connu des randonneurs car il marque l'un des aboutissements du GR 20 (l'autre étant à Calenzana, près de Calvi).

Golfe de Porto-Vecchio pratique

Se loger

⊖ **Camping La Vetta** – *La Trinité - 20137 Porto-Vecchio - 5,5 km au N de Porto-Vecchio par N 198 - ☏ 04 95 70 09 86 - info@campinglavetta.com - ouv. juin-sept. - 100 empl. 25 € - restauration.* Dans ce camping à la tenue irréprochable et au cadre agréable, préférez la partie du terrain en terrasses. Piscine et aire de jeux pour enfants.

⊖ **Camping Les Îlots d'Or** – *La Trinité – 5,5 km au N de Porto-Vecchio - 20137 Porto-Vecchio - ☏ 04 95 70 01 30 - ouv. 15 avr.-15 oct. - ▭ - 180 empl. 24 € - restauration.* Calme et détente assurés dans les 4 ha de chênes-lièges et d'eucalyptus qui peuplent ce camping de bord de mer. Épicerie, laverie, location de bungalows et de mobile homes.

⊖ **Camping U Pirellu** – *À Piccovagia - 20137 Porto-Vecchio - 9 km à l'E de Porto-Vecchio - ☏ 04 95 70 23 44 - u.pirellu@wanadoo.fr - ouv. avr.-sept. - 150 empl. 19,97 € - restauration.* Vous trouverez dans ce camping implanté dans une grande chênaie des emplacements ombragés, des chalets en bois avec vue sur la mer et des appartements avec terrasse et barbecue. Tennis, mini-golf, piscine. En basse saison, un sauna est mis à la disposition de la clientèle.

⊖⊖ **Hôtel San Giovanni** – *Rte d'Arca - 20137 Porto-Vecchio - 3 km à l'O de Porto-Vecchio - ☏ 04 95 70 22 25 - ouv. mars-nov. – 30 ch. 71/150 € - ☕ 9 € - rest. 19/40 €.* Niché dans un parc floral de 5 ha, avec piscine chauffée, jacuzzi, sauna et tennis, l'hôtel invite à passer des nuits heureuses. Les chambres sont simples et très calmes. Demi-pension obligatoire en juillet et août.

⊖⊖ **Chambre d'hôte Littariccia** – *Rte de Palombaggia - 20137 Porto-Vecchio - 10 km de Porto-Vecchio - ☏ 04 95 70 41 33 - ouv. tte l'année – 6 ch. 80/120 € ☕.* Les grandes terrasses de cette maison de caractère offrent une vue de rêve sur la mer avec, en toile de fond, les îles Cerbicale et la Sardaigne. Les chambres décorées avec goût invitent au repos.

⊖⊖⊖⊖ **Grand Hôtel de Cala Rossa** – *À la Cala Rossa - 20137 Porto-Vecchio - 10 km NE de Porto-Vecchio par N 198 et D 468 - ☏ 04 95 71 61 51 - calarossa@relaischateaux.fr - fermé 3 janv.-31 mars - 🅿 - 42 ch. 138/305 € - ☕ 30 € - rest. 80/110 €.* Il existe des lieux rares qui laissent des souvenirs inoubliables. Cet hôtel est de ceux-là. Vous savourerez chaque instant dans son jardin verdoyant, sur sa terrasse de teck au bord de l'eau, à la plage ou dans ses luxueuses chambres méditerranéennes… jusqu'au dîner sous les pins, qui est un pur moment de bonheur !

⊖⊖⊖⊖ **Hôtel-Résidence U Benedettu** – *À la presqu'île de Benedettu - 20137 Porto-Vecchio - 10 km au NE de Porto-Vecchio par N 198 et D 468 - ☏ 04 95 71 62 81 - benedettu@wanadoo.fr - 🅿 - 12 ch. 150/220 € - ☕ 11 € - rest. 32/120 €.* Une situation idyllique tout près de la plage pour cet hôtel et sa résidence, qui propose des pavillons pour les longs séjours. En saison, de la terrasse du restaurant, vous pourrez admirer le golfe de Porto-Vecchio en savourant une cuisine corse en parfait accord avec le paysage…

Se restaurer

⊖ **Tamaricciu** – *Plage de Palombaggia - 20137 Porto-Vecchio - ☏ 04 95 70 49 89 – ouv. mai-sept. – 10/32 €.* La carte de cette élégante paillotte à la terrasse en bois de teck décline d'alléchants plats de poisson. Pizzas à midi pour un déjeuner rapide et économique.

⊖ **Le Passe-temps** – *Rte de Cala-Rossa - 20137 Porto-Vecchio - ☏ 04 95 71 63 76 – ouv. le soir de mai à oct. – 15 €.* Situé devant la baie de Stagnolu, ce restaurant déploie un vaste patio où l'on peut déguster au choix viandes grillées ou pizzas cuites au feu de bois.

⊖⊖⊖ **Le Costa Rica** – *Au golfe de Santa Giulia - 20137 Porto-Vecchio - ☏ 04 95 72 24 51 - webmaster@sud-corse.com - fermé 16 oct.-30 avr. - 35 €.* Les larges baies vitrées et la belle terrasse ombragée du restaurant de l'hôtel Castell Verde permettent de profiter d'une vue splendide sur la baie de Santa Giulia. Cuisine au goût du jour servie dans une sympathique ambiance décontractée.

Sports & Loisirs

Kallisté Plongée – *Rte Palombaggia - 20137 Porto-Vecchio - ☏ 04 95 70 44 59 - www.corsicadiving.com - de mi-avr. à mi-oct. sur demande préalable : 7h30h-19h30.* Installé sur la magnifique plage de Palombaggia, ce centre de plongée affilié à la FFESSM, au CEDIP et à PADI propose des baptêmes, des explorations et des stages à faire dans les eaux limpides du golfe de Porto-Vecchio et de la réserve naturelle des bouches de Bonifacio (îles Cerbicale, di U Toro).

Aztech Marine – *Baie de Santa Giulia - À 7 km au S de Porto-Vecchio, rte de Moby-Dick - 20137 Porto-Vecchio - ☏ 04 95 70 22 67 - www.divecorsica.com - de Pâques au 1er nov. 9h-19h - fermé dim.* Installé sur la belle plage de Santa Giulia, proche de magnifiques sites sous-marins, Aztech Marine propose baptêmes, stages et exploration quel que soit votre niveau. Depuis peu, le centre offre également ses service aux plaisanciers (assistance en mer, gardiennage et hivernage).

Propriano

Pruprià

3 166 PROPRIANAIS
GÉNÉRALE B6 – CARTE MICHELIN LOCAL 345 C9 – SCHÉMA P. 365
CORSE-DU-SUD (2A)

Au fond du golfe de Valinco aux eaux calmes et limpides, cette station balnéaire est aujourd'hui un centre actif de tourisme. Les sports nautiques, de nombreuses plages de sable fin et un arrière-pays riche en curiosités font de Propriano une station appréciée.

- **Se repérer** – À mi-chemin entre Ajaccio et Bonifacio, Propriano est établi au fond du golfe de Valinco.
- **Organiser son temps** – S'il fait beau, si vous ne craignez pas le bateau, consacrez une journée à l'excursion vers la réserve de Scandola. C'est une chance unique de découvrir les principaux trésors du littoral corse.
- **Avec les enfants** – Ils ne résisteront pas à une sortie nocturne dans les calanques du Belvédère.
- **Pour poursuivre la visite** – Voir aussi Ajaccio et le golfe d'Ajaccio.

Stéphane Sauvignier / MICHELIN

Plage et ville.

Comprendre

Un essor tardif – Habitée dès l'âge du bronze, la région fut en relation avec les commerçants carthaginois, étrusques et grecs. Le site de Propriano donna ainsi naissance à une cité qui remonterait à la fin du 2e s. av. J.-C.

Au début du siècle dernier, Propriano n'était plus qu'un hameau dépendant de la commune de Fozzano. Ce modeste port, seul débouché du Sartenais, bien abrité des vents, commença à se développer vers 1906. La ville est aujourd'hui une des principales stations balnéaires de Corse.

Séjourner

Près du quai St-Érasme, le **port de plaisance** prend de l'extension. Face au port, le long de la rue principale bordée de maisons ocre, se concentrent les restaurants, bars et hôtels dans une atmosphère qui a su rester assez familiale. Pour les plages, vous aurez l'embarras du choix ; certaines sont accessibles à pied.

Derrière le port de commerce, au-delà du phare du Scoglio Longo s'étend la **plage du Lido** prolongée par celle **du Corsaire**. Plage de sable épais, surveillée en juillet et en août, qui mérite une halte en particulier au coucher du soleil : le golfe de Valinco prend alors de superbes teintes. En ville, vous pourrez profiter de la **plage du Valincu** et de celle du **Mancinu**.

Propriano pratique

Adresse utile

Office de tourisme – Port de Plaisance, quai St-Érasme - ☏ 04 95 76 01 49 - www.propriano.net - juil.-août : 8h-20h, dim. et j. fériés 8h-13h, 16h-20h ; reste de l'année : se renseigner.

Transports

Compagnies maritimes – ☏ 04 95 76 04 36 - liaisons avec Marseille, Toulon et la Sardaigne.

Location de voitures – **Budget** - ☏ 04 95 76 00 02. **JLV** - ☏ 04 95 76 11 84 - location de 2 et 4 roues.

Se loger

Beach Hôtel – *Av. Napoléon - au bord de la plage - ☏ 04 95 76 17 74 - beach.hotel@wanadoo.fr - fermé de fin oct. à déb. avr. - P - 17 ch. 49/76 € - ☕ 7,50 €.* Cette construction moderne un peu éloignée du centre est à retenir pour sa situation exceptionnelle quasiment à même la plage de sable fin. Presque toutes les chambres, spacieuses et dotées d'un balcon, offrent une vue privilégiée sur les eaux du golfe. Décor fonctionnel un peu triste.

Hôtel L'Ibiscus – *Rte de la Corniche - ✆ 04 95 76 01 56 - fermé déc.-fév. - 27 ch. 80 € - ☕ 7 €.* Belle vue sur le golfe de Valinco et tranquillité assurées dans cet hôtel des années 1990 sur les hauteurs, en dehors de la ville. Ses chambres, toutes tournées vers la mer, sont assez spacieuses et décorées de solides meubles rustiques

Loft Hôtel – *3 r. Pandolfi - ✆ 04 95 76 17 48 - fermé 1er oct.-14 avr. - P - 25 ch. 68 € - ☕ 6 €.* D'accord, dans cet hôtel moderne aux chambres un peu impersonnelles, vous ne serez pas dans un cadre typiquement corse. Mais, vous ne casserez pas votre tirelire... Dans le même esprit que les chambres des chaînes d'hôtel, mais en plus spacieux.

Le Bellevue – *Au port de plaisance - ✆ 04 95 76 01 86 - www.hotels-propriano.com - P - 16 ch. 79 € - ☕ 6 € - rest. 10/12 €.* Face au port, cette maison est une étape bretonne : une carte de crêpes vous y attend mais aussi des salades et des glaces. La partie hôtel a été bien rénovée, choisissez votre chambre côté mer pour la vue ou sur la cour pour le calme.

Se restaurer

L'Hippocampe – *R. Pandolfi - ✆ 04 95 76 11 01 - fermé déc.-fév. - 10/30 €.* Ici, tout se passe dans l'assiette pour les vrais amateurs de poissons frais. Qu'ils s'installent sous la vigne vierge et les canisses de la terrasse pour déguster la pêche du jour, ils ne le regrettront pas ! À l'intérieur, décor fort simple, style bistrot.

Le Cabanon – *Av. Napoléon - ✆ 04 95 76 07 76 - fermé 2 nov.-mars - 18/29,50 €.* Vanté dans la ville pour son bon rapport qualité/prix, ce petit restaurant au décor simple, avec ses chaises plastique et ses tables serrées, sert une cuisine de la mer. Comme en plus, il possède une terrasse et est bien situé sur le port, on n'hésite pas à vous le conseiller mais pensez à réserver...

Le Tout va Bien « Chez Parenti » – *13 av. Napoléon - ✆ 04 95 76 12 14 - mathieu.andrei@worldonline.fr - fermé 5 janv.-1er mars et 1er-15 nov. - 21/38 €.* Effectivement, tout va bien dans ce restaurant tenu depuis 1935 par la famille Parenti ! Vous pourrez vous attabler tranquillement sur sa terrasse, face au port, non seulement pour contempler les bateaux et au loin le golfe de Valinco, mais aussi pour savourer une cuisine actuelle vouée aux produits de la mer.

Le Lido – *Av. Napoléon - ✆ 04 95 76 06 37 - fermé oct.-1er Mai et lun. midi - 36/68 € - 14 ch. 110/192 € - ☕ 10 €.* Depuis 1932, ce restaurant séduit par sa situation, sur un éperon rocheux entre plage et mer. Dans un décor de croisière maritime ou sur la superbe terrasse, les produits de la mer sont à l'honneur, ainsi qu'une petite carte de bistrot aux prix attractifs... Chambres « andalouses ».

Que rapporter

Marché – Un marché de fruits et légumes a lieu tous les jours. Le 1er et 3e lundi de chaque mois, on trouve également de vêtements.

Bocca Fina – *R. des Pêcheurs - ✆ 04 95 76 28 10 - juin-sept. : tlj sf dim. 9h-13h, 15h-20h ; reste de l'année : tlj sf dim. 9h-12h, 15h-19h - fermé j. fériés sf 14 Juil. et 15 août.* Madame Luciani sélectionne elle-même les meilleurs éleveurs et artisans qui lui fournissent de vrais bons produits. Dans sa boutique, la charcuterie, le miel, la confiture, les biscuits, les vins ou l'huile d'olive offrent le nec plus ultra. Tant et si bien qu'au fil du temps, cette échoppe est devenue une référence pour les Proprianais comme pour quelques touristes bien informés.

Sports & Loisirs

« U Levante » Plongée – *Port de plaisance - ✆ 04 95 76 23 83 ou 06 22 44 75 99 - www.plonger-en-corse.com - juin-sept. : sur demande préalable 8h30-19h30 - fermé de mi-oct. à fin avr.* Ce centre de plongée propose, quel que soit votre niveau, des formations personnalisées : stages pour enfants à partir de 8 ans, des baptêmes pour débutants, des plongées d'exploration de jour ou de nuit, des sorties à la journée.

Valinco Plongée – *Port de plaisance - local situé à côté de la capitainerie - ✆ 04 95 76 31 01 ou 06 07 11 30 48 - www.valinco-plongee.com - avr.-oct. : tlj sur demande préalable.* Que vous soyez débutant ou plongeur confirmé, partez à la découverte des splendides fonds marins du golfe de Valinco et de ses environs. Accompagnement assuré par des moniteurs diplômés d'État.

Compagnie maritime I Paesi di u Valincu – *Port de plaisance - ✆ 04 95 76 16 78 - www.corsica.net/promenade.fr - de déb. avr. à mi-oct. : tlj à partir de 9h - fermé nov.-mars.* Au dép. du port de plaisance, vous visiterez des réserves naturelles classées et inaccessibles par la route, comme celle de Scandola ou les sites du Conservatoire national du littoral (60 km de côtes sauvages avec pique-nique dans un lagon), ou encore le golfe de Valinco. De plus, une inoubliable sortie nocturne, pour un spectacle son et lumière dans les calanques de Belvédère, vous comblera.

Port de plaisance – *✆ 04 95 76 10 40 - www.portvalinco.fr - 8h-20h.* Ce port de plaisance est bien abrité des vents dominants.

Quenza

213 HABITANTS
CARTE GÉNÉRALE B6 – CARTE MICHELIN LOCAL 345 D9 – CORSE-DU-SUD (2A)

Groupé sur un plateau couvert de châtaigniers et de chênes verts, ce village est dominé par les aiguilles de Bavella. En hiver, Quenza est un centre de ski de fond et de randonnée nordique sur le plateau du Coscione. L'été, il se révèle un point de départ approprié pour de nombreuses randonnées pédestres et équestres dans les massifs environnants et une des principales bases d'alpinisme de la Corse-du-Sud.

- **Se repérer** – Au Nord de l'Alta Rocca et à 7,5 km à l'Ouest de Zonza par la D 420.
- **À ne pas manquer** – Voici un site incontournable pour les amoureux de la randonnée hivernale et de l'alpinisme.
- **Organiser son temps** – Bien entraînés, vous pouvez consacrer plusieurs jours à la randonnée dans cette région très éloignée des clichés de la Corse balnéaire.
- **Pour poursuivre la visite** – Voir aussi les aiguilles de la Bavella, l'Incudine et Zivaco.

Se promener

Église

Elle abrite une chaire en bois sombre sculpté, soutenue par des dragons et un masque maure (endommagé). À gauche, dans la chapelle Ste-Bernadette, deux panneaux peints sur bois, du 16e s., représentent des saints et des évêques.

Chapelle de Santa-Maria-Assunta

15mn à pied du village sur la route de Serra-di-Scopamène. Elle se dresse, isolée, dans un enclos comportant quelques tombeaux. Remarquer, à l'extérieur, le chevet qui a conservé sa couverture de *teghje* traditionnelles de granit. De belles **fresques★**, de la fin du 15e s., récemment mises au jour, recouvrent l'abside. On y remarque un Christ en majesté, séparé du registre inférieur par une bande bicolore composée de losanges fleuris.

Amaury de Valroger / MICHELIN

Statue de saint Étienne dans l'église de Quenza.

Randonnées

Au départ de Quenza, de nombreux sentiers de pays, balisés en orange par le Parc régional, sillonnent la vallée. Les propositions ci-dessous ne comportent pas de difficultés et peuvent être l'occasion de baignades dans les torrents.

De Quenza à Zonza par St-Antoine

Environ 4h30. Départ vers l'Est sur la D 420.

De Quenza à Serra-di-Scopamène

5h (possibilité de gîte à Serra). On franchit de nombreux cols et l'on découvre au passage des bergeries à Ghjallicu et Lavu-Donacu.

Plateau du Coscione★

À Quenza, prendre la route qui grimpe au Nord vers Bucchinera et le centre de ski de fond. Le plateau est un vaste lieu de randonnées que l'on peut parcourir avec une carte ou un topoguide.

Ce vaste plateau, où prennent source deux des principaux fleuves corses, le Taravo et le Rizzanèse, est caractérisé par un climat méditerranéen de haute montagne, particulièrement rigoureux en hiver avec des enneigements jusqu'à fin avril. Avec une altitude moyenne de 1 500 m, le plateau vallonné constitue le plus grand ensemble de hautes plaines de la Corse. Jusqu'à ces dernières décennies, c'était encore une zone de transhumance importante pour les troupeaux du Sud de l'île. Actuellement, ce sont surtout les randonneurs pédestres et équestres qui utilisent les sentiers de transhumance.

La partie Nord du plateau est décrite avec l'Incudine dans les environs de Zicavo.

Le saviez-vous ?

Les agents du Parc naturel régional ont participé, en 1985, à la réintroduction de 4 cerfs (2 mâles et 2 femelles) à Quenza. L'espèce animale avait disparu de Corse à la fin des années 1960.

Quenza pratique

Se loger

Corse Odyssée – *Quartier Pentaniella Ramaca - ✆ 04 95 78 64 05 - corseodyssee@aol.com - fermé de fin sept. à fin mars - 7 ch. et 1 dortoir de 7 pers. 35/76 €* . Immergée dans le maquis, grande bâtisse entièrement rénovée. Chaleureux salon décoré à la marocaine et grande salle à manger. À l'étage, chambres d'ampleur variée (deux familiales) et un dortoir (7 pers.) soigneusement aménagés. À table, on déguste recettes de l'île de Beauté et du Maroc. Accueil charmant.

Sole e Monti – *✆ 04 95 78 62 53 - sole.e.monti@wanadoo.fr - fermé oct.- avr. - P - 20 ch. 80/150 € - 10 € - rest. 28/45 €.* En traversant le village, faites une halte dans cette auberge familiale. Ses chambres sont simples mais bien tenues et leur petit balcon ouvre sur le jardin coquet. Le chef et patron est une figure de l'île et vous mitonnera une cuisine du terroir.

Se restaurer

Bar des sports – *Au bourg - 8/15 €.* Un jeune couple vient de reprendre ce café établi au centre du bourg, où l'on s'arrête volontiers pour un déjeuner sur le pouce : plat du jour, omelette, charcuterie corse ou sandwiches, il y a toujours quelque chose de prêt ! Une adresse pratique pour les randonneurs.

Que rapporter

Jean-Orsatti – *Villa Antonia - venant de Zonza, 1re rte à droite après le château, faire 500 m, villa jaune à droite. - ✆ 04 95 78 61 17 - 9h-12h, 14h-19h.* Lors de votre visite sur le site de Bavella, faites une halte chez Jean Orsatti, apiculteur, vous pourrez y déguster et acheter un des meilleurs miel de Corse classé AOC. Comme Nicolas Hulot, Yves Duteil, Édouard Balladur, ses clients les plus connus, vous apprécierez ses différents miels (anthylis-bruyère, germandrée-thym corse, arbousier).

François Susini – *« Chedi Agnulellu » - 20152 Sorbollano - ✆ 04 95 78 60 77 - téléphoner pour RV.* De passage dans ce petit village haut perché, ne manquez pas de rendre visite à François Susini qui pourra vous proposer ses excellentes charcuteries traditionnelles *(prisuttu,* coppa, *salamu, lonzo…).*

Sports & Loisirs

Corse Odyssée - *Quartier Pentaniella Ramaca - ✆ 04 95 78 64 05 - mai-oct. sur demande préalable.* Ce centre, isolé dans le maquis, organise des randonnées pédestres, aquatiques et des sorties canyoning dans les environs du magnifique site que sont les aiguilles de Bavella. Également gîte d'étape, il peut accueillir jusqu'à 36 personnes.

Randonnées J.-P. Quilici – *✆ 04 95 78 64 33 ou 06 16 41 18 53 - www. jpquilicimontagne.com.* Ce guide de haute montagne, figure emblématique de l'alpinisme insulaire, vous propose de découvrir de superbes sites corses, tout en pratiquant l'escalade, la randonnée, le canyoning ou la via ferrata.

Gorges de la Restonica★★

CARTE GÉNÉRALE B4 – CARTE MICHELIN LOCAL 345 D6 – HAUTE-CORSE (2B)

Parallèle au Tavignano, la Restonica prend sa source à 1 711 m d'altitude dans le massif du Rotondo, l'un des plus hauts de l'île. Après 15 km d'une course mouvementée à travers de belles gorges profondes qui forment des piscines naturelles, elle rejoint à 400 m d'altitude le Tavignano dans le « sillon de Corte ». Elle est particulièrement fréquentée en saison estivale.

Se repérer – Les gorges sont accessibles depuis Corte par la D 623 : 16 km de route étroite et sinueuse, où les croisements sont difficiles, permettent d'atteindre les bergeries de Grotelle.

Se garer – L'accès au site classé des gorges de la Restonica est réglementé et la circulation limitée *(voir l'encadré pratique)*.

À ne pas manquer – La randonnée jusqu'aux lacs de Mélo et Capitello demande un peu d'endurance et une certaine prudence, mais elle ravit tous ceux qui l'ont découverte.

Avec les enfants – Les vasques de la Restonica ont toujours autant de succès, mais méritent votre vigilante attention.

Organiser son temps – Si possible, partez tôt en été car la chaleur et la fréquentation peuvent être assez pénibles. Prévoyez toujours un vêtement chaud car les différences de températures peuvent être importantes en montagne *(voir ci-après la rubrique « Précautions »)*.

Pour poursuivre la visite – Voir aussi Corte, la vallée du Tavignano.

Le saviez-vous ?

Une légende raconte qu'une année de forte sécheresse, seule la Restonica continuait de couler. Le nom de *Restonica* serait apparu à cette période où l'on disait de la rivière « elle reste unique ».

Circuit de découverte

LES BERGERIES DE GROTELLE (GRUTELLE) PAR LA ROUTE

15 km – environ 45mn. Quitter Corte par la route d'Ajaccio qui franchit le pont sur le Tavignano et prendre tout de suite après, sur la droite, la D 623. Attention, accès réglementé en saison, voir le carnet pratique.

La route pénètre dans le Parc naturel régional en remontant la vallée encaissée de la Restonica ouverte entre la Punta di Zurmulu et la Punta di u Corbo.

Forêt de la Restonica★

Aux châtaigniers succèdent bientôt les pins laricio *(voir Vizzavona)* notamment sur les versants exposés au midi à partir de 700 m d'altitude. On découvre des traces de l'incendie qui ravagea malheureusement la forêt durant l'été 2000.

Encadrée par de grandes aiguilles de roche ocre couronnées de pins, la vallée se rétrécit progressivement pour former des gorges. Au fond, le torrent se brise au milieu de gros blocs de rochers.

Après le pont de Tragone, la D 623 longe la rive droite de la Restonica. Dominé par des sommets dépassant 2 000 m, il grimpe dans un paysage âpre, de plus en plus minéral, où peu à peu les arbres disparaissent. Des roches verdâtres, dévalent des cascades. Le cadre, grandiose, ne peut manquer de faire forte impression.

Bergeries de Grotelle

Grand parking, payant (en saison) et surveillé, au-dessus des bergeries.

Alt. 1 375 m. La route carrossable s'arrête un peu au-dessus des bergeries, vieilles constructions en pierres sèches qui furent la halte traditionnelle des troupeaux sur le sentier du lac de Melo.

Un **paysage**★★ alpestre se dessine : à droite se profile la longue crête du Capu a Chiostru (alt. 2 295 m), à gauche le massif du mont Rotondo (alt. 2 622 m), devant soi, barrant la vallée, se dessine la silhouette dentelée du Lombarduccio (alt. 2 261 m). On remarque, un peu en amont des bergeries, quelques beaux spécimens de pins de Corte. Ce pin maritime particulier à la Corse est un grand arbre au fût droit, à la cime étroite et conique, dont la silhouette rappelle celle du laricio.

Randonnées

LA HAUTE VALLÉE★★★

2h30 AR jusqu'au lac de Melo (lavu di Melu) ; départ des bergeries de Grotelle, sur la droite du petit chalet.
La fréquentation des lieux pourrait faire oublier qu'il s'agit d'une randonnée en montagne, sans grande difficulté mais qui requiert au moins de bonnes chaussures de marche. Dans la deuxième partie, quelques passages plus difficiles ; aide d'une chaîne et de deux échelles. Possibilité de contourner la barrière rocheuse (voir plus bas) quand il n'y a pas de névé. Déconseillé aux personnes accompagnées de chiens ou d'enfants en bas âge.

Suivre le sentier jalonné de marques jaune et gris qui prolonge vers le Sud la route des gorges et remonte la vallée de la Restonica. Comme toutes les vallées glaciaires, la haute vallée de la Restonica présente des flancs abrupts et un fond plat encombré de moraines. Son parcours offre une succession de rétrécissements et d'épanouissements, et des cuvettes souvent occupées par des lacs et bosses rocheuses (« verrous ») barrant la vallée. Après avoir longé la moraine, on atteint, vers 1 500 m, une vaste cuvette herbeuse. Emprunter le sentier qui s'élève vers le Sud, bien tracé sur la rive gauche du torrent. On atteint bientôt un plateau couvert d'aulnes.

Didier Pazery / MICHELIN

Gorges de la Restonica.

Le sentier, balisé par des traces jaunes, mène au pied de la grande barre rocheuse retenant le lac de Melo *(30mn depuis le parking).* La végétation florale se remarque essentiellement en saison par les saxifrages aux fleurs blanches et la pinguicule corse ou grassette, qui est une plante insectivore. Tous ces végétaux sont protégés et interdits à la cueillette.

Lac de Melo (Lavu di Melu)★

Depuis la barre rocheuse, 30mn aller.
Point d'eau à droite du sentier principal juste avant la rive du lac de Melo.
L'importante fréquentation estivale (la plus forte de la montagne corse) a amené le Parc régional à préserver du piétinement une partie de la pelouse placée derrière une clôture.

Alt. 1 711 m. Deux passages, équipés de chaîne et d'échelles, permettent de franchir ce dénivelé et d'accéder au lac. Par temps de pluie ou lorsque la fonte des neiges imprègne fortement le sol, ce passage est rendu glissant ; il faut alors être très prudent. *Un autre itinéraire, plus long, est alors possible quand il n'y a plus de neige. Il s'élève sur la rive droite du torrent et contourne la barre rocheuse par son rebord gauche (compter alors environ 1h).*

Formant un cercle presque parfait, le Melo, d'où jaillit la Restonica, est un des sept lacs du mont Rotondo. Il est dominé par des escarpements de plus de 2 000 m, notamment par la Punta Capitello et l'arête du Lombarduccio où, en été, subsistent quelques névés. Aleviné en truites et saumons de fontaine, ce lac est très apprécié des pêcheurs. *Un sentier fait le tour du lac par l'Ouest.*

Lac de Capitello (Lavu di Capitellu)★★

1h30 AR depuis le lac de Melo. Chemin balisé avec quelques passages abrupts.
Alt. 1 930 m. Ce lac, qui ne se trouve qu'à 600 m à vol d'oiseau du lac de Melo mais à une altitude supérieure de 219 m, est gelé huit mois sur douze. Enchâssé dans un cirque de sommets supérieurs à 2 000 m, il est un des joyaux de la montagne insulaire.

Le retour vers Grotelle s'effectue par le même chemin.

MONT ROTONDO★★

Cet imposant chaînon de la crête médiane de l'île est le deuxième sommet de Corse (alt. 2 622 m). Pendant plusieurs siècles, on a cru que le mont Rotondo était le point culminant de l'île. Son ascension ne présentant pas de difficulté particulière (sauf la neige tardive), il demeure l'un des sommets corses les plus fréquentés. Le mont Rotondo peut s'aborder par le Nord : randonnée dans la journée depuis la vallée de la Restonica, ou par le Sud : excursion sur deux jours avec une étape au refuge de Pietra Piana.
Monte Ritondu signifie en corse « montagne arrondie ».

Ascension par la vallée de la Restonica

Environ 8h AR. Point de départ : à l'embranchement de la D 623 et du sentier balisé du Timozzu (alt. 1 030 m), à une centaine de mètres après le pont du Timozzu. Laisser la voiture à cet emplacement.
Excursion sans grande difficulté mais qui nécessite tout de même une bonne forme physique en raison de sa durée. Soyez bien chaussé, emportez eau et ravitaillement. Partez de très bonne heure pour atteindre le sommet en fin de matinée au plus tard.

Cet ancien chemin forestier monte en direction du Sud-Est le long de la rive gauche du Timozzu, à travers la forêt communale de la Restonica. Après environ 35mn de marche, le sentier se rétrécit et monte en lacet pour déboucher dans une combe qu'une moraine sépare du torrent Timozzu. On atteint le sommet de cette combe (alt. 1 460 m) après 1h30 de marche ; on aperçoit à gauche les **bergeries de Timozzu**. Se diriger vers ces bâtiments, mais les laisser sur sa gauche pour gagner la vaste ligne de crête rectiligne qui monte plein Sud. On atteint au bout de 30mn la source de Trighione (alt. 1 921 m) ; appuyer sur la gauche pour atteindre le **lac di Oriente** (alt. 2 061 m). Suivre ensuite pendant 1h environ les alignements de cairns en maintenant la direction Sud vers un couloir raide. À l'amorce de ce couloir, gravir prudemment les éboulis jusqu'au sommet de cet accès. Après avoir atteint la surface dégagée, se diriger vers l'Est à vue pour atteindre le sommet du Rotondo.

Hommage

Randonneur et alpiniste, **Michel Fabrikant** (1912-1989), inlassable explorateur des montagnes corses, décrivit en 1972 un parcours de crêtes à travers la Corse qui allait devenir le fameux GR 20. Il n'était que justice que son nom soit donné à des guides de randonnées et à un refuge situé sur le sentier, celui de Pietra-Piana.

Amaury de Valroger / MICHELIN

Lac de Bellebone encore gelé au printemps.

Didier Pazery / MICHELIN

Lac de Capitello.

Variante par le refuge de Pietra-Piana (au départ de Vivario)

Variante plus longue et plus sportive.
Il faut passer la nuit au refuge (arriver tôt car très fréquenté en saison). Durée jusqu'au refuge de Pietra-Piana-Michel-Fabrikant : 4h aller. Ensuite 3h aller minimum jusqu'au sommet. Point de départ : depuis Vivario, prendre la route forestière du Verghello qui s'embranche à la hauteur du pont du Vecchio, à droite avant le pont en venant de Corte. Cette route en forte montée s'achève près d'une rivière. Laisser la voiture.
Poursuivre sur l'autre rive le chemin muletier qui s'enfonce sous des pinèdes de pins laricio. Au bout d'une trentaine de minutes, dépasser la bergerie de Porcile pour atteindre la limite de la forêt, puis le col de Tribali (Bocca Tripoli, alt. 1 590 m). On rejoint alors une portion balisée en blanc et rouge du GR 20, qui conduit au refuge de Pietra-Piana.
Du refuge, se diriger plein Nord en remontant la rive gauche du torrent jusqu'à un replat herbeux. Au-delà, on doit franchir une pente raide avant de serpenter à flanc en direction d'une brèche caractéristique dans l'arête. Après l'avoir dépassée, on atteint à l'extrémité d'une combe rocheuse le **lac de Bellebone★** (alt. 2 321 m). Située au pied même du Rotondo, cette étendue d'eau enchâssée dans un cirque abrupt constitue un paysage sévère de haute montagne.
Continuer l'ascension depuis la rive Nord du lac vers un couloir d'éboulis puis, en appuyant à gauche, suivre l'arête faîtière vers le Nord pour atteindre le sommet du Rotondo.

Gorges de la Restonica pratique

Numéros utiles

Météo montagne – ✆ 08 92 68 02 20.
Secours en montagne – ✆ 04 95 61 13 95 ou 04 95 46 04 81.

Accès réglementé

Le site classé des gorges de la Restonica est parcouru par une route départementale de 16 km reliant Corte aux bergeries des Grotelle. Pendant la période estivale, la forte fréquentation de ces sites, combinée aux risques d'incendie et de crues subites, a conduit à des mesures restrictives d'accès en voiture. En cas de saturation des parkings de Grotelle et de Lamaghjosu, dont la capacité est limitée, la montée de tous véhicules, sauf véhicules de secours, sera interdite à partir du pont de Tragone pour pouvoir assurer la sécurité du public. Du fait de l'étroitesse de la route, la montée des véhicules est interdite chaque jour de 15h30 à 17h à partir de Tuani, à 5 km de Corte. Le stationnement est strictement interdit sur la chaussée dans toute la vallée, en dehors des emplacements aménagés. L'accès des camping-cars et des caravanes ainsi que de tout véhicule de plus de 4,5 t et 1,9 m de large est interdit au-delà du camping de Tuani. Une équipe motorisée de saisonniers règle le contrôle des flux et donne sur place aux automobilistes les directives nécessaires en cas de saturation des aires de stationnement de la haute vallée.

Afin de limiter la circulation automobile, un service de navettes régulières est mis en place pendant les mois d'été entre Corte et les bergeries de Grotelle.

Amaury de Valroger / MICHELIN

Sommet du Rotondo.

Précautions

Si la route est très belle (et, à partir du camping de Tuani, en excellent état), certains passages, particulièrement étroits, rendent les croisements difficiles. Redoublez donc de prudence, en particulier dans les virages sans visibilité. La vallée reçoit parfois des pluies torrentielles qui ne font que rendre plus difficile et dangereuse la circulation. Il est donc loin d'être inutile de consulter la météo avant de s'engager dans les gorges. Il faut également être particulièrement prudent en matière de **risques d'incendie** : la forêt porte les traces du sinistre qui l'a ravagée l'été 2000 : troncs noircis, versants pelés et ravinés... La vision de ce paysage blessé doit être une incitation supplémentaire au respect de ce lieu préservé : feux, bivouacs, camping sauvage y sont interdits.
Enfin, la différence de température entre Corte et Grotelle peut être spectaculaire : la petite laine ne sera pas de trop ! (prévoir aussi chaussures de montagne et alimentation énergétique ; n'oubliez pas que vous êtes en haute montagne).

Quand y aller ?

Si l'été est particulièrement apprécié par les amateurs de baignade, ce n'est peut-être pas la meilleure période pour découvrir la vallée, en particulier pour ceux qui apprécient la solitude. De fin avril à fin juin, lorsque les sommets encore enneigés contrastent avec une végétation en plein essor, les paysages sont superbes.
Durant les mois d'hiver, la route est quasiment impraticable. Mais les randonneurs bien équipés ne regrettent pas de découvrir les lacs gelés après une longue avancée silencieuse.

Se loger

Dominique Colonna – *Rte des gorges de la Restonica - ✆ 04 95 45 25 65 - lavalle.corte@wanadoo.fr - fermé 5 nov.-14 mars - P - 30 ch. 95/160 € - ☕ 11 €.*
Au creux des montagnes, dans la vallée de la Restonica, cet hôtel a de quoi combler les amateurs de repos. Les chambres modernes, avec balcon, sont calmes. Pour vous restaurer à deux pas, l'auberge Restonica et son beau plafond charpenté ouvre ses baies vitrées sur la piscine.

Sports & Loisirs

Les rivages de la Restonica offrent de nombreuses vasques d'eau translucide. Au programme : **baignade** rafraîchissante, plongeons, sieste sur les rochers à l'ombre des pins. Les lieux sont assez fréquentés en juillet et août, mais c'est un bon moyen d'allier plaisir de la marche et de la baignade.
Trois sites d'**escalade** sécurisés ont été aménagés : deux se situent entre Corte et le camping de Tuani (au km 2 avec 42 voies, au km 4 avec 59 voies), le troisième au km 10, avant le pont de Tragone.

Pour organiser des **randonnées**, vous pourrez vous adresser à la Compagnie des guides et accompagnateurs de Corse (✆ 04 95 48 10 43) ou à Valle e Cime (✆ 04 95 48 69 33).

Quant aux amateurs de randonnée sportive, ils peuvent participer au **Grand Raid Inter-Lacs** organisé en juillet par l'association A Rinascita (✆ 04 95 46 12 48. www.inter-lacs.com). Cette épreuve internationale se déroule au sein du Parc naturel régional de la Corse.

Rogliano★

Roglianu

458 ROGLIANAIS
CARTE GÉNÉRALE C1 – CARTE MICHELIN LOCAL 345 F2 – SCHÉMA P. 215
HAUTE-CORSE (2B)

La commune de Rogliano, habitée dès l'époque romaine, est formée de sept hameaux disséminés sur plusieurs éperons : Campiano, Bettolacce, Magna, Soprana et Sottana, Olivo, Vignale, Querciolo. Rogliano étage ses tours, les façades de ses églises et ses hautes demeures anciennes dans une conque verdoyante à l'abri du mont Poggio.

- **Se repérer** – La commune éparpille ses hameaux sur un sommet du Nord du Cap Corse et domine les environs. On y accède par la D 353 depuis Macinaggio ou par la D 80, puis la D 53 si l'on arrive de Centuri.
- **À ne pas manquer** – Les sites majeurs ne sont pas ouverts à la visite, mais le village dévoile de superbes vues sur la côte et Macinaggio.
- **Pour poursuivre la visite** – Voir aussi Macinaggio et le Cap Corse.

Amaury de Valroger / MICHELIN

Vue depuis le village de Rogliano.

Comprendre

Origines – La commune doit peut-être son nom à l'antique bourg romain appelé *Pagus Aurelianus*, le village d'Aurélien, du nom d'un empereur du 3e s. Puis on parla d'*Auriglianu*. Certains disent aussi que le nom viendrait du latin *aurum* signifiant l'or, en référence à la couleur des épis de blé qui couvraient les grands domaines agricoles de la région.

Un fief familial – Du 12e au 16e s., Rogliano fut la capitale de la famille **da Mare** qui régnait sur une partie du Cap et entretenait des liens profitables avec Gênes.

Mais en 1553, un membre de cette famille, **Giacomo Santa da Mare**, se lia avec Sampiero Corso *(voir Bastelica)* et avec le maréchal de Thermes. Il fut promu colonel de la cavalerie franco-corse. Ses faits d'armes furent nombreux, mais il succomba à un coup d'arquebuse au col de Tende dès l'année suivante.

Visite impériale – Le 2 décembre 1869, le yacht impérial *L'Aigle*, qui ramenait l'impératrice Eugénie d'Égypte où elle avait présidé les fêtes de l'inauguration du canal de Suez, essuie, aux approches du Cap Corse, une tempête qui le contraint à mouiller à Macinaggio.

À la grande joie de la population, l'impératrice, ses dames d'honneur, le prince Murat gravirent à pied, dans la soirée, les trois kilomètres qui mènent à Rogliano. La souveraine se rendit à l'église où le curé et la population entonnèrent un vibrant Te Deum.

Se promener

L'impératrice Eugénie préleva sur sa cassette de quoi faire construire la route qui traverse Rogliano et s'appelle depuis « chemin de l'Impératrice ».

Tour d'Agnello

Propriété privée. Belle tour ronde qui domine les hautes maisons de Bettolacce, principal hameau du village.

Église St-Agnel

Fermé temporairement.

L'église fut érigée au 16e s., puis agrandie au 18e s. À l'intérieur, le maître-autel en marbre blanc de Carrare fut élevé grâce aux fonds envoyés par la colonie roglianaise de Porto Rico. L'élégante clôture du chœur est un cadeau de l'impératrice Eugénie reconnaissante aux Roglianais de leur accueil. On remarque aussi l'autel en marbre polychrome de St-Antoine-de-Padoue, témoignage de l'amour d'un jeune Roglianais pour une jeune fille de Florence.

Église St-Côme-et-St-Damien

Ne se visite pas.

Cette ancienne église, ravagée par un incendie en 1947, est bâtie dans un vallon au Sud de Bettolacce, sur un site déjà habité à l'époque romaine. L'originalité de cet édifice vient du curieux campanile rectangulaire, isolé et placé de biais par rapport à la façade.

Ruines de San Colombano

Accès par Olivo et Vignale. De Vignale, la **vue★** sur la mer et les autres hameaux de Rogliano est fort belle.

À gauche, sur un éperon, se détachent les ruines du château fort de San Colombano, qui fut appelé *u castellacciu* (mauvais château), en raison de la fidélité à Gênes de ses seigneurs. Cette forteresse, propriété de la famille da Mare, aurait été élevée, vers la fin du 12e s. Mais, en 1554, à la suite du ralliement de Giacomo Santo au parti français, le château fut démantelé par les Génois. Quelques années plus tard, Jacques de Negroni, ancien coseigneur de San Colombano, fit élever un nouveau *castellu*, incendié en 1947.

Couvent de St-François

Ne se visite pas. Ce couvent, dont l'église est en ruine, s'élève près du château fort. Il est précédé d'une haute **tour carrée** avec mâchicoulis, rendue célèbre par l'assassinat, à la fin du 16e s., du gouverneur génois qui administrait les terres de la châtelaine Barbara da Mare.

Rogliano pratique

Voir aussi les encadrés pratiques de Macinaggio et du Cap Corse.

Se loger et se restaurer

U Sant'Agnellu – *04 95 35 40 59 - www.hotel-usantagnellu.com - fermé 10 oct.-Pâques - 16/20 € - 14 ch. 80/155 €- 7 €.* Ici, dans cette fière bâtisse aux larges baies vitrées ou sur sa terrasse ombragée, le regard se perd sur la ligne bleue de la mer, entre l'île d'Elbe et celle de Capraia. Une vue dont vous profiterez en savourant sa belle cuisine typique. Chambres agréables et tout confort. Jardin sous oliveraie.

Golfe de Sagone★

Golfu di Sagone

CARTE GÉNÉRALE A5 – CARTE MICHELIN LOCAL 345 B7 – CORSE-DU-SUD (2A)

Cette vaste baie s'ouvre entre le golfe d'Ajaccio et celui de Porto. Se perdant dans de larges deltas, la Sagone, le Liamone et la Liscia s'y jettent et sont à l'origine des vastes plages de sable qui s'étirent à leur embouchure. Des collines couvertes de maquis, de chênes verts et d'oliviers ceinturent le golfe. Pourtant ses rives sont parfois mélancoliques lorsque, sous un ciel plombé, la mer revêt des lueurs métalliques et les vagues ourlent ses rivages grisâtres.

- **Se repérer** – Entre Ajaccio et Cargèse. Délimité au Nord par la pointe de Cargèse et au Sud par le Capo di Feno, le golfe de Sagone s'enfonce assez profondément dans les terres au Sud de la pointe Capigliolo pour former le petit golfe de la Liscia.
- **À ne pas manquer** – Le golfe est surtout un lieu de villégiature et il faut s'aventurer au Nord, du côté de Cargèse, ou dans la Cinarca pour découvrir quelques trésors de l'île.
- **Organiser son temps** – Comptez une journée si vous souhaitez prolonger le circuit de découverte par une pause baignade ou par la montée au rocher de Gozzi.
- **Pour poursuivre la visite** – Voir aussi Vico, Ajaccio, la Cinarca, Cargèse.

Stéphane Sauvignier / MICHELIN

Golfe de Sagone.

Séjourner

Sagone

Primitivement cité romaine, Sagone fut le siège, dès le 6e s., de l'un des cinq premiers évêchés de Corse. Son importance s'accrut au Moyen Âge au point de pousser sa juridiction territoriale jusqu'à Calvi ; au 12e s., son titulaire, qui relevait de l'archevêque de Pise, fit bâtir la cathédrale Sant'Appiano dont des fouilles ont livré les fondations. Mais au 16e s., la destruction de la cité par les Sarrasins et l'insalubrité à l'embouchure du fleuve justifièrent l'installation de l'évêché à Vico. L'abandon définitif du site décida, en 1625, du transfert de l'évêché à Calvi.

De son histoire, Sagone n'a gardé que peu de vestiges et se présente aujourd'hui comme une petite station balnéaire sans cachet mais plutôt dynamique. Elle offre une vaste plage, un port de plaisance et divers sports nautiques (école de voile, de plongée).

La **tour génoise**, à l'Ouest de l'agglomération, surveille l'anse de Sagone et le port.

Circuits de découverte

DE CARGÈSE AU GOLFE DE LAVA

53 km – environ 2h. Ajouter 3h pour la balade à pied au rocher de Gozzi.

Cargèse★ *(voir ce nom)*

De Cargèse au golfe de Lava, les routes D 81 et D 381 longent le plus souvent un littoral accidenté et franchissent quelques fleuves côtiers à proximité des plages de sable (plages de Ménasina et de Stagnoli, voir Cargèse).

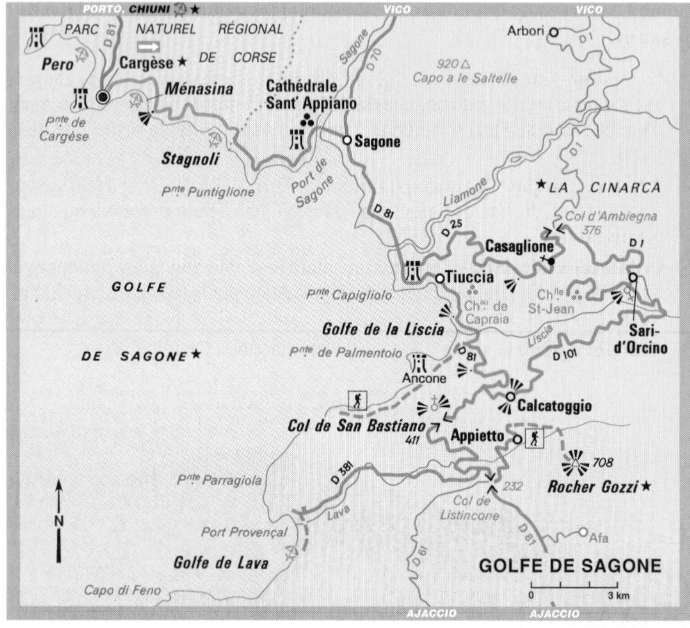

Sagone *(voir page précédente)*

Tiuccia

Cette petite station balnéaire s'allonge au fond du golfe de la Liscia ; elle est dominée par les ruines du château de Capraja qui appartint aux comtes de Cinarca. Promenades en mer vers le Capo Rosso, les Calanche de Piana et Girolata.

Golfe de la Liscia

Entre les deux tours génoises d'Ancone et de Capigliolo, ce petit golfe dessine une côte rocheuse propice à la plongée sous-marine.

Plusieurs criques de galets sont accessibles à pied à partir du chemin côtier de la tour d'Ancone. Au Nord, une plage de sable s'étend à l'embouchure du fleuve.

Col de San Bastiano

Une stèle en granit rose commémore la première traversée aérienne de la Méditerranée effectuée par **Louis Capezza** et **Alphonse Fondère**. Partis de Marseille le 14 novembre 1886 à 16h30 à bord d'un vieux ballon, le *Gabizoz*, ils atterrirent en pleine nuit et sous la tempête, près d'Appietto.

Du col même (alt. 411 m), la vue est restreinte sur le golfe de Lava ; en gagnant la butte derrière la chapelle, **coup d'œil**★ sur le golfe de Sagone et la Cinarca.

Au col de Listincone (alt. 232 m), prendre à gauche la petite route vers Appietto.

Appietto

Ce village d'où sont originaires les comtes de la Cinarca *(voir ce nom)* compte trois hameaux étagés sur les pentes d'une montagne couverte de maquis. Son église est élégante.

Rocher de Gozzi★

3h à pied AR au départ d'Appietto par le chemin muletier qui s'amorce à droite, juste avant le dernier hameau du village.

À hauteur d'un calvaire, obliquer à droite pour descendre à la fontaine d'Appietto ; sur l'autre versant, le chemin monte vers les ruines d'un château médiéval ayant appartenu aux comtes de Cinarca. Du haut du rocher (alt. 708 m), **panorama★** sur le golfe de Sagone, la vallée de la Gravona et Ajaccio.

De retour au col de Listincone, reprendre la D 81 vers le Nord, puis tourner à gauche dans la D 381.

Golfe de Lava

La route longe le torrent de Lava et serpente dans un paysage de pâturages vide d'habitations ; elle aboutit à une belle plage de sable.

LA CINARCA

51 km au départ de Tiuccia – environ 2h. Voir ce nom.

Golfe de Sagone pratique

Adresse utile

Office de tourisme – Rte de la Plage - ✆ 04 95 28 05 36 - ✆ 04 95 28 03 46 - mai-sept. : tlj sf dim. 9h30-12h30,16h-19h, lun. 16h-19h.

Se loger

⊖ **Camping Les Couchants** – *20111 Tiuccia - 5 km au N de Tiuccia par D 81 et D 25 à droite, rte de Casaglione - ✆ 04 95 52 26 60 - camping.les-couchants@wanadoo.fr - ⊭ - 120 empl. 21,50 € - restauration.* Un cadre fleuri et très soigné donne à ce camping qui fait face au golfe de Sagone une allure plaisante. Emplacements aménagés en terrasses et plantés de nombreux lauriers aux couleurs variées.

Se restaurer

⊖ **Crêperie A Spusata** – *Plage de Sagone - ✆ 04 95 28 07 47 – fermé nov.-fév. – 7/14 €.* On s'attable volontiers à cette terrasse donnant sur la plage pour se régaler de crêpes au blé noir ou à la farine de châtaigne.

⊖⊖ **Auberge « Chez Léon »** – *Volpaja - 20167 Appietto - accès par D 81, suivre fléchage - ✆ 04 95 22 87 16 - réserv. obligatoire - 20/27 € – 6 ch. 50/60 €* ☕. Suivez bien le fléchage pour dénicher cette sympathique ferme-auberge perdue dans le maquis. Son avantageux menu unique utilise essentiellement les produits de l'exploitation - élevage de brebis laitières et de bovins - et le service s'effectue avec le sourire. Également, six chambres d'hôte.

Sports & Loisirs

Club Subaquatique Subévasion Hôtel Cyrnos – *Golfe de Sagone - 20118 Sagone - ✆ 06 12 17 05 74 - mai-sept. : tlj.* Ce club de plongée affilié à la FFESSM et à l'ANMP propose des baptêmes, des explorations et des stages, le tout dans les eaux limpides du golfe ou sur le littoral de Sagone.

Saint-Florent★

San Fiurenzu

1 474 SAINT-FLORENTINS
CARTE GÉNÉRALE C2 – CARTE MICHELIN LOCAL 345 E3 – SCHÉMAS P. 215 ET 337
HAUTE-CORSE (2B)

Au creux d'un très beau golfe auquel il a donné son nom, St-Florent est bâti sur une légère hauteur au Nord de l'embouchure de l'Aliso. Très fréquentée, souvent appelée le « Saint-Tropez de la Corse », St-Florent est une station balnéaire dont le succès se mesure facilement à la taille des élégants yachts amarrés dans le port de plaisance. Mais les remparts de la citadelle et les vieilles maisons colorées rappellent aussi son rôle historique de capitale du Nebbio, un arrière-pays à l'ancestrale culture agricole parsemé de hameaux et de bergeries.

- **Se repérer** – À l'extrémité Sud-Ouest du Cap-Corse. St-Florent est traversé par la nationale venant de Bastia (23 km). Cette route mène à la **place des Portes**, lieu central de la cité. Les vieux quartiers et la citadelle s'étendent vers l'Ouest. Au Sud-Ouest, la « route de la plage » conduit à la longue **plage de la Roya** (environ 2 km). Au Nord, derrière la citadelle se trouve une plage tapissée de galets **(plage d'Olzo)**.
- **Se garer** – Laissez votre véhicule sur le grand parking du port (payant). La ville se visite très facilement à pied.
- **À ne pas manquer** – L'ancienne cathédrale du Nebbio, les plages mythiques des Agriates.
- **Organiser son temps** – Pour rejoindre les plages des Agriates, possibilité de combiner une randonnée sur le sentier douanier et les navettes en bateau. Bien penser à téléphoner car les départs en bateau ne sont pas réguliers (saison, météo).
- **Avec les enfants** – De nombreuses activités nautiques sont proposées sur la plage de la Roya.
- **Pour poursuivre la visite** – Voir aussi les Agriates, Patrimonio et le Cap Corse.

Amaury de Valroger / MICHELIN

Vue de la ville et du port.

Comprendre

La capitale du Nebbio – Occupé dès le néolithique, urbanisé par les Romains qui y fondèrent la cité de **Nebium**, le site de St-Florent fut sans doute dès le 4e s. le siège de l'évêché du Nebbio et le resta jusqu'au 18e s. Il fallut attendre le 15e s. pour que la ville se développât, autour de la citadelle fondée par les Génois en 1439.

Le site était insalubre, car dans ces basses terres mal drainées sévissait la malaria ; mais St-Florent bénéficiait de l'abri sûr de son golfe et d'une position stratégique. Aussi fut-elle âprement disputée par les Français, les Corses et les Génois durant les conflits (1553-1563) qui précédèrent le traité de Cateau-Cambrésis.

Stéphane Sauvignier / MICHELIN

Le port de St-Florent accueille encore des pêcheurs.

St-Florent demeura une cité de garnison et de pêcheurs jusqu'à la fin du 17e s. Son déclin brutal survint après la décision génoise de raser les remparts (1667) dont l'entretien coûteux n'était plus justifié, la sécurité maritime semblant acquise. Victime aussi de la malaria, la ville fut désertée pendant près de deux siècles.
Selon les mœurs religieuses de l'époque, Mgr Guasco, évêque du Nebbio de 1770 à 1773, voulut donner à son diocèse une sainte relique. Ainsi, en 1771, la dépouille d'un martyr romain du 3e s. fut transportée de Rome à St-Florent. La relique fut baptisée du nom de saint Flor et fut placée dans la châsse de la cathédrale.
Il fallut attendre le Second Empire pour que St-Florent renaisse : des travaux d'urbanisme et l'assèchement des marais furent entrepris et se prolongèrent sous la IIIe République.
La création d'un port de plaisance en 1971 a contribué grandement à l'essor de la cité. Forte de son succès, de la réputation de sa marina et de ses plages, la ville a fait de gros efforts ces dernières années pour améliorer les accès et mettre en valeur son centre-ville.

Se promener

La **vieille ville★** se rassemble autour de l'église dont le clocher domine le port de pêche et de plaisance abrité par une longue jetée. On flâne avec plaisir à travers ses ruelles tortueuses bordées de vieilles maisons et ses placettes fleuries de lauriers-roses.

Place des Portes

Séparant les rues sombres de la vieille ville et les espaces dédiés à l'activité balnéaire, c'est le véritable centre d'animation de la cité. Son espace est partagé entre les terrasses des cafés et les terrains occupés par les joueurs de boules assidus.

Citadelle

Bâtie par les Génois sur un promontoire calcaire, elle domine la ville et le port. La citadelle a été plusieurs fois remaniée depuis sa fondation en 1439 par Tomasino de Campo Fregoso qui érigea celle de Bastia, quarante et un ans plus tard. Après avoir franchi le portail, avancez-vous sur la gauche du parapet pour découvrir une vue surprenante sur les vieilles maisons bâties à fleur d'eau.
Le donjon circulaire *(ne se visite pas)* est un remarquable exemple d'architecture militaire génoise. La citadelle était la résidence du gouverneur du Nebbio.

Plage de la Roya (Plage de la Roia)

Par la route, à environ 2 km au Sud-Ouest du centre. Prendre la D 81 et franchir l'Aliso, puis prendre à droite vers les campings. Longue plage offrant de multiples activités nautiques (location de bateaux, planches, pédalos, etc.).
À l'extrémité Ouest de la plage, un **sentier★★** longe la côte des Agriates et permet d'atteindre l'Ostriconi en passant par les magnifiques plages du **Loto★★** (4h30) et de **Saleccia★★** *(voir les Agriates)*.
En saison, un bateau assure des liaisons avec ces plages *(voir le carnet pratique)*.

Aux alentours

Ancienne cathédrale du Nebbio★★ (église Santa-Maria-Assunta)

1 km par la petite rue face au monument aux morts vers Poggio-d'Oletta. ✆ 04 95 37 06 04 - s'adresser à l'Office de tourisme.

L'église Santa-Maria occuperait en partie l'emplacement de la cité romaine. C'est l'un des plus importants témoignages de l'architecture religieuse en Corse. Postérieure à celle de la Canonica qui lui servit de modèle, cette ancienne cathédrale, représentative de la seconde période du roman pisan dans l'île, fut probablement achevée vers 1140. Elle présente un appareillage soigné de moellons de marbre tarentin d'une belle finesse de grain. Elle s'élève sur un large terre-plein bien dégagé.

Par ses dimensions et son plan basilical à trois nefs, elle accuse sa filiation avec la cathédrale de la Canonica. Elle s'en distingue cependant par sa recherche décorative : double étage d'arcatures de la façade et corniches ouvragées à la base des toitures.

À l'intérieur, la même recherche s'observe dans l'alternance de piliers et de colonnes surmontées de chapiteaux dont certains sont ornés, outre de crochets et de coquilles, de curieuses sculptures d'animaux. Une châsse vitrée abrite les reliques de saint Flor, soldat romain qui subit le martyre au 3e s.

Circuits de découverte

LE NEBBIO★

Le Nebbio est le nom donné au bassin de l'Aliso qui se développe en amphithéâtre dans l'arrière-pays du golfe de St-Florent entre le Mont Asto au Sud, le col San Stefano et la dorsale du col de Teghime au Nord. Les statues-menhirs (« stantari ») découvertes dans les champs de Patrimonio et de Piève témoignent d'une occupation préhistorique.

Si la région tire son nom de la brume (nebbia en corse) qui s'installe souvent en hiver au petit matin, le Nebbio est avant tout un pays de vignobles, d'olivaies, de vergers et de pâturages. Les paysages quadrillés de murets en pierres sèches et parsemé de bergeries, montrent qu'il fut prospère, méritant son surnom de « conque d'or ». La région compte de nombreux petits villages accueillants, posés en observatoires sur les hauteurs ceinturant le bassin de l'Aliso qui profitent aujourd'hui de l'activité touristique de St-Florent.

Au départ de St-Florent

70 km – environ 4h. Quitter St-Florent par la route de Calvi (D 81) et passer le pont sur l'Aliso.

Après avoir longé pendant 4 km le désert des Agriates *(voir ce nom)*, prendre sur la gauche la D 62 qui, étroite et torturée, domine la vallée de l'Aliso.

Santo-Pietro-di-Tenda

Ses maisons s'étalent sur les pentes du massif de Tende au-dessus de l'Aliso. Deux **églises** baroques sont unies en façade par un clocher à quatre étages. On peut visiter la plus grande dédiée à **saint Jean l'Évangéliste**. *Fermé pour travaux.*

À 1,5 km du village, **vue** sur le clocher qui se profile au-delà des frondaisons. La route s'engage alors dans un étroit défilé jusqu'à Sorio.

2 km après Rapale prendre à droite la D 162.

San Michele de Murato★★ *(voir ce nom)*

Prendre à gauche la D 5.

La route continue dans un paysage de hauts plateaux, à la végétation odorante.

Col de San Stefano

Le col, lieu de passage obligé entre la plaine orientale et le golfe de St-Florent, a été le théâtre de violents combats en septembre 1943 entre l'avant-garde des tirailleurs marocains et l'arrière-garde de l'armée allemande. Une stèle commémore ces faits d'armes.

Du site, ample **panorama★★** sur la conque du Nebbio. À l'arrière-plan, on devine St-Florent et sur la gauche les monts des Agriates.

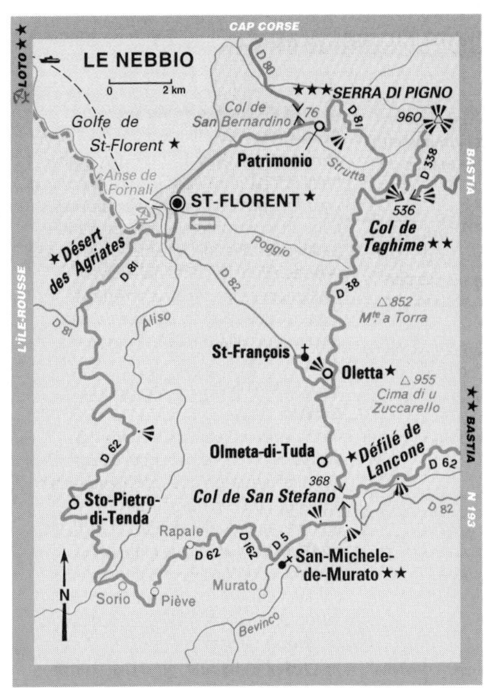

Olmeta-di-Tuda

Ce pittoresque village, dominé par les sommets du massif du Zuccarello, est ombragé de beaux ormes. En suivant sa rue circulaire, on découvre de jolies vues sur St-Florent et son golfe.

La route traverse une riche campagne couverte de châtaigniers, d'oliviers et de vignes.

Oletta★

Accroché à une colline verdoyante, Oletta étage paisiblement ses hautes maisons blanches, ocre et roses. Une **vue★** plaisante se déploie sur le golfe de St-Florent et le Nebbio. On aperçoit en contrebas le couvent St-François et, en face, sur un mamelon, le mausolée du comte Rivarola, gouverneur de Malte. Les alentours d'Oletta sont réputés pour leur fromage de brebis dont une partie sert de matière première à l'élaboration du roquefort.

L'église paroissiale St-André (18e s.) présente un bas-relief archaïque assez effacé figurant la Création. À l'intérieur, face à l'entrée latérale, beau triptyque du 16e s. : Vierge allaitant entre sainte Reparate et saint André.

Couvent St-François

2,5 km d'Oletta par la D 82 en direction de St-Florent, puis le sentier caillouteux qui s'ouvre sur la droite.

Le couvent, à demi ruiné, s'élève dans un site agréable, entouré de collines verdoyantes. Il a conservé son beau clocher.

Revenir sur Oletta, où l'on prend à gauche la D 38.

La route suit la grande arête dorsale délimitant le Nebbio. Ce parcours de 9 km offre des **vues★** étendues sur les vallées du Fiuminale et de l'Aliso, sur les collines du Nebbio, le golfe de St-Florent et le désert des Agriates en arrière-plan.

Col de Teghime★★ et Serra di Pigno *(voir Cap Corse)*

Du col prendre sur la gauche la D 81 vers St-Florent.

La route descend vers le rivage en de nombreux lacets et offre des **vues★★** pittoresques sur Patrimonio dans son paysage de montagnes avec le golfe de St-Florent et le désert des Agriates en toile de fond.

Patrimonio *(voir ce nom)*

La D 81 rejoint au col de San Bernardino la D 80 et ramène à St-Florent.

De Saint-Florent à Bastia par le défilé de Lancone

53 km. De St-Florent au col de San Stefano, même itinéraire que le précédent. Au col, prendre à droite la D 62 qui longe le Bevinco et s'engage dans le défilé de Lancone.

Défilé de Lancone★

Avant de se jeter dans l'étang de Biguglia, le Bevinco, fleuve descendu des hauteurs du Murato, franchit une dernière barrière montagneuse dans laquelle il a creusé de belles gorges profondes. La route surplombe les sinuosités du torrent. Au sortir du défilé, la **vue★** se dégage sur la vallée inférieure du Bevinco, l'étang de Biguglia et la mer.
En rejoignant à Casatorra la N 198, possibilité de prendre à gauche la route en montée pour admirer les vues depuis le village de Biguglia.

Saint Florent pratique

Adresse utile

Office de tourisme – Centre administratif - 04 95 37 06 04 - pour les horaires d'ouverture, se renseigner.

Transports

Bus – 04 95 37 02 98 - liaison St-Florent-Bastia toute l'année, service plus fréquent en juil.-août - liaison St-Florent-L'Île-Rousse en juil.-août.

Navettes maritimes le « Popeye » et le « Saleccia » – 04 95 37 19 07 (le Popeye) ou 04 95 36 90 78 (le Saleccia). De fin juin à mi-sept. : navettes reliant la plage du Loto au port de St-Florent. 10 € AR.

Se loger

Maloni Hôtel – *04 95 37 14 30 - www.malonihotel.com - P - 9 ch. 45/55 €*. Simplicité et convivialité sont au programme de ce petit hôtel situé au Nord du village. Les chambres, de plain-pied, côtoient la réception et la salle à manger aux tons colorés qui accueille les convives tous les soirs pour un sympathique apéritif.

Hôtel Thalassa – *Rte de Propriano - 04 95 37 17 17 - P - 41 ch. 50/104 € - 7 €.* Installez-vous tranquillement au bord de la piscine, bordée des trois bâtiments qui composent l'hôtel, et profitez de son cadre verdoyant et fleuri. Équipements récents, chambres spacieuses et confortables. La plage de sable fin se trouve à deux pas.

Camping La Pinède – *Rte de Casta, lieu-dit Serrigio - 1,8 km au S de St-Florent par rte de L'Île-Rousse et chemin à gauche apr. le pont - 04 95 37 07 26 - www.pinede.fr.st - ouv. mai-sept. - 80 empl. 24 €.* Ce camping s'étend pour partie en bordure de la rivière Aliso (navigable jusqu'à la mer), ce qui permet aux heureux propriétaires d'un bateau de s'y amarrer. Possibilité de location de bungalows. Piscine, snack-bar et épicerie.

Hôtel Treperi – *Rte de Bastia - entrée N de St-Florent - 04 95 37 40 20 - www.hoteltreperi.com - fermé nov.-fév. - 18 ch. 66/140 €*. Entouré d'un parc de 2 ha planté de lauriers, bougainvilliers, eucalyptus, figuiers de Barbarie… quel plaisir d'admirer le matin, le spectacle reposant du golfe de St-Florent. Chambres simples avec terrasses privatives, accueil chaleureux et piscine bordée de vignes.

Hôtel Maxime – *Rte de la Cathédrale - 04 95 37 05 30 - P - 19 ch. 78 € - 7 €.* Amarrez votre bateau - s'il n'est pas trop grand - au ponton prévu à cet effet. Le petit canal au pied de l'hôtel vous conduira jusqu'à la mer à 100 m. Les chambres, pour la plupart dotées d'une loggia ou d'un balcon, sont fonctionnelles et bien entretenues.

Résidence de vacances Les Arbousiers – *Castellucio d'Oletta - 6 km de St-Florent - 04 95 39 01 57 - fermé nov.-mars - P - 16 mini-villas 295/862 €/sem. pour 6 à 8 pers.* Seize mini-villas posées dans un jardin ombragé et fleuri, véritable paradis des oiseaux. Une piscine est mise à la disposition des hôtes qui peuvent facilement se rendre au centre de St-Florent, tout proche, ainsi que dans le pittoresque village d'Oletta distant de 3 km.

Résidence de vacances Les Galets – *Rte du Front de Mer - 04 95 37 09 09 - www.hotel-lesgalets.com - P - 9 appart. 295/899 €/sem.pour 6 à 8 pers.* Ces neuf appartements, environnés d'un agréable jardin planté d'arbustes méditerranéens, de palmiers et de fleurs, profitent de la vue sur le golfe de St-Laurent. Location à la semaine en juillet-août et pour trois nuitées minimum hors saison. À proximité, voile, ski nautique et randonnées à cheval.

Bellevue – *04 95 37 00 06 - hotel-bellevue@wanadoo.fr - fermé 21 oct.-31 mars - P - 25 ch. 139/155 € - 6 €.* Belle vue en effet sur le parc verdoyant dominant la mer, face au Cap Corse, depuis ce bâtiment aux allures de paquebot. Les chambres, rénovées en bleu et blanc, sont dotées de lits en fer forgé et équipées de salles de bains modernes.

Se restaurer

Ind'è Lucia – *Pl. Doria - 04 95 37 04 15 - fermé le midi de juil. à oct. - réserv. conseillée en été - 18,50/25 €.* Il fait bon s'attarder sous la tonnelle de « chez Lucia » ou, sous l'acacia, près de la fontaine de la placette. Le menu a vraiment l'accent corse : soupe, jambon, terrines maison, gibiers en saison, omelette au brocciu et à la menthe… Les habitués ne s'y trompent pas !

La Gaffe – *Port de plaisance - 04 95 37 00 12 - fermé 10 nov.-14 fév. - 28 € déj. - 38/100 €.* Embarquement immédiat pour un voyage de saveurs marines en ce restaurant situé sur le port de plaisance. Langoustes et pêche locale se dégustent dans une salle à manger à la décoration d'esprit bateau. Aux beaux jours, climatisation à midi ; le soir, les larges baies s'ouvrent pour profiter du plaisant climat.

Auberge A Magina – *20232 Oletta - 04 95 39 01 01 - fermé 16 oct.-mars et lun. - 20/26 €.* De la terrasse ou de la salle voûtée et colorée, la vue sur le golfe de St-Florent et sur le Nebbio est très appréciée. N'oubliez pas de regarder aussi dans votre assiette ! Produits de la mer et plats corses se cotoyent sur carte et menus.

⊜⊜⊜ **La Rascasse** – *Prom. des Quais - ✆ 04 95 37 06 99 - atrium-saintflorent@wanadoo.fr - fermé nov.-fév. - 44/63 €.* Les petites terrasses ne sont pas si nombreuses à St-Florent, et la carte au goût du jour de ce restaurant, situé sur le petit port, associe finesse et saveurs… Alors, laissez-vous tenter…

En soirée

Le Mathurin – *Vieille Ville - ✆ 04 95 37 04 48 - tlj 18h-2h - fermé oct.-avr.* Tous ceux qui regrettaient l'absence de bar à vin au cœur du vignoble de Patrimonio seront rassurés, l'astucieuse reconversion de cet ancien restaurant à St-Florent leur offre une bonne occasion de déguster quelques crus accompagnés de tapas aux produits corses.

Amaury de Valroger / MICHELIN

Sentier des douaniers à St-Florent.

Que rapporter

Salge et Fils « L'Isle aux Desserts » – *Pl. du Monument - ✆ 04 95 37 00 43 - salge@glacecorse.com - été : 6h30-13h30, 16h-20h30 ; reste de l'année : tlj sf lun. 7h-12h30, 15h-19h - fermé 3 sem. en nov.* José Salge choisit des produits de très bonne qualité et les transforme en glace, crème glacée ou sorbet. Sa gamme, nommée L'Isle aux Desserts, est devenue incontournable grâce à des parfums aussi typiques et authentiques que brocciu-citron, cédrat, castagne (les vraies châtaignes corses), myrte sauvage ou chèvre-ciboulette.

Miellerie du Nebbiu – *Hameau Vezzi - prendre la petite rue sous l'église, la miellerie est à 300 m - 20245 Santo-Pietro-di-Tenda - ✆ 04 95 37 71 98 - 7h-21h.* Nul ne résiste au charme de cette famille de passionnés. La qualité du miel, des gâteaux et de l'huile d'olive douce font de cette propriété, perchée au-dessus de 20 ha d'oliviers multi-centenaires, l'étape incontournable du gastronome.

Domaine Gentile – *Rte de Bastia - ✆ 04 95 37 01 54 - www.domaine-gentile.com - tlj sf dim. 9h-12h, 14h30-19h.* Ce domaine occupe 30 ha dans le vignoble de Patrimonio, cultivés en agriculture très raisonnée, proche du « bio ». Vous n'y trouverez que des cépages corses : le nielluccio pour les rouges et rosés et le muscat à petits grains pour le muscat du Cap Corse. Vous pourrez aussi goûter le Rappu, une spécialité de la région.

U San Petrone – *Pl. de l'Ancienne-Poste - ✆ 04 95 37 10 95 - tlj sf lun. 9h-12h, 15h-19h ; lun. en juil.-août - fermé mi-sept. à Pâques.* À la fois agriculteur et charcutier, monsieur Rinaldi peut vous renseigner sur la petite histoire de tous les *lonzu*, coppa et jambons qui sont nés entre ses mains. Pour les autres produits (fromages, liqueurs, vins), il fait appel à des artisans qui travaillent, comme lui, avec de bons ingrédients du terroir.

Sports & Loisirs

Base nautique - École de kayak de mer et voile – *Plage de la Roya - ✆ 06 12 10 23 27 - www.corskayac.com.* Dans cette école, des moniteurs diplômés vous emmènent à la découverte des côtes sauvages du désert des Agriates et du Cap Corse, en kayak de mer ou à la voile. Stages d'initiation et de perfectionnement toute l'année.

Ranch Buffalo Beach – *✆ 06 62 32 46 00.* Tentez la traversée du désert des Agriates ou du maquis corse au rythme des chevaux de l'élevage de Murato. À la ferme, dégustation des produits maison.

A Chjoma Sciolta – *20232 Poggio-d'Oletta - ✆ 06 21 75 16 53.* Randonnées équestres guidées par un accompagnateur et location d'ânes à l'heure, à la demi-journée ou à la journée. Sur réserv.

Port de plaisance – *✆ 04 95 37 00 79 - sais. : 8h-21h ; hors sais. : tlj sf dim. et j. fériés 8h-12h, 14h-17h.* 790 places.

Événement

Fête de saint Florent – Célébrée à St-Florent tous les trois ans (la prochaine aura lieu en 2006) le lun. de Pentecôte, une fête honore la relique de saint Florent. Juil.-sept : concert hebdomadaire de chants polyphoniques corses, lyriques, instrumentaux.

Porto Latino – Concerts de musique latino-américaine (déb. août) - ✆ 06 12 91 27 21 - www.porto-latino.com

Sainte-Lucie-de-Tallano★

Santa Lucia di Tallà

434 HABITANTS
CARTE GÉNÉRALE B6 – CARTE MICHELIN LOCAL 345 D9
CORSE-DU-SUD (2A)

Dominant la vallée du Rizzanèse, ce gros village très typé groupe ses hameaux dans la verdure au milieu des oliviers et autres arbres fruitiers. Ses hautes maisons de granit recouvertes de tuiles orangées sont agencées autour d'étroites ruelles. Un « sentier du patrimoine » vous fera découvrir les aspects historiques, botaniques, géologiques et culturels du village récemment rénové.

Se repérer – À l'Est de Propriano (21 km) et de Sartène (20 km), au cœur de l'Alta Rocca. Entre mer et montagne, Ste-Lucie-de-Tallano se trouve sur la route vers Bavella, à 450 m d'altitude.

À ne pas manquer – L'église paroissiale est dotée d'une gracieuse Vierge à l'Enfant de facture florentine.

Organiser son temps – Une courte promenade mène à la singulière chapelle St-Jean-Baptiste aux volumes intérieurs harmonieux.

Avec les enfants – L'écomusée occupe un ancien moulin à huile.

Pour poursuivre la visite – Voir aussi l'Alta Rocca, les aiguilles de Bavella, les sites de Cucurruzu et Capula, Zonza.

Se promener

Place du Monument-aux-Morts (ou place de l'Ormeau)

Au cœur du bourg, face à l'église paroissiale, cette place agréablement ombragée est bordée de bars et restaurants ; un panneau d'informations signale les curiosités du village. Disposée en belvédère, elle offre un beau point de vue plongeant : au premier plan, le hameau de Poggio ; un peu plus loin, sur un mamelon couronné d'un bois de chênes verts, émerge le toit de tuiles rouges de la superbe église romane St-Jean-Baptiste ; au fond, la vallée du Rizzanèse et Loreto-di-Tallano.

Le monument aux morts, harmonieuse allégorie féminine, mérite une attention particulière pour le bel échantillon de diorite orbiculaire qui sert de socle à sa statue. Longtemps exploité dans une carrière des environs, un filon de cette roche rarissime a rendu célèbre le village dans le monde des minéralogistes.

Église paroissiale

L'intérieur révèle un édifice rénové dans la bonne tradition baroque du 17e s. : nef rectangulaire, avec six chapelles latérales. On remarquera au fond de l'église un **bénitier** de marbre (porté par une main sculptée) aux armes des della Rocca (fin 15e s.). Adossé à un pilier de gauche, le bas-relief en marbre blanc a été offert en 1499 par un puissant seigneur de la région, le comte Rinuccio della Rocca qui y fit graver ses armoiries. Cette gracieuse Vierge portant l'Enfant sur ses genoux évoque l'art des sculpteurs florentins du 15e s. Le retable de la **Vierge à l'Enfant entre des saints** *(chapelle centrale à droite)* est attribué à l'atelier du Maître de Castelsardo (16e s.) Quant au **retable de la Crucifixion** (16e s.), autre offrande du comte au couvent de St-François, il dénote une influence espagnole dans l'expression des visages, la finesse

Le saviez-vous ?

Le nom corse *Tallà* signifie « région pentue », en référence à la vallée du Rizzanèse que le village surplombe. Mais on peut préférer la légende qui rapporte qu'un chef arabe se serait extasié devant cette contrée verdoyante en s'écriant « At Allah ! », « Don de Dieu ».

Ste-Lucie développe une importante vie associative. Depuis quelques années, les villageois privilégient une politique de projets structurants : eau, assainissement, rénovation des oliveraies, conservation et valorisation du patrimoine culturel et architectural.

La diorite orbiculaire est une roche éruptive sombre de couleur gris-vert : la cristallisation particulière de ses composants dessine des figures concentriques. Se prêtant admirablement à la taille, elle fut utilisée comme pierre d'ornementation, notamment dans la chapelle des Médicis à Florence.

des traits et les riches draperies, associée au goût flamand pour les détails réalistes. Il ne s'agit, malheureusement, que d'une copie de taille réduite ; l'original se trouve à Ajaccio et n'est pas visible.

Maison forte

Situé derrière l'église, cet étonnant bâtiment presque cubique servait autrefois de refuge à la population en cas de danger (d'où le nom corse *casatorre*). Huit bretèches plaquées sur les murs austères permettaient de contrôler les abords. Sous chaque bretèche, une bouche à feu venait compléter ce dispositif.

Gilles Magnin / MICHELIN

Moulin à huile.

Moulin à huile

Accessible par un chemin en contrebas de la place, à environ 200 m. *Mai-sept. : visite guidée (15mn) 9h-12h, 15h-18h - 2 €.*
Cet ancien moulin a été réhabilité et transformé en écomusée.

Couvent St-François

Situé à la sortie du village en direction de Levie, sur la droite. Fermé pour travaux.
C'est sans doute à la dévotion du comte Rinuccio della Rocca qu'il faut attribuer la fondation et la construction de ce couvent en 1492. Édifiés sur une plate-forme dominant le village de Ste-Lucie, non loin de la route de Levie, la haute et sobre église et ce qui reste du bâtiment conventuel ont encore beaucoup d'allure. On peut imaginer ce que fut le cloître puisque subsiste une partie de galerie avec cinq belles arcades, d'une nudité toute franciscaine.

Aux alentours

Chapelle St-Jean-Baptiste★

500 m jusqu'au hameau de Poggio-di-Tallano, puis 1h AR à pied. À la sortie Nord du hameau, prendre le sentier qui part en biais sur la gauche, après la dernière maison.
Cet ancien chemin muletier serpente dans un sous-bois plein de fraîcheur. En plusieurs points, de belles vues se dégagent sur Ste-Lucie et la vallée du Rizzanèse. On passe à gué un ruisselet. La chapelle surgit dans son cadre sauvage et touffu de chênes-lièges et d'oliviers. Cette église, construite sans doute peu avant 1150, présente beaucoup de points communs avec l'église piévane de Carbini (une vingtaine de kilomètres plus à l'Est) qui a dû lui servir de modèle.
L'édifice, de dimensions relativement imposantes, est construit dans un bel appareil de dalles dorées. La sobriété des murs est rehaussée d'un décor d'arcatures appuyées sur des modillons dont certains représentent des masques humains et d'autres des têtes de bovidés. Le fronton occidental est également décoré d'arcatures sous les rampants du toit.
À l'intérieur, il faut prendre le temps de s'habituer à la relative pénombre pour apprécier la pureté des volumes et la beauté du chœur semi-circulaire.

Mela

4 km à l'Est de Ste-Lucie sur la route de Levie. Ce minuscule village s'étire tout en longueur sur une arête, dominant un paysage verdoyant de cultures en terrasses et de chênaies. L'habitat présente une belle unité architecturale avec ses maisons en granit et le clocher carré de son église, coiffé d'un lanternon. On en découvre une belle vue plongeante depuis le premier virage de la D 268 après le couvent de Ste-Lucie.

Pianu de Levie *(voir l'Alta-Rocca)*

Sainte-Lucie-de-Tallano pratique

Adresse utile

Info tourisme – Mairie - ✆ 04 95 78 80 13 - juil.-août : 9h-12h30, 14h-18h30.

Se loger

⊜ **Chambre d'hôte Palazzo** – *Le bourg - ✆ 04 95 78 82 40 - femé déc.-janv. - ⊭ - 3 ch. 61 €* ☕. Cette grosse maison de famille date, tout comme son ancien moulin à huile, de 1815. Elle accueille aujourd'hui un gîte et trois chambres d'hôte : deux chambres plutôt classiques garnies d'un lit à baldaquin, décorées l'une tout en bleu, l'autre tout en saumon, et une troisième plus inattendue, évoquant l'Afrique.

⊜ **Gîte d'étape U Fragnonu** – *À 300 m de la place du village - ✆ 04 95 78 82 56 - piredda-palmawanadoo.fr - fermé 15 oct.-mars - ⊭ - 8 ch. demi-pension obligatoire 35/70 €* ☕. Cette imposante bâtisse, jadis moulin comme le rappelle son nom (« le gros moulin » en corse) a été successivement reconvertie en scierie puis en gîte. Palma et Carlos ont su marier simplicité et qualité : à table, leur véritable cuisine corse vous laissera un agréable souvenir, tout comme la tenue impeccable des lieux.

Se restaurer

⊜⊜ **Santa Lucia** – *✆ 04 95 78 81 28 - fermé janv. et dim. hors sais. - 16,30/22,40 €*. Un petit restaurant comme on les aime, sur une place de village avec sa fontaine chantante et rafraîchissante. C'est aussi le café du coin, avec véranda et terrasse ombragée. Ambiance conviviale et cuisine corse en toute simplicité.

Que rapporter

Jacques Léandri – *Moulin à huile d'Omiccia Village - place de l'Église - ✆ 04 95 78 81 94 - 9h-12h, 15h-19h*. Dans une échoppe d'un autre temps, Jacques Léandri vous fera découvrir les huiles d'olive (à leur différent stade de mûrissement) qu'il élabore suivant des méthodes totalement artisanales. Ses spécialités : l'Ogliu di Missiau (l'huile de grand-père), des huiles de noix, noisette, argane, tournesol et amande.

Loisirs

Baignade – L'Alta Rocca peut être très chaud en saison et une pause baignade est souvent appréciée. Pour ceux qui le souhaitent, prendre la D 20 en direction de Zoza. Traverser le village et poursuivre jusqu'à un pont qui traverse la rivière. Des accès sont possibles des deux côtés de ce pont.

Événements

Le village organise chaque année (mi-mars) « a festa di l'oliu novu », grande foire régionale de l'huile d'olive qui se déroule sur 2 jours et regroupe 80 artisans ; nombreuses animations - ✆ 04 95 78 80 13.

San Michele de Murato★★

CARTE GÉNÉRALE C2 – CARTE MICHELIN LOCAL 345 E4 – SCHÉMA P. 337
HAUTE-CORSE (2B)

L'église San Michele, séduisante image du tourisme et de l'art en Corse, se dresse, isolée, à 475 m d'altitude sur un petit plateau qui domine le bassin du Bevinco. L'harmonie exceptionnelle de cet édifice est rehaussée par le cadre montagnard et sauvage d'une grande beauté dans lequel il se détache.

Se repérer – Au Sud du Nebbio. Le village de Murato est établi à environ 17 km au Sud de St-Florent ou à 23 km de Bastia par Oletta. L'église San Michele s'élève à 1 km au Nord-Est du bourg, dans un superbe site où la vue s'étend jusqu'à St-Florent et au désert des Agriates.

À ne pas manquer – Observez bien la sculpture qui orne l'église de facture naïve et touchante.

Organiser son temps – C'est dans l'après-midi que l'éclairage met le mieux en valeur le riche décor de l'église.

Pour poursuivre la visite – Voir aussi Bastia, St-Florent.

Le site de l'église de San Michele de Murato.

Se promener

Murato

Ce vigoureux bourg du Nebbio répartit ses quartiers anciens de part et d'autre de la départementale.

L'**église de l'Annonciation** possède de belles stalles et une intéressante œuvre de l'école du Titien représentant sainte Marie-Madeleine.

En contrebas de la D 5 se dresse la vaste demeure en pierre, percée de passages voûtés qui abrita le premier **hôtel de la monnaie**. C'est dans cet hôtel que **Paoli** fit battre la monnaie corse à l'effigie de la tête de Maure. La réunion des métaux précieux nécessaire à cette opération fut possible grâce à la collecte, dans chaque paroisse, d'une partie du trésor religieux et des bijoux personnels donnés à fondre. En 1766, l'établissement fut transféré à Corte.

> **Le saviez-vous ?**
>
> *Murata* signifie « maçonnerie » en corse. Peut-être faut-il y voir un lien avec le remarquable travail de construction et de composition en bichromie des murs de l'église.

Visiter

Église San Michele de Murato★★

✆ 04 95 37 60 10 - tlj sf dim. 9h-12h, 14h-17h, merc. 9h-12h - en cas de fermeture, demander les clés à la mairie.

Construite aux alentours de 1280, l'église San Michele appartient à la fin de la période du roman pisan en Corse. Elle se caractérise par une **polychromie originale et**

Détail de façade de San Michele de Murato.

harmonieuse★ et par un développement de l'œuvre sculptée. Une cordelière court sous le rampant du toit au chevet et à la façade.
La **sculpture★**, parfois gauche, souvent naïve et plus soignée que dans les autres églises de l'île, s'accorde discrètement à l'édifice.
On observe, sur la façade Ouest, les **consoles sculptées** d'animaux ou de personnages grossièrement ébauchés ; aux appuis et aux encadrements des étroites fenêtres latérales, des rinceaux et des entrelacs ; au chevet, des consoles et des modillons ouvragés. L'intérieur couvert en charpente présente, à l'arc triomphal, des restes de fresques datant de 1370 et représentant l'Annonciation.
Au 19e s., la tour carrée a malheureusement été surélevée, ce qui rompt un peu les proportions de l'édifice.

San Michele de Murato pratique

Se restaurer

⛁⛁⛁ La Ferme de Campo di Monte – *20239 Murato - ✆ 04 95 37 64 39 - ouv. jeu. soir, vend. soir, sam. soir, dim. midi et les soirs en sais.- ▭ - réserv. obligatoire - 45 €.* De cette authentique ferme de 1630, entourée de chênes verts et de châtaigniers, admirez l'église San Michele et le golfe de St-Florent. Dans ses petites pièces intimistes, les maîtres de maison servent un repas bien ancré dans le terroir. Une adresse très courue…

Sports & Loisirs

Ranch Corsican Buffalo – *Murato - ✆ 06 62 32 46 00. Ouvert toute l'année.* Inattendu sous le ciel de Corse, ce club est spécialisé dans l'équitation de type « western ». Il propose des randonnées à l'heure, à la journée ou sur plusieurs jours. Des stages sont également organisés pour découvrir cette forme d'équitation ou se perfectionner.

Sant'Antonino★★

Sant'Antuninu

77 HABITANTS
CARTE GÉNÉRALE B3 – CARTE MICHELIN LOCAL 345 C4 – SCHÉMA P. 145
HAUTE-CORSE (2B)

Culminant à 500 m d'altitude, sur les dernières pentes de la Balagne, le village en nid d'aigle est un harmonieux dédale de ruelles pavées et de passages voûtés. Sa restauration très réussie en fait un des pôles d'attraction du tourisme et de la renaissance de l'artisanat corse. Maupassant a été marqué par la vue de ce « mont élevé que couronne un paquet de maisons jetées dans le ciel bleu si haut qu'on pense avec tristesse à l'essoufflement des habitants contraints de remonter chez eux ».

Se repérer – À 15 km au Sud de L'Île-Rousse, ce village de plan à peu près circulaire domine toute la Balagne et la mer.

Se garer – Laissez votre véhicule sur le vaste terre-plein devant l'église (payant) et poursuivez à pied par la ruelle pavée qui grimpe au village.

Pour poursuivre la visite – Voir aussi la Balagne, Algajola, Corbara, Pigna, L'île-Rousse.

Stéphane Sauvignier / MICHELIN

Le site du village perché de Sant'Antonino.

Se promener

Le village – Il domine un petit plateau herbeux sur lequel s'élèvent, isolées, l'église et sa chapelle de confrérie, toutes deux de style baroque.

Dans le dédale des ruelles étroites, tortueuses, pavées de galets, et des multiples passages sous voûtes, quelques hautes maisons de granit sombre ont été restaurées avec goût. Quelques boutiques d'artisanat se sont installées (poteries, bijoux, spécialités gastronomiques, etc.). Contourner le village dans le sens des aiguilles d'une montre pour admirer le remarquable **tour d'horizon★★** sur la vallée du Regino, la Balagne vallonnée de Belgodère à Lumio, les hautes montagnes enneigées, le bassin d'Algajola et la mer.

Sant'Antonino pratique

Voir l'encadré pratique de la Balagne

Se restaurer

La Voûte – *04 95 61 74 71 - fermé de fin sept. à déb. avr. - - réserv. conseillée juil. et août - 14,50/23 €.* Restaurant familial posté au sommet d'un grand escalier en pierre ; se garer près de l'église. Une presse et une meule à huile d'olive trônent dans la petite salle voûtée. Des deux terrasses, préférez celle située face à la montagne : la vue s'y étend jusqu'à la mer. Cuisine locale et spécialités maison (sardines et agneau grillés).

Que rapporter

Clos Antonini - la Cave à Citron – *06 09 58 94 01 - olivier-antonini@wanadoo.fr - 10h-19h30 - fermé de fin oct. à déb. avr.* Sur sa propriété, Olivier Antonini cultive citronniers, amandiers et vignes. Dans une grande salle voûtée au sol de granit, il vous invite à la dégustation rafraîchissante d'un jus de citron ou de raisin maison. Vente de vins, confitures d'agrumes et autres délices. Possibilité de pique-niquer sur place.

Sports & Loisirs

Les Ânes de Sant'Antonino – *Au bourg - 06 13 51 09 50.* De juin à septembre, à partir de 15h30, arpentez les ruelles pittoresques du village à dos d'âne.

Sartène★

Sartè

3 410 SARTENAIS
CARTE GÉNÉRALE B6 – CARTE MICHELIN LOCAL 345 C10 – SCHÉMAS P. 350 ET 365
CORSE-DU-SUD (2A)

Sartène est bâtie en amphithéâtre au-dessus de la vallée du Rizzanèse, à 13 km de Propriano, son port naturel. « La plus corse des villes corses » (Prosper Mérimée) a conservé beaucoup de caractère avec ses vieilles demeures austères et ses traditions : la procession du Catenacciu, une des cérémonies les plus anciennes de l'île, est, sans doute, la plus impressionnante.

- **Se repérer** – À une quinzaine de kilomètres au Sud-Est de Propriano (par la N 196), Sartène dresse ses hautes façades au-dessus du golfe de Valinco. La place Porta (ou de la Libération) est le lieu central de la ville ; le vieux quartier Santa Anna se concentre au Nord de cette place.
- **À ne pas manquer** – Pour prolonger ou préfigurer la visite du Sartenais, une visite au musée de Préhistoire corse s'impose.
- **Pour poursuivre la visite** – Voir aussi Propriano et le golfe de Valinco.

Stéphane Sauvignier / MICHELIN

Vue générale.

Comprendre

Une ville convoitée – Sartène tient une place à part dans l'histoire de la Corse. Au Moyen Âge, elle fut le fief des puissants **seigneurs de la Rocca** *(voir à La Cinarca)*. Plus tard, dirigée par une classe de grands propriétaires terriens, les **« Sgiò »**, elle manifesta longtemps son respect du pouvoir établi et son hostilité aux idées et influences venues de l'extérieur.

Giovanni della Grossa – Né à Grossa près de Sartène en 1388, notaire et historien, Giovanni entra au service du parti aragonais et participa, aux côtés de Vincentello d'Istria, à la bataille de Biguglia en 1426. Dix ans plus tard, Gênes l'emportait dans sa rivalité avec l'Aragon ; il se plaça alors sous la protection de Simone da Mare *(voir Rogliano)*.

En 1447, les Génois le nommèrent vicaire de la Cinarca. À la fin de sa vie, il se retira à Grossa où il écrivit ses précieuses chroniques qui restent les principales sources de l'histoire médiévale de l'île.

De multiples incursions – La côte, d'accès facile, fut longtemps fréquentée par les Barbaresques.

En 1565, Sartène fut assiégée par les partisans de Sampiero Corso qui massacrèrent la garnison.

À peine une vingtaine d'année plus tard, en 1583, les pirates d'Alger pillèrent la ville et prirent en esclavage près de 400 habitants.

U Catenacciu

Chaque année, cette cérémonie commémore la montée au calvaire et exprime la double tendance de la piété corse : s'identifier au Christ portant la croix et adorer le Christ au tombeau.
La procession est conduite par le Grand Pénitent ou **Catenacciu** (« l'enchaîné ») qui vient de passer en prières la nuit et la journée précédentes au couvent de St-Damien et a reçu en fardeau la croix de chêne (34 kg) et, au pied, les chaînes (15 kg).
Le Catenacciu a sollicité, parfois depuis plusieurs années, du curé de Sartène, le secret honneur de cette pénitence anonyme et non renouvelable. Vêtu d'une robe rouge, pieds nus, la tête dissimulée sous une cagoule, il s'identifie au Christ.
Le **pénitent blanc** l'assiste, comme Simon de Cyrène aida le Christ, symbolisant la solidarité humaine. Suivent huit pénitents noirs portant, sur un linceul et sous un dais noir, la statue du Christ mort. Viennent ensuite le clergé, les membres de la confrérie « A Compagnia del Santissimo Sacramento » qui entonnent des airs pénitentiels, et enfin les fidèles. Le lent cheminement du cortège se déroule dans une atmosphère impressionnante où se mêlent étroitement angoisse, excitation et ferveur.

Au cours de la guerre d'Indépendance, le général Giafferi s'empara, le 17 mars 1732, de Sartène dont la population était favorable aux Génois. Les Barbaresques revinrent au 18e s. et ruinèrent les villages voisins.
La cité fut longue à reconnaître le gouvernement de Paoli. Mais en 1763, la Consulte de Sartène, présidée par Paoli lui-même, rallia les notables de la Rocca.
Au 19e s., quelques grands propriétaires régentaient la vie du Sartenais. Divisés en clans, ils se livraient de véritables guerres où la population se trouvait entraînée. L'honneur, les rivalités amoureuses, la politique nourrissaient les vendettas. De 1830 à 1834, deux quartiers de la ville, le Borgo (bonapartiste) et Santa Anna (royaliste), vécurent sur le pied de guerre. Il fallut un traité de paix, signé en 1834 dans l'église Ste-Marie, pour mettre fin aux hostilités.

Se promener

LA VIEILLE VILLE★★

Visite : 1h30.

Place de la Libération (Ancienne place Porta)

Ombragée de palmiers et d'ormes, elle est avec ses cafés et son marché, le lieu le plus animé de la ville. Le monument aux morts s'élève sur la place dominée par l'hôtel de ville et l'imposante église Ste-Marie.

Église Ste-Marie (Santa Maria Assunta)

Construite à partir de 1766 en gros appareil de granit, elle présente un clocher à trois étages ajourés, surmonté d'un dôme.
À gauche de l'entrée principale de l'église Ste-Marie sont accrochées au mur la croix et la chaîne portées par le pénitent rouge du Vendredi saint. Dans une vitrine à droite, statue du Christ gisant en bois polychrome.
Le chœur s'orne d'un de ces imposants maîtres-autels baroques en marbre polychrome importés au 17e s. de Ligurie et de Toscane. Beau Christ au-dessus de l'autel.

Hôtel de ville (H)

✆ 04 95 77 74 00 - tlj sf w.-end 8h-12h, 14h-18h - gratuit.
C'est l'**ancien palais des gouverneurs génois** dont le passage voûté fait communiquer la place de la Libération avec celle du Maggiu dans la vieille ville. La façade principale porte les **armoiries sculptées** de Sartène.

Quartier de Santa Anna★

En passant sous la voûte de l'hôtel de ville, on pénètre dans ce quartier qui a conservé son aspect moyenâgeux. Il offre un dédale de sombres venelles, dallées, reliées entre elles par des escaliers et des voûtes, bordées de maisons de granit gris, aux murs épais et aux persiennes closes.
À 100 m de l'hôtel de ville, en descendant la ruelle de gauche, on aperçoit sur la droite une échauguette du 16e s., rare vestige des murailles qui enserraient jadis la ville.
Sur la petite place du Maggiu, à gauche, entre deux maisons, s'ouvre le **passage de Bradi** (2), extrêmement étroit, qui mène à la **place Angelo-Maria-Chiappe**. Elle offre une vue étendue sur le golfe de Valinco.
La **rue des Frères-Bartoli**, en cul-de-sac, est également très curieuse avec ses passages étroits en escaliers qui s'ouvrent de part et d'autre.

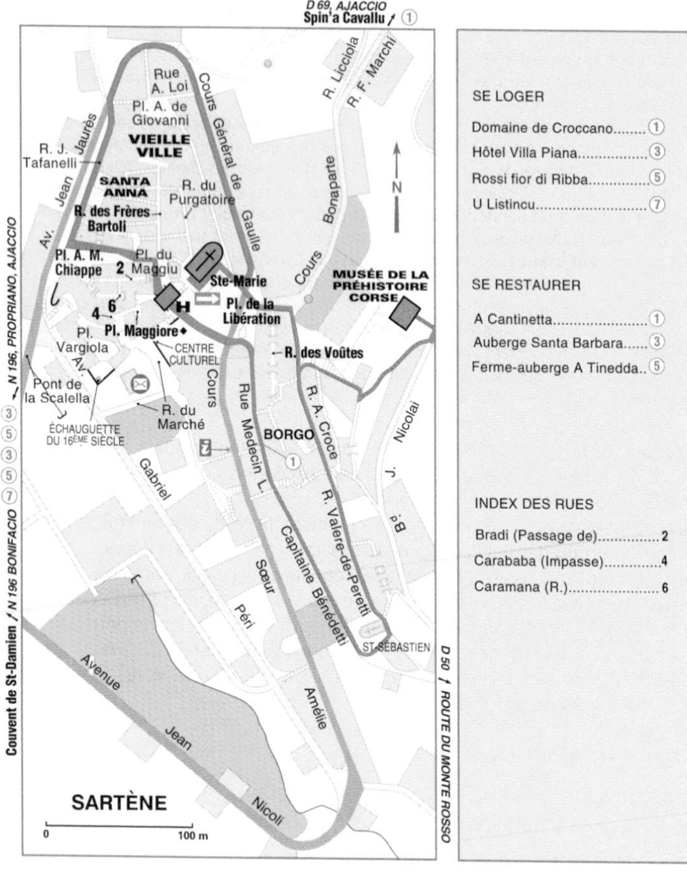

La **rue Caramana (6)** qui descend jusqu'à la place Chiappe, la petite **place Maggiore (13)**, la charmante **impasse Carababa (4)**, ainsi que la **rue des Voûtes** donnant sur le cours Bonaparte séduiront les amateurs de pittoresque.

Visiter

Musée de Préhistoire corse★

Depuis la place Porta, prendre le cours Bonaparte, puis, à droite, la rue Antoine-Croce en montée et enfin, sur la gauche, les escaliers (Monti Cuccu) sur lesquels ouvre le musée. Au passage, sur la petite place, remarquez un four banal, le Barranco di Stivaneddu.

✆ 04 95 77 01 09 - se renseigner : réouverture prévue déb. 2007.

Dominant la ville, ce musée est installé dans une ancienne prison (1843) et dans le bâtiment adjacent, moderne. Il abrite des objets provenant des fouilles de l'île (7000 av. J.-C. au 16e s.).

À l'étage, une enfilade de petites salles présente les pièces les plus caractéristiques de la préhistoire et de la protohistoire insulaires. Le néolithique ancien (6000 à 4500 av. J.-C.) est représenté par des silex, des quartz et des poteries à incisions. Le **néolithique récent** et l'**âge du cuivre** (4000 à 2500 av. J.-C.) s'illustrent par des pierres taillées et des vases en pierre polie caractéristiques de la culture « basienne ».

Les archéologues ont recueilli du mobilier dans les sépultures de l'époque **mégalithique** (3000 à 1500 av. J.-C.) : céramique noire et lustrée, petits poignards, bijoux d'or ou d'argent.

La **culture des taffoni-hypogées** (2400 à 1800 av. J.-C.) se signale par l'association d'ossements humains déformés au feu et de grandes coupes à pied fenestré.

Dans la grande salle, des photos de sites archéologiques et une vitrine retracent la succession des cultures dans l'île. La **civilisation des torre** est représentée par une série de statues-menhirs et du mobilier recueilli dans les complexes torréens de

Ceccia, Argiusta, Alo Bisucce… La maquette du monument de Cucuruzzu complète la documentation sur cette période essentielle de l'histoire de l'île *(voir chapitre « Art et architecture »).*

L'**âge du fer** (à partir de 700 av. J.-C.) se signale par des céramiques à fibres d'amiante, des parures en pâte de verre, des colliers en perles « porcelainiques » et bien sûr des armes et outils en fer. Le mobilier d'une sépulture à incinération, située à San Simione près d'Ajaccio, forme un ensemble particulièrement intéressant.

La période romaine est évoquée notamment par des monnaies de la fin du Bas-Empire, et le Moyen Âge par de beaux plats ou vases colorés, au décor profus.

Aux alentours

Couvent de St-Damien

À la sortie de Sartène sur la route de Bonifacio. Ne se visite pas. Ce grand couvent franciscain du 19e s. domine la ville et la vallée du Rizzanèse. Il abrite une communauté de moines belges qui ont restauré ses bâtiments.

Route du mont Rosso jusqu'à Mola★

8,5 km au Sud-Est par la D 50. Serpentant dans un joli paysage de maquis, cette petite route procure de beaux **coups d'œil★** sur Sartène et le golfe de Valinco. Après avoir passé le col de Suara, belle vue sur le minuscule village de **Mola** niché dans les oliviers et sur la montagne de Cagna (alt. 1 339 m), longue barrière rocheuse dominant la large vallée de l'Ortolo et principal massif du Sud de la Corse.

2 km après le village, à la hauteur d'un tombeau, on aperçoit sur la droite l'éminence rocheuse coiffée des ruines du **château de Baracci**, fief de Giudice de Cinarca au 13e s.

Spin'a Cavallu★

9 km au Nord par la D 69, puis à droite la D 268. Voir L'Alta Rocca.

Alo Bisucce

9,5 km à l'Ouest par la N 196, la D 48 en direction de Tizzano, puis la D 21 vers Grossa. Pour visiter, s'adresser à la personne qui habite la bergerie isolée, à droite.

Cet éperon rocheux occupé dès le début de l'âge du bronze est connu sous le nom de Castello d'Alo. Fortifié par une double enceinte cyclopéenne, il présente à son sommet un **monument** de l'âge du bronze (1700 av. J.-C.), de 8 m de diamètre. Quatre diverticules rayonnent de la cella centrale et présentent un plan en croix gammée facile à observer de la plate-forme.

Circuits de découverte

LE SARTENAIS★

Dans cette petite région subsistent des vestiges mégalithiques suffisamment bien conservés pour être de nos jours encore intrigants. Alignements, dolmens et menhirs jalonnent le parcours. Ce grand foyer de la préhistoire corse historique a su également préserver sa remarquable côte depuis la pointe de Campomoro jusqu'à Roccapina essentiellement accessible par bateau.

Le saviez-vous ?

Terre fertile, le Sartenais est une région de viticulteurs. Sous l'appellation « sartène », une des 8 AOC de Corse, on déguste essentiellement des vins rouges bien charpentés mais aussi quelques vins rosés et blancs parfumés à souhait.

Les mégalithes de Cauria et le fort de Tizzano★ 1

Circuit de 53 km. Quitter Sartène par la route de Bonifacio (N 196). À 2,5 km, à Bocca Albitrina prendre à droite la D 48 vers Tizzano.

La route descend la vallée du Loreto et traverse une zone de maquis jonchée de gros blocs de rochers. Le long de la route prospèrent des vignobles.

À 10 km obliquer à gauche par la route en montée et suivre la signalisation « Cauria ».

Après 4,5 km, on atteint le **plateau de Cauria★** où un bel ensemble mégalithique se trouve dispersé.

À droite s'ouvre un chemin sablonneux mais carrossable (signalé : Dolmen et menhirs) que l'on suit sur 1 km. Laisser la voiture sur une aire de stationnement à côté de l'alignement de Stantari.

Alignement de Stantari

Panneau indicateur. Une vingtaine de menhirs sont alignés dans un enclos. Plusieurs statues-menhirs représentent des hommes en armes de l'âge du bronze, avec leur grande épée verticale en relief.

Alignement de Renaggiu

À 300 m. Panneau indicateur ; franchir deux haies de branchages et passer un portail. Au pied de la Punta Cauria, une quarantaine de menhirs, orientés Nord-Sud, sont disséminés sous un petit bois.

Revenir à l'alignement de Stantari et prendre à gauche la direction du dolmen.

Dolmen de Fontanaccia

Panneau indicateur. Franchir une petite échelle entre deux chênes-lièges, puis 200 m plus loin, une autre au-dessus d'une haie de branchages située sur la gauche. Elle donne accès à un sentier à travers le maquis. La croyance populaire considérait les mégalithes comme le théâtre de pratiques endiablées durant la nuit. Ainsi, le dolmen de Fontanaccia porte également le nom de *stazzona del Diavolo*, « la forge du diable ». Ce dolmen, signalé en 1840 par Prosper Mérimée, est remarquablement conservé. Six piliers verticaux supportent l'entablement de granit. La chambre funéraire ainsi formée mesure 2,60 m de longueur sur 1,60 m de largeur pour une hauteur de 1,80 m.

Revenir sur la D 48 que l'on prend sur la gauche, direction Tizzano. Au bocca (col) di Capirossu, prendre à droite vers les alignements de Palaggiu.

Alignements de Palaggiu

Pas moins de 258 monolithes de granit, debout, inclinés ou renversés, constituent le plus important site mégalithique de Corse. Les menhirs, d'assez petite taille, sont regroupés en sept alignements.

Tizzano

Cette charmante petite « marine » s'abrite à l'entrée d'un goulet et offre une magnifique plage de sable ainsi que de nombreuses criques. C'est un lieu réputé pour la chasse et la plongée sous-marines.

Le fort

6 km AR. Accès par un chemin de terre carrossable qui débute au bout du hameau, contourne le goulet, puis s'élève sur la colline. Il se dirige vers une plage : peu avant, bifurquer à gauche ; le fort est à 300 m sur la hauteur à gauche, émergeant du maquis.
Bien qu'en partie ruiné, ce fort demeure un intéressant témoin de l'architecture militaire des 16e et 17e s. Il gardait l'entrée du goulet de Tizzano, abri très sûr les jours de gros temps. Son enceinte cantonnée de tours rondes enserre un donjon dont le sommet a volé en éclats. Sans doute est-ce le résultat d'une explosion dans sa chambre haute.

Le retour à Sartène s'effectue par la D 48, puis la N 196.

Site préservé de Roccapina 2

24 km au Sud de Sartène par la N 196 en direction de Bonifacio.

La route parcourt une région couverte de vignobles avant d'atteindre la côte Sud, rocheuse et déchiquetée.

Le site de Roccapina et son célèbre rocher du Lion.

Du **col de Roccapina** (Bocca di Roccapina), face au restaurant « L'Oasis du Lion », une belle vue s'offre sur le golfe de Roccapina et le rocher du Lion.

Le domaine de Roccapina

L'accès au littoral (2,5 km) se fait depuis la piste fléchée « Camping de Roccapina » située à la droite du rest. Curali, au col de Curali (Bocca di Curali). Attention, la piste, très dégradée et accidentée est déconseillée aux véhicules ayant une faible garde au sol. La piste qui part du col mène au bout de 3 km à la **Cala di Roccapina**, magnifique plage de sable fin très appréciée et donc fréquentée par les estivants en saison.

Le secteur s'étendant du cap de Roccapina jusqu'au promontoire au Sud enserrant la cala di Roccapina est une zone protégée, librement accessible mais dotée d'une réglementation particulière pour les véhicules à moteur et le camping. Cette zone humide abrite un nombre important d'oiseaux aquatiques. Près de la plage, la dune, entièrement protégée, est en partie colonisée par des genévriers.

Sur un promontoire, près d'une tour génoise, une monumentale sculpture naturelle en forme de lion couché se découpe entre ciel et mer : le **rocher du Lion★** *(il est déconseillé d'escalader)*. Il s'agit d'un gigantesque tafonu, produit de l'érosion éolienne d'une roche granitique *(voir les Calanche)*. La vaste cavité formant la « gorge » du lion a été autrefois aménagée en deux pièces probablement utilisées comme dépôt de blé.

Du pied de la tour génoise, le **panorama★★** s'étend au Sud vers les îlots des Moines, vers l'Est, sur les contreforts de la montagne de Cagna, et à l'Ouest sur la vallée de l'Ortolo et son marais à tamaris.

Plage d'Erbaju★ – De l'autre côté du lion, cette longue plage de 3 km de long est moins fréquentée car un peu plus difficile d'accès.

Réserve naturelle des îles Bruzzi et des îlots des Moines

Cette zone protégée n'est pas accessible au public. À quelques centaines de mètres au Sud de la tour d'Olmeto, les îles granitiques **Bruzzi**, proches d'une prairie de posidonies, sont fréquentées par une grande variété de poissons de roches (sars, rascasses et labres), tandis qu'araignées et cigales de mer viennent s'y reproduire. Ces îles sont le seul site de nidification du cormoran huppé sur la côte occidentale de la Corse.

Le naufrage du « Tasmania »

Face au Lion de Roccapina, les îlots des Moines furent le témoin le 17 avril 1887 d'un tragique naufrage. Parti de Bombay, le *Tasmania*, trois-mâts arborant les couleurs de l'Empire britannique, cinglait de toutes ses voiles vers Londres pour permettre à ses 300 passagers d'assister au jubilé de la reine Victoria. Au cœur de ses cales, le somptueux trésor d'un maharadjah, cadeau à sa souveraine, d'une valeur de 25 millions de francs-or, soit près de 8 fois le prix du navire. À trois milles du rivage, l'imposant voilier se brisa sur les récifs à la suite d'une fausse manœuvre de l'officier de quart. Malgré des pertes humaines, la plupart des passagers et l'équipage furent sauvés par les bergers de Roccapina, témoins du désastre. L'impératrice des Indes témoigna sa reconnaissance aux sauveteurs en leur faisant parvenir des pièces d'or.

Sartène pratique

Adresse utile

Office de tourisme – Cours sœur-Amelie - ☏ 04 95 77 15 40 - www.ot-sartene.com - de mi-mai à mi-sept. : 9h-19h ; reste de l'année : tlj sf w.-end 9h-12h, 14h-18h.

Se loger

U Listincu – *Rte de Propriano - 2,5 km au N de Sartène, rte de Propriano - ☏ 04 95 77 17 51 - www.ulistincu.fr - fermé oct.-mars - P - 14 ch. 42/59 € - 6 €.* Bon rapport qualité-prix pour cette adresse située à l'entrée de la ville. Maison de construction récente abritant des chambres simples et fonctionnelles, toutes équipées de la climatisation. Ce cadre un peu standard est compensé par un accueil sympathique.

Camping l'Avena – *À l'entrée du village - 20100 Tizzano - ☏ 04 95 77 02 18 – ouv. 28 mai-24 sept.- 200 empl. 22 € - restauration.* À 300 m de la plage, un domaine de 6 ha moyennement ombragé mais qui bénéficie d'une agréable brise marine. Épicerie, aire de jeux, lave-linge, location de bungalows.

Rossi fior di Ribba – *Rte de Propriano - ☏ 04 95 77 01 80 - www.hotelfiordiribba.com - fermé de fin oct. à mi-mars - P - 22 ch. et 3 studios 49/75 € - 7,50 €.* Chambres claires et vastes, à la décoration sans fioritures, toutes climatisées et équipées du double vitrage. La propriétaire, fort sympathique, vous apporte le petit-déjeuner dans le jardin agrémenté d'une piscine, qui offre un beau panorama sur la ville et les aiguilles de Bavella.

Domaine de Croccano – *Rte de Granace - 3,5 km au NE de Sartène par D 148 - ☏ 04 95 77 11 37 - www.corsenature.com - fermé déc. - 4 ch. 56/78 € - repas 25 €.* Séjour au calme assuré dans cette demeure en granit du 18e s., émergeant des chênes-lièges et des oliviers. Chambres douillettes et accueil d'une rare gentillesse.

Hôtel Villa Piana – *Rte de Propriano - ☏ 04 95 77 07 04 - info@lavillapiana.com - fermé 25 oct.- 31 mars - P - 32 ch. 95 € - 9 €.* Que rêver de mieux à quelques minutes des plages de Propriano : face au ravissant village de Sartène, cet hôtel vous ouvre ses délicieuses chambres… Quelques terrasses privatives bordées de lauriers roses et une très belle vue depuis la piscine à débordement.

Se restaurer

A Cantinetta – *R. Capit.-Bénédelti - ☏ 04 95 77 08 75 - 9h-20h - fermé nov.-déc. et dim. hors sais. - à partir de 12 €.* Cet établissement rappelle les « cantines » d'autrefois. C'est dans son cadre rustique, son ambiance conviviale que vous pourrez découvrir et déguster des vins sartenais et surtout des vins et liqueurs de myrte, de pêche, d'orange ou de clémentines. Possibilité de prendre une assiette de charcuteries ou de fromages pour accompagner la découverte des vins sartenais.

Chez Antoine – *Devant le port - 20100 Tizzano - ☏ 04 95 77 07 25 – ouv. mai-sept.- 22 €* - L'incontournable des lieux : une terrasse offrant une superbe vue sur la baie tout en dégustant une daurade grillée, une assiette de salade ou une bouillabaisse.

Ferme-auberge A Tinedda – *Rizzanèse - 5 km au N de Sartène par N 196 (dir. Propriano) - ☏ 04 95 77 09 31 - a.tinedda@free.fr - fermé 16 oct.-30 avr. - - 27 €.* Amateurs de cuisine familiale authentique, préparée avec de bons produits de la ferme, cette auberge est pour vous… La treille près du jardin, la salle voûtée aux murs de granit et son vieux pressoir sauront vous séduire. Chambres au calme de la campagne, en demi-pension l'été.

Auberge Santa Barbara – *Rte de Propriano - ☏ 04 95 77 09 06 - fermé 16 oct.-14 mars et lun. sf le soir en sais. - 28 €.* Derrière sa façade anodine, cette auberge à la sortie du village dissimule une terrasse qui ouvre sur un beau jardin verdoyant. De là, vous pourrez admirer le village de Sartène et savourer la cuisine de la patronne qui pianote gentiment sur les saveurs d'ici…

Que rapporter

Santa Barba – *Rte de Propriano - ☏ 04 95 77 01 05 - aubergesantabarbara@wanadoo.fr - tlj sf w.-end 7h30-12h, 13h30-17h (18h30 juil.-août) - fermé j. fériés.* Cette coopérative agricole fondée en 1959 réunit la production d'une dizaine de vignerons. Vous y trouverez une très large gamme de vins de qualité, en rouge, rosé et blanc (AOC vin-de-corse-sartène).

Sports & Loisirs

Bon à savoir - Tout au long de l'année, Claudine et Christian Perrier (*Domaine de Croccano, 3 km par rte de Granace* ☏ 04 95 77 01 37) vous ouvrent les portes de leur domaine de 10 ha sur lequel ils élèvent poneys et chevaux. Ils organisent des randonnées équestres (à l'heure, à la journée ou à la semaine) et pédestres (séjour d'une semaine en liberté « Sur les pas des Romantiques »).

Événement

Catenacciu – Procession du Catenacciu (ou Grand Pénitent) : le soir du Vendredi saint, l'accès en véhicule à la vieille ville et le stationnement sont strictement réglementés. La procession part de l'église à 21h30 et se déroule, durant 2 heures, dans la ville illuminée aux chandelles.

Défilé de la Scala di Santa Regina★★

CARTE GÉNÉRALE B3 – CARTE MICHELIN LOCAL 345 D5 – HAUTE-CORSE (2B)

Le défilé de la Scala di Santa Regina est l'un des plus célèbres et des plus sauvages de l'île. Il parcourt le désert de pierres qui verrouille le Niolo du côté de Corte. La route, taillée par endroits dans la paroi rocheuse, domine les gorges. Le paysage aride et tourmenté offre une physionomie grandiose : la roche à nu, érodée par les vents et les eaux d'orages, se découpe en aiguilles. Seules quelques touffes de végétation réussissent à s'agripper aux anfractuosités. Sous le soleil, le défilé s'embrase ; dans l'obscurité, il devient inquiétant.

Se repérer – Aux portes de Calacuccia et du Niolo, sur l'axe principal Est-Ouest qui relie Corte ou Ponte-Leccia à Porto. On longe la Scala di Santa Regina en suivant la D 84 sur 21 km entre Calacuccia et Francardo : la prudence est de mise, car les croisements sont parfois hasardeux d'autant que la route est parcourue par de nombreux autocars !

Organiser son temps – En partant de bonne heure, il est possible d'emprunter l'ancien sentier de transhumance qui descend le défilé à partir de Corscia.

Pour poursuivre la visite – Voir aussi Calacuccia, la forêt d'Aïtone et Corte.

Comprendre

La légende de saint Martin et le diable – De temps immémorial, les Niolins ont situé dans le massif de Santa Regina des épisodes de combat entre les forces du Bien et celles du Mal.

C'est ainsi qu'on raconte qu'un jour, alors que saint Martin labourait dans la région, il fut invectivé par le Malin qui lui arracha sa charrue et la lança vers le haut Golo. Aussitôt, les éléments se déchaînèrent, la montagne se disloqua et des pans entiers de rochers roulèrent vers le fond de la vallée. Devant ce spectacle d'épouvante, le saint invoqua la Vierge… Les parois de granit se disposèrent alors de façon à endiguer le fleuve et à ouvrir un accès vers le bassin fermé du Niolo. Saint Martin donna à ce passage escarpé le nom de Scala di Santa Regina, **l'escalier de la Sainte Reine**.

Les prodiges de saint Martin et du diable ont nourri pendant des siècles une littérature orale et populaire particulièrement riche qu'ont recueillie plusieurs chercheurs.

Circuit de découverte

De Calaccucia à Francardo. 21 km de route étroite, soyez très prudent.

Barrage de Calacuccia *(voir ce nom)*

La D 84 domine d'abord le torrent de près de 80 m, puis longe la retenue du petit barrage de Corscia.

Pont de l'Accia

Il enjambe un affluent de la rive gauche du Golo. De là part l'**ancien sentier des muletiers**, bien antérieur à la route ouverte seulement en 1889, qui reliait Calacuccia et les villages du Niolo à Corte et à la plaine orientale. Départ de Corscia *(voir p. 196)*.

Stéphane Sauvignier / MICHELIN

Les gorges de la Scala di Santa Regina.

Centrale électrique de Castirla

Alt. 350 m. Elle « turbine » les eaux retenues par les barrages de Calacuccia et de Corscia et produit l'énergie électrique distribuée dans toute l'île : quelque 100 MWh en année moyenne.

Franchir le pont de Castirla, puis aussitôt, prendre à gauche.

Le paysage change lorsque le Golo traverse les formations calcaires des alentours de Francardo, au Nord du sillon de Corte.

Réserve naturelle de Scandola★★★

CARTE GÉNÉRALE A3 – CARTE MICHELIN LOCAL 345 A5 – SCHÉMA P. 309
CORSE-DU-SUD (2A)

Magnifique joyau du littoral Ouest de la Corse, la réserve de Scandola figure sur la liste du Patrimoine mondial de l'Unesco depuis 1983. Créée en 1975, la réserve couvre 919 ha de superficie terrestre et plus de 1 000 ha de surface maritime. L'érosion marine et éolienne, et la différence de résistance des roches ont donné naissance à des paysages grandioses : alternances de grottes, de fissures ponctuées de murailles dressées vers le ciel et de pitons acérés où les balbuzards pêcheurs (aigles de mer) ont construit leurs aires. Sur les falaises rouges s'accroche une végétation de myrtes, de lentisques, d'euphorbes et de cistes.

Se repérer – Entre Porto et Galéria. La presqu'île de Scandola se dresse jusqu'à 560 m d'altitude entre la Punta Rossa au Sud et la Punta Nera au Nord. Elle se visite exclusivement par bateau au départ de Porto, de Calvi, de Propriano ou d'Ajaccio.

À ne pas manquer – Les nids de balbuzards, la magie des couleurs des rochers et de l'eau.

Organiser son temps – Attendez un peu, s'il le faut et si vous le pouvez, pour découvrir ce lieu extraordinaire par beau temps. Un bon éclairage est indispensable pour bien en profiter.

Avec les enfants – Des rochers aux formes évocatrices, le ballet des oiseaux, le spectacle ne peut manquer de séduire même les plus petits.

Pour poursuivre la visite – Voir aussi le golfe de Porto et Galéria.

Le trottoir naturel de la Punta Palazzu

Parmi l'étonnante richesse d'espèces d'algues présentes dans la réserve, l'une d'elles, nommée *lythophyllum*, offre une particularité unique. Cette algue calcaire forme des coussinets très durs et parvient à construire le long des rochers des « encorbellements » en forme de trottoir. Ainsi, à la Punta Palazzu, a été édifié naturellement un trottoir de plus de 100 m de long sur une largeur de 2 m (le plus long connu de la Méditerranée). Les scientifiques ont estimé son âge à près de 1 000 ans.

Comprendre

UN SANCTUAIRE NATUREL

Une grande richesse géologique – La masse rocheuse de Scandola se caractérise par une grande diversité géologique : rhyolites rouges, coulées ignimbritiques, basaltes, formations en prismes, en filons, en épanchements… sur lesquels se développent à fleur d'eau une algue calcaire qui s'agglomère au fil des ans pour former, dans certaines grottes, de véritables trottoirs *(voir encadré)*.

Stéphane Sauvignier / MICHELIN

Balbuzard sur son nid.

Stéphane Sauvignier / MICHELIN

L'île de Cargalo et sa tour génoise.

Un refuge d'espèce rares – En tout, plus de 450 espèces d'algues ont été recensées, dont certaines n'existent nulle part ailleurs en Méditerranée. La transparence et la pureté de l'eau permettent le foisonnement de la vie sous-marine. L'**herbier de posidonie**, poumon de la Méditerranée, y prospère jusqu'à - 45 m.

La réserve permet l'étude d'**oiseaux rares** qui séjournent ou nichent à Scandola et en font un site d'intérêt exceptionnel : balbuzards pêcheurs, cormorans huppés, faucons pèlerins, puffins cendrés...

Le **balbuzard pêcheur** est le gardien symbolique de Scandola. Cet aigle (*alpana* en corse) nichant sur des pitons rocheux est devenu un emblème de la politique de protection de la faune du Parc régional. Il se nourrit de poissons pêchés à la surface de la mer. Actuellement, la réserve de Scandola abrite une vingtaine de couples.

Visiter

EN BATEAU

Des excursions en bateau sont organisées depuis Calvi, Porto, Propriano, Ajaccio et Galéria (pour les plongeurs sous-marins). Se reporter aux encadrés pratiques de ces noms.

Au Nord du golfe de Girolata, le bateau s'approche de la **punta Muchillina**, longeant les indentations de la côte ; des coulées claires en diagonale tranchant sur la roche éruptive aux sommets aigus. Des aiguilles jaillissent vers le ciel, des îlots forment d'énormes blocs, des pointes s'avancent dans la mer, certaines couronnées d'une tour. Quelques plaques verdoyantes, au loin, étonnent le regard. L'îlot de Garganello accompagne l'île de Gargalo dont le phare marque la partie la plus occidentale de la Corse.

La **Punta Palazzo**, palais minéral hérissé de rochers et la Punta Nera encadrent le ravin d'Elbo au Nord de la réserve. Le bateau pénètre dans une calanque étroite, burinée par les embruns, puis dans une grotte aux eaux exceptionnellement transparentes avant de virer de bord. La vie s'accroche sur les parois extrêmes : des arbustes et même des arbres s'y sont adaptés. Sur les pitons, embusqués dans leurs nids de branchages, guettant leurs proies, les balbuzards pêcheurs semblent être les sentinelles de cet univers sauvage.

Golfe de Girolata (Ghjirulata)★★ *(voir golfe de Porto)*

Le bateau, sur le chemin du retour, dépasse la Punta Scandola et pénètre dans le golfe de Girolata. Ce lieu de rêve, viellé par un fortin génois, s'anime au rythme des arrivages de bateaux qui y font escale.

Solenzara

Sulinzara

CARTE GÉNÉRALE C5 – CARTE MICHELIN LOCAL 345 F8 – CORSE-DU-SUD (2A).

Cette station balnéaire à l'embouchure de la Solenzara sépare la côte rocheuse des Nacres au Sud, de la côte plate, au Nord. Solenzara offre un port de plaisance et allie les plaisirs de la mer avec ceux de la montagne toute proche. Au Nord de la rivière s'étend une grande plage de sable fin bordée d'eucalyptus plantés sous le Second Empire pour assainir la région alors marécageuse.

Se repérer – Construite à l'embouchure du fleuve du même nom, Solenzara est traversée par la route nationale. Elle offre un agréable bord de mer et un accès direct aux montagnes : l'étroite D 268 conduit au col de Bavella (30 km).

À ne pas manquer – Le vol des cormorans huppés survolant le site naturel de Fautea.

Organiser son temps – Sur la côte des Nacres, les plages de sable fin se succèdent, vous n'aurez que l'embarras du choix.

Avec les enfants – L'eau de mer est trop salée ? Qu'importe, la rivière qui débouche sur la plage de Scaffa Rossa adoucira les plus rétifs.

Pour poursuivre la visite – Voir aussi les aiguilles de Bavella et le golfe de Porto-Vecchio.

Le saviez-vous ?

La ville porte le nom de la rivière Solenzara qui vient du nom corse *sole* signifiant « soleil ».

À 9 km au Nord de Solenzara est implantée une importante base aérienne. En cas de besoin, les militaires interviennent dans le cadre du service public : incendies, accidents, plans ORSEC.

Séjourner

La ville, très animée l'été, est dotée d'un agréable port de pêche et de plaisance. C'est de l'extrémité de la jetée que s'offre la plus belle **vue★** de la cité au-dessus de laquelle se découpent les aiguilles de Bavella.

La longue **plage de Scaffa Rossa** (sable fin) s'étale au Nord, à l'embouchure de la Solenzara. Vous pouvez alterner natation dans la Méditerranée et baignade dans les eaux pures et fraîches de la rivière.

Aux alentours

Sari-Solenzara

7 km au Sud-Ouest par la D 68. Ce village pittoresque, perdu dans le maquis, domine Solenzara. Il offre de belles vues sur la côte et sur les aiguilles de Bavella.
C'est là que naquit le **commandant Poli**, héros du Fiumorbo *(voir ce nom)*.

Amaury de Valroger / MICHELIN

La plage de Solenzara qui a accueilli une mission du sous-marin Casabianca en 1943.

Circuits de découverte

CÔTE DES NACRES

20 km par la route côtière (N 198), de Solenzara à Fautea.

La côte des Nacres fit l'émerveillement du **commandant L'Herminier** lors d'une mission du sous-marin *Casabianca,* en mars 1943. Alors que le jour se levait à hauteur de Canella, le commandant écrit : « La mer est calme. Au lever du soleil, les massifs montagneux de l'île de Beauté se profilent sur un ciel pur. Le spectacle est féerique ; le rouge violent des arêtes sort de l'écrin violet, ocre et vert sombre du maquis et des arbres. Les tons sont si vifs et tranchés qu'on dirait une peinture au couteau où l'artiste n'aurait pas ménagé la pâte. »

Les fonds sous-marins de cette côte abondent en poissons et en grands coquillages triangulaires appelés **plumes de mer** ou **grandes nacres**, dont l'intérieur présente une fine pellicule de nacre blanche et irisée. Devenus rares en Méditerranée, ces coquillages bénéficient depuis 1992 d'une protection totale. Il faut trente ans aux grands spécimens pour atteindre une longueur de 50 cm !

Quant aux boules fibreuses qui roulent sur le sable des plages ou s'accrochent aux végétations des dunes, ce sont en réalité des restes séchés d'herbiers de posidonie. Ces plantes marines constituent de véritables prairies sous la mer et sont des producteurs primordiaux d'oxygène.

La route taillée en corniche suit de près le rivage et longe les petites anses de Cala d'Oro et de Canella.

Plage de Canella

Suivre la direction du camping « Le Grand Bleu » et du rest. « Dolce Vita ». Très belle petite baie arrondie, tapissée de sable fin.

Anse de Favone (Favona)

Grande plage de sable au débouché du Favone.

Anse de Tarco

Plage de sable à l'embouchure du Tarco.

Vers l'intérieur des terres se profilent les aiguilles de Bavella.

Site naturel de Fautea★

Les deux anses, bornées au Nord par la **tour génoise** *(illuminée le soir par panneaux solaires),* constituent un des sites protégés du Conservatoire du littoral.

Abritée entre deux pointes rocheuses, la plage de Fautea est tapissée de sable fin, tandis que la plage des Américains, plus longue et moins protégée, est constituée de sable grossier avec en arrière-plan des massifs d'épineux. Sur le chemin d'accès à la tour génoise, on découvre, à la belle saison, une végétation typique du maquis : ciste de crête aux fleurs mauves et ciste de Montpellier aux fleurs blanches.

La proximité de la réserve de Cerbicale permet d'apercevoir le manège des **cormorans huppés** noirs (*marangone* en corse) qui, après un vol en rase-mottes au-dessus de la mer, plongent pour attraper leur nourriture.

VALLÉE DE LA SOLENZARA

Route de Bavella★★★ *(de Solenzara à Zonza, voir aiguilles de Bavella)*

Solenzara pratique

Adresse utile

Office de tourisme – N 198 - ✆ 04 95 57 43 75 - www.cotedesnacres.com - juil.-août : 8h30-20h, dim. 8h30-18h ; juin et sept. : 8h30-12h30, 13h30-18h ; reste de l'année : tlj sf w.-end 8h30-12h30, 13h30-17h - documents sur les activités nautiques, sur les balades en montagne et sur les hébergements.

Se loger

Orsoni – *✆ 04 95 57 40 25 - www.hotelorsini.com - fermé de déb. oct. à fin mars - 10 ch. 40/57 € - ☕ 6 €.* Ce petit hôtel-restaurant du centre de la station ne paye pas de mine, mais se distingue par la chaleur de son accueil et par la qualité du service, notamment assuré par la patronne. Rien n'est laissé au hasard… À table, goûteuse cuisine corse.

Camping Bon'Anno – *20144 Favone - ✆ 04 95 73 21 35 - ouv. juin-sept. - réserv. conseillée - 150 empl. 20,40 € - restauration.* À 500 m de la belle plage de Canella, camping étendu sur 3 ha ombragés de pins et de chênes-lièges. Ranch proposant des balades équestres.

Solenzara – *04 95 57 42 18 - info@lasolenzara.com - fermé 4 nov.-5 avr. -* P *- 28 ch. 88/93 € - 7 €.* Cette imposante bâtisse du 18e s. de style génois avec son jardin, sa piscine et sa terrasse face à la mer vous feront vite oublier la proximité de la nationale. Préférez les chambres avec vue sur la grande bleue, elles sont plus agréables, même si celles côté route sont climatisées.

U Dragulinu – *20144 Favone - 04 95 73 20 30 - hoteludragulinu@wanadoo.fr - fermé nov.-mars -* P *- 32 ch. 120/185 € - rest. 31/42 €.* Cet hôtel familial ancré face à la plage est le lieu idéal pour un séjour balnéaire. Les chambres, proprettes et bien entretenues, disposent parfois de la climatisation. Le restaurant, seulement ouvert en été et à midi, propose une petite carte de salades et de grillades. Plaisante terrasse.

Se restaurer

Ferme-auberge A Pinzutella – *Rte de Bavella - 5 km de Solenzara dir. rte du Col de Bavella - 04 95 57 41 18 - fermé de déb. oct. à fin avr. et lun. - - 15/27 €.* Goûtez à l'atmosphère rustique et chaleureuse des fermes corses dans cette auberge située entre mer et montagne. Outre la vue panoramique sur les aiguilles de Bavella, le lieu offre tranquillité et appétissantes spécialités locales : cabris et porcelets rôtis, polenta de châtaigne, vin du domaine de Solenzara.

A Mandria – *Rte de Ghisonaccia, pont-de-Solenzara - 04 95 57 41 95 - Sirius1@wanadoo.fr - fermé janv., dim. soir et lun. hors sais. - - 20 €.* Cette ex-bergerie a troqué avec succès ses moutons contre une carte de savoureuses recettes corses, soigneusement mitonnées et escortées d'un bon choix de grillades cuites au feu de bois. Autres atouts : les prix sages, avec un premier menu qui s'avère être une véritable bonne affaire, et la terrasse sous treille.

Que rapporter

Domaine de Solenzara – *04 95 57 49 76 - juin-sept. : tlj 9h-12h, 16h30-19h ; oct.-mai : mar. et sam. 9h-12h.* Unique à Solenzara, ce vignoble d'une superficie de 16 ha est classé AOC porto-vecchio. À partir de cépages traditionnels (nielluccio, sciacarello, vermentino), il produit des vins blanc, rosé et rouge que Madame Lucchini se fera un plaisir de vous faire découvrir lors d'une dégustation.

Amaury de Valroger / MICHELIN

Vallée de la Solenzara.

Sports & Loisirs

Subaquatique club – *Port de plaisance - 20145 Sari-Solenzara - 04 95 57 44 19 - www.sccn-solenzara.org - tlj en été ; w.-end en hiver.* Ce club associatif organise des baptêmes pour les novices et des explorations pour les plongeurs plus aguerris que vous ferez dans les merveilleux fonds sous-marins de cette côte orientale de la Corse.

Corsica plaisance – *Rte du Port - 04 95 57 47 11 - location@corsica-plaisance.com.* Location de bateaux.

Accro-branche – *À la sortie N de Solenzara, bord de la rivière - 20243 Prunelli-di-Fiumorbo - 06 11 19 59 68 - tlj en sais. ; en hiver : se renseigner.* Sensations fortes et amusement garantis tout l'été dans ce parc d'aventures proposant des parcours ludiques dans les arbres. Les amateurs de sports aériens peuvent aussi s'adonner aux joies du parapente, avec l'aide d'un accompagnateur diplômé.

Port de plaisance – *Capitainerie, hameau Solenzara - 04 95 57 46 42 - capitainerie@mairie-sari-solenzara.fr - été : 7h-21h ; hiver : tlj sf w.-end 8h-12h, 14h-17h.* 450 emplacements.

Gorges de Spelunca★★

CARTE GÉNÉRALE A4 – CARTE MICHELIN LOCAL 345 B6 – CORSE-DU-SUD (2A)

L'union fait la force et il n'a pas fallu moins de trois rivières, l'Aïtone, la Tavulella et l'Onca, pour creuser, tailler et sculpter ces superbes gorges. Passé le célèbre défilé, la rivière forme le Porto et rejoint le golfe éponyme. L'itinéraire décrit permet de découvrir le massif montagneux qui en rehausse la beauté maritime. Perspectives vertigineuses et couleurs denses dont les roses, marquent la visite des gorges.

- **Se repérer** – Les gorges se déploient entre Ota et Évisa, au-dessus du golfe de Porto.
- **À ne pas manquer** – Les ponts génois.
- **Pour poursuivre la visite** – Voir aussi Porto et le golfe de Porto, Évisa et la forêt d'Aïtone.

Le saviez-vous ?

Spelunca, qui signifie « antre », fait référence à la profondeur des gorges. Créés pour les traverser, les pont aménagés par les Génois ont permis aux hommes de s'approprier les lieux.

Circuit de découverte

LES PONTS GÉNOIS

27 km de Porto à Évisa – 3h. Quitter Porto par la D 124, direction Ota.

Ota

Chef-lieu dont dépend Porto, ce paisible village, adossé aux murailles rouges du Capo d'Ota, domine la rivière de Porto. Loin de l'agitation estivale du golfe, Ota constitue un lieu de séjour et point de départ de randonnées qui a conservé son authenticité.

Pont génois de Pianella★

Environ 3 km après Ota, en contrebas de la route.

Pour accéder à cet ouvrage d'art constitué d'une arche superbe, vous descendrez par un chemin, bref mais assez escarpé. Traversez le pont et marchez quelques instants sur la rive opposée, vers l'amont, pour apprécier le pont dans son cadre magnifique.

Reprendre la route jusqu'aux deux ponts d'Ota, qui franchissent les ruisseaux d'Aïtone et de l'Onca. Laisser la voiture à un emplacement aménagé sur la gauche de la route, peu avant le premier pont.

Pont génois de Zaglia★

1h30 AR. Emprunter, après le deuxième pont, le sentier qui remonte le cours du torrent d'Aïtone sur la rive gauche.

Ce mauvais sentier muletier donne une idée précise de ce que pouvaient être les déplacements dans la Corse génoise. Le chemin, bien balisé (itinéraire Mare e Monti), pénètre profondément dans les gorges. Vues nombreuses sur les hauteurs roses qui dominent Porto. L'aspect très sauvage des gorges, les odeurs de maquis, la transparence des eaux couleur émeraude donnent beaucoup de charme à ce parcours.

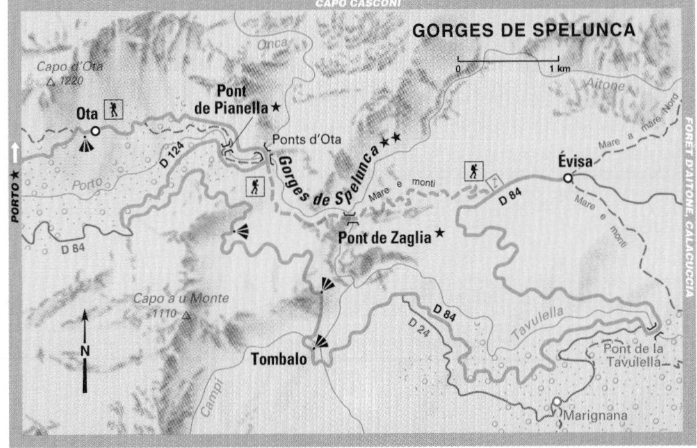

Stéphane Sauvignier / MICHELIN

Pont génois d'Ota.

Le chemin muletier continue en lacet au-delà du pont de Zaglia, vers le cimetière d'Évisa. En s'élevant, des vues magnifiques embrassent le golfe de Porto et le village d'Ota. L'ascension est pénible.

Poursuivre la D 124 qui rejoint la D 84 et prendre celle-ci à gauche.

Tombalo

La **vue**★★ s'étend sur le site montagneux où le Capo Casconi culmine à 1 091 m et plonge vers les gorges de Spelunca.

La route évolue à travers les châtaigniers, avec de vertigineux à-pics dominés par des surplombs rocheux rose orangé. On aperçoit les gorges de la rivière Tavulella avec des villages perchés et des cultures en terrasses.

Évisa *(voir forêt d'Aïtone)*

Vallée de la Tartagine★

CARTE GÉNÉRALE B3 – CARTE MICHELIN LOCAL 345 D4 – HAUTE-CORSE (2B)

Isolée et très sauvage, la vallée de la Tartagine est parallèle à celle d'Asco. Elle occupe un vaste cirque jalonné de crêtes élevées : mont Padro (alt. 2 393 m), mont Corona (alt. 2 143 m) au-dessus des sources de la Tartagine, et Capo a Dente (alt. 2 032 m). Les forêts de Tartagine et de Melaja offrent de vastes possibilités de randonnées. Des sentiers, balisés en orange par le Parc régional, permettent de partir à la découverte de villages parfois désertés, mais pleins de charme.

Se repérer – La Tartagine se jette dans le bas Golo au Nord de Ponte-Leccia. La D 963, qui se détache de la N 197 à 6,5 km en amont de Belgodère, est la seule voie qui pénètre dans la vallée.

À ne pas manquer – Si vous aimez la randonnée, vous avez un large choix dans la forêt de pins laricio de Tartagine-Melaja.

Organiser son temps – Attention, la route qui conduit aux gorges de la Tartagine est vraiment en mauvais état et requiert une conduite tranquille.

Avec les enfants – La randonnée, c'est bien mais avec un âne, c'est beaucoup mieux.

Pour poursuivre la visite – Voir aussi la Balagne, la vallée d'Asco.

Le saviez-vous ?

L'acteur **Robin Renucci** vit entre Paris et son village natal de Pioggiola dans la région de Giussani. Depuis 1998, il organise chaque été les **Rencontres théâtrales internationales de Haute-Corse**. Ces ateliers, destinés à encourager les vocations, se déroulent à Olmi-Cappella et dans les villages alentours. www.aria-corse.com.

Se promener

LE GIUSSANI

Cette région montagneuse située entre la haute Balagne et la vallée de l'Asco comprend une multitude de hameaux et les bourgades de Olmi-Cappella, Poggiola et Mausoleo.

Olmi-Cappella

Bâti sur une colline, au-dessus de la haute vallée, dans les chênes verts et les châtaigniers, ce bourg vit de l'élevage des ovins, des bovins et des chevaux, de sa production de miel et de l'exploitation forestière.

Gorges de la Tartagine★

Tracée dans les pins à mi-pente, la route grimpe au-dessus de gorges formées par la Tartagine et son affluent la Melaja. Aux grands escarpements s'accrochent des genévriers et de petits pins rabougris. Au fond des gorges surgit la tache verte de la

Olmi-Capella accueille les Rencontres théâtrales de Haute-Corse.

forêt de Melaja constituée de chênes verts, de châtaigniers et de pins. Avec l'altitude, les chênes verts cèdent la place aux pins laricio. La route franchit la Melaja dans un grand lacet avant de s'enfoncer dans la forêt domaniale de Tartagine-Melaja qui s'étend sur 2 643 ha, peuplée de magnifiques pins laricio, de pins maritimes et de quelques chênes verts. Elle suit le cours de la Tartagine jusqu'à la maison forestière (alt. 717 m).

Randonnées

Col de l'Ondella

6h AR au départ de la maison forestière.

Emportez de l'eau, du ravitaillement, soyez bien chaussé et ne partez pas seul en montagne.

Alt. 1 845 m. Le sentier *(balisé de marques jaunes)* remonte le torrent de la Tartagine sur la rive droite. Au fond du cirque, prendre à gauche dans un vallon *(chemin balisé en vert).*

Col de Tartagine

6h AR au départ de la maison forestière.

Alt. 1 852 m. Le chemin *(balisé de marques jaunes)* remonte le torrent de Tartagine sur la rive droite *(pêche interdite).*

Vallée de la Tartagine pratique

Se loger

Hôtel A Tramula – *20259 Pioggiola - 1,9 km à l'O d'Olmi-Cappella en dir. de la forêt de Tartagine - 04 95 61 93 54 - réserv. obligatoire - 8 ch. 50/70 € -* *5 €.* Une habile restauration a doté cette superbe maison en pierre de pays du confort le plus moderne. Ses chambres sont conçues sur le même modèle : murs saumon, sol en terre cuite et mobilier neuf. Son parc qui grimpe jusqu'à la montagne invite à la promenade.

Se restaurer

La Tornadia – *20259 Pioggiola - 2 km à l'O d'Olmi-Cappella en dir. de la forêt de Tartagine - 04 95 61 90 93 - fermé de mi-nov. à mi-mars - 20/32 €.* La cuisine régionale est ici roborative et authentique. Le décor rustique s'agrémente de cuivres, d'objets agrestes et de toiles peintes par la maîtresse de maison. Agréable terrasse sous les châtaigniers. Accueil charmant.

Sports & Loisirs

Balagn'âne – *La Campanella - 20259 Olmi-Cappella - 04 95 61 80 88 - www.rando-ane-corse.com - sur RV.* Partir en randonnée avec un âne de bât n'est pas simplement une expérience originale, c'est aussi le moyen de renouer avec une tradition ancestrale et pour les jeunes enfants, de découvrir des paysages sauvages sur le dos d'un animal de légende.

Vallée du Tavignano★

Tavignanu

CARTE GÉNÉRALE B4 – CARTE MICHELIN LOCAL 345 D/G 6/7 – HAUTE-CORSE (2B)

De Corte à Aléria, le Tavignano serpente au milieu du maquis, des châtaigniers et des chênes-lièges. Il creuse des gorges dans les schistes lustrés avant de s'étaler dans la plaine orientale. Ses nombreux affluents descendus de la Castagniccia ont morcelé le relief de cette région de moyenne montagne. Sur les versants Nord de la vallée, d'étroites routes sinueuses se développent en corniche, desservant de vieux villages disposés en balcons à flanc de montagne à 600 m ou 700 m au-dessus du fleuve.

Se repérer – Le Tavignano prend naissance au lac de Nino à 1 743 m d'altitude dans les massifs cristallins du centre de l'île ; jusqu'à Corte, c'est un torrent de montagne. La N 200 suit la vallée du Tavignano, de Corte jusqu'à l'embouchure du fleuve à Aléria.

À ne pas manquer – Pour gagner Altiani, il est bien plus agréable d'emprunter, au pont génois, le chemin buissonnier constitué par les D 314 et D 14.

Pour poursuivre la visite – Voir aussi Corte, Aléria et le golfe d'Ajaccio.

Tavignano pratique

Se restaurer

Ferme-auberge U San Mateu – *20251 Pancheraccia - 04 95 48 84 50 - - réserv. obligatoire - 23 €.* Dans un cadre mêlant décoration traditionnelle et touches contemporaines, vous pourrez déguster fromages et charcuteries en provenance directe de la ferme, déclinés en recettes succulentes et copieuses. Belle vue panoramique sur la plaine, la mer et les montagnes.

Jean-Louis Gallo / MICHELIN

Pont génois d'Altiniani.

Circuit de découverte

DE CORTE À ALÉRIA PAR LA CORNICHE★

60 km – environ 1h30 – schéma p. 191.

Quitter Corte par la route d'Ajaccio (N 193) et, au rond-point, suivre la direction Aléria (N 200).

La route longe la rive droite du fleuve ; à 17 km de Corte, elle l'enjambe sur un beau **pont génois★** à arche triple, construit à la fin du 17e s. et élargi par les ingénieurs français au 19e s. Le tablier du pont a dû être aplani lors d'une restauration. Le surhaussement de la chaussée atténue le classique dos-d'âne des ponts génois.

À la tête du pont se trouve une **chapelle**. Ce modeste édifice du 10e s., dédié à saint Jean-Baptiste, est appareillé avec des rangées de pierres monumentales alternées avec des lits de pierres plates, selon la technique mise en honneur par l'art roman pisan. Abandonnée, après avoir servi un temps de bergerie, la chapelle est aujourd'hui restaurée.

Juste après la chapelle St-Jean-Baptiste, prendre à gauche la D 314 qui monte en lacet vers Altiani.

Altiani

Ses maisons, disposées en amphithéâtre, s'accrochent sur un éperon au milieu de gros blocs de rochers, dans un sauvage paysage de montagne. On y exploitait autrefois le liège. D'Altiani, on jouit d'une bonne perspective sur la plaine d'Aléria, la chaîne centrale de l'île et le mont d'Oro.

Au-delà d'Altiani vers l'Est, la route tracée en corniche *(D 14)* domine le Tavignano d'environ 600 m.

Piedicorte-di-Gaggio

Ce village s'élève sur un promontoire dominant la vallée du Tavignano d'où l'on découvre un vaste **panorama★** sur la plaine d'Aléria et la mer Tyrrhénienne, tandis qu'à l'Ouest se détachent le mont d'Oro et le mont Rotondo. L'église paroissiale présente une façade du 18e s. et un clocher massif à la base duquel est encastrée une archivolte romane du 12e s., décorée de quatre monstres ailés et surmontant un linteau orné d'entrelacs.

Notre-Dame de Pancheraccia

On connaît l'attachement des Corses à la Vierge à laquelle ils ont dédié de nombreux chants. Pancheraccia est le seul lieu d'apparition reconnu par l'Église en Corse.

Elle remonte au 18e s. Une petite fille du village partie chercher du bois se perd et erre de longues heures. Accablée par l'inquiétude et la soif, elle se met à pleurer. C'est alors que la Vierge lui apparaît et fait jaillir une source. Elle demande que le village construise une chapelle à cet emplacement. Elle annonce aussi la mort prochaine de l'enfant, désormais marqué d'une croix indélébile sur la main.

Le village a construit la chapelle et est resté très fidèle à ce culte pour la Vierge. La source attire des pèlerins toute l'année mais le moment fort de l'année est le traditionnel pèlerinage du 8 septembre.

Pietraserena

Son église Saint-Roch est disposée sur une terrasse surplombant de façon spectaculaire la vallée.

À l'entrée du village de **Pancheraccia**, vue sur la plaine orientale dont on peut apprécier l'étendue des terres mises en valeur.

La route sinueuse s'abaisse ensuite vers la plaine où l'on retrouve la N 200.

Golfe de Valinco★

Golfu di Valincu

CARTE GÉNÉRALE A6 – CARTE MICHELIN LOCAL 345 B/C 9/10
CORSE-DU-SUD (2A)

Des rochers abrupts, des collines couvertes d'oliviers et de charmantes plages de sable fin bordent les rivages de ce véritable lac maritime qui enserre Propriano. Trois fleuves côtiers se jettent dans le golfe. Les deux principaux : le Tavaro au Nord et le Rizzanèse au Sud ont, au cours des millénaires, édifié de larges plaines alluviales. Tout au fond du golfe, le Baracci, plus modeste, est à l'origine de la vaste plage qui s'étire à l'entrée de Propriano.

Se repérer – Le plus méridional des grands golfes de la côte Ouest est délimité au Nord par le Capo di Muro qui le sépare du golfe d'Ajaccio et au Sud par la pointe de Campomoro. Il se resserre au niveau de la pointe de Porto-Pollo qui fait face à celle de Campomoro. Ces deux presqu'îles forment ainsi à l'intérieur du golfe un autre golfe très fermé dont l'ouverture atteint à peine 7 km.

À ne pas manquer – Après les rivages du golfe, une incursion dans les vallées du Rizzanèse et du Baracci s'impose.

Le saviez-vous ?

Campomoro est le village natal de l'écrivain **Lorenzi di Bradi** (1869-1945). Sur la façade de sa maison (à droite de l'église du village), une inscription rappelle la mémoire de cet auteur corse qui chanta le maquis et consacra de belles descriptions à sa région natale, notamment dans les *Veillées corses* et dans *La Corse inconnue*.

Organiser son temps – Reportez-vous à la durée indiquée pour chacun des circuits de découverte. Il est possible d'effectuer des randonnées d'une journée sur le site protégé de Campomoro-Senetosa.

Avec les enfants – Halte au calme sur la belle plage de Portigliolo ; promenade avec un âne grâce à Asinu di Campitello ou parcours dans les arbres de Baracci *(voir l'encadré pratique)*.

Pour poursuivre la visite – Voir aussi Propriano.

Circuits de découverte

CÔTE NORD DU GOLFE★ 1

61 km de Propriano à Porto-Pollo – environ 3h30.
Quitter Propriano par la N 196 en direction d'Ajaccio. À 2 km, prendre à droite la route qui remonte la vallée du Baracci (D 557).

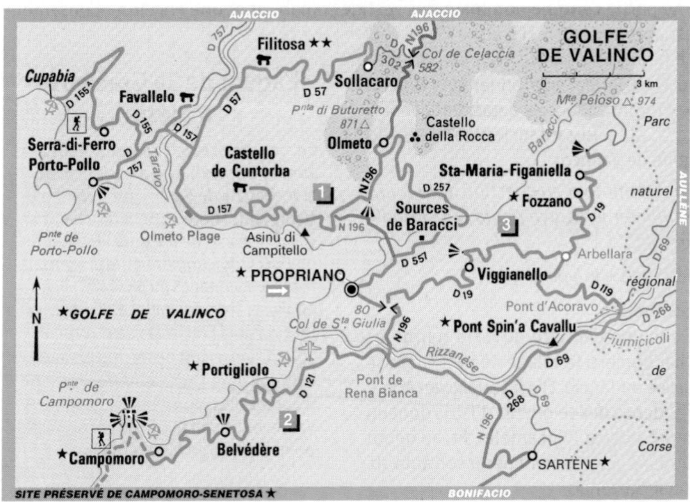

Un Corse à la tête de la kasbah d'Alger

Au cours des siècles, jusqu'en 1830, de nombreux jeunes Corses, enlevés par les Barbaresques lors de razzias sur les côtes de l'île, étaient vendus comme esclaves à Alger. En 1518, l'un d'eux, **Pietro Paolo**, fut élevé dans le milieu militaire d'Alger. Au fil des ans, il intégra le corps d'élite des janissaires et assura le commandement de l'armée du dey d'Alger. En 1556, l'ensemble des janissaires, reconnaissant sa bravoure, l'élirent dey d'Alger, sous le nom Hassan Corso. Non reconnu par le sultan, puissance tutélaire, il mourut supplicié.
La région au Sud de Sartène, également victime de rapts de villageois par les Barbaresques, vit un jeune Sartenais, Orsini, faire souche en Tunisie. Son fils serait devenu un temps bey de Tunis en 1705.

Sources thermales de Baracci

Sur la rive gauche, à 1 km de l'embranchement, jaillissent à 52 °C des sources sulfureuses et salines, déjà connues dans l'Antiquité *(voir le carnet pratique)*.

Poursuivre la route qui franchit la rivière et prendre à gauche celle d'Olmeto (D 257).

Olmeto

Ce gros bourg, traversé par la N 196, groupe en étages ses belles maisons de granit sur la forte pente du versant méridional de la Punta di Buturettu (alt. 870 m). On y voit encore, face à la mairie, la maison où mourut à l'âge de 96 ans, Colomba Bartoli *(voir ci-après, circuit 3 à Fozzano)*.

Sur la colline isolée qui fait face au village à l'Est, se dressent les ruines du **Castello della Rocca** d'où partit la première grande révolte contre Gênes conduite par **Arrigo della Rocca**, l'arrière-petit-fils de Giudice de la Cinarca *(voir La Cinarca)*. Fuyant le succès du parti populaire de Sambucuccio d'Alando *(voir Bozio)*, Arrigo s'était exilé en Espagne en 1362, mais il revint en 1376 et réussit à reprendre l'île, ne laissant aux Génois que Calvi et Bonifacio. Proclamé comte de Corse à Biguglia, il gouverna pendant douze ans en vassal du roi d'Aragon.

La descente vers Propriano par la N 196 révèle de beaux **coups d'œil★** sur le golfe de Valinco et sur la plaine de Baracci couverte d'oliviers. Au premier embranchement, après un lacet à gauche, prendre à droite la D 157, sinueuse, tracée en corniche au-dessus du golfe. La route descend vers l'embouchure du Taravo.

À 4,5 km de l'embranchement de la D 157, prendre la petite route (D 157^{A}) qui monte sur la droite. La suivre sur 1,3 km ; arrivé sur un replat, tourner à gauche à angle droit et suivre le chemin de terre sur 200 m jusqu'à une petite aire.

Castello de Cuntorba★

Ouvrir la barrière à l'entrée d'un champ sur la droite et la refermer soigneusement : le castello se voit à 50 m. Propriété privée, visite admise sous condition du respect des lieux.

Érigé sur une butte, dans un cadre de chênes verts et d'oliviers, le castello de Cuntorba offre un exemple très lisible des monuments circulaires torréens *(voir chapitre « Art et architecture »)* élevés à l'âge du bronze dans le Sud de la Corse. On distingue une partie centrale dominant des vestiges d'habitat et une enceinte. L'ensemble est antérieur de 1 200 ans à notre ère.

Le granit brut du *castello*, la terre ocre rosé alentour, l'environnement végétal verdoyant et fleuri se détachent dans un contraste saisissant sur le bleu intense du golfe de Valinco.

Faire demi-tour en direction de la D 157. Remonter le Taravo par la D 57 jusqu'à Filitosa.

Filitosa★★ *(voir ce nom)*

Sollacaro

Dans une clairière ouverte parmi les châtaigniers, le village domine la basse vallée du Taravo. Elle fut au Moyen Âge la résidence des seigneurs d'Istria dont un représentant, Vincentello, fit, au début du 15e s., lourdement peser son autorité sur le Sartenais.

L'agent de Sa Gracieuse Majesté

En octobre 1765, l'écrivain écossais **James Boswell** arrivait à Sollacaro à la recherche de Paoli. Il fut durant plusieurs jours l'hôte du général, revêtit un costume corse, devint pour les patriotes *ambasciadore Inglese* et représenta à Paoli les avantages qu'offrirait l'alliance anglaise. Trois ans plus tard, il publiait un essai sur l'*État de la Corse, Journal de voyage dans l'île* et des *Mémoires de Pascal Paoli* dont l'écho en Angleterre fut d'autant plus grand que la Corse pouvait, avec Gibraltar, constituer un solide point d'appui en Méditerranée.

Reprendre la route en sens inverse. La D 157 traverse le Taravo pour rejoindre la D 757 que l'on suit sur la droite pendant 1 km avant de prendre la D 155 à droite pour gagner Serra-di-Ferro.

Serra-di-Ferro

Accueillant petit village perché au-dessus de la baie de Cupabia et du golfe de Valinco, où on peut acquérir de beaux couteaux de fabrication artisanale. Le sentier de randonnée **Mare e Monti Sud** *(signalé par des panneaux de bois et un balisage orange)* permet deux promenades agréables et faciles à travers le maquis bas :

– l'une, vers Porto-Pollo *(2h AR)*, révèle la tour de Capannella avant de ménager des **vues★** étendues sur le golfe, le marécage de Tanchiccia et la plaine cultivée du Taravo ;

– l'autre conduit à la grande plage de sable fin de Cupabia *(1h15 AR)*, site enchanteur jusqu'ici heureusement préservé, également accessible en voiture en poursuivant au-delà de Serra-di-Ferro par la D 155, puis la D 155^{A}.

La baie est parsemée de récifs et la plage, où s'est établie une taverne, se double à l'Ouest d'une importante crique.

Reprendre la D 757.

Porto-Pollo

Cette petite station balnéaire s'étire au pied de coteaux couverts d'oliviers et de figuiers, dans une baie ouverte sur le golfe de Valinco et abritée des vents d'Ouest par la pointe de Porto-Pollo.
De sa plage de sable, la vue s'étend sur Propriano et la côte Sud du golfe que ferme la pointe de Campomoro.

Amaury de Valroger / MICHELIN

Site de Campomoro.

CÔTE SUD DU GOLFE★ 2

17 km de Propriano à Campomoro – environ 1h30.
Quitter Propriano par la N 196 vers Sartène jusqu'au pont de Rena-Bianca sur le Rizzanèse que l'on franchit pour prendre tout de suite à droite la D 12 (en direction de l'aéroport).

Portigliolo★

Cette longue plage (4 km) de sable fin qui s'étend à l'embouchure du Rizzanèse est certainement la plus belle des alentours de Propriano. Les lieux sont restés sauvages : absence de construction et route cachée par la végétation.

Belvédère (Belvide)

Ce village bien nommé offre une belle **vue★** sur le golfe et son arrière-pays montagneux. En contrebas, la côte rocheuse avec ses eaux claires est propice à la plongée sous-marine.
Entre Belvédère et Campomoro, des emplacements aménagés permettent d'admirer de superbes points de vue sur la mer et les rochers roses aux formes étranges.

Campomoro★

Un petit bois d'eucalyptus précède ce village attachant, situé au fond d'une anse bien abritée par la pointe de Campomoro. Une belle plage de sable, quelques barques de pêche et des voiles multicolores au large complètent ce décor paisible, miraculeusement préservé.

À l'extrémité du village, au-delà de la plage, gagner le sommet de la pointe de Campomoro (*30mn à pied AR)* où se dresse la massive **tour génoise**. L'enceinte, munie de bouches à feu, est couronnée d'un chemin de ronde. En saison ont lieu des expositions organisées par le Conservatoire du littoral. Un escalier extérieur monte à la porte principale ; on découvre ensuite la salle de séjour avec ses réserves. De la plate-forme supérieure, un beau **panorama★** se déploie sur le golfe de Valinco.

La superbe **plage★** de sable fin en contrebas est un lieu propice d'observation sous-marine de la faune.

Site préservé de Campomoro-Senetosa★

La côte sauvage s'étendant de la Punta di Campomoro jusqu'au phare de la Punta di Senetosa alterne, sur près de 20 km, criques et promontoires rocheux à l'écart des axes de communication. Elle constitue un des sites préservés les plus vastes de l'île avec celui des Agriates. Les plaisanciers y trouvent des anses bien abritées, parfois très étroites comme celle d'Agulia, qui possèdent généralement à leur extrémité une minuscule plage de sable.

Il est possible d'effectuer des randonnées d'une journée le long du littoral : de la pointe de Campomoro à l'anse d'Aguglia, ou bien du phare de Senetosa jusqu'à la pointe d'Eccica. Munissez-vous d'une provision suffisante d'eau.

VALLÉES DU RIZZANÈSE ET DU BARACCI 3

43 km au départ de Propriano – environ 1h30.

Quitter Propriano par la route de Sartène (N 196). Après le pont sur le Rizzanèse, prendre à gauche la D 268 route d'Aullène, en direction de Levie. À 4,5 km à gauche se dresse un des plus célèbres pont génois. Stationner sur l'emplacement à droite face au pont.

Spin'a Cavallu★ *(voir L'Alta Rocca)*

Franchir le Fiumicicoli, puis le Rizzanèse sur le pont d'Acoravo et prendre sur la gauche la D 119.

La route s'élève dans les chênes-lièges au-dessus du Rizzanèse, offrant un joli coup d'œil sur le village perché d'Arbellara.

Fozzano★ (Fuzzà)

Fozzano occupe un éperon de la Rocca. En 1833, il fut le théâtre d'une vendetta qui opposa deux familles voisines, les Carabelli et les Durazzo. Le village et ces événements passèrent à la postérité grâce au succès du roman de Mérimée (1803-1870). Au cours de son voyage en Corse, en 1839, ce dernier, alors inspecteur des Monuments historiques, rencontra à Fozzano **Colomba Bartoli**, née Carabelli. Elle était âgée de 64 ans, veuve et auréolée du prestige que lui conféraient les événements dont elle avait été l'âme : deux Durazzo avaient été tués ainsi que son propre fils. De cette rencontre naquit une nouvelle, *Colomba* (1840), dans laquelle Mérimée unissait l'intransigeance de Colomba et la beauté de sa fille Catherine. L'écrivain prend prétexte de la narration d'une vendetta pour offrir une vision romantique de la Corse au 19e s. Ce roman a contribué à ancrer dans les mentalités une image réductrice des coutumes corses et de la vie dans l'île.

Colomba ou la Corse romantique

« J'ai passé plusieurs jours dans la ville classique de la schiopetta, Sartène. [...] J'ai vu encore une héroïne, Madame Colomba, qui excelle dans la fabrication des cartouches et qui s'entend fort bien pour les envoyer aux personnes qui ont eu le malheur de lui déplaire. J'ai fait la conquête de cette illustre dame, qui n'a que soixante-cinq ans et en nous quittant nous nous sommes embrassés à la corse. Pareille fortune m'est arrivée avec sa fille, héroïne aussi, mais de vingt ans, belle comme les amours, avec des cheveux qui tombent à terre et trente-deux perles dans la bouche... »
Notes d'un voyage en Corse (1840), Prosper Mérimée.

La **maison de Colomba** se trouve dans une ruelle en contrebas de la route.

Les **maisons fortes** des familles rivales de Fozzano, appelées « tours sarrasines », subsistent ; l'une se trouve en contrebas, ruelle en escalier, l'autre borde la route (à gauche, en venant d'Arbellara).

Santa-Maria-Figaniella

C'est le principal village de la **Rocca**, province dont les seigneurs furent puissants au Moyen Âge.

De style roman pisan du 12e s., l'**église Santa-Maria** présente un appareil très soigné en moellons de granit. Remarquez le bandeau d'arcatures qui ceinture l'église à la base du toit et les dents d'engrenage sur lesquelles repose sa corniche. Le chevet a conservé sa couverture d'origine.

Au Nord de Santa-Maria, la route offre de belles **vues★** sur la vallée du Baracci et le golfe de Valinco.

Faire demi-tour pour regagner Arbellara et prendre à droite la D 19.

Viggianello

Depuis ce village, on découvre une belle **vue★** d'ensemble sur le golfe de Valinco.

Retour sur Propriano par la D 19.

Golfe de Valinco pratique

Se loger

Campomoro – *Au bourg - 20210 Campomoro - ☎ 04 95 74 20 89 - fermé de fin sept. à mi-mai - P - réserv. obligatoire - 10 ch. 50 € - rest. 11,50/26 €.* Un véritable havre de paix, idéal pour poser la voiture quelques jours. L'hôtel, récemment rénové, côtoie la plage de sable fin. Chambres toutes simples offrant une belle vue sur le golfe de Valinco, au 1er étage. Cuisine de la mer.

Camping La Vallée – *Campomoro - 20110 Belvédère - ☎ 04 95 74 21 20 - camping-la-vallée@netcourrier.com - ouv. juin-sept. - réserv. conseillée - 199 empl. 25 €.* Un camping bien situé pour profiter des plages de sable fin et des superbes paysages de la côte Sud du golfe. Chalets locatifs en terrasses bénéficiant d'une belle vue sur la mer.

Camping Lecci e Murta – *20138 Portigliolo - ☎ 04 95 76 02 67 - ouv. avr.-15 oct. - réserv. conseillée - 150 empl. 33 € - restauration.* Tente ou bungalow ? Vous serez toujours sous les myrtes sauvages, les chênes verts et les eucalyptus géants, à 300 m de la plage. Le bar-restaurant et sa grande terrasse couverte est agréable et bien aménagée avec poutres apparentes et murs aux couleurs locales.

Les Eucalyptus – *20140 Porto-Pollo - ☎ 04 95 74 01 52 - Portopollo@hotmail.com - fermé 14 oct.-3 avr. - P - 27 ch. 76/83 € - 7,20 €.* Mer, jardin arboré et maquis aux alentours : l'environnement de cet hôtel qui domine Porto-Pollo laisse rêveur... Pour mieux en profiter, n'hésitez pas à réserver une chambre dotée d'un balcon.

Se restaurer

U Farniente – *Lieu-dit Arcobiato - 20113 Olmeto-Plage - ☎ 04 95 74 07 48 - réserv. conseillée - 15/35 €.* Un endroit paradisiaque ! La terrasse carrelée et ombragée de mûriers d'Espagne réserve une vue divine sur Propriano et le golfe de Valinco. L'équipe maîtresse des lieux, jeune et dynamique, vous propose une cuisine orientée « poisson » en provenance directe de la pêche locale et que vous choisirez avant cuisson.

Sports & Loisirs

Asinudi Figuccia – *Rte de Maggiese - 20113 Olmeto-Plage - ☎ 06 03 28 92 00/81 85 - mars-sept. : 9h-13h, 17h-20h sur RV.* Insolite et agréable, partez découvrir le terroir corse par les sentiers du maquis, avec ses vues imprenables sur le golfe du Valinco. Cette randonnée (avec nuit dans un gîte) se fera avec un âne qui portera vos bagages et votre enfant. Balades à l'heure, 1/2 journée et journée ou circuit sur plusieurs jours.

Parcours d'arbre en arbre du Baracci – *- Lieu-dit Monaca - 20110 Viggianello - ☎ 06 20 95 45 34 - skaladkamel@hotmail.fr - 9h-19h - fermé 16 sept.-14 juin - 15 € (enf. 13 €).* Expérimentez les plaisirs de la voltige de branche en branche avec ce parcours situé à la sortie de Viggianello. Encadrement de qualité, pour petits et grands.

Établissement des sources de Baracci – *20113 Olmeto-Plage - ☎ 04 95 76 30 40 - basse sais. : 9h-12h, 15h-19h ; haute sais. : 9h-12h, 15h-20h - fermé 25 déc. et 1er janv.* Piscine à 40 °C, jacuzzi, douches pression, baignoires. Piscine 5 €. Baignoire avec jacuzzi, 7,50 €. Tennis et aire de jeux.

Valle-d'Alesani

Valli d'Aliggiani

124 HABITANTS
CARTE GÉNÉRALE C3 – CARTE MICHELIN LOCAL 345 F6 – SCHÉMA P. 233
HAUTE-CORSE (2B)

Cette commune aux hameaux disséminés au cœur de la Castagniccia abrite, dans un vallon accessible par une route difficile, le couvent d'Alesani. Ce dernier fut le théâtre d'un des événements les plus étonnants de l'histoire de la Corse.

Se repérer – On accède à Valle-d'Alesani par la D 71, route étroite et sinueuse. Pour rejoindre le couvent, prendre la route de Piazzali (6 km par la D 217), puis celle de Perelli (D 17) qui s'ouvre à droite, à la sortie du village.

À ne pas manquer – Dans l'église du couvent, une Vierge à la cerise inspire douceur et mélancolie.

Pour poursuivre la visite – Voir aussi la Castagniccia, Cervione.

Les bonnes « histoires » de Grosso-Minuto

Cette pittoresque figure de la Castagniccia est née en 1715 à Parelli-d'Alesani. Pauvre marchand ambulant, affligé d'une constitution chétive, Minuto se vengea des quolibets par ses reparties restées célèbres. Rallié à Paoli dont il fut le compagnon et le bouffon, il mourut à 86 ans.

L'âne amoureux – En plein midi, Minuto grimpait avec son âne la côte de Chiatra. L'animal, chargé et fatigué, se mit soudain à braire avec force.

– Ami, dit alors une femme à Minuto, votre âne est amoureux. Il semble qu'il prenne le mois de septembre pour le mois de mai.

– Tu te trompes, répliqua Minuto. C'est parce qu'il a flairé la présence d'une ânesse !..

(Pour plus de détails, lire : Grosso-Minuto, l'esprit et les reparties d'un Corse de légende. *Traduit par J.-B. Nicolaï. Éditions Baconnier.)*

Comprendre

Théodore Ier, roi de Corse – Né en 1694 à Cologne, **Théodore de Neuhoff**, baron westphalien, grandit à la cour de la princesse palatine dont il devint le page avant de proposer ses services à plusieurs cours européennes.

En Italie, à Livourne, il fit la connaissance d'exilés corses qui lui dépeignirent le pitoyable état de leur île. L'aventurier promit son aide si on le nommait roi.

Le 12 mars 1736, il débarqua sur la plage d'Aléria avec un chargement d'armes et de munitions acheté à Tunis. Le 15 avril, une Consulte se réunit au couvent d'Alesani : le baron y fut couronné roi de Corse sous le nom de Théodore Ier, tandis qu'une nouvelle Constitution était adoptée. Une diète assista le roi. Agostino Giafferi et Hyacinthe Paoli furent nommés ministres.

Au grand étonnement des chancelleries européennes, le royaume s'organisa. Le régime bâtit monnaie et proclama la liberté de conscience afin d'attirer les commerçants juifs du continent dans l'espoir de relancer l'activité économique de l'île. La monnaie frappée par le roi Théodore inspirait une confiance très relative aux Corses : ils lisaient les initiales qui la marquaient, TR (Teodorus Rex) « Tutto Ramo » (tout cuivre) !

La résistance génoise, la méfiance des généraux corses et le manque de ressources obligèrent Théodore Ier à rembarquer à Solenzara, le 11 novembre 1736. Il erra alors à travers l'Europe et ses tentatives pour reconquérir son royaume échouèrent. Finalement, il se fixa à Londres où il mena une vie misérable qui prit fin dans une arrière-boutique de fripier, à Soho, le 5 décembre 1756.

Visiter

Le couvent

Le couvent d'Alesani s'élève sur la droite peu avant le hameau. Sa fondation remonte aux premiers temps de l'ordre franciscain en Corse. Mais les bâtiments actuels, progressivement restaurés, sont d'époque beaucoup plus récente.

Décorée de peintures vives, l'**église conventuelle** conserve une copie d'un beau primitif de l'école de Sienne, la **Vierge à la cerise★**, attribué au peintre siennois Sano di Pietro et datant de 1450. La chaire repose sur une élégante colonne torsadée. Le clocher, écroulé en 1943, a été reconstruit en 1994. *Fermé pour travaux sf dim. 16h pdt la messe, la Fête du Couvent le 8 sept. et la semaine des Neuvaines l'apr.-midi.*

Col de Vergio
Bocca di Verghju

CARTE GÉNÉRALE B4 – CARTE MICHELIN LOCAL 345 C6 – SCHÉMA P. 105 – SUR LA LIGNE DE PARTAGE ENTRE LA HAUTE-CORSE ET LA CORSE-DU-SUD

À 1 477 m d'altitude, le col sépare les futaies d'Aïtone et de Valdu-Niellu, souvent fréquentées par les cochons en liberté. Au printemps et en été, la région réserve de belles excursions à l'ombre des immenses pins laricio et le long de la cascade du Radule ; en hiver, elle attire les skieurs.

Se repérer – Le col s'ouvre dans la grande ligne de crêtes (Punta Minuta, Paglia Orba, mont Tozzo, mont Rotondo) qui partage les eaux courantes entre le littoral Est et Ouest de la Corse. Il est franchi par la route (D 84), parfois coupée en hiver, qui relie Porto à Calacuccia. À l'Ouest du col s'épanouit la forêt d'Aïtone ; à l'Est (1,5 km) est établie la station de Vergio.

Organiser son temps – Pour faire étape dans les environs et profiter des randonnées, choisissez le village d'**Évisa** *(voir forêt d'Aïtone)* qui offre un bon choix d'hôtels et de restaurants.

Avec les enfants – Vous pourrez les régaler de fromage frais et de baignades dans les vasques naturelles du Golo, à condition bien sûr, qu'ils consentent à marcher jusqu'aux bergeries de Radule…

Pour poursuivre la visite – Voir aussi la forêt d'Aïtone, Vico, Calacuccia.

Le saviez-vous ?

Tout le monde vous le dira : le diable est passé dans la région. La preuve ? Il n'y a qu'à voir le Capo Tafonato (au Nord du col), rocher percé d'une immense ouverture : qui d'autre que lui aurait pu le créer ?

Se promener

Belvédère

Du col de Vergio, la vue porte au Nord sur la Punta Licciola et à l'Est sur la haute vallée du Golo. Poursuivre à 200 m environ en aval du col, sur la route de Calacuccia, à hauteur des premiers bouleaux : le **panorama★★** est plus large. On distingue alors nettement devant soi la percée naturelle du Capo Tafonato (alt. 2 343 m), ainsi que l'arête rocheuse de la Paglia Orba (alt. 2 525 m) en arrière de la Punta Licciola, la vallée du Golo en enfilade avec le lac de Calacuccia et, derrière soi, le mont Tozzo et la Punta Artica.

Station du Vergio

Alt. 1 404 m. À 1,5 km en contrebas du col et à la lisière de la forêt de Valdu-Niellu, ce petit centre de sports d'hiver, pourvu d'un hôtel, de six téléskis, de quelques chalets et baraquements de location de matériel de ski, accueille, de novembre à avril, jusqu'à 2 000 skieurs pendant les week-ends.

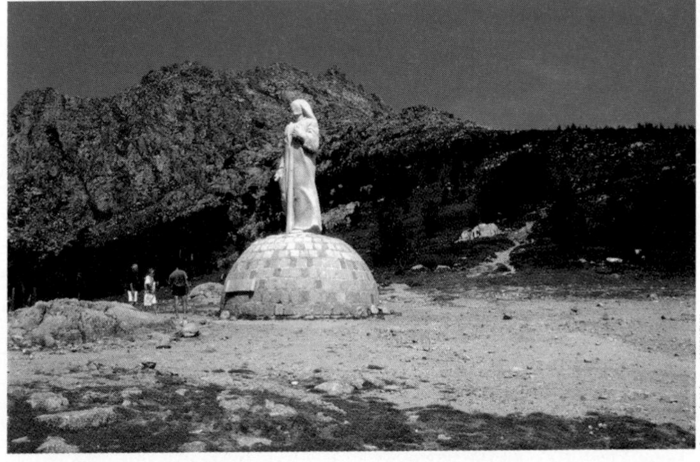

Amaury de Valroger / MICHELIN

Le col de Vergio.

Trouée du Tafonato (Capu Tafunatu)★

La légende rapporte que cette gigantesque ouverture (large de 53 m et haute de 12 m) à travers laquelle filtre la lumière, aurait été forée par la percussion du soc de la charrue du diable.

Pour faire pièce, comme laboureur, au zèle apostolique de saint Martin, berger dans le Niolo, Satan s'était forgé au col de Stazzona une charrue à toute épreuve avec laquelle il creusait dans la montagne des tranchées larges comme des vallées. Mais saint Martin se mit à ironiser sur la rectitude de ses sillons. Piqué, le Malin aiguillonna son attelage de bœufs géants… et brisa sa charrue sur un rocher. Aussi furieux qu'humilié, il projeta vers la mer le soc détérioré qui rencontra sur sa trajectoire l'échine du Tafonato, tandis que ses bœufs furent pétrifiés sur place par saint Martin. Mais les géologues, ces grands sceptiques, qui ont étudié les propriétés de la rhyolithe (porphyre granitique) et les formes d'érosion qui la caractérisent, émettent cependant quelques réserves sur une telle origine…

L'accès à cette brèche, réservé aux randonneurs aguerris et non sujets au vertige, s'effectue depuis le refuge de Ciottoli a i Mori, établi au pied du Capu Tafunatu sur le GR 20. De ces rochers de porphyre jaillit la source du Golo (Golu), le plus puissant fleuve corse.

Randonnée

Bergeries et cascade de Radule★

2h AR. Niveau assez facile ; être tout de même bien chaussé et emporter de l'eau. L'itinéraire emprunte le GR 20.

En juil.-août, possibilité d'acheter du fromage auprès du berger et de se baigner dans des vasques naturelles creusées par le Golo.

Point de départ : à un virage en s en dessous du col, avec stationnement, aire de pique-nique et panneau. Balisage bleu clair + 2 traits jaunes + GR *(environ 1h pour rejoindre les bergeries).*

Le sentier s'engage à travers les pins laricio et les bouleaux, descend légèrement pour passer quelques ruisselets, puis remonte, toujours en sous-bois, pour franchir une petite crête. De là, on aperçoit, en face, parmi les arbres, la cascade de Radule.

Amaury de Valroger / MICHELIN

Cascades de Radule.

Le **GR 20** contourne sur la gauche ce cirque encombré de dépôts morainiques pour atteindre *(15mn)* les **bergeries de Radule** (alt. 1 370 m) dans un **site★** remarquable.

Des bergeries, on descend à la **cascade de Radule** (alt. 1 350 m) située au débouché du défilé. Cet itinéraire emprunte en partie la piste de transhumance traditionnelle qui reliait le Niolo au Filosorma par les cols de Guagnerola et de Capronale. Ce sentier est encore utilisé par les muletiers ravitaillant les refuges situés sur le GR 20.

Au-delà de la rive opposée, le GR 20 amorce une montée sévère à travers des pierriers, ce qui la réserve aux randonneurs chevronnés.

Retour par le même chemin.

Vico

Vicu

898 VICOLAIS
CARTE GÉNÉRALE A4 – CARTE MICHELIN LOCAL 345 B7 – CORSE-DU-SUD (2A)

Ce gros bourg aux maisons serrées est la capitale du Liamone, région de moyenne montagne aux multiples itinéraires touristiques. Il fut au 16e s. la résidence des évêques de Sagone et, à l'époque révolutionnaire, une éphémère sous-préfecture du département du Liamone.

- **Se repérer** – Vico est établi à 17 km au Nord-Est du golfe de Sagone par la D 70.
- **À ne pas manquer** – Le plus vieux Christ de Corse est conservé dans l'église conventuelle du couvent Saint-François.
- **Organiser son temps** – Suivez les chemins génois qui reliaient l'arrière-pays au golfe de Sagone.
- **Pour poursuivre la visite** – Voir aussi Évisa, la forêt d'Aïtone.

Comprendre

Le « nettoyage » du maquis en 1931 – En novembre 1931 débarquent à Ajaccio près de 600 gardes mobiles, une dizaine d'automitrailleuses, des chiens policiers et un imposant matériel de campagne. Les forces de l'ordre bouclent immédiatement un secteur compris entre Vico, Guagno et Sainte-Marie-Sicché. Il s'agit « d'épurer le maquis », selon les instructions du gouvernement dirigé par Pierre Laval, faisant alors fonction de ministre de l'Intérieur.

La presse parisienne envoie des « correspondants de guerre », parle de « corps expéditionnaire », au grand dam des confrères corses. Cependant, la plupart des célèbres hors-la-loi tels Romanetti en Cinarca, Castelli à Orezza ou Bartoli avaient déjà été abattus plusieurs années auparavant ; seul Spada, le « roi du palais-vert », persistait à plastronner. Il sera le dernier à être jugé et exécuté en 1935. La mission qui consistait à désarmer les habitants des villages occupés laissa beaucoup d'amertume dans les vallées, mais sonna le glas des « bandits du maquis corse ».

Circuits de découverte

ROUTE D'ARBORI

Couvent St-François

1 km à l'Est de Vico. Visite : 30mn. ☎ 04 95 26 83 83 - gratuit.

Bâti dans les châtaigniers sur un ressaut de la montagne au-dessus de la vallée du Liamone, le couvent, se composant alors d'un oratoire entouré d'humbles cabanes, fut fondé en 1481 par les frères mendiants de l'ordre de Saint-François, protégés par le comte Gian Paolo de Leca. Le couvent actuel fut édifié à partir de 1628. Après le départ des franciscains en 1793, les oblats de Marie-Immaculée s'y installèrent en 1836.

L'église conventuelle date du 17e s. Elle abrite un grand **christ en bois★** (« U Santu franciscone ») sculpté à la manière du 15e s. Il serait le plus ancien de Corse. Observez l'expression du visage aux yeux clos, la bouche entrouverte, et le dessin des côtes très marquées. Sous le Christ, dans le mur de la chapelle consacrée à Mgr Mazenod, évêque de Marseille canonisé en 1995, repose le père Dominique Albini, missionnaire de la Corse au 19e s. Remarquez également le tabernacle en marbre polychrome (1698) du maître-autel et le chasublier de la sacristie en noyer et en merisier (1664).

Stéphane Sauvignier / MICHELIN

Christ en bois de Vico.

Sous le pavé de l'église, dans des caveaux au sol de terre battue pourvus d'une ouverture que fermait une dalle de pierre, les corps des défunts étaient jetés, simplement roulés dans un drap. Des milliers de Vicolais ont ainsi été « sépulturés en arca » dans le couvent St-François.

Gorges du Liamone

8 km par la D 1 jusqu'à Arbori. La D 1 longe en corniche, dans les châtaigniers et les arbousiers, la haute vallée encaissée du Liamone. Sur les grands escarpements de la rive opposée se découpe la silhouette de la montagne de **la Sposata** (« la mariée »).

Bien mal acquis…

Le nom Sposata perpétue le souvenir d'une jolie bergère de la région qu'un seigneur de la Cinarca avait choisie pour épouse. Perdue par cette promotion sociale inespérée, la jeune orgueilleuse quitta la maison en dépouillant sa mère. La mère, désespérée de cette ingratitude, jeta sa malédiction sur sa fille qui fut aussitôt pétrifiée avec sa monture, sur l'arête de la montagne.

Arbori, entouré d'oliviers et de vignobles, domine la vallée du Liamone, face à la Sposata.

ROUTE DU COL DE SEVI

22 km de Vico à Évisa par la D 23, puis la D 70 à droite.

À la sortie du bourg, la D 70 offre une vue d'ensemble sur le bassin de Vico, le couvent St-François et la vallée du Liamone dominée par la Sposata. Puis elle s'élève en lacet au-dessus de la Catena, affluent du Liamone.

À 2 km de la chapelle St-Roch, prendre à droite la route de Renno.

Renno

Ce village disperse ses hameaux à 950 m d'altitude dans une châtaigneraie centenaire. Noyers, chênes verts et vergers ombragent sa campagne riante. Ses pommes reinettes sont réputées.

Regagner la D 70.

Col de Sevi

Alt. 1 101 m. Il fait communiquer le bassin du Liamone avec celui du Porto. Le tracé de la route de Sevi remonte à l'époque génoise. Elle servait à transporter les fûts d'Aïtone *(voir ce nom)* vers le petit port de Sagone. L'abbé de Germanès écrit, en 1774, dans son *Histoire de la Corse* : « Les Génois, qui avaient un grand besoin de bois pour la marine, ont dépensé cent mille écus pour aplanir sur la croupe des montagnes un chemin qui, de la forêt, va jusqu'au bord de la mer. »

Au-delà du col, la **vue★** se dégage sur Cristinacce.

Cristinacce

De ce village bâti en terrasse dans une châtaigneraie, au-dessus de la vallée du Porto, on découvre au loin les grandes murailles rouges hérissées d'aiguilles qui dominent le golfe : Capo d'Orto et Capo d'Ota.

Après Cristinacce, la route procure de très belles **vues★★** sur le golfe de Porto et sur Évisa, enfouie dans les châtaigniers au pied des immenses parois rocheuses du Capo Ferolata. Retour par Évisa.

Vico pratique

Se loger

⊖⊖ U Paradisu – *✆ 04 95 26 61 62 - paradisu@wanadoo.fr - fermé 1er janv.-15 mars - 21 ch. 70 € - ☕ 7 € - rest. 19/23 €.* En retrait du village, cet hôtel promet un séjour tranquille avec sa piscine bordée de transats. Chambres simples mais confortables. Repas dans la salle à manger aux allures de pension de famille ou sur la terrasse couverte.

Se restaurer

⊖⊖ Pippa Minicale – *Col de St-Antoine - ✆ 04 95 26 61 51 - fermé nov.-avr. - ⊠ - réserv. obligatoire en hiver - 18/39,50 € - 5 ch. 20/40 €.* Une halte bienvenue que cette ferme-auberge située juste en face de la curieuse statue-menhir d'Apricciani décrite pour la première fois par Prosper Mérimée. Intérieur champêtre réchauffé, l'hiver, d'une belle cheminée en pierre. Cuisine corse.

Événement

La grande foire de St-Roch se déroule chaque année à Renno les 16, 17 et 18 août.

Vivario★

Vivariu

509 VIVARIAIS
CARTE GÉNÉRALE B4 – CARTE MICHELIN LOCAL 345 E6 – HAUTE-CORSE (2B)

Ce bourg entouré de châtaigniers et de prairies domine de 200 m les gorges du Vecchio. Son altitude de 650 m en fait une station climatique très fréquentée en été. Dans les environs, la pêche à la truite dans le Vecchio et, la saison venue, la chasse au sanglier, aux bécasses et aux pigeons ramiers sont très prisées.

- **Se repérer** – Le village se trouve sur le tracé de la N 193, à 12 km au Nord de Vizzavona, et à 21 km au Sud de Corte.
- **À ne pas manquer** – La promenade de L'Occhio-Vario, qui signifie « œil varié », s'achève sur un magnifique panorama.
- **Pour poursuivre la visite** – Voir aussi Vizzavona, Venaco, Corte.

Le saviez-vous ?

Vivario viendrait du mot latin vivarium signifiant « vivier », pièce d'eau où l'on nourrit le poisson.

Gustave Eiffel ne nous a pas laissé que sa célèbre tour. L'ingénieur français s'est également distingué dans la construction de ponts : le viaduc de Garabit dans le Cantal, et, au Nord de Vivario, la passerelle métallique qui supporte la ligne de chemin de fer Bastia-Ajaccio.

Comprendre

Des origines incertaines – On connaît mal les origines de Vivario. À l'époque romaine, ce bourg a probablement été un gîte d'étape pour les légions qui, débarquées à Aléria, remontaient la vallée du Tavignano et pénétraient au cœur du pays. L'importance stratégique de Vivario laisse supposer qu'un village indigène existait déjà à cet emplacement.

Avec la prospérité des cités romaines de la côte orientale, Vivario perdit de son importance : bon nombre de ses habitants émigrèrent vers Aléria pour bénéficier du bien-être de la colonie jusqu'aux invasions vandales (5e s.) et aux incursions sarrasines (du 8e au 11e s.).

Aussi, les habitants de Vivario restèrent-ils longtemps en contact étroit avec Aléria et la plaine. Un grand nombre d'entre eux cultivaient des terres et menaient paître en hiver leurs troupeaux aux environs de l'ancienne cité, tandis qu'en été, pour échapper aux fortes chaleurs et aux miasmes de la plaine orientale, les habitants d'Aghione, la plus proche commune d'Aléria, émigraient à Vivario.

Se promener

Le village

Sur la place centrale, une fontaine surmontée d'une Diane se dresse au-dessus de la vallée du Vecchio, face au cirque montagneux dominé par le mont Cardo. Le village fait face, au Sud-Ouest, au mont d'Oro.

Stéphane Sauvignier / MICHELIN

Double pont du Vecchio.

Fort de Pasciolo

20mn AR à pied. 1 km au Sud de Vivario, en direction du col de la Serra par la N 193. Laisser la voiture sur l'aire de repos aménagée dans le grand virage et prendre le chemin de terre qui conduit au fort.

Les ruines de ce fort sont surtout intéressantes pour l'histoire qui leur est attachée et pour la beauté sauvage du site.

Dominant les gorges très encaissées du Vecchio (U Vechju), les ruines se dressent comme une vigie, face à un immense cirque montagneux. Bâti vers 1770 par les Français, ce fort confortait la position de celui de Vizzavona. Sous le Consulat, il acquit une sinistre réputation du fait de sa transformation en prison par le général Morand, à qui avait été confiée l'administration de la région. Les rebelles du Fiumorbo y furent un temps enfermés.

Stéphane Sauvignier / MICHELIN

Fort de Pasciolo.

Aux deux tiers du chemin menant au fort s'élève, sur la gauche, un promontoire rocheux formant un belvédère naturel (à-pic dangereux à l'Ouest). On a, de cet endroit, une **vue★** grandiose sur les gorges du Vecchio.

On aperçoit une sorte de goulet, appelé **« pont du sauvage »**, seul endroit des gorges où la rivière puisse être franchie par un saut de 3 m. Il doit son nom à un jeune garçon qui, enfui de chez lui après une réprimande, retourna à l'état sauvage, au début du 19e s.

Aux alentours

Double pont du Vecchio★

4,5 km au Nord par la N 193. Le pont routier fut construit entre juin 1825 et octobre 1827 sur la grand-route Ajaccio-Bastia. Lancé sur le Vecchio en une seule arche de pierre, il est dominé par les hautes piles du viaduc métallique du chemin de fer construit par Gustave Eiffel vers 1888. L'ingénieur français (1832-1923) appliqua ici les perfectionnements techniques qu'il avait apportés au lancement des tabliers de ponts en porte-à-faux. La ligne Ajaccio-Bastia fut entièrement terminée et ouverte au trafic en 1894. Cet intéressant ouvrage d'art enjambe le Vecchio à 96 m de hauteur.

La **vue★** sur les deux ponts, les gorges profondes et mouvementées du torrent, le cadre montagneux dépassant 2 000 m, et souvent enneigé, mérite un arrêt.

Circuit de découverte

FORÊT DE ROSPA-SORBA★

Circuit de 59 km – environ 2h30.
Quitter Vivario par la route de Vezzani (D 343).

Muracciole

Ce village occupe un site d'éperon, dans le vallon d'un petit affluent du Vecchio, sur un replat cultivé en terrasses.

Après le village, le regard s'étend, en arrière, sur la vallée du Vecchio et la grande ligne de crête centrale de l'île.

Col de Morello

Alt. 824 m. **Vue★★** étendue sur la vallée du Vecchio, le mont Cardo à l'Ouest et les montagnes du Cortenais.

L'Occhio-Vario

25mn AR depuis le col de Morello, par un sentier de chèvres qui suit la crête au Nord du col. Stationner au col.

Le promeneur attentif pourra découvrir quelques orchidées sauvages (protégées) en avril-mai et apercevoir des oiseaux variés qui nichent volontiers parmi les arbousiers, la bruyère et les chardons.

Le sommet de la crête est matérialisé par une petite borne géodésique de granit blanc (866 m) et porte le nom d'Occhio-Vario (« œil varié ») : de ce **point de vue★★**, on peut en effet distinguer par temps clair une bonne quinzaine de villages, dont Castiglione, niché dans les rochers. À l'Ouest, on aperçoit dans le lointain le pont Eiffel enjambant le Vecchio. À l'Est, les monts sauvages s'étendent à perte de vue.

La route s'engage ensuite dans le massif forestier de Rospa-Sorba comprenant les forêts de Rospa-Sorba, Noceta, Rospigliani et Vezzani ; il fut malheureusement endommagé par un incendie en août 1985 (forêt en voie de repeuplement). À ses superbes pins laricio se mêlent quelques châtaigniers.

Après le pont de Catarello, la **fontaine de Padula** sourd dans un beau site au milieu des pins. La descente du col d'Erbajo s'effectue à travers les pins laricio.

Les cônes de pin

Cueillis en automne, les cônes étaient envoyés à Vivario où ils séchaient pendant douze jours jusqu'à l'éclatement et la dessiccation des graines. Ces dernières étaient alors débarrassées de leurs impuretés. Jusqu'à ces dernières années, plusieurs tonnes de graines de pin laricio étaient ainsi expédiées en France continentale et dans divers pays d'Europe. Ces semences sélectionnées pour le reboisement étaient très recherchées pour leur qualité germinative.

Reprendre la D 343 et tourner à droite en direction de Vezzani.

Vezzani

Ce gros bourg, situé à 800 m d'altitude à la lisière de la forêt, s'était fait autrefois une spécialité de l'exploitation des cônes (pommes de pin) de pin laricio. En outre, une mine de cuivre fut exploitée à la sortie Sud du bourg, de 1897 à 1910. On en a extrait 6 000 t de minerai brut, d'une teneur en cuivre de 10 %. On s'est demandé si le minerai de Vezzani n'aurait pas alimenté l'activité de fonderie attestée dans l'Antiquité à Aléria, proche de 30 km à l'Est.

Remarquez l'église paroissiale avec sa plaisante façade baroque en moellons de schiste.

Après Vezzani, la route, en bordure de la forêt, domine au Nord la vallée de la Tagnone.

À Pinzalone, prendre à droite vers Ghisoni.

Défilé de l'Inzecca★

Il a été creusé dans un verrou rocheux par le Fium'Orbo qui conserve là son caractère de torrent montagnard impétueux. En amont, le bassin de Sampolo est planté d'oliviers et de châtaigniers.

Défilé des Strette (« Stretta di e Strette »)

Cette gorge étroite et sinueuse est creusée par le Fium'Orbo.

Ghisoni *(voir ce nom)*

Au Nord-Ouest de Ghisoni, la route remonte la vallée du Regolo qui sépare les grands massifs forestiers de Vizzavona et de Rospa-Sorba.

Col de Sorba

Alt. 1 311 m. C'est l'un des plus hauts cols routiers de l'île. Par temps clair, la **vue★** y est grandiose sur la vallée du Vecchio et le mont d'Oro à l'Ouest, sur les défilés des Strette et de l'Inzecca à l'Est.

La route descend ensuite à travers de beaux peuplements de pins laricio.

Forêt de Vizzavona★★

CARTE GÉNÉRALE B4 – CARTE MICHELIN LOCAL 345 D7 – HAUTE-CORSE (2B).

La forêt de Vizzavona, qui s'étend entre le mont d'Oro (2 389 m) et le col de Palmente, constitue l'une des plus belles forêts de Corse. 43 km de sentiers et de routes forestières serpentent à travers les pins laricio et les hêtres. Traditionnelle étape de mi-parcours du GR 20, elle est bien connue des randonneurs.

Se repérer – Dans le sens Ajaccio-Bastia, la N 193 franchit le col de Vizzavona avant de pénétrer dans la forêt qu'elle traverse sur 8 km jusqu'à Tattone. La forêt est aussi accessible par le chemin de fer qui passe par le hameau de Vizzavona, niché au milieu des pins en contrebas de la nationale. On l'atteint par une route qui part à environ 4 km du col sur la gauche.

Se garer – Au col de Vizzavona.

À ne pas manquer – Les cascades des Anglais, très appréciées pendant les grandes chaleurs.

Organiser son temps – Rien ne sert de courir si vous effectuez la randonnée du mont d'Oro, partez de bonne heure, au petit matin par temps clair, le panorama y est somptueux.

Avec les enfants – D'un accès assez facile, les cascades des Anglais devraient ravir les plus jeunes.

Pour poursuivre la visite – Voir aussi Bocognano, Ghisoni, Vivario.

Le saviez-vous ?

Dans la gare de Vizzavona, le célèbre bandit **Antoine Bellacoscia**, à l'âge de 75 ans, se rendit en grande cérémonie à la justice. Au 19e s., la forêt de Vizzavona était réputée périlleuse car de nombreux bandits la fréquentaient : certains vont même jusqu'à prétendre qu'avant de la traverser, on écrivait son testament !

Cascades des Anglais.

Comprendre

La forêt – La forêt de Vizzavona couvre 1 633 ha et s'étage de 800 à 1 650 m d'altitude. Elle est composée pour l'essentiel de pins laricio (48 % de sa superficie) et de hêtres (38 %). Elle bénéficie d'une température moyenne de 10 °C et reçoit 2 236 mm d'eau répartis sur 115 jours par an, surtout en hiver. La forêt offre de nombreux sentiers aux promeneurs ; les truites de l'Agnone, du Fulminato, de l'Ominima, du Speloncello et du Vecchio aux amateurs de pêche ; le domaine skiable de Muratello (1 500-2 000 m d'altitude), enneigé de mi-décembre à fin avril, aux fervents de sports d'hiver ; les pentes du mont d'Oro (2 389 m d'altitude) aux alpinistes.

Le pin laricio – Différent du pin de Corte, il peuple les magnifiques futaies d'Aïtone, de Valdu-Niellu, de Vizzavona et du centre de l'île. C'est l'un des plus grands arbres d'Europe. Son fût parfaitement rectiligne dépasse souvent 40 m de hauteur et atteint

parfois 2 m de diamètre. Très robuste, il peut vivre 600 ans. Ce résineux, qui réclame une certaine humidité, croît sur les sols granitiques entre 700 m d'altitude sur les versants exposés au Midi et 1 500 m sur certains versants d'exposition Nord. Il est fréquemment associé au hêtre à partir de 900 m, au pin maritime entre 700 et 1 000 m, au sapin et au bouleau aux altitudes supérieures.
Ses branches, peu nombreuses et assez courtes, sont régulièrement étagées et groupées surtout au faîte de l'arbre. Dans les endroits ventés comme au col de Bavella, elles prennent une curieuse allure tourmentée. Chez les sujets âgés, la cime apparaît courte, aplatie et étalée. Les cônes ou « pommes de pin », longs de 6 à 8 cm, sont disposés presque horizontalement sur les branches.
Le laricio, imputrescible, constitue un excellent bois de charpente et de menuiserie. À l'époque de la marine à voile, ses fûts étaient utilisés à la fabrication des mâts. Plus tard, l'Angleterre l'importa pour fabriquer ses traverses de chemin de fer.
Il contribue à maintenir en altitude un certain équilibre biologique. Ses racines puissantes lui permettent de croître sur des crêtes ou de fortes pentes aux sols très maigres, voire dans les cailloux et les rochers préservant ainsi le sol d'une érosion trop rapide. Moins vulnérable au feu que le pin maritime, il peut se régénérer après un incendie, ou être replanté avec succès.

Se promener

Vizzavona★

Située au cœur de la forêt et dominée par la silhouette massive du mont d'Oro, c'est une agréable petite station climatique qui offre aux estivants, en plus du calme, un grand choix de promenades en forêt et de courses en montagne. Composée de quelques chalets, 3 ou 4 hôtels et refuges groupés autour de la chapelle et de la gare (alt. 910 m), elle comprend en outre le hameau de La Foce situé à 3,5 km sur la N 193 près du col de Vizzavona. La voie ferrée passe sous un tunnel rectiligne de 4 km.

Fontaine de Vitulo

15mn AR au départ du col de Vizzavona. Cette fontaine donne naissance au ruisseau de Foce, affluent de la Gravona.

Col de Vizzavona

À 1 163 m d'altitude, le col permet à la grande route d'Ajaccio-Bastia de passer du bassin de la Gravona, tributaire du golfe d'Ajaccio, dans celui du Tavignano qui irrigue la plaine orientale d'Aléria.
Le col offre des aires de stationnement ombragées de tilleuls, avec tables et bancs rustiques, dans une vaste clairière semée de blocs granitiques.

Pour admirer la **vue★** sur la vallée de la Gravona et le château démantelé se détachant sur la masse imposante du mont d'Oro, emprunter la route qui s'élève au Sud, dans les hêtres, vers un relais hertzien *(15mn à pied AR).*

La Madonuccia.

Randonnées

Cascades des Anglais (A Spiscia di l'inglesi)★

1h AR depuis l'hôtel Monte d'Oro, juste en-dessous du col de Vizzavona.

Une belle piste descend vers la rivière, surplombée par un parcours aventure dans les arbres. Continuez tout droit sur un sentier moins large lorsque la piste tourne sur la droite. L'arrivée sur le site est marquée par une passerelle du GR 20 et par une… buvette. L'endroit est en effet très animé en saison. Il faut alors remonter la rivière pour trouver les petites cascatelles et les vasques pour se rafraîchir. Ne cherchez pas une cascade géante, mais en vous éloignant un peu, vous en trouverez une un peu plus grande que les autres et connue comme la cascade des Anglais.

Torrent de l'Agnone

1h au départ de La Foce, à gauche de la N 193, après le col de Vizzavona, pour gagner, à travers la forêt, le village de Vizzavona. Après avoir atteint le torrent, tourner à droite dans le GR 20 qui traverse l'Agnone sur un pont de bois. Descendre ensuite sur la rive gauche du torrent jusqu'au niveau de Vizzavona où l'on traverse à nouveau l'Agnone, puis le Fulminato avant d'arriver en vue des premières maisons.

Col de Palmente★

4h AR au départ de la N 193, à 200 m au-dessous de la maison forestière de Vizzavona, en direction de Bastia et à proximité d'une maison isolée. Le **GR 20** *(balisé de marques rouge et blanc)* monte en lacet dans les pins de la forêt de Vizzavona, offrant une belle vue sur le mont d'Oro. Ce tronçon constitue, avec celui du col de Vergio, les deux sections du GR 20 praticables aisément par tout promeneur.

Le large sentier grimpe en pente douce à l'ombre des pins et des hêtres. Au bout d'environ 25mn de marche, prendre le chemin de gauche *(toujours suivre les marques rouge et blanc du GR)*. 20mn plus tard, on traverse une forêt de hêtres. Au bout de 30mn, le GR 20 sort de la forêt et s'élève vers la crête. On atteint, en 30mn de montée plus raide dans un paysage dénudé, le col de Palmente (alt. 1 645 m). Du col, la **vue★** s'étend sur le mont d'Oro et le mont Renoso. Ce col, entre la forêt de Vizzavona et le versant oriental du massif du Renoso, était autrefois la voie empruntée par les bergers pour se rendre à Ghisoni.

La Madonuccia★

1h30 AR au départ du col de Vizzavona. Balisé de points ronds jaunes. Suivre la route vers le relais hertzien, puis le chemin vers les bergeries des Pozzi *(abri bivouac)*. De là, on peut grimper sur la crête, constituée d'un amas de rochers, visible de la route et qui évoque une statue de la Vierge : vue sur la vallée de la Gravona et le mont d'Oro.

Fort de Vizzavona

45mn au départ du col de Vizzavona par un chemin à droite gravissant le plateau et un sentier à travers bois. Les **ruines** de cette forteresse d'origine génoise qui protégeait le col sont impressionnantes ; le donjon éventré révèle les fragments de son escalier en colimaçon. Le paysage sur la moraine glaciaire envahie par le maquis et cernée par la forêt est saisissant. Le **site** de ces ruines atteste de l'ancienneté de cette voie de passage et de son importance stratégique.

Mont d'Oro (Oru)★★★

10h AR au départ de Vizzavona. Randonnée longue et contraignante, nécessitant un très bon entraînement physique. Accès par les cascades des Anglais (voir ci-dessus). La fin de l'itinéraire est souvent enneigée jusqu'à début juillet.

Le mont d'Oro, à 2 389 m d'altitude, est l'un des grands sommets de la Corse cristalline ; il appartient à la ligne de crête qui partage les eaux entre les rivages Est et Ouest de l'île. Son nom proviendrait des multiples sources qui dévalent ses flancs.

Cette incomparable promenade permet d'admirer toute la variété de paysages qu'offre la montagne corse : forêts de pins laricio, de hêtres, torrents...

De Vizzavona jusqu'aux cascades des Anglais (45mn), suivre l'itinéraire décrit ci-dessus. De là, le GR 20, jalonné de marques rouge et blanc, mène près des bergeries de Porteto (alt. 1 364 m), invisibles du sentier et situées à quelques mètres au Sud, au milieu de superbes hêtres *(2h)*. Le sentier franchit à gué l'Agnone *(2h15)*, puis gravit les pentes caillouteuses du mont d'Oro *(montée pénible)* vers le col du Porc *(5h15)* d'où l'on gagne le sommet *(6h15 – la montée au sommet exige de bonnes connaissances en alpinisme)*.

Le **panorama**★★★, assez tôt dans la matinée et par temps clair, embrasse tous les hauts sommets de l'île : au Nord le mont Cinto et le mont Rotondo, au Sud le mont Renoso ; à l'Est la mer et les îles de Toscane.

Revenir à Vizzavona *(3h30)* par le sentier balisé de marques jaunes qui contourne l'autre versant du mont d'Oro par les bergeries de Puzzatelli, puis franchit le ravin de Ghilareto, le ruisseau de Tineta à gué et l'Agnone. Entre 2 150 m et 2 000 m, le couloir appelé « la Scala », raide et souvent glissant, demande prudence et attention.

Vizzavona pratique

Transport

Gare ferroviaire – ✆ 04 95 47 21 02 - 4 trains/j. en dir. de Bastia et d'Ajaccio.

Se loger

Bon à savoir – Dans le village de Vizzanova, la gare SNCF permet de passer la nuit en dortoir pour un prix modique. Juste en face, le Restaurant du Chef de gare (✆ 04 95 47 22 20) propose lui aussi bivouacs et dortoirs ainsi qu'une petite restauration. D'un meilleur standing, les chambres de l'hôtel Ilaricci (✆ 04 95 47 21 12) situé 50 m plus haut offrent un confort complet. Dans la forêt, deux gîtes d'étapes accueillent les randonneurs en quête d'une bonne nuit de repos. « U Renosu » (✆ 06 33 35 25 02) au lieu-dit Capanelle, comptant une vingtaine de lits, propose toute l'année un hébergement en demi-pension. Le « Relais du Monte d'Oro » (✆ *04 95 47 21* 06), pourvu de 28 couchages au col de Vizzavona, est ouvert d'avril à novembre, avec demi-pension en haute saison.

Zicavo

Zicavu

237 ZICAVAIS
CARTE GÉNÉRALE B5 – CARTE MICHELIN LOCAL 345 D8 – CORSE-DU-SUD (2A)

C'est un gros bourg très étendu, qui étire ses maisons de granit à 700 m d'altitude, à mi-chemin entre les cols de Verde et de la Vaccia. Sa position au centre de l'île en fait un bon point de départ d'excursions.

Se repérer – Situé au cœur de l'île, Zicavo est accessible par de sinueuses routes départementales. Le plus simple est, à partir de la N 196 qui relie Ajaccio à Bonifacio, de prendre sur la gauche la D 83, entre Cauro et Grosseto.

Organiser son temps – Vous pouvez aisément envisager de séjourner à Zicavo pour parcourir ensuite les sentiers du Parc régional.

Pour poursuivre la visite – Voir aussi Ghisoni.

Le saviez-vous ?

L'été, le village compte trois fois plus d'habitants qu'en hiver.

Zicavo est le berceau de la famille Abbatucci qui donna à la France plusieurs députés, un ministre et trois généraux dont **Charles Abbatucci** (1771-1797), général à 25 ans, tué au siège de Huningue (Haut-Rhin).

Comprendre

Des envies d'indépendance – En 1739, à l'appel du curé, le village soutint la cause du baron Frédéric, neveu du roi Théodore, qui relança l'idée de l'indépendance. L'échec des chefs de l'insurrection comme Giafferi et Ornano ne désarma pas les Zicavais : alors que les femmes et les enfants s'étaient réfugiés sur le plateau du Coscione, les hommes affrontèrent durant un mois les régiments du marquis de Maillebois venu prêter main forte aux Génois. Mais ils durent se résoudre à déposer les armes. Après des semaines de vie montagnarde, le baron Frédéric s'embarqua pour Livourne muni d'un sauf-conduit.

Aux alentours

Bains-de-Guitera

7 km de Zicavo par la D 757^A^. Cette petite station thermale est située sur la rive droite du Taravo. Ses eaux sulfureuses sont utilisées dans le traitement des rhumatismes et des affections cutanées.

Sta-Maria-Siché

27,5 km à l'Ouest de Zicavo par la D 83. Le village divisé en hameaux est le berceau de la famille d'Ornano.

En 1545, Sampiero Corso épousait vers l'âge de 50 ans **Vannina d'Ornano** âgée de 15 ans, mariage qui anoblissait le colonel et le faisait entrer dans l'une des plus grandes familles de l'île. Mais en 1563, il étrangla son épouse de ses propres mains : complicité de Vannina avec Gênes, jalousie du vieil époux ou intérêt ? Cette justice expéditive n'offusqua guère la cour de France. Découvrant ses blessures devant Catherine de Médicis, Sampiero se serait exclamé : « Qu'importe au Roi et à la France que Sampiero ait vécu d'accord ou non avec sa femme ! » En revanche, les frères de la malheureuse gardèrent quelque rancœur envers leur beau-frère : assez pour participer activement à sa mise à mort le 17 janvier 1567.

Amaury de Valroger / MICHELIN

Maison de Sampiero Corso.

Palazzo Sampiero *(au hameau de Vico)* – Sa maison de Bastelica ayant été brûlée par les Génois, Sampiero fit bâtir, en 1554, cette maison forte en gros appareil de granit, aujourd'hui en ruine. Une inscription et un buste en marbre dans une niche évoquent le héros.

Tour Vannina-d'Ornano – Sur la droite en descendant ans le vieux bourg, au lieu dit Casabianca, tout près de la route de Grosseto, s'élève la demeure natale de Vannina, du 15e s.

Le hameau de **Zigliara** est fréquenté pour son établissement thermal.

Randonnée

L'INCUDINE★★★

Baptisée « crête des Forgerons », l'Incudine culmine à 2 134 m, à proximité de Zicavo. D'allure massive, le sommet offre un panorama exceptionnel sur tout le Sud de la Corse et, lorsque le temps est dégagé, sur la mer.
Le mont Incudine est le terminal Sud d'une succession de sommets qui séparent les torrents Monte Tignoso et Luana. Il n'apparaît pas comme un sommet isolé mais comme une crête de 4 km qui s'allonge entre les cols de Chiralba et d'Asinao, comprenant plusieurs cimes de 2 000 m.
L'Incudine tient son nom du rocher en forme d'enclume situé sur son arête faîtière.
Environ 6h AR au départ de Zicavo (trajet global : en voiture, puis à pied) – 22 km dont 10 km de route forestière).

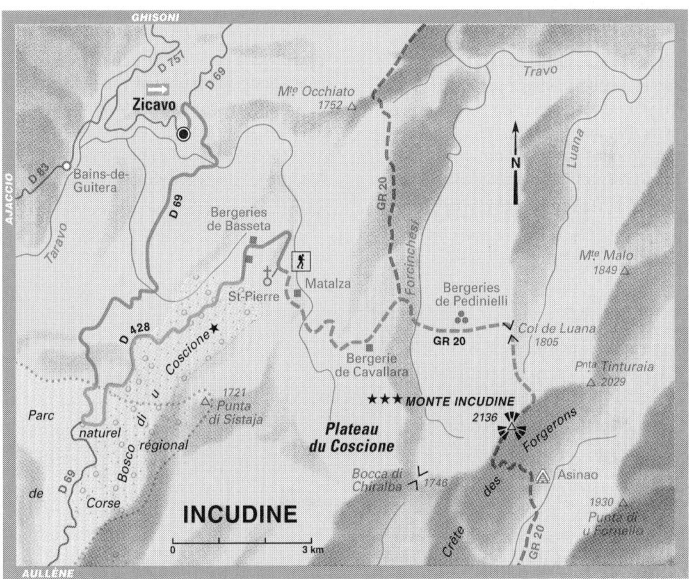

5h à pied AR par le GR 20. Niveau moyen (ascension assez difficile entre le col de Luana et le sommet de l'Incudine). Porter de bonnes chaussures. Partir de bonne heure pour atteindre le sommet avant 10h.
Quitter Zicavo vers le Sud par la D 69 ; à 10 km prendre sur la gauche une route forestière (D 428).

La D 428 traverse une belle forêt domaniale de hêtres, appelée le **Bosco di u Coscione★**, qui couvre les basses pentes Ouest et Nord de la Punta di Sistaja. La route s'élève, à travers bois et clairières, et offre de belles vues sur la vallée du Taravo. Des cascades et torrents bordés d'aulnes coupent le massif où les hêtres centenaires sont nombreux.
1 km après le refuge des bergeries de Basseta, laisser sur la droite le sentier qui conduit à la chapelle St-Pierre et poursuivre tout droit. À partir de là, la route forestière devient un mauvais chemin *(peu carrossable : les plus prudents laisseront la voiture aux alentours de la chapelle)*. Continuer à pied jusqu'à la bergerie de Cavallara *(2 km)* et, de là, suivre le chemin forestier qui rejoint le GR 20 *(marques rouge et blanc)*. Compter 2h30 pour atteindre le mont Incudine.

Plateau du Coscione

Raboté par les glaciers et couvert de pâturages où errent de nombreux porcs, ce plateau, sillonné de ruisseaux, est parsemé de gros blocs moussus, résultats de l'érosion glaciaire. En été, les prairies sont jonchées d'aconits bleus et de digitales pourpres. Les troupeaux des régions de Porto-Vecchio, de Sotta, de Figari et des plaines du Rizzanèse, du Baracci et du Taravo y transhument encore. En hiver, le Coscione accueille les skieurs de fond.

Après avoir franchi sur une passerelle le ruisseau de Forcinchesi, on monte par le GR 20 sur le replat où se dressent les ruines des bergeries de Pedinielli (alt. 1 620 m). Poursuivre le sentier jusqu'au col de Luana (alt. 1 805 m) pour atteindre l'arête Nord de l'Incudine *(1h30)* et la suivre jusqu'au sommet.

Le sommet

Le principal sommet du mont Incudine est surmonté d'une croix. À droite, sur l'arête faîtière, remarquer le rocher en forme d'enclume. La **vue★★★** s'étend sur une vaste surface marine, au Sud sur la découpe des aiguilles de Bavella, et au Nord sur le mont Renoso.

Retour à Zicavo par le même chemin.

Zicavo pratique

Se loger et se restaurer

Le Tourisme – *04 95 24 40 06 - 15 ch. 34 € - 4 € - rest. 17/20 €.* Cet hôtel familial s'avère un point de départ idéal pour des excursions au centre du Parc régional. Chambres, simples mais bien tenues ; certaines ont une terrasse d'où l'on profite de la belle vue sur la vallée. Copieuse cuisine du terroir.

Santa Maria – *04 95 25 72 65 - P - 22 ch. 45/65 € - 6,50 € - rest. 17/23 €.* Tenu par la même famille depuis trois générations, sympathique hôtel à la façade immaculée, dont les chambres, meublées d'ancien, sont équipées d'une bonne literie et de salles de bains modernes. À table, produits du terroir et charcuteries maison.

Zonza

1 600 HABITANTS
CARTE GÉNÉRALE B6 – CARTE MICHELIN LOCAL 345 E9 – CORSE-DU-SUD (2A).

Ce gros bourg, bâti en terrasses (alt. 784 m) au-dessus de la vallée de l'Asinao au milieu des châtaigniers, des pins et des chênes verts, est à la croisée d'itinéraires touristiques réputés : au Nord et à l'Ouest les routes de Bavella, Quenza et Aullène ; au Sud, la route de l'Alta Rocca riche en préhistoire, et celle du massif de l'Ospédale. Un réseau dense de sentiers balisés rayonne autour du village et fait de Zonza un centre de villégiature et de randonnées pédestres, équestres, et de vélo tout-terrain.

Se repérer – Zonza est à l'intersection de 4 routes : celles de Bavella au Nord, Quenza et Aullène à l'Ouest, Levie au Sud et, vers l'Est, la D 368 qui rejoint l'Ospédale et Porto-Vecchio.

À ne pas manquer – La cascade de Piscia di Gallo.

Pour poursuivre la visite – Voir aussi les aiguilles de Bavella, l'Alta Rocca.

Séjourner

Le village★

La place centrale est ombragée de tilleuls. L'église Sainte-Marie, bâtie au 19e s. dans le style néogothique, étonne par son importance ; son clocher est orné d'un bel appareil en blocs de granit taillé.

Durant l'été, des touristes et les Corses revenus au pays entretiennent dans le village une joyeuse animation. En septembre, au moment de la fête locale, pétards, feux d'artifice, concours de pétanque, tournois de cartes se succèdent.

Aux environs de Zonza, on peut pêcher la truite ou se baigner.

Sur une colline, en face du village, se dresse la chapelle de Ste-Barbe qui rassemble les jours de pèlerinage les habitants des villages alentour.

Aux alentours

Chaos de Paccionitoli

Circuit de 20 km. Voir L'Alta Rocca.

Col de Bavella★★★

9 km au Nord-Est. Voir Aiguilles de Bavella.

Circuit de découverte

MASSIF DE L'OSPÉDALE★

De Zonza à Porto-Vecchio★

40 km – une demi-journée. Sortir de Zonza par la D 368 en direction de Porto-Vecchio.

Le massif de l'Ospédale est la haute région boisée qui domine l'arrière-pays du golfe de Porto-Vecchio. Peu accidenté, il offre d'agréables promenades. L'Ospédale doit son nom à un ancien hospice ou hôpital romain qui était établi dans le village.

Hervé Le Gac / MICHELIN

Le site du village perché de Zonza.

Forêt de Zonza

La route est sinueuse mais belle et assez large. Elle descend à travers la forêt de Zonza plantée de pins, dans un ample paysage.

Chaos de Paccionituli

Accès par la D 67 à droite au col de Pelza (voir Alta Rocca). Un kilomètre après le col de Pelza (Bocca di Pelza), on a une vue très étendue vers le Sud-Ouest avec, dans le lointain, le village de Carbini et son environnement de monts boisés.

Forêt de Barocaggio Marghèse★

À partir du col d'Illarata (Bocca d'Illarata), la route pénètre dans cette belle forêt domaniale qui occupe la partie centrale du massif de l'Ospédale. Au-dessus de 1 000 m d'altitude, elle se compose de pins laricio et de pins maritimes. Cette haute futaie est dominée au Nord-Ouest par la massive muraille de la **pointe de Diamant** (Punta di u Diamante, alt. 1 198 m), reconnaissable à sa forme pyramidale.

Cascade de Piscia di Gallo (Piscia di Ghjaddu)★

1h15 AR. L'itinéraire débute par une piste en contrebas d'un parking situé 700 m avant l'arrivée au barrage de l'Ospedale. Sentier balisé par des cairns revêtus d'un pictogramme représentant une cascade. Les randonneurs qui envisagent la descente jusqu'au pied de la cascade doivent porter des chaussures adaptées et avoir une bonne pratique de la marche en terrain instable.

La piste se termine au bout d'un quart d'heure de marche sur une vaste aire d'hélicoptère et laisse place à un agréable sentier qui serpente dans les pins et les bruyères. On s'enfonce ensuite vers la droite en longeant d'importants blocs rocheux pour atteindre une barre rocheuse à quelques centaines de mètres de la cascade. La descente vers le pied de la cascade s'effectue par un sentier non balisé et très raide qui nécessite l'aide des mains. La chute d'eau à flanc de falaise forme la Piscia di Gallo (« cascade du coq ») considérée comme la source de la petite rivière Oso qui se jette dans la baie de St-Cyprien. Le débit est désormais soutenu tout l'été grâce au barrage de l'Ospédale. La beauté du site et les étonnantes marmites de géants récompensent des efforts consentis.

Barrage de l'Ospédale (Ritinuta di U Spidali)

Ce barrage, haut de 25 m, est construit selon la technique des levées de terre. Il retient un petit lac qui égaye l'austère paysage d'éboulis rocheux et de sapins. Ses 3 000 000 m^3 d'eau constituent la principale réserve de la vallée de l'Asinao et de la région de Porto-Vecchio.

Col de l'Ospédale

Ce vaste espace dégagé, sous les hautes frondaisons des pins attire de nombreux promeneurs en quête d'un peu de fraîcheur.

Prendre la route à droite vers la maison forestière, puis à gauche en suivant la direction du gîte d'étape « Le Refuge » (signalisation).

Sentier des rochers

1h en boucle ; départ sur la gauche de la route, à 1,7 km de l'embranchement dans un virage (panneau). Facile mais inégalement balisé, ce sentier d'interprétation permet de découvrir nombre de *taffoni*, cavités aux formes étranges creusées par l'érosion dans la roche.

900 m plus loin, la route s'achève à Cartalavonu – où est installé le gîte d'étape – hameau disposé en terrasse d'où la **vue** sur le golfe de Porto-Vecchio est aussi inattendue que superbe !

Gilles Magnin / MICHELIN

Massif de l'Ospédale.

Sentier de la Vacca Morta

2h AR depuis Cartalavonu. Balisé en orange, le sentier (relativement facile) conduisant au sommet de la Vacca Morta, permet de découvrir des vues magnifiques, tant sur le golfe que sur les montagnes.

L'Ospédale (U Spidali)

Ce hameau est constitué de chalets et de villas disséminés au milieu des rochers et des pins, de part et d'autre de la route forestière. L'Ospédale présente, à mi-pente et à hauteur de son cadran solaire, de pittoresques blocs de granit. Il offre des **vues★★** lointaines sur les golfes de Porto-Vecchio et de Santa Manza.

Forêt de l'Ospédale★

La route accidentée, en lacet, tracée dans les bois de chênes-lièges et de chênes verts passe à proximité d'énormes entassements rocheux où s'accrochent les grands pins de cette vaste forêt (4 500 ha) étagée au-dessus du golfe de Porto-Vecchio.

La route plonge sur Porto-Vecchio quittant bientôt la forêt pour frayer son parcours dans un paysage de maquis.

Zonza pratique

Adresse utile

Office de tourisme – ✆ 04 95 78 56 33 - www.alta-rocca.com - juil.-août : 9h-13h, 14h-18h30, dim. 9h-13h ; mai, juin et sept. : tlj sf w.-end 9h-12h30, 14h-17h.

Se loger

Bon à savoir – Haut lieu touristique de l'Alta Rocca, Zonza attire de nombreux visiteurs. Il n'est donc pas difficile d'y trouver un hébergement ou une table. Vous n'aurez que l'embarras du choix parmi les hôtels et restaurants dont les terrasses emplissent le centre du bourg. Toutefois, en haute saison, il est fortement conseillé de réserver.

Clair de Lune – *Rte de Levie - ✆ 04 95 78 56 79 - www.hotelclairdelune.com - P - 16 ch. 38/76 €* ☕. Atmosphère chaleureuse dans cette ancienne maison familiale que Monsieur Santoni a récemment aménagée en hôtel. La plupart des chambres offrent une vue imprenable sur la vallée et toutes sont dotées de la climatisation. Un agréable jardin et la véranda accueillent les petits-déjeuners.

Le Tourisme – *✆ 04 95 78 67 72 - letourisme@wanadoo.fr - fermé 1er nov.-24 mars - P - 16 ch. 47,50/117 € - ☕ 10 €.* Cet hôtel datant de la fin du 19e s. s'avère être une halte sympathique dans l'Alta Rocca, à proximité des aiguilles de Bavella. Jolie piscine panoramique, chambres confortables, claires et sobrement aménagées, salles à manger-vérandas tournées sur la vallée ou le village et copieuse cuisine régionale.

L'Aiglon – *✆ 04 95 78 67 79 - http:// aiglonhotel.com - fermé lun. hors sais. - P - réserv. obligatoire en hiver - 10 ch. 51/70 € - ☕ 7 € - rest. 15,50/25 €.* Dressée au cœur du village, cette vénérable maison en granit se veut le refuge de l'âme corse. Côté décor : adorables chambres colorées et salle à manger agrémentée de vieux moulins à café et fers à repasser. Côté cuisine, carte riche en saveurs du terroir (charcuterie, fromage, douceurs à la myrte ou au cédrat, etc.)

Se restaurer

L'Auberge du Sanglier – *✆ 04 95 78 67 18 - www.auberge-sanglier.com - 19/35 €.* Difficile d'ignorer cette auberge et sa terrasse sous pergola dressée au centre du village. Outre les incontournables spécialités corses (gigot d'agneau au miel du maquis, tripettes à la mode de Zonza, etc.), vous pourrez y déguster du gibier, notamment du sanglier. Service rapide, simple et efficace.

Le Refuge – *À Cartalavonu - 20137 L'Ospédale - 4 km au N d'Ospédale dir. Zonza puis rte secondaire - ✆ 04 95 70 00 39 - lerefuge2a@wanadoo.fr - fermé mi-nov.-mi-mars - 🚭 - 22/49 €*

Veau, agneau et autres produits du terroir vous attendent sur la table de cette petite maison au cœur d'un site sauvage. Sur commande, porcelet rôti à la braise ou cuissot de sanglier. Terrasse. Quatre jolies chambres refaites et un gîte d'étape pour les randonneurs.

Sports & Loisirs

Corsica Madness – *Au bourg - ✆ 04 95 78 61 76 - 9h-12h, 14h-18h - fermé oct.-mai.* Une adresse incontournable pour les activités de sport-loisirs dans la région. Elle vous propose en particulier la descente de deux canyons creusant les majestueuses et sauvages aiguilles de Bavella, encadrée par des moniteurs diplômés. Également, location de VTT et de quads.

Événement

En été, l'hippodrome de Viséo accueille des courses de chevaux et des manifestations de jumping qui attirent de nombreux turfistes et spectateurs.

Corte : villes, curiosités et régions touristiques.
Paoli, Pascal : noms historiques et termes faisant l'objet d'une explication.
Les sites isolés (châteaux, abbayes, grottes...) sont répertoriés à leur propre nom.
Nous indiquons par son numéro, entre parenthèses, le département auquel appartient chaque ville ou site. Pour rappel :
2A = Corse-du-Sud
2B = Haute-Corse

A

Abastesco, vallée (2B) *271*
Abbatucci, famille.................. *382*
Accia, pont (2B) *353*
Acquaculture *93*
Adresses utiles *20*
Agave d'Amérique *63*
Agnello, tour (2B) *285*
Agnone, torrent (2B) *380*
Agosta, plage (2A)................... *120*
Les Agriates (2B) *100*
Agriculture........................... *92*
Aigle royal *137*
Aïtone, forêt (2A)................... *104*
Aïtone, cascades (2A)............... *105*
Ajaccio, golfe (2A).................. *118*
Ajaccio (2A) *107*
Alando (2B) *191*
Albertacce (2B)...................... *291*
Albo, marine *220*
Aléria (2B) *125*
Alesani, barrage (2B) *235*
Algajola (2B) *129*
Aloès *63*
Alo Bisucce (2A) *349*
Alta Rocca (2A) *131*
Altiani (2B).......................... *364*
Anglais, cascades (2B) *380*
Antiquité *69*
Aphanius *66*
Appietto (2A) *332*
Araghju, castellu (2A)............... *317*
d'Aragon, Alphonse V *175*
Arbori, route (2A) *373*
Arbousiers *63*
Arbre à pain.......................... *230*
Architecture *82*
Aregno (2B)........................... *146*
Arena, Barthélemy *298*
Arena, Joseph......................... *298*
Arena Rossa, golfe (2A) *121*
Arone, plage (2A) *308*
Arrighi de Casanova, Jean-Thomas.. *252*
Art *76*
Artisanat.............................. *48*
Art et histoire, ville *47*
Haut-Asco (2B) *139*
Asco, gorges (2B).................... *138*
Asco, vallée (2B)..................... *135*
Asco (2B) *138*
Aspérule odorante *64*
Asphodèle *63*
Asto, mont (2B) *297*
Auguste *210*
Aullène (2A).......................... *140*
Aulne odorant *64*
Avapessa (2B)....................... *148*

B

Baignade *30*
Bains-de-Guitera (2A) *382*
La Balagne (2B) *142*
Balbuzard pêcheur *65, 355*
Baracci, sources thermales (2A) *366*
Baracci, vallée (2A) *368*
Barbaresques *213*
Barcaggio (2B) *217*
Bardiana (2B) *268*
Barocaggio Marghèse, forêt (2A).... *386*
Barocchetto, style................... *161*
Baroque *78*
Bastelica (2A) *150*
Bastia-Poretta, aéroport (2B) *164*
Bastiani, lac (2B).................... *273*
Bastia (2B) *154*
Bateau, excursions en *33*
Bavella, aiguilles (2A)............... *168*
Bavella, forêt (2A) *169*
Bavella (2A) *169*
Belgodère (2B)....................... *147*
Bellacoscia, Antoine................. *378*
Bellagranajo, col (2B)............... *254*
Bellebone, lac (2B) *327*
Bellevalle, col (2A).................. *122*
Benoît, Pierre *100*
Bergerie *80*
Bettolacce (2B)...................... *216*
Bibliographie *54*
Bicchisano (2A)...................... *140*
Bières.................................. *97*
Biguglia, étang (2B) *163*
Biguglia (2B) *164*
Bobbia, Marguerite.................. *175*
Bocognano (2A)...................... *171*
Bombe, trou (2A).................... *170*
Bonaparte, famille................... *113*
Bonaparte, Pierre *188*
Bonelli, Antoine..................... *171*
Boniface *174*
Bonifacien, dialecte *175*

Bonifacio, dame de 174
Bonifacio (2A) 174
Bonifato, cirque (2B) 188
Borgo (2B) 164
Boswell, James 286, 366
Bouches de Bonifacio,
réserve naturelle (2A) 183
Le Bozio (2B) 190
Bradi, Lorenzi di 365
Brocciu 96
Bruyères 63
Bruzzi, îles (2A) 351
Buja, cascade (2B) 272
Bussaglia, plage (2A) 308
Bustanico (2B) 191

C

Cagna, montagne (2A) 193
Calacuccia, barrage (2B) 195
Calacuccia, lac (2B) 195
Calacuccia (2B) 194
Calalonga, plage (2A) 183
Les Calanche 197
Calasima (2B) 291
Cala d'Orzo, plage (2A) 121
Cala Rossa (2A) 317
Calcatoggio (2A) 246
Caldane, source thermale (2A) 132
Caldarello (2A) 262
Calenzana, forêt (2B) 188
Calenzana (2B) 200
Calinzana 96
Calvi (2B) 202
Camera (2B) 239
Campana (2B) 233
Campomoro-Senetosa, site (2A) 368
Campomoro (2A) 368
Campo dell'Oro, aéroport (2A) 120
Canari (2B) 219
Canavaggia (2B) 302
Canella, plage (2A) 357
Canistrelli 96
Cannelle (2B) 217
Cannelloni 96
Canoë-kayak 44
La Canonica (2B) 210
Canyoning 46
Capannelle, bergeries (2B) 273
Capezza, Louis 332
Capitello, lac (2B) 326
Capitello, tour (2A) 120
Capo Rosso (2A) 308
Capraia, île 17
Caprera, île (Sardaigne) 186
Capula, site (2A) 258
Cap Corse, vin 97
Cap Corse (2B) 212
Carbini (2A) 133
Carcheto (2B) 223
Carco, Francis 173
Carcopino, Jérôme 173
Cardo 155, 156
Cargèse (2A) 224
Cargiaca (2A) 141
Carozzu, refuge (2B) 189
Carrozzica, forêt (2B) 139
Carticasi (2B) 236
Casabianca, Luc-Julien-Joseph 227
Casabianca, sous-marin 102, 108
Casabianda, réserve de faune (2B) ... 128
Casaglione (2A) 246
Casamozza (2B) 227
Casardo, col (2B) 192
Casella, hameau (2B) 192
La Casinca (2B) 227
Caspio, plage (2A) 308
Cassano (2B) 143
La Castagniccia (2B) 229
Castagniccia, corniche (2B) 244
Castellare-di-Casinca (2B) 228
Castello (2B) 260
Castellu 76
Castifao (2B) 137
Castiglione (2B) 255
Castirla, centrale électrique (2B) 353
Castirla (2B) 255
Cateau-Cambrésis, traité 151
Catena, plage (2A) 182
Cateri (2B) 145
Cattaciolo, Dominique 175
Cauria, mégalithes (2A) 349
Cavallo, île (2A) 282
Ceccia (2A) 318
Cecu, mont (2B) 254
Cédratier 63
Célébrités 89
Centuri (2B) 238
Cerbicale, îles (2A) 316
Cerf 67
Cervione (2B) 240
Cervoni, Thomas 290
Cesta, bergeries (2B) 290
Cetera 90
Chant 90
Charcuterie 95
Chasse sous-marine 31
Châtaignier 229
Chêne-liège 63, 315
Chenova, col (2A) 121
Chiappa, pointe (2A) 316
Chiavari, forêt (2A) 120
Chiuni, plage (2A) 225
Chjama è rispondi 90
La Cinarca (2A) 245
Cinarca, comtes (2A) 245
Cinto, mont (2B) 291
Cipriani, Leonetto 239
Cirneo, Pietro 235
Ciste de Montpellier 63
Cocavera, col de (2A) 106

Colga, bergeries (2B) 292
Colomb, Christophe 203
Colomba 368
Colomba, bière 97
Colonna d'Istria, général Paulin 140
Conca (2A) 318
Confréries 79
Conrad, Marcelle 64
Conservatoire du littoral 67
Coppa 95
Corail rouge 66
Corbara, couvent (2B) 248
Corbara (2B) 247
Cormoran huppé 65
Corscia (2B) 291
Corse, Gouvernail (2A) 181
Corse, Parc naturel régional de 34
Corso, Sampiero 70, 150
Corte, arche (2B) 256
Corte (2B) 249
Cortone, col (2A) 121
Coscione, plateau (2A) 322, 384
Coscione, vallée (2A) 141
Costa Verde (2B) 241
Costume 81, 219
Coti-Chiavari (2A) 120
Course à pied 32
Creno, lac (2A) 276
Cristinacce (2A) 374
Croix, col (2A) 309
Von Cube, Félix 289
Cucuruzzu, site (2A) 258
Culture 76
Cuntorba, Castello (2A) 366
A Cupulatta, parc (2A) 172
Cuttoli-Corticchiato (2A) 172
Cyclotourisme 32

D

Daudet, Alphonse 282
Da Mare, famille 329
Della Grossa, Giovanni 346
Della Rocca, Arrigo 245, 366
Della Rocca, Castello 366
Della Rocca, Sinucello 245
Diane, étang (2B) 127
Didon, père 248
Diorite orbiculaire 60, 340
Dragut 175
Drosera 288

E

Eaux minérales 97
Eaux vives, sports 44
Eccica-Suarella (2A) 152
Économie 92
Elbe, île 17
Élevage 93
Émigration 75
Énergie 68
Enfants 50
Engoulevent 100
Environnement 34
Erbajolo (2B) 191
Erbaju, plage (2A) 351
Erbalunga (2B) 260
Ersa (2B) 217
Escalade 32
Ese, plateau (2A) 151
Eucalyptus 63, 122
Euprocte 66
Évisa (2A) 105

F

Fabrikant, Michel 326
Falculelle 96
Famille 50
Fango, vallée (2B) 267
Faune 64
Fautea, site naturel (2A) 357
Favone, anse (2A) 357
Felce (2B) 234
Feliceto (2B) 147
Festivals 52
Fêtes 52
Fiadone 96
Ficajola, marine (2A) 308
Ficajola, route (2A) 308
Figari, golfe (2A) 262
Figatellu 95
Figuier de Barbarie 63
Filitosa (2A) 264
Finocchiarola, îles (2B) 284
Le Fiumorbo (2B) 270
Flor, saint 335
Flore 63
Fondère, Alphonse 332
Fontanaccia, dolmen (2A) 350
Fozzano (2A) 368
Franceschini, Marthe 248
Fromages 96
Furiani (2B) 164

G

Gaffori, général 250
Galéria, golfe (2B) 267
Galéria (2B) 267
La Gallura (Sardaigne) 186
Garibaldi, Giuseppe 186
Gastronomie 95
Gênes 70, 100
Genévrier 138
Genévrier nain 64
Géologie 60
Ghisonaccia (2B) 271
Ghisoni, forêt (2B) 273
Ghisoni (2B) 273
Giafferi, Agostino 155

Giafferi, Louis 230
Giannakakis, Nikos 271
Giottani, marine (2B) 219
Giovannali, confrérie 134, 273
Giraglia, île (2B) 284
Giraglia, îlot (2B) 217
Girelle 66
Girolata (2A) 309
Le Giussani.......................... 361
Goéland d'Audouin.............. 65, 284
Golf 33
Golo, corniche (2B) 302
Golo, vallée (2B).................... 288
Gozzi, rocher (2A).................. 332
Grand Capo, plage (2A)............. 120
Granitula 203
Gratelle, plage (2A)................. 309
Grecale 37
Grecs 224
Grégoire le Grand 232
Grosso-Minuto, histoires............ 370
Grotelle, bergeries (2B) 324
Guagno-les-Bains (2A).............. 275
Guardiola, pointe (2A) 121
Gypaète barbu 65

H

Handicaps 20
Hébergement..........................26
Hellébore 64
Histoire 69

I

Identité 88
L'Île-Rousse (2B).................... 277
Incendies 68
Incudine, massif (2A) 383
Indépendance 74
Insitina 230
Invasions 70
Isolaccio (2B)....................... 242
Isolella, presqu'île (2A) 120
D'Istria, Vincentello 245, 253
Italiennes, îles.......................16
Itinéraires, propositions 10

J

Julie, sainte 295

K

Kayak de mer 34

L

L'Herminier, capitaine de frégate.... 108
Lama (2B)........................... 296
Lancone, défilé (2B) 337
Langue 91
Larone, col (2A) 169
Lava, col (2A)....................... 308
Lava, golfe (2A) 333
Lavasina (2B).........................214
Lavatoggio (2B) 145
Lavezzi, îles (2A) 281
Leca, Dominique 275
Lentisque 63
Levant 38
Levie, Pianu de (2A) 132
Levie (2A)............................132
Lézard de Bédriaga....................66
Lézard de Tiliguerta 66
Liaisons...............................21
Liamone, gorges (2A).................374
Libeccio 37
Libio, forêt (2A) 276
Licciola, pointe (2B) 194
Lindinosa, forêt (2A)................ 106
Liqueurs 97
Liscia, golfe (2A).................... 332
Littérature 81
Locations de voitures..................24
Loisirs 30
Lonzu.................................95
Loreto-di-Casinca (2B).............. 228
Loreto-di-Tallano (2A) 141
Losse, tour (2B).......................216
Loto, plage (2B) 102
Lozzi (2B) 290
Lumio (2B) 146
Lunghignano (2B) 143
Luri (2B) 218

M

Macinaggio (2B).................... 283
Maddalena, archipel (Sardaigne).... 186
La Madonuccia (2B) 380
Maestrale 37
Maison traditionnelle...................80
Malfalcu, anse (2B) 102
Manicella, via ferrata (2B)............138
Manso (2B)......................... 268
Mantinôn 154
Maora, plage (2A) 183
Maquis 63
Marcasso, couvent (2B) 145
Mare a Mare Centre 43
Mare a Mare Nord 42
Mare a Mare Sud 43
Mare e Monti Nord 42
Mare e Monti Sud 42
Mare e Sole, plage (2A) 120
Mariana, fouilles (2B) 210
Marinella, plage (2A) 119
Marius 210
Marmano, forêt (2B) 274
Martin, saint 353
Massifs montagneux 58
Mattei, moulin (2B)...................217
Mégalithes............................76
Mela (2A) 341
Melo, lac (2B) 325
Ménasina, plage (2A) 226
Mérou 66

Météo ... 18
Mezzana (2B) ... 243
Mezzogiorno ... 38
Michelin, Jean-Pierre ... 318
Miel ... 136
Les Milelli (2A) ... 114
Minaccia, anse (2A) ... 119, 123
Miomo (2B) ... 161
Mobilier ... 81
Moines, îlots (2A) ... 351
Mola (2A) ... 349
Moltifao (2B) ... 137
Monserrato, oratoire (2B) ... 162
Montagne ... 58
Montecristo, île ... 18
Montemaggiore (2B) ... 144
Monticello (2B) ... 278
Moriani-Plage (2B) ... 241
Morosaglia (2B) ... 286
Morsiglia (2B) ... 218
Mortella, tour (2B) ... 101
Mouflon ... 65, 137
Murato (2B) ... 343
Muricciolu, pont (2B) ... 196
Muro (2B) ... 147
Musique ... 54, 90
Myrte ... 63

N

Nacres, côte (2A) ... 357
Napoléon ... 72, 113
Nature ... 62
Le Nebbio (2B) ... 336
Nebium ... 334
Neuhoff, Théodore de ... 71, 74, 370
Nevera, pointe (2B) ... 241
Nino, lac (2B) ... 292
Le Niolo (2B) ... 288
Nonza (2B) ... 294
Notre-Dame-de-la-Scobiccia ... 241
Notre-Dame-de-la-Serra (2B) ... 206
Notre-Dame de Pancheraccia ... 364

O

Ocana (2A) ... 151
Occhiu, sources (2A) ... 275
Occi, site (2B) ... 146
Offices de tourisme ... 20
Olcani, chapelle (2B) ... 220
Oletta (2B) ... 337
Oliva, Fiora ... 155
Olmeta-di-Capo-Corso (2B) ... 220
Olmeta-di-Tuda (2B) ... 337
Olmeto (2A) ... 366
Olmi-Cappella (2B) ... 361
Omessa (2B) ... 255
Ondella, col (2B) ... 362
Orezza, couvent (2B) ... 233
Orezza, eaux (2B) ... 234
Oriente, lac (2B) ... 326
Orinella, plage (2A) ... 182
Oro, mont (2B) ... 381
Ortala, cascades (2A) ... 153
Orto, cap (2A) ... 308
Osani (2A) ... 309
Ospédale, barrage (2A) ... 386
Ospédale, col (2A) ... 386
Ospédale, forêt (2A) ... 387
Ospédale, massif (2A) ... 385
Ostriconi, plage (2B) ... 102, 297
Ostriconi, vallée (2B) ... 296
Ota (2A) ... 359

P

Paccionitoli, chaos (2A) ... 133, 385
Padulone, plage (2B) ... 128
Paghjella ... 90
Pagliaghj ... 100
Paglia Orba (2B) ... 194
Palaggiu, alignements (2A) ... 350
Palasca (2B) ... 147
Palmente, col (2B) ... 380
Palombaggia, plage (2A) ... 316
Pancheraccia (2B) ... 364
Paoli, Pascal ... 71, 74, 250, 283, 286
Paolo, Pietro ... 366
Paragnano, cala di (2A) ... 182
Parapente ... 38
Parc marin international ... 67, 183
Pâtes ... 96
Patrimonio, vin ... 97
Patrimonio (2B) ... 298
Pêche ... 38
Penta-di-Casinca (2B) ... 228
Peraiola, anse (2B) ... 297
Peri (2A) ... 172
Pero, plage (2A) ... 225
Pertusato, cap (2A) ... 181
Petreto (2A) ... 140
Piana (2A) ... 308
Pianella, pont génois (2A) ... 359
Pianottoli-Caldarello (2A) ... 262
Piantarella, plage (2A) ... 183
Piazza (2B) ... 218
Piedicorte-di-Gaggio (2B) ... 364
Piedicroce (2B) ... 234
Piedipartino (2B) ... 223
Pietra, bière ... 97
Pietra, île (2B) ... 278
Pietracorbara, marine (2B) ... 216
Pietralba (2B) ... 296
Pietrapola (2B) ... 271
Pietraserena (2B) ... 364
Pietra Tafonata (2B) ... 147
Pietrosella (2A) ... 120
Piévannies ... 77
Piève ... 70
Pifane ... 90
Pigna (2B) ... 300

Pigno, serra di (2B) 220
Pinarellu, golfe (2A) 317
Pineta, forêt (2A) 152
Pinia, domaine (2B)................. 271
Pino (2B)............................ 219
Pinzuttu 89
Pin de Corte......................... 64
Pin laricio 64, 104
Pirule 90
Pisan 77
Piscia a l'Onda, cascade (2A) 276
Piscia di Gallo, cascade (2A)......... 386
Plaisance, navigation de 36
Plongée sous-marine.................. 38
Poggiale (2B)........................ 235
Poisson 95
Poli, Théodore 105
Polischellu, cascades (2A)........... 169
Polyphonies 90
Ponente 37
Ponte-Leccia (2B) 231
Ponte-Nuovo (2B) 302
Ponts génois 80
Popaghja, maison forestière (2B).... 292
Popolasca (2B) 255
Porc, oreille de 282
La Porta (2B) 303
Porticcio (2A) 120
Portigliolo, anse de (2A) 120
Portigliolo (2A)..................... 367
Porto, golfe (2A).................... 307
Porto-Cervo (Sardaigne)............ 186
Porto-Pollo (2A).................... 367
Porto-Vecchio, golfe (2A) 315
Porto-Vecchio (2A) 311
Porto (2A).......................... 304
Posidonie 66
Pozzines 64, 288
Prato, col (2B) 232, 236
Prisuttu 95
Propriano (2A) 320
Prunelli, gorges (2A)................ 151
Prunelli-di-Fiumorbo (2B) 272
Pruno, col (2B) 274
Pulenta 96
Punta-Rossa (2A)................... 183
Punta Palazzu (2A) 354

Q

Quenza (2A) 322

R

Radule, bergeries et cascades (2B) .. 372
Randonnées accompagnées 44
Randonnée équestre 40
Randonnée pédestre 41
Renaggiu, alignement (2A) 350
Renno (2A).......................... 374
Renoso, mont (2B).................. 273
Renucci, Robin 361
Réserves naturelles................... 67
Résistance 72
Restauration 29
Restitude, sainte 201
Restonica, forêt (2B)................ 324
Restonica, gorges (2B).............. 324
Punta de la Revellata,
domaine (2B).................... 207
Riciniccia, site (2B)................. 267
Rizzanèse, vallée (2A) 368
Roccapina, col (2A) 351
Roccapina, domaine (2A) 351
Roccapina, site (2A) 350
Roches............................... 60
Rogliano (2B) 329
Roman............................... 77
Rondinara, baie (2A)................ 184
Rotondo, mont (2B) 326
Ruppione, plage (2A)............... 120

S

Sagone, golfe (2A)................... 331
Sagone (2A)......................... 331
Saint-Florent (2B) 334
Saint-Georges, Office de.............. 79
Saint-Antoine, col (2B).............. 236
Saint-Damien, couvent (2A).......... 349
Saint-François, couvent (2B) 337
Saint-Julien, ancien couvent (2A)..... 181
Saint-Martin, chapelle (2B)........... 192
Saint-Rainier, chapelle (2B) 144
Saint-Thomas de Pastoreccia (2B) ... 231
Sainte-Christine, chapelle (2B) 241
Sainte-Lucie, col (2B) 218
Sainte-Lucie (2B) 161
Sainte-Lucie-de-Tallano (2A)........ 340
Saisons 18
Saleccia, plage (2B)................. 102
Saliceti.............................. 230
Saliceto (2B) 235
Salto, col de (2A) 106
Sambucuccio 190
Sanguinaires, îles (2A) 118
Sant'Alberto, cascade (2A)........... 152
Sant'Ambroggio, marine (2B) 146
Sant'Angelo, mont (2B)............. 248
Sant'Antonino (2B) 345
Sant'Eliseo, mont (2A) 275
Santa Giulia, plage (2A).............. 317
Santa Maria de Corsoli,
chapelle (2B) 235
Santa-Lucia-di-Moriani (2B)......... 243
Santa-Manza, golfe (2A) 183
Santa-Maria, anse (2B).............. 285
Santa-Maria-Assunta, chapelle (2B) .. 191
Santa-Maria-Figaniella (2A)......... 369
Santa-Maria-Siché (2A) 382
Santa-Reparata-di-Balagna (2B) 279
Santa-Reparata-di-Moriani (2B)..... 243

Santa-Teresa-Gallura (Sardaigne) ... *186*
Santo-Pietro-di-Tenda (2B) *336*
San Bastiano (2A) *332*
San Cervone, col (2B)...............*192*
San Ciprianu (2A)...................*317*
San Giovanni-di-Moriani (2B) *243*
San Giuliano (2B).................. *244*
San Mamiliano, chapelle (2B) *243*
San-Martino-di-Lota (2B)...........*161*
San Michele de Murato (2B)......... *343*
San Nicolao, chapelle (2B) *190*
San Nicolao (2B).................... *243*
San Pantaleone, chapelle (2B)....... *235*
San Petrone, mont (2B) *236*
San Petruculo d'Accia,
chapelle (2B) *232*
San Pietro di Verde, forêt (2B).......*274*
San Quilico, chapelle *318*
San Quilico de Cambia,
chapelle (2B) *236*
San Stefano, col (2B)........... *163, 336*
Sardaigne.......................... *186*
Sari-d'Orcino (2A) *246*
Sari-Solenzara (2A)................. *356*
Sarrola-Carcopino (2A) *173*
Le Sartenais (2A) *349*
Sartène (2A) *346*
Sartinese *96*
Sauli, Alexandre.....................*241*
Scala di Santa Regina (2B) *353*
Scala sancta *162*
Scandola, réserve naturelle (2A) *354*
Sdragonato, grotte (2A) *181*
Sebastiani, Horace *303*
Séjours, lieux..........................*8*
La Sémillante *281*
Sénèque, tour (2B) *218*
Serena, bière.........................*97*
Sermano (2B) *190*
Serra-di-Ferro (2A) *367*
Serra-di-Fiumorbo (2B)............. *271*
Sevi, col (2A)........................*374*
Shardanes *265*
Sirocco *38*
Sisco (2B) *216*
Sittelle corse.................... *65, 106*
Ski................................. *44*
Smeralda, costa (Sardaigne) *186*
Soccia (2A)......................... *276*
Sognu, golfe (2A)...................*317*
Solenzara (2A) *356*
Solitude, cirque (2B)................*139*
Sollacaro (2A)...................... *366*
Spasimata, sentier (2B) *189*
Speloncato (2B) *147*
Spelunca, gorges (2A) *359*
Sperone, pointe (2A) *183*
Spin'a Cavallu, pont (2A).............*131*
Stagnoli, plage (2A) *226*
Stantari, alignement (2A)........... *349*
Statue-menhir *76, 264*
Stazzona, col (2B) *292*
Stazzona (2B) *234*
Stello, mont (2B) *214*
Stufatu *96*

T

Taffoni............................. *198*
Tafonato, trouée (2B)............... *372*
Talasani (2B) *242*
Tamarone, plage (2B)............... *284*
Tappa (2A) *318*
Taravo, vallée (2A)..................*141*
Tarco, anse (2A) *357*
Tarrabenioi *245*
Tartagine, col (2B)................. *362*
Tartagine, gorges (2B) *361*
Tartagine, vallée (2B) *361*
Tasmania, naufrage *351*
Tavera, statue-menhir (2A)...........*171*
Taverna, port (2B) *244*
Tavignano, gorges (2B) *256*
Tavignano, vallée (2B) *363*
Teghime, col (2B)................... *220*
Terrane *38*
Terroir, produits..................... *48*
Testa, cap (Sardaigne) *186*
Thalassothérapie.....................*46*
Théophile, saint.................... *250*
Thermalisme.........................*47*
Timozzu, bergeries (2B) *326*
Tiuccia (2A) *332*
Tizzano (2A) *350*
Tizzarella (2B)......................*137*
Tolla, barrage (2A)...................*151*
Tolla (2A) *151*
Tombalo (2A) *360*
Tomino (2B).........................*216*
Tonnara, plage (2A) *182*
Torre *76*
Tortue *172*
Tortue d'Hermann.............. *66, 137*
Tour génoise.......................*214*
Tova, forêt domaniale (2A).......... *168*
Train.................................*23*
Tralonca (2B)....................... *190*
Tramontane..........................*37*
Transports *23, 94*
Trinité, ermitage (2A)............... *182*
Tuani, couvent (2B).................*147*
Tuara, plage (2A) *309*
Tuarelli (2B) *268*
Turghiu, tour (2A) *308*

U

Ucciani, pont (2A) *171*
Ucelline, cascade (2B) *244*
Uomo di Cagna (2A).................*193*
Urbino, étang (2B).................. *271*
Urtaca (2B)......................... *296*

V

Valdu-Niellu, forêt (2B) *291*
Valéry, Paul *260*
Valinco, golfe (2A).................. *365*
Valle-d'Alesani (2B)................. *370*
Valle-di-Rostino (2B) *231*
Végétation............................*62*
Velone-Orneto (2B)................... *243*
Venaco (2B).......................... *254*
Vendetta *74*
Venturini, source (2A) *275*
Venzolasca (2B) *228*
Verde, col (2B).......................*274*
Vergers *93*
Vergio, col (2A/2B) *371*
Vergio, station (2B)................. *371*
Vero (2A)............................*171*
Vescovato (2B) *227*
Veta, capu di a (2B)................. *207*
Viandes...............................*95*
Vico (2A)............................ *373*
Viggianello (2A)..................... *369*
Vigne.................................*93*
Village...............................*79*
Vins *97*
Vitulo, fontaine (2B)................ *379*
Vivario..............................*375*
Vizzavona, col (2B) *379*
Vizzavona, fort (2B)................. *380*
Vizzavona (2B) *379*
Voile.................................*47*
Voile de la Mariée, cascade (2A)......*171*

W

Wachtendonck...................... *200*
Week-ends, idées de.................*13*

Z

Zaglia, pont génois (2A) *359*
Zicavo (2A).......................... *382*
Zilia (2B)...........................*143*
Zipitoli, pont génois (2A) *152*
Zonza, forêt (2A) *385*
Zonza (2A)........................... *385*

LEXIQUE

MOTS USUELS

À demain .... **a dumane**
À bientôt.................. **a presto**
Au revoir................. **avvèdeci**
Bientôt .... **a mumenti**
Bonjour................. **bongiòrnu**
Bonjour à tous .... **salute à tutti**
Bonne nuit........... **a bona notte**
Bonsoir .... **bona sèra**
Combien.................. **quandu**
Comment.................... **cumu**
Comment allez-vous ? **cumu state ?**
Demain................... **dumane**
Excusez-moi .... **scusate**
Il fait chaud .... **face u callu**
Je ne sais pas.............. **un la so**
Merci (beaucoup).... **grazie (tante)**
Non .... **no**
Oui .... **si**
Pourquoi/parce que .... **perchè**
Qu'est-ce que c'est .... **chi ghjé**
S'il vous plaît......... **fate u piacè**

LES JOURS, LES MOIS

Lundi .... **luni**
Mardi .... **marti**
Mercredi.................. **mèrcuri**
Jeudi .... **ghjovi**
Vendredi.................. **vènneri**
Samedi .... **sabatu**
Dimanche.............. **dumènica**
Janvier.............. **ghjennaghju**
Février.................. **feraghju**
Mars........................ **marzu**
Avril .... **aprile**
Mai .... **maghju**
Juin...................... **ghjugnu**
Juillet...................... **lugliu**
Août........................ **aostu**
Septembre............ **settembre**
Octobre.................. **ottobre**
Novembre .... **nuvembre**
Décembre .... **dicembre**

LES CHIFFRES

0 .... **zeru**
1 .... **unu**
2 .... **dui**
3 .... **trè**
4 .... **quattru**
5 .... **cinque**
6 .... **séi**
7 .... **sétte**
8 .... **ottu**
9 .... **nove**
10 .... **déce**

LA JOURNÉE, LES VACANCES

Après-midi........ **dopu meziornu**
Déjeuner................ **cullazione**
Dîner .... **cena**
Heure.......................... **ora**
Matin .... **mane**
Nuit .... **notte**
Soir............................ **sera**
Les vacances .... **E vacanze**

ROUTE, TRANSPORTS

À droite.................... **a dritta**
À gauche .... **a manca**
Bateau.................... **battéllu**
Danger .... **periculu**
Tout droit........... **dirittu dirittu**
Train......................... **trènu**
Voiture .... **vittura**

VILLES, SITES, LOISIRS

Acqua .... eau
A pedi...................... à pied
Apèrtu .... ouvert
Bagnu......................... bain
Bocca .... col
Casa...................... maison
Camera .... chambre
Cascata .... cascade
Chjésa .... église
Chjosu .... fermé
Furésta...................... forêt
Lavu .... lac
Machja.................... maquis
Mare .... mer
Marina .... plage
Pastore .... berger
Paisolu................... hameau
Piazza...................... place
Sole .... soleil
Strada...................... route
Strètta .... ruelle
Temporale .... orage
Torra .... maison forte
Ventu .... vent

CARTES ET PLANS

CARTES THÉMATIQUES

Ports de plaisance 37
Réserves et parcs naturels 41
Géologie 59
Relief 61

PLANS DE VILLES

Ajaccio 110
Bastia 159
Bonifacio 179
Calvi 205
Corte 251
L'Île-Rousse 278
Porto-Vecchio 312
Sartène 348

PLAN DE MONUMENT

Aléria antique 127
La Canonica et le site de Mariana 211
Site archéologique de Filitosa 265

CARTES DES CIRCUITS DÉCRITS

Forêt d'Aïtone 105
Golfe d'Ajaccio 121
L'Alta Rocca 132
La Balagne 144
Environs de Bastelica 152
Environs de Bastia 162
Environs de Bonifacio 182
Cirque de Bonifato 189
Le Bozio 191
Les Calanche 198
Le Cap Corse 215
La Casinca 227
La Castagniccia 232
Cervione et la Costa Verde 242
Ghisonaccia et le Fiumorbo 271
Monte Renoso et col de Verde 274
Le Niolo (mont Cinto) 290
Forêt de Valdu-Niellu 292
Golfe de Porto 309
Golfe de Porto-Vecchio 316
Golfe de Sagone 332
Le Nebbio 337
Le Sartenais 350
Gorges de Spelunca 359
Golfe de Valinco 365
Forêt de Vizzavona 379
L'Incudine 383

Manufacture française des pneumatiques Michelin
Société en commandite par actions au capital de 304 000 000 EUR
Place des Carmes-Déchaux - 63000 Clermont-Ferrand (France)
R.C.S. Clermont-Fd B 855 200 507

Compogravure : Maury-Imprimeur à Malesherbes
Impression et brochage : Aubin à Ligugé
Dépot légal janvier 2006
Printed in France/12-2005/6.1

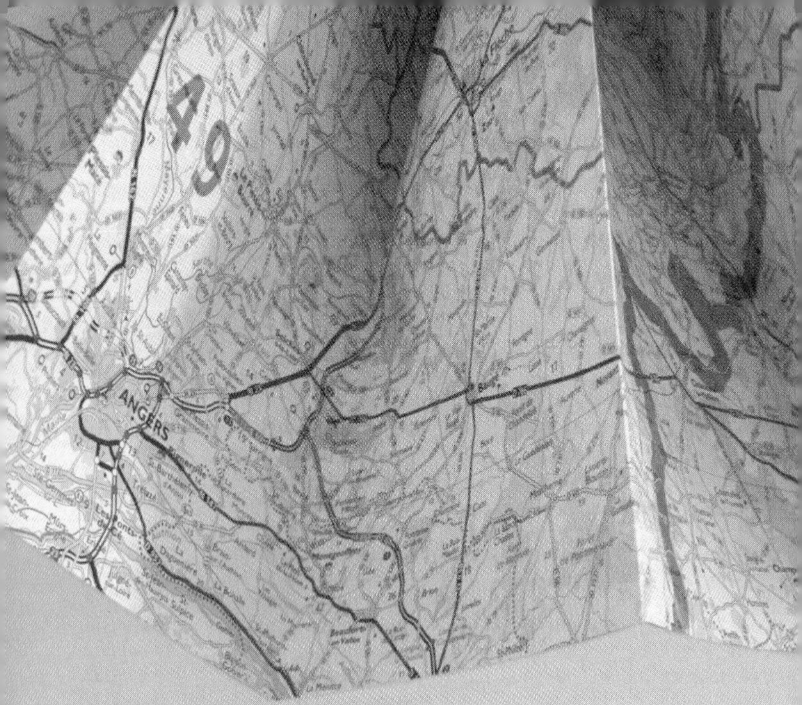

QUESTIONNAIRE
LE GUIDE VERT

VOTRE AVIS NOUS INTÉRESSE...
TOUTES VOS REMARQUES NOUS AIDERONT À ENRICHIR NOS GUIDES.

Merci de renvoyer ce questionnaire à l'adresse suivante :
MICHELIN
Questionnaire Le Guide Vert
46, avenue de Breteuil
75324 PARIS CEDEX 07

En remerciement,
les 100 premières réponses recevront en cadeau
la Carte Locale Michelin de leur choix !

VOTRE GUIDE VERT

Titre acheté : ....

Date d'achat : ....

Lieu d'achat (librairie et ville) : ....

VOS HABITUDES D'ACHAT DE GUIDES

1) Aviez-vous déjà acheté un Guide Vert Michelin ?

O oui   O non

2) Achetez-vous régulièrement des Guides Verts Michelin ?

O tous les ans
O tous les 2 ans
O tous les 3 ans
O plus

3) Sur quelles destinations ?

– régions françaises : lesquelles ? ....

....

– pays étrangers : lesquels ? ....

....

– Guides Verts Thématiques : lesquels ? ....

....

4) Quelles autres collections de guides achetez-vous ?

....

5) Quelles autres sources d'information touristique utilisez-vous ?

O Internet : quels sites ? ....

....

O Presse : quels titres ? ....

....

O Brochures des offices de tourisme

Les informations récoltées sur ce questionnaire sont exclusivement destinées aux services internes de Michelin, ne feront l'objet d'aucune cession à des tiers et seront utilisées pour la réalisation d'une étude. Elles seront également conservées pour créer une base de données qui pourra être utilisée dans le cadre d'études futures. Ce questionnaire est donc soumis aux dispositions de la loi « informatique et liberté » du 6 janvier 1978. Vous disposez d'un droit d'accès, de modification, de rectification, de suppression des données qui vous concernent.

VOTRE APPRÉCIATION DU GUIDE

1) Notez votre guide sur 20 : ....

2) Quelles parties avez-vous utilisées ? ....

....

3) Qu'avez-vous aimé dans ce guide ? ....

....

4) Qu'est-ce que vous n'avez pas aimé ? ....

....

5) Avez-vous apprécié ?

	Pas du tout	Peu	Beaucoup	Énormément	Sans réponse
a. La présentation du guide (maquette intérieure, couleurs, photos...)	O	O	O	O	O
b. Les conseils du guide (sites et itinéraires)	O	O	O	O	O
c. L'intérêt des explications sur les sites	O	O	O	O	O
d. Les adresses d'hôtels, de restaurants	O	O	O	O	O
e. Les plans, les cartes	O	O	O	O	O
f. Le détail des informations pratiques (transport, horaires, prix...)	O	O	O	O	O
g. La couverture	O	O	O	O	O

Vos commentaires ....

....

6) Vos conseils, vos avis, vos suggestions d'amélioration : ....

....

7) Rachèterez-vous un Guide Vert lors de votre prochain voyage ?

O oui O non

VOUS ÊTES

O Homme O Femme Âge : .... Profession : ....

Nom..................................

Prénom..................................

Adresse..................................

....

....

....

....

Acceptez-vous d'être contacté dans le cadre d'études sur nos ouvrages ?

O oui O non

Quelle carte Local Michelin souhaitez-vous recevoir ?

Indiquez le département : ....

Offre proposée aux 100 premières personnes ayant renvoyé un questionnaire complet. Une seule carte offerte par foyer, dans la limite des stocks disponibles.